Collection *Pluriel*
dirigée par Georges Liébert

La France socialiste

Un premier bilan

Préface de Michel Massenet

HACHETTE

La France socialiste
Un premier bilan

Sommaire

Ont collaboré à cet ouvrage

Abtey (Bertrand). Associe l'enseignement supérieur à l'Université de Paris II et une activité de consultant financier au sein d'un groupe industriel et bancaire. C'est au cœur même des entreprises qu'il a forgé une expérience qui s'est traduite par la publication de plusieurs travaux. Il est titulaire d'un doctorat d'État ès sciences économiques et d'un doctorat ès sciences de gestion.

Bazil (Béatrice). Diplômée de l'Institut d'Études politiques de Paris (1969). Journaliste au *Figaro* pendant neuf ans, spécialiste des questions économiques et fiscales. Co-auteur avec Jean Fourastié d'un « Essai sur les inégalités en France », *Le Jardin du voisin* (« Pluriel », 1980), elle prépare, toujours avec Jean Fourastié, une *Histoire des prix,* à paraître prochainement dans « Pluriel ».

Biacabe (Pierre). Professeur à l'université de droit, d'économie et de sciences sociales de Paris (Paris II), où il assume notamment l'enseignement et la recherche consacrés à la conjoncture économique. Ses travaux portent sur l'inflation et sur les aspects théoriques et institutionnels de l'intermédiation financière.

Féricelli (Jean). Professeur d'économie à l'Université de Paris II (Panthéon-Assas) et directeur de l'Institut de recherches en économie et droit de l'énergie. Il enseigne également aux universités de Lyon et de Rennes. Ses domaines d'enseignement et de recherche sont l'économie mathématique et l'économie de l'énergie. Parmi ses plus récents travaux : *Économétrie et Énergie,* Economica, 1983.

Fourastié (Jean). Après des études d'ingénieur et d'économiste et une douzaine d'années au ministère des Finances, Jean Fourastié a été appelé en 1945 au Commissariat général au plan que venait de fonder Jean Monnet. Il y présida les commissions de la main-d'œuvre de quatre plans successifs. Depuis 1967, il borne son activité à l'enseignement et à la recherche. Il est professeur au Conservatoire national des Arts et Métiers et à l'Institut d'Études politiques de Paris, éditorialiste au *Figaro.* Il a publié de nombreux livres, dont : *Le Grand Espoir du XXe siècle* (Gallimard), *Les Quarante mille heures* (Laffont), *Les Trentes Glorieuses* (Fayard, nouvelle édition « Pluriel », 1980).

Frèches (José). Historien, licencié en chinois, conseiller référendaire à la Cour des comptes. À été conservateur des Musées nationaux de 1971 à 1975, avant d'entrer à l'E.N.A. Collaborateur du maire de Paris depuis juillet 1982. Auteur de *La Sinologie* (« Que sais-je ») et de *L'E.N.A., voyage au centre de l'État* (1981).

Granier (Roland). Professeur à l'Université d'Aix-Marseille III, s'est spécialisé depuis plusieurs années dans l'étude de l'emploi et du chômage dans les nations industrialisées. Il est l'auteur de nombreux ouvrages aux éditions Cujas, Dalloz, Economica, et d'articles variés dans des revues spécialisées françaises et étrangères.

Jacquillat (Bertrand). Diplômé des H.E.C., de l'Institut d'Études politiques, des universités de Paris et de Harvard, agrégé de sciences de gestion, enseigne depuis plus de dix ans l'économie financière au C.E.S.A., aux universités de Lille, de Stanford et de Paris IX-Dauphine. Partageant son temps entre la réflexion théorique et ses applications pratiques, il est à la fois auteur de nombreux ouvrages et articles parus dans diverses revues scientifiques françaises et étrangères et conseiller de diverses entreprises et institutions financières.

Jessua (Claude). Professeur de sciences économiques à l'Université de Besançon de 1968 à 1973 puis à l'Université de Paris II (Panthéon-Assas) depuis 1974, s'est spécialisé dans l'analyse macroéconomique, l'économie publique et l'histoire de la pensée économique. Principaux ouvrages : *Coûts sociaux et coûts privés* (Paris, P.U.F., 1968), *Éléments d'analyse macroéconomique* (Paris, Montchrestien, 1982), *Histoire de la pensée économique* (Paris, Les Cours de Droit, 1981).

Kriegel (Annie). Sévrienne et agrégée d'histoire, docteur ès lettres avec une thèse sur les origines du communisme français, actuellement professeur à Paris X (Nanterre), et éditorialiste au *Figaro.* Spécialisée dans l'étude du communisme, l'histoire du socialisme et du mouvement ouvrier. Principaux ouvrages : *Aux sources du communisme français* (Paris, Mouton, 1964 ; nouvelle édition abrégée, Paris, « Champs », Flammarion, 1978), *Les Communistes français,* Essai d'ethnographie politique (Paris, Le Seuil, 1968-1974), *Israël est-il coupable ?* (Paris, Laffont, 1982).

Landier (Hubert). Docteur d'État ès sciences économiques, diplômé de l'École pratique des hautes études. Directeur des *Notes de conjoncture sociale* et du mensuel *Social* ; expert auprès d'un certain nombre d'associations et de grandes entreprises. Principaux ouvrages : *La C.F.T.C. pourquoi ?* (Le Cerf, 1975), *Les Organisations syndicales en France* (Entreprise moderne d'édition, 1980), *Demain quels syndicats ?* (« Pluriel », 1981).

Massenet (Michel). Conseiller d'État, a fait partie du cabinet de Robert Schumann, a été conseiller du général de Gaulle et de Raymond Barre. Actuellement chroniqueur au *Quotidien de Paris,* il a publié depuis 1956 de nombreuses études de science politique.

Redslob (Alain). Professeur à la faculté de Droit et de Sciences économiques d'Angers, chargé de cours à l'université de Paris II et maître de conférences à l'Institut d'Études politiques de Paris, dirige le Laboratoire d'étude et de financement des politiques économiques. Il a déjà publié plusieurs articles portant sur les questions monétaires et, en mars 1983, un ouvrage traitant du centre financier de Londres.

Préface

Le moment semble propice pour porter un jugement d'ensemble sur l'expérience politique qui se déroule en France depuis le 10 mai 1981. Les socialistes ont eu le temps de dire ce qu'ils entendaient faire et de commencer à faire ce qu'ils entendaient dire. Ils ont franchi l'étape des excuses absolutoires tour à tour invoquées pour esquiver leurs responsabilités : le passé, l'ignorance et le temps. Le passé, par eux dépeint en couleurs si sombres qu'il nous apparaît lumineux par contraste ; l'ignorance, tantôt revendiquée comme l'apanage naturel d'un pouvoir nouveau, tantôt comme l'apport original d'une base militante que l'on ne cesse de consulter et qui ne cesse de surenchérir ; le temps, enfin, annexé d'abord aux prestiges suspects d'une triomphale inauguration et qui révèle ensuite, impitoyablement, les hommes et les caractères, qui accorde les chances, puis les retire, qui dévoile lentement les vices de l'ouvrage et presse soudain d'y remédier.

L'échéance est là, et tout invite à la saisir, jusqu'à la parole présidentielle, qui, à la veille de la seconde dévaluation, revendiquait sans prudence la confrontation avec une responsabilité qui s'élargit sans cesse :

« Avec les moyens que le parlement nous a accordés, nous sommes en état d'assumer pleinement nos responsabilités, d'être responsables de notre politique sans nous retourner vers quiconque pour dire : c'est votre faute[1]. »

Il n'est pas jusqu'au déploiement d'une propagande officielle indiscrètement étalée qui n'incite les esprits libres à prendre date en s'exprimant sans égards particuliers pour les puissances du jour. Mais rien ne peut davantage nous contraindre à parler que le spectacle chaque jour renouvelé des contradictions et des sophismes qui sont l'ordinaire du socialisme au pouvoir.

C'est pourquoi tout écrit consacré à la France prend aujourd'hui une valeur d'appel.

L'appel s'adresse au corps social tout entier, aux Français, spectateurs attentifs, souvent surpris, presque toujours silencieux, d'une activité politique qui, après les avoir divertis, les inquiète ; aux Français qui ignorent que les bases mêmes de leur bien-être et de leur puissance s'effondrent sous les effets combinés de la crise économique et des choix socialistes ; aux Français qui, en mai 1981, ont basculé dans un futur qu'ils n'avaient pas imaginé pour échapper à un présent qu'ils n'avaient pas compris.

L'appel s'adresse à tous ceux que leur compétence, leur métier, leur civisme disposent à devenir des prescripteurs d'opinion, à tous ceux auxquels l'organisation de notre vie collective impose un rôle d'intermédiaires entre la vie sociale et la nation, entre les faits et l'opinion. Il concerne les Français de toutes conditions que leur lucidité ou leur courage qualifie pour tenter de frayer une voie à l'avenir à travers les illusions et déjà les décombres du présent.

Un pouvoir à somme nulle

Au moment où paraît ce livre, les meilleurs observateurs diagnostiquent l'atonie dans l'opinion, l'immobi-

1. François Mitterrand, conférence de presse du 9 juin 1982.

lisme ou le recul dans l'économie, l'incohérence dans un discours déchiré entre les lumineuses certitudes de l'idéologie et le désastre des bilans.

Le socialisme à la française représente peut-être l'exemple parfait d'un pouvoir à somme nulle, capable à la fois de décourager ses partisans, de paralyser les forces créatrices d'une société puissante jusqu'à son avènement, sans susciter pour autant chez ses adversaires l'élan et l'enthousiasme nécessaires pour bâtir une alternative crédible.

Car l'opinion hésite. Elle n'hésite certes pas à juger, et ce jugement est clair : 68 % des Français — contre 21 % — pensent que l'année 1982 a été, pour ce pays, une mauvaise année, tandis que 51 % — contre 32 % — pensent déjà que 1983 ne sera pas meilleure[1] : depuis les cérémonies festives de mai 1981, que de chemin parcouru !

Mais, si l'opinion n'hésite pas à juger, elle hésite à choisir.

Au début du septennat de François Mitterrand, les électeurs ont d'abord confirmé très logiquement leurs votes, allant jusqu'à renchérir sur leurs premiers choix. Apparemment heureux de l'agitation verbale qui a marqué les premiers moments du règne, ils ont ensuite fait connaissance avec des aspects plus épineux de la gestion socialiste : le déséquilibre budgétaire, la surcharge fiscale, le développement anarchique des transferts sociaux, l'accueil presque serein réservé par les autorités compétentes à l'insécurité quotidienne et au terrorisme international. Tout se passe comme si les Français avaient continué à traiter comme un foisonnement de sentiments généreux ce qui constituait déjà un réseau de décisions redoutables.

En trois étapes, la ferveur a cédé la place à l'inquiétude et au détachement. L'inquiétude est née en octobre 1981, lorsque les Français ont assisté à la mise en œuvre, dans un style approximativement révolutionnaire, d'un

1. BVA, sondages réalisés le 12 novembre 1982.

programme confus pour lequel ils n'avaient pas voté. Loin de se sentir liés par les cent dix propositions dont le candidat François Mitterrand, aux dernières étapes de son parcours, avait soigneusement camouflé jusqu'à l'existence, ils assistaient stupéfaits au débordement de dogmatisme qui accompagnait leur mise en œuvre. Il s'agit, déclarait tranquillement le 24 octobre 1981 le plus tranquille et le plus courtois des socialistes, Christian Pierret, « d'une transformation profonde dont le rythme intense montre l'irréversibilité[1] ». De ce point de vue, le congrès de Valence a marqué, dans l'évolution de la cote des hommes politiques socialistes, une étape importante, le début d'une lente décrue de popularité. Jusqu'alors, l'opinion s'était refusée à remettre en cause des hommes qu'elle avait, dans sa majorité, portés au pouvoir. Et cette fidélité de l'opinion à ses premiers choix paraissait d'autant plus digne de remarque que les jugements sur les politiques adoptées et conduites étaient rapidement devenus négatifs. C'est en juillet 1982 que le blâme commença à atteindre les responsables, et en particulier le Premier ministre dont la popularité ne résista pas au blocage des salaires[2].

Ainsi, les jugements, les attitudes et les opinions des Français ont subi, en un délai relativement bref, une évolution inquiétante pour le pouvoir socialiste. Mais si les Français se sont vite détachés de l'expérience en cours et des hommes qui la conduisent, il ne leur semble pas possible pour autant de se reconnaître pleinement dans une opposition qui ressemble encore trop au pouvoir d'hier, dont l'unité leur paraît fragile, et que ne traverse encore aucun vaste dessein. Les Français savent ce qu'ils ont rejeté. Ils ne savent pas ce qu'ils vont choisir. C'est ce moment de disponibilité que doivent saisir les intellectuels, les journalistes, les universitaires et les politiques qui souhaitent ouvrir à la nation des voies nouvel-

---

1. Interview dans *Le Quotidien de Paris*, 24 octobre 1981.
2. La « cote » du président de la République a été affectée par ce reflux, mais dans une moindre mesure.

les ; c'est ce moment qui a été choisi pour la composition du présent ouvrage.

Avant de s'engager à nouveau, il faut en effet comprendre. Et ce qu'un peuple déçu doit comprendre, c'est sa déception même : il doit en découvrir l'origine et en saisir la nature.

Le héros de la pièce

Mais d'abord, il faut déchiffrer les énigmes ; et la première énigme, pour les Français, c'est le parti socialiste lui-même.

L'heure n'est plus aux ralliements, et l'on entend même murmurer ici et là un « comment peut-on être socialiste » qui a parfois valeur de rachat. Cette interrogation ingénue comporte pourtant des réponses raisonnables, et même rationnelles. La France a substitué, depuis 1958, à un système politique reposant sur la conjonction des centres, une structure constitutionnelle qui conduit à l'alternance des libéraux et de leur antithèse ; et quelle alternative donner au libéralisme sinon celle du socialisme, tel que le définit Tocqueville lorsqu'il souligne qu'« il n'est guère d'autre choix, car, à mesure que l'on pénètre plus profondément dans la pensée intime de ces partis, on s'aperçoit que l'un travaille à resserrer la puissance publique, l'autre à l'étendre »[1].

Le nouveau parti socialiste français s'est constitué, à l'américaine plutôt qu'à la française, par addition de tendances diverses aimantées par l'attrait du pouvoir.

La social-démocratie rocardienne issue du PSU, le social-léninisme de Jean-Pierre Chevènement (le CERES), la vieille garde de la SFIO de Guy Mollet, conduite par Pierre Mauroy, autant de mouvements fondus progressivement, tout au moins de façon superficielle, et placés sous le contrôle des « conventionnels », les plus

1. *De la démocratie en Amérique*, t. II, chap. II.

anciens compagnons de François Mitterrand, et de technocrates politiques, par lui recrutés au hasard des rencontres, au fur et à mesure que son aventure politique le tournait vers la gauche.

Certains historiens du mouvement socialiste ont reproché à François Mitterrand « son incapacité congénitale à se battre pour une convergence autre que tactique entre les courants de pensée qui agitent le P.S. durant toute la décennie[1] ».

Vue courte, si l'on se garde d'oublier que François Mitterrand possède une qualité que nul ne peut lui dénier, l'habileté. Pour régner, il a besoin de ces incertitudes où s'aventurent et s'égarent ses adversaires. Pour être le seul, il lui faut cette multiplicité.

D'Épinay au 10 mai 1981, c'est en jouant sur les divergences des familles socialistes que François Mitterrand a su asseoir son arbitrage. Personne ne peut lui disputer la gloire d'avoir été, après de Gaulle, le plus habile des architectes politiques de la Ve République : de Gaulle, pour son pays ; lui, pour son parti.

Mais le parti socialiste — et c'est la seconde énigme — n'est pas seulement une ligue de tendances ou une confédération de courants : c'est un lieu où l'on croit, ou, du moins, un lieu où l'on adhère. De ce point de vue, il faudrait encourager une étude « phénoménologique » de l'« étant » socialiste, tant l'ambiguïté de ses rapports avec la vérité — sous les espèces de la doctrine du parti ou des vérités successives ou simultanées de l'action politique — peut apparaître enrichissante pour une étude des comportements politiques.

Les mots

Mais avant de suivre le socialisme dans les méandres de ses justifications, il faut prêter attention à son crédo.

---

1. André Salomon, *PS la mise à nu*, Robert Laffont, 1980, p. 120.

Un certain nombre de notions immuables traversent le discours du socialisme à la française. On les trouve dans la bouche de Michel Rocard comme dans celle de Jean-Pierre Chevènement. On les trouve dans les exposés du candidat François Mitterrand comme dans les conférences de presse du Président. Elles expriment un crédo minimum qui fonde la cohésion du « peuple de gauche » ou tout au moins du parti qui le représente. Les mots clés sont peu nombreux. Leur agencement est à la fois variable et automatique, comme dans l'écriture surréaliste. Par ordre de dignité, le premier mot clé est celui de « classe » : il n'a pas de signification en lui-même, puisque les socialistes sont en majorité des petits bourgeois sans attache particulière avec le monde rural ou le monde ouvrier. Mais, conjugué avec différents termes exprimant une action (lutte de, conscience de, choix de), l'idée de classe donne aux socialistes, dans leurs congrès, l'impression gratifiante de s'opposer à une partie de la société française.

Le deuxième mot de passe est celui de « rupture ». Lors du congrès d'Épinay, François Mitterrand avait conféré à cette notion un rôle central en déclarant : « Celui qui n'accepte pas la rupture... ne peut être adhérent au parti socialiste[1]. »

La rupture ou encore la fracture exprime la volonté des socialistes de substituer une autre société à la société existante, quel que soit le coût de l'opération, quels que soient les vœux réels des Français. À une société toujours éprise de réformes mais bien souvent réticente dès qu'il s'agit de les mettre en œuvre, l'on impose un programme radical qui n'a été expérimenté dans aucune démocratie. La rupture, c'est d'abord cette volonté de ne négocier ni avec les faits, ni avec les hommes. De ce point de vue le « nouveau régime » a été immédiatement aussi radical qu'il le pouvait ; la radicalisation est derrière nous, non devant nous. En ce sens, la « rupture socialiste » a eu lieu.

---

1. *Politique*, Fayard, 1977, p. 535.

Le terme de « générosité » donne la clé d'une autre attitude fondamentale des socialistes : l'idolâtrie de la dépense publique, la passion des transferts sociaux qui les conduisent à multiplier les prélèvements et les contrôles sans toujours percevoir à temps les limites financières de telles opérations ; et à recourir à des redistributions de revenus — aussi bien lorsqu'une relance est à l'ordre du jour que lorsque la rigueur, fruit des excès de la veille, est devenue le mot d'ordre de gouvernants toujours en retard d'une improvisation.

Générosité — serait-on tenté de dire — que de délits économiques et sociaux l'on commet en ton nom ! Générosité sans mérite que celle qui se borne à disposer de l'argent et des efforts des autres, et pas nécessairement des plus riches, puisqu'il est dans la logique du prélèvement public d'élargir sans cesse son assiette. Chacun constate le prélèvement, s'efforce de suivre le cheminement du transfert. Mais le point d'aboutissement n'est jamais que l'un des nombreux déficits que suscite la seule apparition des socialistes dans le champ du pouvoir. Un déficit peut d'ailleurs en cacher un autre : les pertes des industries nationalisées sont notifiées aux contribuables, tandis qu'à la débudgétisation de certaines dépenses correspond la fiscalisation de certains prélèvements sociaux.

De même que les tendances font le PS, les mots du socialisme font tout son discours. Car celui-ci exprime davantage une sensibilité et un comportement qu'une relation à la réalité ou un lien avec la logique. De ce discours purement émotionnel témoignent les immenses textes que récite Pierre Mauroy, moins en créateur qu'en synthétiseur politique chargé d'illustrer une ambiance plus que de développer des raisons. Le langage socialiste ne décrit pas, il imagine ; là où le libéralisme analyse, il globalise. En raison de sa simplicité, de son irréalisme, le message socialiste se résout aisément en synthèses verbales adaptables à tous les auditoires. Le langage libéral est destiné à faire comprendre ; il suit dans leurs méandres toutes les formes de la vie sociale.

Le langage socialiste est destiné à convaincre. En proposant à tous les maux d'une société une solution unique, étatique, il rejoint les topiques immuables de la démagogie. Son mérite politique est d'être mobilisateur pour une société inquiète. Son inconvénient c'est d'exposer les dirigeants au risque de la déception si la réalité ne se conforme pas aux images, et à celui de l'abus de pouvoir s'ils prennent à la lettre le message triomphaliste et manichéen dont ils sont porteurs.

La lettre

Discours et comportement sont, dans l'univers du socialisme à la française, l'envers et l'endroit d'un espace mental prisonnier d'une littéralité exigeante proche du pharisaïsme, mais également tournée, pour s'ouvrir à des publics très hétérogènes, vers une ambiguïté qui peut être considérée soit comme une richesse de sens, soit comme une réserve utile de machiavélisme.

La littéralité socialiste naît d'alluvions successives. Son origine est quasi géologique : dès qu'un mot, une phrase, un principe ont été adoptés par un congrès socialiste (en général dans le seul but de faciliter le vote d'une motion) il s'incorpore à la rhétorique du parti, parfois de façon précaire, parfois de façon irréversible.

Peu importe qu'aucune suite ne soit donnée au discours ainsi construit : la révérence envers les textes permet aussi d'en limiter la portée : selon le mot de Jean-Pierre Chevènement au congrès de Grenoble, « le glissement sémantique précède l'évolution réelle » — ou s'y substitue.

En exposant le 8 juillet 1981 son programme de gouvernement devant l'Assemblée nationale, Pierre Mauroy annonçait la reprise économique, l'augmentation des prestations sociales, le développement industriel. Un an plus tard, le revenu national commence à diminuer ; les prestations sociales déclinent pour les retraités, les chômeurs et les familles ; l'industrie plonge dans le déficit : le Premier ministre transporte toujours sur lui le même discours.

La littéralité est donc l'une des sources de l'ambiguïté du discours socialiste : il suffit au vocabulaire d'être dispensé d'entretenir des rapports trop étroits avec le réel pour jouir de cette forme de liberté qui s'attache à l'imprécision ; il s'agit d'un matériel liturgique plus que d'un moyen d'expression de la pensée :

« Les ajustements successifs opérés dans le langage socialiste mettent en question sa cohérence globale. Ils s'accompagnent en effet d'une extension de l'ambiguïté de ce discours. À ce flottement du vocabulaire s'ajoute la coexistence de discours hétérogènes. Le langage non stabilisé des socialistes s'avère donc bien être celui d'une force composite[1]. »

« Générosité » et « double langage » : il n'en faut pas davantage pour fonder une formation politique protéiforme qui, à force de modeler son discours sur les aspirations sociales pour recueillir des suffrages, subit, une fois au pouvoir, la tentation de modeler les aspirations des Français sur son discours.

L'on connaît sur ce point les remarques importantes de Simone Veil :

« On vit sous un régime dans lequel, de plus en plus, on essaye de nous faire adopter le point de vue de l'idéologie dominante, beaucoup plus sur un plan culturel que sur le plan politique. Je ne me sens pas atteinte dans ma liberté individuelle, mais dans mes choix, dans mes positions. Il y a une espèce de prétention au MONOPOLE DE LA VERTU qui est tout à fait insupportable[2]. »

---

1. Jacques GERSTLÉ, *Le Langage des socialistes,* Stanké.
2. 17 octobre, Club de la Presse, *Europe 1.*

Le temps déréglé

L'attrait des mots, le goût de l'incantation créent chez les socialistes français une disposition à l'archaïsme qui leur a valu bien des suffrages réactionnaires, comme elle nous a valu de la part du président de la République plus d'une formule savoureuse sur les attaches de l'économie française avec le stade pastoral du développement. Le lien est mystérieux, mais étroit, entre la pensée utopique, qui procède par postulats parce qu'elle se refuse à dépendre de l'observation, et la pensée archaïque qui bâtit des mythes faute de consentir à explorer le monde. Autour d'un modèle social qui se construit, non par explorations et analyses, mais par préfabrication et assemblage, le temps se dérègle.

Le passé n'est plus source de continuité, il cesse d'être racine pour devenir géhenne ou idylle. Tantôt, il témoigne du malheur dans lequel nous enfermait le pouvoir libéral[1] ; tantôt il se mue en une nostalgique évocation d'une nation jadis protégée de la culpabilité industrielle. Et dans ce temps déréglé, le futur n'est pas le lien entre nos prévisions raisonnées et nos espérances raisonnables ; il devient le dépôt d'illusions mal coordonnées où se croisent, sans se rencontrer, les utopies et les déceptions. L'exécration du passé commande l'idolâtrie de l'avenir. Le 2 mai 1981, dans une de ses ultimes allocutions de candidat à la présidence, François Mitterrand croyait-il réellement après avoir stigmatisé avec conviction un pouvoir où « les mêmes décident de tout pour tous », qu'il était porteur « d'une administration transparente, d'une information libre et contradictoire, d'un apprentissage généralisé des responsabilités[2] » ?

À partir d'une telle représentation du passé, d'une tel-

---

1. François Mitterrand a calculé que les salaires ouvriers supportaient 50 % du prélèvement fiscal sous le septennat de M. Giscard d'Estaing ; *Politique II*, Fayard, p. 271.

2. *Politique II*, p. 287.

le vision de l'avenir, comment saisir le présent, sinon de biais ? Le mensonge n'est pas un mot très neuf dans le vocabulaire de la politique française, où l'art de séduire se prive souvent des atouts de la franchise. Mais le mensonge socialiste, parce qu'il est à la fois plus inconscient et plus nécessaire qu'un autre, parce qu'il est — selon le mot d'un homme de science — banalisé et surréaliste, présente des caractéristiques dont l'analyse est éclairante.

L'ajustement

Ce mensonge-là est sincère, et représente pour le PS un instrument indispensable et universel : un instrument d'ajustement entre le monde réel et les canons de l'idéologie.

L'expérience socialiste tire une partie de sa vitalité de la pratique syndicale. Celle-ci implique un va-et-vient constant entre les tendances diverses qui agitent l'organisation syndicale et qui trouvent leur origine dans les diversités régionales, les divergences entre les branches professionnelles, les déchirements entre familles idéologiques. La pratique syndicale évolue également entre une doctrine souvent peu réaliste et le réalisme quotidien de l'existence des salariés. Dans de telles conditions, comment échapper à la déformation des mots sous la pesée des situations, et serait-il honnête de donner à cette déformation le nom de mensonge ?

La pratique continue de l'alliance avec les communistes, élément essentiel de la stratégie du nouveau parti socialiste, oblige ses dirigeants à des exercices chaque jour plus périlleux. Pour sauvegarder cette alliance qui garantit elle-même leur pouvoir, ils doivent toujours être prêts à aller de conjonction en déchirement et de déchirement en nouvel accord. Pour témoigner, à chaque étape du « malentendu positif » que représente chaque nouvel accord, ils doivent consigner, en un seul document (qu'il porte le nom de « Programme commun » ou un autre) deux pensées antithétiques, deux interprétations inconciliables.

L'expérience syndicale, l'alliance communiste forment et déforment à leur manière le style du socialisme. Mais c'est la stratégie choisie par le parti pour s'engendrer lui-même qui a été décisive. Face aux catégories ou tendances à rallier, le PS a toujours choisi de commencer par l'équivoque et de ne révéler sa véritable destination politique que très tard. Face aux résistances à surmonter, le PS a toujours préféré contourner qu'affronter. Si bien qu'au sein du même discours l'on peut encore discerner des fragments dogmatiques et des éléments conciliateurs. La déclaration du ministre de l'Éducation nationale sur l'« avenir » de l'école libre, rendue publique le 20 décembre 1982, est un modèle accompli du genre.

La dernière figure de la rhétorique socialiste concerne les seuls militants. À leur égard, l'essentiel est de sauvegarder les liens tissés pendant de longues années d'opposition. Le discours qui leur est destiné obéit à une règle immuable : la raison y déraisonne pour se mettre en état d'apaiser des fureurs toujours intactes et sans cesse renaissantes. Cette pédagogie empreinte à la fois de chaleur et d'absurdité rassemble des militants autour de mots fétiches. On ne lui demande pas d'autre efficace.

La démarche

Si la démarche des socialistes déconcerte et déçoit les managers habitués à économiser le temps et à rechercher les meilleurs résultats, elle intrigue les observateurs que rien n'a préparé à décrypter cette nouvelle énigme : un pouvoir déchiré entre les exigences de la concertation, les contraintes de la doctrine, les résistances du réel — qui multiplie les improvisations et rend publics ses hésitations et ses reculs.

L'opinion s'est souvent montrée sévère pour les « contradictions » des dirigeants socialistes. Mais cette sévérité résulte d'un profond malentendu : avant de critiquer à bon escient, il faut ici user de compréhension. Si la démarche du PS apparaît complexe — et elle l'est — c'est que ce parti est soumis à des tensions très fortes qui l'obligent à respecter un double formalisme. Le parti socialiste n'est pas seulement porteur d'un projet politique, mais aussi d'une idéologie à laquelle il lui faut faire référence chaque fois qu'il agit. Il se refuse d'autre part à assumer la conduite des affaires publiques sans associer les structures du parti aux instances de l'État. Ce double formalisme vise à maintenir la cohésion entre les militants, le parti, et ses dirigeants parvenus au pouvoir. De ce point de vue, l'on peut estimer qu'il a fonctionné de manière satisfaisante. Mais c'est au prix d'un brouillage de l'image politique des socialistes dans l'opinion.

Au-delà du formalisme politique, une incertitude fondamentale imprègne les démarches du pouvoir socialiste. Elle tient d'abord à l'hésitation permanente des néo-socialistes entre le choix démocratique sincère qui leur inspire des réformes d'esprit libéral (de la décentralisation à certaines réformes pénales) et la pesée implicitement totalitaire qui marque leurs méthodes de contrôle. À l'égard de la presse, des médias, de la culture, de la fonction publique, de l'Université, la conduite socialiste est une conduite de noyautage et de domination. C'est cette pente du discours et de la pratique du socialisme français qu'Alfred Grosser dénonçait dans une mise en garde sévère :

> « La tentation est forte de finir dans le langage dur ; on s'enfoncerait ainsi dans l'idée fausse d'une France nettement divisée en classes antagonistes, alors que la difficulté de gouverner vient précisément de la multiplicité des groupes[1]. »

Mais les tergiversations gouvernementales s'expliquent aussi de façon plus classique par les tensions et les

1. Alfred GROSSER, « Vers l'idéologie dominante », *Le Monde*, 8 août 1982.

divergences qui traversent un parti très hétérogène, en constante négociation avec lui-même, comme on a pu s'en assurer dès le début du septennat, lors du débat sur la politique énergétique, et plus récemment, quand vint en discussion devant le comité directeur du parti un projet de banque d'investissement. Le caractère abrupt de ses préjugés doctrinaux conduit le PS à se heurter durement aux réalités, qui le déçoivent presque toujours.

La démarche des dirigeants socialistes est enfin marquée par des replis tactiques incessants qui traduisent tantôt la ferme résistance de catégories sociales dont le PS veut s'assurer le contrôle ou amoindrir le statut, tantôt la volonté du pouvoir de ne céder qu'en apparence pour reprendre demain son offensive selon le principe léniniste que pratiquent avec aisance certains leaders socialistes : deux pas en avant, un pas en arrière.

Qu'on ne s'y méprenne pas : ce serait une grave erreur de conclure de ces reculs, de ces ajournements, de ces tâtonnements, que l'utopie socialiste s'érodera au contact du réel. Bien au contraire, une utopie, dès lors qu'elle est au pouvoir pour longtemps, et c'est le cas, se vérifie d'elle-même, quitte à laisser affaiblie, épuisée la société qu'elle a contaminée. C'est en ce sens que s'applique au pouvoir socialiste la malédiction de Parménide :

> *« Ainsi vont-ils, çà et là,*
> *Sourds qu'ils sont et non moins aveugles*
> *Ebahis*
> *Race sans discernement*
> *Ils n'avancent jamais qu'en rebroussant chemin. »*

Les socialistes suivent donc toujours la même ligne : simplement, elle est brisée. Il importe seulement que le public ne s'aperçoive pas des changements de direction. Pierre Mauroy est chargé d'y veiller. Le 5 septembre 1982, il déclarait, avec ce naturel auquel n'accèdent que les très grands esprits, que l'abandon de la politique de relance et l'adoption d'une politique entièrement opposée formaient un tout indissociable : « Changeons-nous de politique ? Mais non ! » Le tour était joué.

Les masques

Le pouvoir socialiste s'avance donc masqué, pour dissimuler ces moments où craque le vernis du discours sous la poussée des nécessités. État de grâce, changement, rigueur, autant d'« entrées des masques » dans le ballet indéfiniment réinventé d'un pouvoir verbal qui ne peut assurer sa permanence qu'en la négociant à chaque étape contre un renouveau des illusions qu'il dispense.

Il faut s'être adonné au plaisir cruel de surprendre ces instants privilégiés où les socialistes, partisans du service militaire de six mois, adoptent le service de douze mois, où, partisans des énergies douces, ils se convertissent au nucléaire, où, partisans des radios libres, ils interdisent toutes celles qui entendent le rester, où le ministre du Budget fait l'éloge du déficit le 28 octobre 1981 et vante les vertus de l'équilibre le 10 mars 1982, la première fois à l'Assemblée nationale, la seconde au conseil des ministres.

Il ne s'agit, certes, que de donner le change, en un jeu de masques joué selon les règles établies par Nicolas Machiavel : si la force manque, il faut substituer le masque du renard à celui du lion ; si l'état de grâce s'évanouit, il faut en appeler à l'état de changement. Mais pour jouer et gagner au jeu du pouvoir, il faut accéder aussi à l'art de cacher son masque, et de lui substituer celui de la vertu. A ce jeu, nul ne sait jouer avec plus de naturel que François Mitterrand, admirateur éclairé des cours florentines.

Car, « s'il n'est pas nécessaire qu'un prince possède toutes les qualités, il l'est qu'il paraisse les avoir, et qu'il ait l'esprit assez flexible pour se tourner à toutes choses[1] ».

---

1. MACHIAVEL, *Le Prince*, chap. XVIII.

De cette flexibilité, François Mitterrand n'a peut-être jamais donné d'exemple plus convaincant que lors de sa première conférence de presse. Un journaliste lui demandait quelle était sa position sur les radios locales, auxquelles il avait eu recours (en infraction avec la légalité de l'époque) alors qu'il était le leader de l'opposition. Le programme socialiste prévoyait précisément (proposition n° 94) que « les radios locales pourraient librement s'implanter ». La réponse tomba avec toute l'autorité que pouvait lui conférer la personnalité du Président : « Il ne saurait être question de livrer des libertés nouvelles aux forces de l'argent et de la revanche[1]. » Tout le socialisme à la française est là ; dans sa terrible candeur, il ne peut concevoir en dehors de lui que péché et violence. Il n'est pas d'alternative à la vérité.

L'on comprend, dans ces conditions, que des hommes libres de toute attache partisane aient pensé que rien n'était plus urgent que de rompre le silence et de prendre, ensemble, les faits à témoin. Leur projet est né en décembre 1981 : le voici.

Les faits pour seuls juges

Les auteurs de cet ouvrage n'ont pas entendu tracer un tableau général des interventions du premier gouvernement socialiste de la Ve République. À un bilan prématuré, à un jugement sans appel, ils ont préféré une enquête ouverte sur l'avenir et une explication à laquelle ont droit tous les Français, tous ceux — en particulier — qui ont voté pour les promesses du socialisme et n'en comprennent pas les lendemains.

Mais, si l'heure du bilan n'a pas sonné, il est trop tard pour se taire. Les grands équilibres économiques cèdent sous le poids d'une gestion aventureuse. Des libertés essentielles, comme celles de l'enseignement et de l'information, sont remises en cause avec une duplicité rare-

---

1. *Le Monde*, 25 septembre 1981.

ment atteinte dans une démocratie. Les difficultés majeures que rencontre le pays — le chômage, l'inflation qui s'étend sous le masque du blocage, le déficit extérieur — sont voilées par des artifices administratifs et statistiques, ou plus directement, par la propagande. Une idéologie simpliste, qui censure les formes diverses de l'émulation collective, de la réussite individuelle ou de la concurrence, est diffusée par des médias partisans.

C'est peu de dire qu'il n'est plus de sincérité dans la conduite de nos affaires : la manière socialiste fait fuir jusqu'à l'exactitude. Notre temps est celui des dérives.

Les dérives

Il n'existe, parmi les auteurs de cet ouvrage, aucun préjugé d'« économisme » ; les valeurs morales et culturelles d'un peuple leur paraissent doublement primordiales, car non seulement elles donnent seules un sens à la vie sociale, mais elles sont elles-mêmes à la source des conduites économiques efficaces.

Mais l'éclairage économique s'impose d'abord à qui veut entrer dans la compréhension du socialisme à la française. Pour mettre à nu les mécanismes selon lesquels se dérèglent les bonnes intentions du parti dominant, il faut se placer sur le terrain de l'économie, puisque c'est là d'abord qu'il ne tarde pas à décevoir les espérances qu'il a suscitées. Et il les déçoit pour une raison tout à fait centrale : l'expérience socialiste ne connaît pas de régime logique régulateur et se fonde — comme le montre l'analyse de Jean Féricelli — sur la fédération, par une volonté politique changeante, de logiques incompatibles.

Une idée commune parcourt cependant toutes ces logiques, celle d'une économie qui pourrait être entièrement transparente à l'esprit et construite par la seule volonté politique : une économie où n'existeraient ni motivation des travailleurs, ni émulation entre les chefs d'entreprise ; une économie dotée d'un encéphalogramme plat, heureusement délivrée de la foule colorée, incommode, remuante, de ses acteurs, dont le comportement rend tant de choses imprévisibles.

Les économistes du PS raisonnent tous liens coupés avec la réalité : c'est pourquoi leurs plans initiaux ne comportaient aucune analyse de la conjoncture internationale ; et c'est pourquoi Jacques Delors s'est obstiné pendant six mois à prédire dans le vide une reprise sans causes comme sans racines. Quant à Jean-Pierre Chevènement qui se croit techniquement infaillible parce qu'il a « politiquement raison », il s'obstine à rêver de nouvelles filières industrielles alors que « sa manière de raisonner », relève Jean Féricelli, « efface le mécanisme de la transformation des intentions scientifiques en innovations économiques », préparant ainsi de nombreuses désillusions.

Dans le domaine de la monnaie et du crédit, cet état d'esprit s'exprime par une méfiance irraisonnée à l'égard des réalités financières. Si les socialistes s'avèrent inaptes à gérer cet aspect de l'économie, c'est d'abord parce qu'ils ne parviennent pas à concevoir l'autonomie de son fonctionnement.

L'auteur applique sa méthode d'analyse, ouverte et rigoureuse, à d'autres aspects de la logique économique socialiste : de la crise à la relance, il dégage les *in-put* et les *out-put* de l'erreur. Mais sa recherche culmine dans l'examen des scénarios préparatoires au IXe Plan.

Ces documents ont déjà leur légende. On affirme que M. Pierre Mauroy les aurait récusés parce qu'ils annoncent l'échec de sa politique, c'est-à-dire de ses hésitations successives. L'on comprend l'humeur du Premier ministre si, comme le note Jean Féricelli, « ces scénarios, tout en reconnaissant l'importance de la crise internationale, révèlent que si l'environnement mondial devenait favorable, voire très favorable, le système rendrait toutes les politiques socialistes inopérantes ».

Les grands équilibres économiques sont l'image, dans le réel, des logiques du système de production. Claude

Jessua retrace la brève histoire de leur récente dégradation, à laquelle il assigne une double origine : d'une part, les nouveaux gestionnaires, « l'œil fixé sur les horizons radieux des réformes de structure », se sont dispensés d'assumer les soucis du court terme, s'en remettant à un avenir lointain du soin de résoudre leurs problèmes. Mais l'ébranlement initial tient aussi à un faux calcul :

« Le déséquilibre originel de l'économie française a été accepté et décidé par le gouvernement Mauroy à partir du moment où il a mis en œuvre une politique de relance au prix d'un déficit budgétaire important. »

L'analyse de Claude Jessua débouche sur deux constatations, la première concerne le montant des déficits publics. Ceux-ci englobent pour l'essentiel le déficit initialement prévu pour les budget de l'État en 1982 (95 milliards de francs) son montant en fin d'exercice (au moins 120 milliards), le déficit de la Sécurité sociale et de l'assurance chômage, et les déficits cumulés des sociétés nationalisées et enfin le déficit du budget en 1983 (110 milliards).

Ce ne sont pas ici les chiffres qui importent le plus, mais bien la capacité du pays à en assumer le financement. Or, sur deux points, cette capacité est en défaut : l'État a déjà eu recours à la création monétaire en plaçant des bons du Trésor (pour 100 milliards en novembre 1982). L'État, d'autre part, stérilise les capacités de financement des entreprises en accaparant les ressources du marché.

La politique socialiste, parce qu'elle excède les moyens financiers de la nation, est contraire à ses intérêts économiques. Et c'est pourquoi son bilan le plus clair s'inscrit dans deux défaites monétaires successives. La monnaie n'est pas seulement, en effet, un instrument de comparaison entre les biens, mais surtout l'instrument irrécusable qui permet de mesurer les performances relatives des différents pays et la pertinence des politiques respectives de chaque État.

C'est cette pensée que Pierre Biacabe garde à l'esprit en relatant « les mésaventures du franc » sous le « choc socialiste », de mai 1981 à novembre 1982.

Dans un registre très ouvert, Pierre Biacabe rassemble pour nous des données d'une gravité singulière. En reconnaissant aux nouvelles autorités économiques le mérite de vouloir réparer, depuis juin 1982, « les dégâts commis pendant l'année folle » qui avait précédé, l'auteur formule son diagnostic en termes sévères. De mai 1981 à juin 1982, il n'y eut qu'une série d'impulsions déséquilibrées successivement imposées par des gouvernants qui « avaient mal lu leur sujet d'examen et dont les développements préparés à l'avance s'avéraient hors sujet ».

Point de mauvaise volonté mais beaucoup d'ignorance : des dirigeants inexpérimentés se sont contentés de surestimer nos capacités de croissance dans un environnement dépressif et de sous-estimer le rôle de la monnaie dans une économie ouverte à la compétition internationale. C'est pourquoi la stimulation de la croissance n'a été qu'illusion : depuis le 10 mai 1981, la production industrielle a baissé de 4 % par rapport au premier trimestre 1980, et le chômage s'est développé dans des proportions considérables. Bref, « les paris sur lesquels reposait le succès de la stratégie de mai 1981 ont tous été perdus ».

L'on enregistre en 1982 plusieurs records : un déficit sans précédent de la balance commerciale (cinq fois plus élevé qu'en 1974), un taux de pénétration record des produits importés, un déficit simultané de nos échanges avec tous les pays industriels, un quintuplement de nos emprunts extérieurs, dont les intérêts, dès 1990, affecteront notre niveau de vie.

Les reculs

Ainsi, les réserves de sécurité accumulées par Raymond Barre ont été utilisées pour faire une politique contraire à la sienne, dont on connaît maintenant les résultats. Paris perdus et mesures à contretemps ont rythmé le menuet économique de la période du changement incantatoire. Maintenant, les lampions sont éteints, la dérive s'achève : nous voici entrés dans une période de rigueur. Celle-ci pourrait être féconde si nous cessions de penser qu'il appartient au monde extérieur de s'ajuster à nous, alors que c'est l'inverse qui est vrai et si nous cessions d'imaginer un univers docile à notre pensée, et soumis à l'arbitraire de nos idéologies.

En réalité, l'on constate déjà la baisse des revenus réels et l'appauvrissement du pays ; les prélèvements fiscaux et sociaux progressent ; les salaires ont cessé d'être indexés.

Mais dans une vue qui fait place à l'avenir, c'est la dégradation de l'outil de production qui inquiète le plus l'observateur. Comme le faisait en effet observer Raymond Barre en juin 1982, une équipe investie de la confiance de la nation, et dont la compétence est reconnue sur le plan international, peut redresser rapidement le cours d'une monnaie, imposer en quelques exercices un retour aux grands équilibres. Mais les atteintes portées aux institutions, aux comportements et aux modes de pensées sont beaucoup plus difficilement réversibles.

L'étude de Bertrand Aptey montre à quel point les entreprises françaises sont atteintes dans leur rentabilité comme dans leur solvabilité par une politique qui s'est voulue, de façon continue, indifférente à leurs problèmes tout en proclamant des objectifs productivistes, et en rêvant tout haut de rénovation du tissu industriel[1].

Les entreprises du secteur public concurrentiel dégageront en 1982, un volume de pertes supérieur à celui de 1981, qui s'élevait à 12 milliards. L'une des causes de ce déséquilibre tient à l'expansion considérable des coûts financiers : le financement par des emprunts en dollars de programmes d'investissements ambitieux, la faiblesse des fonds propres des entreprises nationales, la chute de l'activité économique nationale, le blocage des tarifs pour des raisons politiques donnent à ces pertes une ampleur telle que leur coût a pu être évalué à 2 000 francs par an pour chaque Français[2].

---

1. Ce rêve est tenace ; voir la conférence de presse de François Mitterrand, le 2 janvier 1983.
2. *Le Point*, 13 décembre 1982.

Les entreprises privées ont eu, de leur côté, à supporter des hausses du coût des matières importées, liées à deux dévaluations successives. Et l'ensemble de leurs charges a été emporté par une vague ascendante au moment où stagnaient leurs ventes et alors que les prix se bloquaient : les charges salariales, jusqu'à l'intervention du blocage des rémunérations, les frais financiers liés dans le secteur des PME à la faiblesse des trésoreries, les charges sociales enfin ont représenté un réseau de contraintes qui, non seulement bloquent tout développement ultérieur de l'investissement mais mettent également en cause l'avenir de nombreuses entreprises. Les faillites ont triplé en 1981.

La croissance de l'endettement et la réduction, voire l'annulation des marges bénéficiaires mettent en grave péril une proportion très élevée des entreprises françaises. Il est absolument vain d'imaginer dans ces conditions, comme le fait le ministre de l'Industrie, qu'il soit possible d'user de l'industrie comme d'un levier pour développer l'emploi. Et il est utopique de prétendre, comme il l'a fait, en ces colloques où l'on fait parler l'industrie en l'absence des industriels, que les entreprises puissent progresser dans ces conditions. Le diagnostic de Bertrand Aptey paraît sur ce point irréfutable :

> « Les entreprises seront contraintes à ajuster par le bas leur situation financière afin de rester en deçà de leur limite d'insolvabilité. Cet ajustement ne pourra se faire qu'au prix d'une réduction de leurs investissements, qui réduira à son tour leur aptitude à la compétition internationale. »

L'étude de la situation des entreprises françaises après dix-huit mois de gestion socialiste a permis de faire la lumière sur l'une des principales composantes du coût des nationalisations : le déficit des firmes étatisées. Les deux autres sont le montant de l'indemnisation et celui des dotations versées par l'État. En 1982, la somme de ces coûts atteint près de 35 milliards de francs. L'on pourrait imaginer que le devoir d'un bon gestionnaire, en un temps de crise et de déficit, aurait été d'éviter à tout prix de faire peser cette charge nouvelle sur les comptes de l'État.

Mais les socialistes ne pouvaient qu'écarter une telle démarche susceptible d'être interprétée comme un ralliement au plus vulgaire des empirismes. Il leur fallait, à tout prix, fût-ce au détriment des Français, marquer des points contre le marché, l'initiative et la libre entreprise. Il y allait de leur réputation idéologique. Car, selon le mot de Phèdre « leur mal vient de plus loin ». Les nationalisations constituent, dans un domaine où la fantasmagorie tient peu de place, un acte magique d'emprise sur le domaine économique. Alain Redslob l'a bien compris, dont l'étude, consacrée à la socialisation du système bancaire, vaut, comme modèle, pour l'ensemble du processus de nationalisation.

L'auteur s'interroge en effet sur les motifs qui ont été avancés pour justifier une opération qui donne à l'État le contrôle de 90 % du réseau bancaire. En présentant le 18 octobre 1981 à l'Assemblée nationale le projet de loi portant nationalisation du crédit, le ministre de l'Économie et des Finances ne semblait pas assez convaincu pour convaincre. Aussi ne donna-t-il que des prétextes, en accusant le système bancaire de s'être montré indifférent aux intérêts généraux de l'économie, comme d'avoir été « égoïste et gaspilleur ». Le moralisme a toujours permis de tenir, au nom d'un idéal supposé, ce que Sartre a nommé si justement le discours de la mauvaise foi. Le système bancaire français avait fait de Paris la deuxième place financière d'Europe. Il avait parfois devancé, et toujours étayé un développement économique d'une ampleur exceptionnelle auquel Jacques Delors et ses amis ont précisément mis fin.

Le nouveau système bancaire est désormais asservi à une économie dirigée marquée par le monopole, la planification et le déficit public. Le rôle de la banque est d'allouer des fonds, dans le cadre rigide fixé par le Plan, à un secteur public qui représente les deux cinquièmes de notre industrie, comme de souscrire aux émissions diverses décidées par le ministre des Finances. Les seules émissions de bons du Trésor ont plus que triplé de juin 1981 à juin 1982. L'analyse des opérations du marché financier permet à Alain Redslob de démontrer que l'économie française est de plus en plus socialisée, et que cette socialisation ne s'oriente ni vers la décentralisation, ni vers la concertation, mais vers « l'assujettissement complet des banques aux directives du Plan », qui ouvre elle-même la voie à une étatisation complète de l'économie.

Ces remarques ont le mérite de placer sous leur vrai jour les nationalisations de 1981 : celles-ci sont en effet la résultante de la vision socialiste de l'entreprise et de l'État, dont la recherche de Bertrand Jacquillat donne une vue d'ensemble.

En analysant successivement l'élargissement du secteur public, l'introduction d'un dirigisme total du crédit et l'accroissement des charges des entreprises dans un contexte inflationniste, l'auteur réalise un programme ambitieux. Mais il nous permet de comprendre comment un gouvernement socialiste peut conduire, en toute bonne foi, une économie moderne à une défaite majeure. Il existe désormais des entreprises nationalisées dans chacun des secteurs de la production. Elles y détiennent souvent une situation de monopole. Mais la preuve est faite qu'elles sont moins productives et moins efficaces que les entreprises privées. Il n'est donc plus possible d'affirmer qu'en France les entreprises nationalisées « marchent ». Dans un contexte concurrentiel Renault se donnait volontiers pour modèle de la réussite des entreprises publiques. Mais Renault, qui ne versait pas de fonds de participation pour son personnel et payait très peu d'impôts, coûtait déjà chaque année à l'État plus que ne lui rapportait Peugeot. Depuis 1981, la productivité s'est effondrée dans tous les secteurs nationalisés. Et les entreprises publiques pèsent de tout leur poids sur le budget de l'État, soit par leur déficit, fruit d'une politique d'investissement irresponsable, soit en levant sur l'ensemble du réseau bancaire une véritable « taxe » destinée à alimenter de façon prioritaire leur trésorerie.

Bertrand Jacquillat montre qu'il est désormais impossible d'accepter l'évolution régressive qui a conduit au développement de cette forme archaïque de propriété qu'est la propriété collective. Il souligne avec vigueur la nécessité de revenir à une économie de responsabilité, et il indique la méthode à suivre « pour rendre au secteur privé les entreprises du secteur public, sur le modèle de l'expérience qui se déroule avec succès en Grande-Bretagne ».

L'emprise de l'État sur le système financier est peut-être plus stérilisante encore que sa prétention à jouer les industriels. L'État détermine les taux, fixe par l'encadrement la masse des crédits, décide de leur orientation en mettant en jeu une « sélectivité » d'ailleurs défavorable aux entreprises. Mais surtout l'État socialiste a monté un réseau administratif et financier parallèle qui fait du crédit un objet de saupoudrage et de favoritisme : l'esprit d'assistance se développe chez les bénéficiaires puisque leur ambition n'est plus de devenir compétitifs sur le marché mais de l'être auprès des élus socialistes.

Si l'on ajoute que nos entreprises supportent des charges deux fois plus élevées que leurs concurrentes américaines et que, depuis 1981, la pression fiscale supplémentaire qui s'exerce sur elles représente le montant d'une année entière d'investissement, l'on ne s'étonnera pas de voir l'auteur, souvent fort modéré dans ses propos, annoncer pour 1988 l'avènement d'un « post-socialisme », seule perspective raisonnable après ce déluge d'erreurs.

Mais en attendant, les Français doivent s'apprêter à payer le prix de ces orientations.

Les résistances

Ce n'est pas le moindre paradoxe du socialisme français que d'avoir mené l'assaut contre ses adversaires politiques au nom de la lutte pour une économie plus humaine et de se retrouver, quelques mois après sa victoire, responsable d'un chômage aggravé, du gel des salaires, du recul du niveau de vie et de celui des prestations sociales, comme d'une dégradation du climat social dans l'entreprise.

C'est peut-être dans le domaine du chômage que l'échec est à la fois le plus douloureux et le mieux dissimulé. Confronté à ce problème crucial, le triomphalisme du candidat François Mitterrand ne s'était pas embarrassé de trop de scrupules moraux ou scientifiques. Il s'agissait seulement de promettre. Le 22 avril 1981, par exemple, était garantie « la réussite de l'action pour le plein emploi, et d'abord l'arrêt de la progression du chômage[1] ». La lecture de semblables textes ne va pas sans malaise lorsque l'on sait que le nombre des demandeurs d'emplois est passé de 1 650 000 en avril 1981 à 2 180 000 en octobre 1982, et que le pourcentage des chômeurs par rapport au total de la population active a atteint son niveau record en 1982 : 8,5 %.

Roland Granier n'a donc pas tort de voir là l'un des secteurs les plus négatifs de la gestion socialiste. D'abord parce qu'il existe sans doute peu de domaines où la déception des électeurs ait été aussi vive. Dix-huit mois après l'arrivée au pouvoir d'un gouvernement de gauche, les Français continuent à placer le chômage en tête de leurs préoccupations collectives : 65 % d'entre eux estimaient en octobre 1982 que c'était le problème national le plus important (contre 10 % pour l'inflation). Dans la même proportion, ils désignaient la lutte contre le chômage comme la priorité gouvernementale essentielle[2].

Un spécialiste doit connaître cette sensibilité ; mais ce qu'il doit reprocher à notre gouvernement, c'est moins l'inanité des remèdes qu'il a proposés que son ignorance des données élémentaires du problème. En raison de ses

1. *Politique II*, p. 262.
2. BVA, sondages des 24 juin et 4 novembre 1982.

causes, le chômage dans les pays occidentaux n'appartient pas à ces maux qui fuient devant la rhétorique. En retraçant la courbe du taux de chômage, de 1968 à 1981, en rapprochant de cette courbe celles qui décrivent l'évolution de l'activité économique et de la population active, Roland Granier nous met à même de comprendre la nature du phénomène et les difficultés d'une politique efficace de plein emploi.

Les socialistes ne pouvaient prétendre guérir des maux dont ils ignoraient les causes : d'où l'échec d'une politique de relance dont on attendait des créations d'emploi et qui s'est traduite par l'affaiblissement des entreprises sous le poids de nouvelles charges. Quant aux mesures plus spécifiques, visant à développer l'insertion des jeunes sur le marché du travail, à créer des emplois publics ou à avancer l'âge de la retraite, Roland Granier en propose une lecture aussi subtile qu'éclairante.

Si le problème fondamental de l'emploi était placé au centre du programme socialiste, celui-ci mettait l'accent, dans un esprit de redistribution des richesses et de justice sociale, sur un ample projet de transferts sociaux. C'était là un élément capital d'une stratégie égalitaire susceptible de déboucher, selon les théoriciens du parti, sur un « changement de société ». Béatrice Bazil consacre à cette tentative une étude qui me paraît très importante. Pour la première fois, en effet, il nous est donné de saisir *in vivo* le mécanisme central du socialisme à la française : à savoir que lorsque ses dirigeants veulent réussir, ils prélèvent de la richesse au lieu d'en produire, puisqu'ils entendent redistribuer, et non distribuer ; et que les mêmes, lorsqu'ils échouent, prélèvent encore pour solder les pertes qu'ils ont infligées à la collectivité. Si bien que l'économie politique du socialisme paraît se réduire à une opération unique : le prélèvement.

Les dirigeants socialistes semblent avoir ignoré, au moment où ils ont élaboré leur programme, deux aspects essentiels d'une politique sociale moderne : en premier lieu, que celle-ci a une histoire, puisque le taux des prélèvements n'a cessé de s'accroître en France depuis 1965, passant de 35 % à 42 % de la production intérieure brute ; en second lieu que cet accroissement continu du taux de prélèvement se traduit par des effets pervers qui vont du développement du travail noir à celui du chômage. Les mêmes dirigeants socialistes ne semblent pas avoir eu connaissance du mouvement de pensée, commun à toutes les tendances politiques européennes, qui tend à remettre en cause des aspects majeurs de l'intervention de l'État providence. Les socialistes français seraient, sur ce point encore, en retard d'une information, d'une analyse, d'un diagnostic.

C'est pourquoi leur programme de redistribution sociale, lancé sous le signe d'une « générosité » répandue dans toutes les directions, s'est traduit par une montée en flèche des dépenses regroupées dans le « budget social de la nation ». Qu'il s'agisse d'assurance maladie, d'allocations familiales, de minimum vieillesse, l'action du gouvernement, illustrée par Nicole Questiaux, s'est traduite par l'accroissement du montant des prestations (de 20 % à 50 %). Béatrice Bazil rappelle avec raison que toute augmentation de prestations peut avoir, sur le plan individuel, un sens positif ; mais elle souligne le fait que ces initiatives, arrêtées sans plan d'ensemble et décidées sans analyse de leurs conséquences financières, représentent, presque à l'état pur, un cas exceptionnel d'anarchie étatique.

Le gouvernement socialiste a fini par s'aviser lui-même de la formidable dérive qu'il était en train d'imprimer à un ensemble de dépenses dont le volume dépasse celui du budget de l'État. Béatrice Bazil nous conte alors la belle histoire de la substitution d'un « socialisme courageux » à un « socialisme généreux ». Mais si le socialisme a ainsi, sur sa propre initiative, changé d'adjectifs, une question se pose : les socialistes ont-ils eux-mêmes changé ? La réponse est négative, car, après avoir fait payer aux entreprises l'essentiel de leur politique de « générosité » sous la forme de charges fiscales et sociales nouvelles, ils leur ont demandé de supporter sous la même forme le coût de la remise en ordre. Si bien que le marché de l'emploi a fait deux fois les frais de leurs imprudences.

Certains imaginaient qu'une gestion désordonnée, poussée parfois jusqu'à l'impéritie, risquait de plonger la France dans le désordre. C'est le moment de rappeler ici une forte notation de Jean-François Revel sur la lenteur avec laquelle une dégradation économique exerce ses effets sur la conscience des citoyens :

« C'est une pensée consolante pour tout socialiste que le glissement d'un pays développé dans la médiocrité économique peut avoir lieu aussi insensiblement que s'est accomplie auparavant sa progression vers la prospérité[1]. »

L'on s'est donc étonné à tort de voir le dialogue social — et dans une certaine mesure le dialogue politique — se poursuivre. Hubert Landier, en analysant le développement des relations sociales depuis le 10 mai, démontre cependant que cette évolution est loin d'être simple.

Dans l'immédiat, il était naturel que des rapports sociaux établis de façon contractuelle dans le cadre de l'entreprise ou de la profession ne soient pas directement affectés par un changement politique. D'autre part, contrairement aux enseignements dispensés aux militants du PS, la victoire de François Mitterrand ne s'est pas accompagnée d'une vague d'enthousiasme populaire : « À la rupture politique que représente la victoire de la gauche s'est ainsi opposée une continuité très remarquable de la vie sociale. » La stabilité de la vie sociale s'exprime également par d'autres indices : le nombre des conflits sociaux, la faiblesse des recrutements syndicaux, la décrue des effectifs de la CGT sont autant de signes de l'autonomie de la vie sociale par rapport à la vie politique.

Est-ce à dire qu'aucun trouble n'est décelable dans ce monde aux équilibres délicats où, au pluralisme des par-

1. Jean-François Revel, *La Grâce de l'État*, Grasset, 1981.

ties à la politique contractuelle (État, syndicats, patronat), se surimpose le pluralisme syndical lui-même ?

Hubert Landier insiste sur la diversité des attitudes syndicales vis-à-vis du gouvernement de la gauche : FO demeure réservée, et tient à sauvegarder son autonomie. La CFDT se jette dans une aventure qui relève en partie du modèle corporatif. La CGT use de tous les moyens pour tenter d'enrayer son déclin. La législation Auroux sur « les droits nouveaux des travailleurs » lui en fournit une occasion. Les intentions ministérielles sont moins en cause que la possibilité d'user de cette législation pour brimer et éliminer l'encadrement des entreprises. Les violences qui se poursuivent dans diverses usines automobiles constituent un exemple de comportement que le ministre du Travail devrait stigmatiser s'il voulait assurer le succès de ses intentions législatives. En soutenant ces mouvements par sa déclaration du 20 décembre 1982, M. Auroux a montré les limites, à la vérité fort étroites, de son discernement.

À l'horizon, les formes libérales du syndicalisme paraissent à Hubert Landier singulièrement compromises : le socialisme à la française fonctionne dans ce domaine, comme le travaillisme anglais, au profit d'un système d'encadrement des travailleurs proche du corporatisme.

Les mœurs politiques se dégradent plus vite encore depuis mai 1981 que les relations entre les partenaires sociaux. José Frèches le démontre au terme d'une enquête conduite avec autant de minutie que d'humour. L'auteur a choisi une approche descriptive : c'est en dépeignant l'installation des socialistes dans l'État qu'il parvient à saisir *in vivo* le fonctionnement de l'État socialiste.

Celui-ci a commencé par faire siennes les institutions de la Ve République dont il avait combattu le principe pendant deux décades. Les textes constitutionnels apportent en effet à qui sait les mettre à profit un allié irremplaçable — le temps. Cependant, le parti socialiste a été — en dépit de la lettre même de la Constitution en son article 4 — associé directement aux travaux et aux décisions de l'exécutif. Si l'on ajoute que le Conseil des ministres est devenu davantage une instance de tâtonnement qu'un instrument de décision, l'on s'aperçoit que Pierre Mauroy n'a pas eu tort de souligner le prix qu'il attachait à « gouverner autrement ».

José Frèches a suivi à la trace, dans chacun des secteurs de la vie publique, les diverses écuries d'experts et de hauts fonctionnaires qui ont attendu mai 1981 pour révéler ouvertement leur appartenance au PS et jouir des privilèges attachés à ce nouveau titre de noblesse. En dépit de l'ampleur, et parfois de la férocité du mouvement de personnel qui a suivi ces révélations, l'on a pu constater que la technostructure socialiste ne diffère pas sensiblement, dans ses origines sociales, de celle qui l'a précédée. Le nouveau pouvoir n'a jamais osé revendiquer cet aspect de son action.

Mais il demeure implicitement présent dans chacune des grandes réformes auxquelles s'est attaché le gouvernement socialiste au cours de sa première année d'existence. Et, dans chaque cas, il éclaire de façon décisive la véritable portée de ses initiatives. Le choix des reponsables dans les sociétés nationalisées traduit la nature bureaucratique, et donc économiquement stérile, d'une entreprise qui s'analyse surtout en un mouvement de personnel. L'on s'apercevra trop tard qu'il est périlleux de confier l'essor d'une industrie à d'autres qu'à des managers. La décentralisation, qui n'a trouvé sa consistance ni en un transfert de moyens financiers importants, ni en un remodelage corrélatif des compétences, trouve cependant une raison d'être : le recul des droits protocolaires des préfets.

Quant à l'impérialisme de l'étrange ministre des Affaires culturelles, il évoque pour José Frèches un précédent historique, celui de l'enflure mussolinienne. Plus concrètement, il y a lieu de croire que les fonds du ministère de la Culture, puisque les artistes n'en sont pas les bénéficiaires, ont désormais le caractère de fonds électoraux — ce qui expliquerait le gonflement de ce budget.

La démonstration de José Frèches se termine par une mise en garde raisonnée : le désordre dans l'État ouvre à l'ordre communiste plus de perspectives que ne le laissent croire les commentateurs officiels, et il en donne quelques commencements de preuve.

La question posée par Annie Kriegel prolonge l'analyse de l'installation du pouvoir socialiste : elle concerne l'avenir de l'expérience, ou, plus exactement, son insertion dans la durée. Et la réponse à cette question, consignée avec virtuosité en un texte où le trait comique n'est jamais absent, pourrait étonner : pour Annie Kriegel, la décomposition du pouvoir socialiste est en cours. Il n'importe pas tant de la démontrer dans le langage de la logique économique que de la « montrer » comme un drame historique qui aurait déjà été joué, avec son action, ses ressorts, ses personnages.

L'action pourrait avoir pour titre « l'occupation des lieux ». À partir du moment où les réformes contenues dans le programme présidentiel ont pris force de loi, la gesticulation socialiste n'a eu d'autre ambition que d'éviter à tout prix la mise en évidence de leur échec. Celui-ci est néanmoins patent, mais les délais constitutionnels permettent de le banaliser, de le diluer, d'en faire, en somme, un échec au quotidien.

Le ressort du mélodrame socialiste, c'est l'incompétence. Les circonstances, plaide-t-on, n'étaient pas favorables : il fallait les intégrer dans le calcul. La pression des militants, murmure-t-on, déborde le Président : il incombait à celui-ci de la contenir. La gestion, nous explique-t-on, ne pouvait s'accommoder du coût des réformes : il fallait en limiter l'ampleur. Les mises en demeure du réel prennent de court les mises en scène de l'idéologie.

Mais, pour Annie Kriegel, les personnages sont ici la cause même du drame ; et d'abord, le principal d'entre eux, François Mitterrand lui-même, dont elle trace un portrait presque intime, en tout cas familier, en soulignant la désuétude et l'archaïsme de cet homme des années 50, qui n'a jamais pu entrer en résonance avec les générations plus réalistes, plus constructives, plus informées aussi, qui lui ont succédé, et auxquelles, par un caprice du destin, il succède lui-même.

Pour qu'un tel personnage accède au pouvoir, il a fallu des défaillances, et la principale fut celle du corps électoral, qui ne pouvait ignorer entièrement les conséquences de son choix ; la seconde fut celle des intellectuels, qui ont préféré combattre le libéralisme plutôt que de lui apporter les dimensions qui lui manquaient.

En tournant la page, Annie Kriegel aperçoit encore une silhouette : celle du militant socialiste, lui aussi acteur de ce drame. Il faut laisser au lecteur le plaisir de découvrir lui-même ce qu'avec la caution de Léon Blum elle ose en dire.

Au-delà de nous-mêmes

L'on ne rassemble pas en une même entreprise des esprits différents et libres sans créer des effets de contraste. Mais les contributions à cet ouvrage convergent sur un point essentiel : elles amorcent une réflexion sur les rapports entre l'idéologie et le réel dans l'art de gouverner. Il n'existe aucune raison de considérer que les socialistes subissent un handicap particulier dans le domaine de l'habileté politique. Leur rhétorique s'est montrée utile dans la conquête du pouvoir. La diversité même des courants qui traversent le PS leur a permis de séduire des fractions très diverses de l'opinion. Aujourd'hui même, leur éloquence parvient à masquer les aspects les plus inquiétants de leur bilan.

Le mythe

Et le mythe socialiste, celui des lendemains meilleurs, paraît prendre parfois d'autant plus de vigueur dans les esprits que les résultats mesurables obtenus par les gouvernants socialistes sont plus décourageants : 49 % des électeurs de la majorité reconnaissent en décembre 1982 que le socialisme ne marche « pas encore » ; 69 % estiment cependant que le socialisme marchera « mieux » l'an prochain[1].

Mais ce qu'une idéologie n'accorde jamais à ceux qui s'enferment dans ses prismes, c'est la faculté d'apercevoir la réalité d'un seul regard et de saisir ainsi les liens entre ses différents éléments. Cette impuissance s'explique simplement, et l'explication figure à la page 10 du *Projet socialiste* : il y est rappelé que « la cohérence interdit d'isoler les éléments particuliers ou d'accommoder le dispositif au gré des circonstances ». Le socialisme ne s'adapte pas ; il se justifie en bloc, et se justifie en accusant : le passé, le peuple, son histoire, le vaste monde, le capitalisme sont seuls responsables des impasses auxquelles il aboutit.

Des esprits formés à des logiques plus exigeantes que celles du socialisme à la française se hâtent peut-être trop d'en augurer l'échec : comment pourrait donc s'inscrire dans la durée un système qui défie les règles de l'action, cultive les déficits, offense parfois des valeurs essentielles. Pour eux, le socialisme en France est déjà dans la situation que prévoyait Alain Rollat en écrivant le 15 juin 1982 : « Pour la gauche, le risque serait de ne pouvoir se prévaloir que d'un bilan modeste après avoir tout essayé[2]. »

Le bilan est modeste il est vrai, puisqu'il est négatif. Et tout a été essayé, de la confiance au blocage, de la grâce à la rigueur, de la relance à l'austérité, du mouvement au recul.

À partir de ce constat, l'on discerne un vaste espace vide qui sépare l'enlisement du socialisme, déjà acquis, des délais constitutionnels qui permettront d'enregistrer régulièrement son échec. Et l'on s'inquiète à la fois des

1. Sondage Ifres, *Le Quotidien de Paris* des 16, 20 décembre 1982.
2. *Le Monde*, 15 juin 1982.

erreurs qu'un gouvernement socialiste pourrait encore être tenté de commettre pendant cette période de « mort politique » et de l'impatience, voire du « désespoir »[1] que certains Français pourraient manifester au cours de cette même période.

Cette inquiétude est justifiée, mais se trompe d'objet. En accédant au pouvoir, les socialistes ont vécu une divine surprise : la Constitution qu'ils avaient combattue et condamnée leur garantissait le temps : le temps d'essayer, de se tromper, de recommencer. Des opposants, qui sont aussi des démocrates scrupuleux, s'impatientent à l'idée de ne pouvoir recueillir, dans quelques années, que les décombres de leur pays. Mais si leur inquiétude est honorable, leur fébrilité les condamne à l'erreur. Car le temps, dont les socialistes croient avoir obtenu l'appui et découvert les vertus, est pour l'opposition aussi, pour elle surtout, l'élément décisif d'une stratégie de victoire : ce n'est pas à l'opposition qu'il incombe de rejeter le socialisme, mais au peuple français. Le reflux sera donc lent, car l'attrait d'un mythe est toujours plus tenace que la pression du réel. L'on verra se multiplier les compromis, entre le pouvoir et les puissances catégorielles d'abord, entre le pouvoir et l'opposition ensuite. La mort du socialisme ne sera pas la chute d'un ange, mais la lente dissolution d'un mirage.

Rien de plus salutaire, pour dissiper les mirages, que l'exercice proposé par Jean Fourastié : inverser la perspective, cesser de nous représenter le futur comme le lieu fantasmagorique où s'additionnent les promesses ; lire le présent à partir de l'avenir lui-même, et puiser, dans cette mutation du regard, l'énergie nécessaire pour comprendre, non ce qu'il advient à tel ou tel secteur de notre vie sociale, mais ce que devient notre société tout entière.

Le panorama qui s'étend sous nos yeux est impres-

---

1. André ROSSI, « L'opposition tire à côté », *Le Figaro*, 27 décembre 1982.

sionnant : c'est pourtant avec sérénité que Jean Fourastié s'offre à l'interpréter.

La première chose que distingue l'observateur, c'est une société soumise à une expérience étrange qui consiste à éteindre toutes ses énergies propres pour leur substituer des mécanismes que l'on prétend « conscients » et qui sont surtout bureaucratiques. Appliquée à notre corps, l'idée socialiste visant à substituer le conscient au spontané ne pourrait aboutir qu'à mécaniser, puis à paralyser ses mouvements. Appliqué à une société cela donne « un citoyen qui, au lieu d'agir [...] selon son ardeur de vivre, est pris dans un réseau de plus en plus complexe d'obligations légales, économiques et fiscales qui commandent du dehors son action et donc souvent bloquent ses initiatives et même son désir d'initiative ».

Jean Fourastié, que n'abandonne jamais sa foi dans le progrès des hommes par l'expérimentation, espère que les tentatives brouillonnes du socialisme à la française auront joué pour nos concitoyens à la façon d'une école de rattrapage pour adultes : la crise n'est-elle pas reconnue par tous depuis qu'elle n'est plus l'apanage exclusif des libéraux ? Il est maintenant admis que la relance par la consommation ne constitue pas une réponse adéquate à notre présente situation, que la réduction de la durée du travail ne fait pas reculer le chômage, que le déficit budgétaire comporte d'étroites limites. Et c'est assurément aux socialistes que nous devons tout cela.

Il ne s'agit pas d'un paradoxe : tout simplement d'une vérité ancienne. C'est dans la peine et l'erreur que les peuples apprennent la leçon des faits, comme c'est dans la servitude qu'ils découvrent qu'il n'est pas de prix à la liberté. Mais, non sans mal, et peut-être trop tard.

À cette question, Jean Fourastié répond en rappelant les Français à quelques réalités amères : l'égalitarisme devient suicidaire ; nos systèmes sont complexes, fragiles et menacés. De l'horizon lointain qui lui a servi d'observatoire, l'auteur aperçoit la distance et les dangers qui nous séparent du troisième millénaire. L'effort sera un mot tout neuf en Europe.

Le combat politique qui s'ébauche sous nos yeux ne sera donc ni bref ni simple. Il ne peut être gagné que par des hommes décidés à faire alliance avec le temps pour assurer la défaite d'un mythe. La tâche des analystes que nous sommes doit, par conséquent, s'ouvrir, elle aussi, à cette dimension nouvelle de l'action politique. Les études ici rassemblées permettent de dresser un premier inventaire de la France socialiste. Elles permettent de donner des bases solides à l'examen critique des initiatives économiques et sociales du nouveau régime et de définir ses comportements administratifs et politiques.

Dans d'autres domaines, l'appréciation exige plus de recul, et l'on ne peut encore que jalonner le terrain à explorer. C'est le cas lorsque la gestion socialiste remet en cause des actions qui s'inscrivent d'elles-mêmes dans le long terme : ainsi de la diplomatie et de la défense. C'est le cas chaque fois que les enjeux intéressent moins des programmes que des valeurs sociales : ainsi de la culture et de l'information.

La puissance

L'on ne peut laisser à l'idéologie le soin de conduire les affaires de la France dans le monde, tandis qu'une gestion hasardeuse sape les instruments de notre puissance. Telle est la première leçon que comporte l'action extérieure de François Mitterrand : écartelée entre les mots dont il dispose à son gré et les moyens, qui se dérobent, le Président socialiste doit se résoudre à ne conduire qu'une diplomatie de l'errance et de la déclaration. Les voyages sont fréquents, et certaines déclarations sonnent juste : sur les SS 20, sur le « système » qui réduit à l'agonie la société polonaise, sur nos liens avec l'Europe et les États-Unis, bien des choses ont été dites qu'il était bon de dire.

Mais, quelle portée accorder à ces textes alors que,

simultanément, d'autres textes venus de la même source, ou d'une source dérivée, dessinaient une politique toute différente ? À Cancun, à Mexico, à La Havane, sous le faux prétexte de se poser en champion des pays pauvres, la France a balbutié, dans l'idiome tiers mondiste si judicieusement exorcisé par Carlos Rangel[1], l'un de ces messages que l'URSS récupère et manipule avec tant d'aisance. Nos engagements spectaculaires aux côtés de l'OLP, les malfaçons introduites par Jean-Pierre Cot dans nos relations avec l'Afrique, notre brouille avec Israël, tout ce discours de la discontinuité n'est que la projection, sur le vaste théâtre du monde, de la nébulosité conceptuelle qui impose de si étroites limites à l'intelligence socialiste.

Partout, la France a cessé d'être cette puissance moyenne dont l'esprit de suite, la capacité d'analyse, la santé économique et financière faisaient pour chacun un partenaire respecté et indépendant.

Car nous avons cessé d'être autonomes, et, partant, nous avons cessé de pouvoir prétendre jouer un rôle propre dans les affaires du monde. En plaçant l'économie française en situation de débiteur universel, le socialisme a forgé pour la France les chaînes de la dépendance internationale. Aussi apparaît-elle aujourd'hui comme un pays qui perd son rang.

Le rang d'une nation n'est pas un fétiche pour patriote réactionnaire. C'est un instrument de mesure destiné à situer un peuple au sein des autres peuples et à comparer les résultats, et donc les mérites, de leurs politiques respectives. Or, voici que, jour après jour, la France recule de quelques places dans tous les classements qui témoignent du goût de notre époque pour l'émulation internationale. Et comme les « temps de réponse » sont plus rapides en économie que dans les autres secteurs de l'activité sociale, c'est notre rang sur les tableaux de bord de l'économie mondiale qui a été remis en cause le premier.

---

1. Carlos RANGEL, *L'Occident et le tiers monde*, Robert Laffont, 1982.

François Mitterrand a cru pouvoir discerner quelques traces de délabrement dans l'appareil industriel que lui ont légué ses prédécesseurs[1]. L'on ne saura jamais s'il visait notre industrie électronucléaire, ou notre génie biologique, qui comptaient alors parmi les premiers du monde. Toujours est-il qu'avant l'arrivée au pouvoir d'un Président socialiste, nous étions le troisième exportateur de la planète, après le Japon et l'Allemagne fédérale. Nous voici ramenés à la sixième place, devancés par la Grande-Bretagne.

Car le lien est plus étroit que ne le pensent les utopistes entre la gestion quotidienne des affaires et l'effet que produit cette gestion à l'extérieur. En une seule année, la France est passée du huitième au quinzième rang pour l'ensemble des facteurs qui définissent la compétitivité d'une économie. Au même rythme ont fondu les réserves de l'Institut d'émission. Le déficit commercial a quadruplé ; la dette extérieure a été multipliée par sept. Ces chiffres sont les nouveaux ambassadeurs que nous accréditons auprès des nations. Comment s'étonner que ces étranges envoyés ne parviennent à convaincre personne de notre sérieux et de notre puissance ?

Et comme celui qui les envoie ne peut se maintenir au pouvoir qu'en renouvelant le pacte de son étroite alliance avec les communistes, aucun de ses gestes ne peut être interprété comme l'expression de notre indépendance.

D'autant plus que son gouvernement n'hésite plus à porter atteinte au potentiel de défense du pays.

À l'évidence, les problèmes posés par sa défense à un pays aussi menacé que la France doivent être traités dans un climat bipartisan. Ce fut, hier, impossible, parce qu'aucun élu socialiste n'a accepté une seule fois en vingt ans de voter le budget militaire. Cela aurait dû être possible au cours du septennat de François Mitterrand.

En plaçant l'effort de défense en dehors des priorités nationales, en renonçant à définir une logique de dé-

1. Conférence de presse du 24 septembre 1981.

fense cohérente, le gouvernement de Pierre Mauroy a renoncé à faire de la sécurité un élément de l'unité nationale.

Dès l'élaboration du budget 1982, il était clair que le budget de la défense demeurait étale tandis que progressaient les dépenses civiles. En 1983, la régression des dépenses militaires était acquise : leur volume était inférieur à celui qui aurait permis de compenser les effets de l'inflation.

Successivement, les programmes naval, aéronaval et aérien étaient annulés, tandis qu'étaient bloqués les crédits nécessaires à l'exécution des tranches essentielles du programme d'équipement en artillerie et en matériel antiaérien de nos forces terrestres. La part réservée aux forces nucléaires ne s'accroissait pas, sinon dans son rapport à un budget global, lui-même en régression.

Il serait erroné de voir là une trace du vieil antimilitarisme socialiste, car le ministre de la Défense ne professe pas cette philosophie. Il s'agit d'un phénomène beaucoup plus grave : le budget militaire a été le premier à subir les effets de notre recul économique. Ce sont ces effets que nous devons à l'avenir redouter, plus qu'un préjugé idéologique en voie d'heureuse disparition.

Les atteintes portées à l'« outil de travail » de nos forces armées n'épuisent cependant pas la responsabilité des socialistes en matière de défense : leur gouvernement s'est révélé incapable de définir un concept de défense. Les éléments de l'alternative ne sont nullement simples, mais le choix à opérer est clair. Ou bien une armée hautement sophistiquée dans son équipement et très bien entraînée couvre les frontières et s'articule à la dissuasion nucléaire en disposant d'une puissante artillerie neutronique. Ou bien une défense en profondeur, sur le modèle suisse ou suédois, assume ce rôle de protection initiale. Le gouvernement a chargé Charles Hernu d'explorer la première voie, tout en lui refusant d'emblée les moyens indispensables. Il a chargé le secrétaire d'État d'explorer la seconde. Mais celui-ci n'a pas mesuré l'ampleur de la reconversion à opérer dans le comportement des Français et l'organisation de l'armée si l'on veut donner un sens à l'expression de guerre populaire, dont il se borne à badigeonner quelques discours.

Rien n'est plus fragile que la puissance : elle repose sur des logiques bien ajustées. Rien n'est plus fragile que des valeurs : elles reposent sur un juste sentiment de l'homme. La corrosion socialiste fait sentir ses effets sur l'une. Elle menace les autres.

Les valeurs

L'action culturelle du gouvernement socialiste se voulait à l'avance généreuse. Elle l'a été dans les chiffres puisque le budget de la Culture a connu un accroissement substantiel. Mais la générosité doit demeurer discrète, et quand il s'agit de la culture, désintéressée. Malheureusement, le ministre chargé d'administrer cette générosité s'est volontiers comporté en militant, et même en partisan ; il a défini sa mission comme celle d'un prosélyte politique ; et non content d'imposer ses convictions, il a tenté d'imposer ses goûts.

La culture française demeurera-t-elle l'œuvre de la société civile, ou deviendra-t-elle un produit bureaucratique ? Se réduira-t-elle à la culture de gauche ? Le talent, le génie seront-ils consacrés par le public ou désignés par l'État ? L'enjeu est de taille. Il sera certainement, dans un avenir proche, au cœur de l'un des plus importants débats suscités par l'arrivée au pouvoir des socialistes.

À vrai dire, ce débat est d'ores et déjà ouvert. Marc Fumaroli a eu le mérite de dénoncer le schéma culturel qui se met en place sous nos yeux en le définissant comme « un temps de vivre contrôlé par les services officiels[1] ». Que la culture socialiste soit avant tout une

1. « L'excroissance culturelle », revue *Commentaire*, n° 18, Julliard. Marc Fumaroli prépare un essai sur ce thème — « La culture administrée » — à paraître bientôt aux éditions Robert Laffont.

« culture enrôlée », on s'en assure sans peine en constatant que toute subvention du ministère des Affaires culturelles prend la forme d'un marché politique passé de gré à gré. Son versement est subordonné soit à l'embauche de permanents idéologiquement orientés et désignés par l'État si le bénéficiaire est une association, soit à la désignation autoritaire des artistes agréés s'il s'agit d'organiser une manifestation.

Il n'est plus question d'« encourager les arts » selon la modeste formule du XIXe siècle, mais de les quadriller. Marc Fumaroli diagnostique, au-delà de ces débordements, peut-être liés aux premières ivresses de l'exercice du pouvoir, une pointe de délire qui pourrait faire un jour de l'administration de la culture « le seul milieu vital où un artiste puisse naître, vivre et mourir, un circuit fermé étendu à l'ensemble de la société civile ».

Il faut entreprendre dès maintenant de libérer d'un seul élan le public et sa culture. L'opposition doit éviter par-dessus tout d'apparaître comme un rival du pouvoir en place dans la colonisation des arts. La culture ne doit pas devenir un enjeu, et le jeu social ne doit pas se refermer sur elle. Une stratégie de la culture n'a de sens que dans le but de l'aider à échapper aux contraintes du pouvoir ou à celles de l'argent. Aujourd'hui, cette étreinte est celle des « grands services publics », au sens que M. Savary donne à ce terme, c'est-à-dire celle de la prison des subventions officielles. Mais plus encore que ce piège il faut redouter pour la liberté de la culture l'emprise des réseaux ségrégatifs sur lesquels s'appuie le ministère dans son action quotidienne, et qui s'évertuent à marginaliser les artistes demeurés libres de toute attache partisane.

L'emprise sur la culture est un projet socialiste qu'il est possible de faire échouer. L'emprise sur l'information est au contraire un fait accompli.

Rien n'est plus révélateur du niveau culturel et de la qualité démocratique d'une vie sociale que le statut de l'information. Il n'y aurait pas de Grande-Bretagne sans

BBC, pas d'Allemagne fédérale sans décentralisation des moyens d'expression audiovisuels. Le programme socialiste était sur ce sujet plus que séduisant : idéal. Il s'agissait d'instaurer une information « libre et pluraliste », d'interdire toute censure de l'information, fût-ce dans les casernes et les prisons, et de consacrer la liberté des radios locales (proposition n° 94 du candidat socialiste à l'élection présidentielle).

Le résultat est connu : il n'existe aucun secteur de la vie nationale où l'impérialisme partisan se soit imposé avec plus d'arrogance et de cynisme. Les radios locales sont autorisées lorsqu'elles sont socialistes ou insignifiantes. L'information à la radio et à la télévision est passée d'un statut déjà fort critiquable de semi-liberté à un régime de haute surveillance. Elle est devenue l'instrument d'une propagande d'État. C'est du moins le terme utilisé par le secrétaire à la coordination du PS pour désigner l'activité qu'il conduit avec les moyens de l'État sous l'impulsion du parti[1].

La liberté de la presse est soumise à des pressions irrésistibles. La nationalisation du crédit place chaque organe de presse, dont la trésorerie est toujours fragile, sous une surveillance constante. Il appartient à l'agence Havas, en liaison avec les services de publicité de la troisième chaîne, de transformer cette surveillance en contrôle, tout au moins pour la presse de province[2].

En un mot comme en cent, la liberté d'expression n'est plus en France qu'une réalité marginale.

Il ne pouvait en être autrement : pour découvrir l'origine d'une volte aussi subite que celle du PS à l'égard du statut de l'information, il suffit de noter le penchant irrésistible de ce parti pour l'action pédagogique, que celle-ci ait pour objet d'enseigner aux Français ce que pensent les socialistes, ou de les amener à penser comme eux.

---

1. *Le Quotidien de Paris*, 4 décembre 1982.
2. *Le Quotidien de Paris*, 2 octobre 1982.

L'invasion de la propagande s'est d'abord traduite par le bouleversement des équipes chargées d'élaborer dans les médias des programmes d'information. Par mesure de précaution les débats contradictoires ont été rayés de la grille des programmes, tandis que de longues listes de personnalités écartées de l'antenne étaient diffusées dans les rédactions.

L'équilibre des temps de parole respectivement alloués dans les médias à l'opposition et au gouvernement a été bouleversé au point que l'opposition a presque disparu des écrans, où les interventions parlementaires de ses leaders sont désormais censurées.

Face à cette machine de guerre manipulée en partie par des léninistes chevronnés, les possibilités de réplique de l'opposition sont d'autant plus limitées que les nouvelles technologies de la communication sont gérées par le pouvoir avec le dessein d'en faire bénéficier la centralisation de l'information.

De tels abus comportent pourtant de grands dangers pour les dirigeants socialistes, à moins que leur dessein ultime soit d'instaurer le despotisme. En étouffant toute expression de l'opposition politique dans les médias, ils risquent d'avoir à affronter d'autres formes de résistance, catégorielles, ou tout simplement violentes. Ils risquent surtout de voir s'attacher un tel discrédit à leur information officielle que la rumeur tendra à se substituer un jour à la communication. Georges Suffert a pris date, en notant que : « Des millions de Français ont pris l'habitude d'écouter chaque soir leur bulletin télévisé. Ils savent qu'on leur ment. Mais pas à ce point »[1].

L'opposition

Cette analyse trace ses devoirs à l'opposition. Celle-ci n'est pas seulement appelée à soutenir des guérillas élec-

1. *Le Quotidien de Paris*, 4 novembre 1982.

torales et parlementaires ; on ne lui demande pas seulement d'être active sur le terrain et dans les institutions. Elle ne vaincra que si elle est présente dans la conscience des Français, si elle parle à la nation dans le registre que celle-ci veut entendre. En bref, elle n'existera vraiment que le jour où elle ne se bornera pas à agir, mais se décidera aussi à surmonter les obstacles que lui opposent des médias hostiles et à choisir son langage, son message et son image.

Le moins que l'on puisse dire est que les partis qui, à la veille du 10 mai 1981, incarnaient une conception libérale de la société, étaient mal préparés à cette nouvelle tâche, mal préparés surtout à lui donner ses vraies dimensions. Ils avaient certes contracté, au contact des responsabilités, une aptitude certaine au réalisme et à la gestion. Mais, domestiqués par un exécutif absorbé à l'excès par ses tâches économiques, ils avaient cessé d'entendre le murmure de la France parce qu'ils avaient désappris à l'écouter.

Ils étaient également victimes d'une double défaillance. Leur légitimité était liée, aux yeux des Français, à une fidélité historique et à une référence institutionnelle. La première, gaullienne, leur imposait de faire mouvement face aux changements de l'histoire. La seconde, démocratique, exigeait d'eux une confiante remise en cause de leur titre à diriger la nation. Des partis frileux, gestionnaires, animés par de simples permanents, et qui avaient pris l'habitude de dominer sans combattre, ne pouvaient répondre aux exigences de l'heure.

Et pourtant, une fois le choc passé, nous les voyons sous nos yeux, se redresser, se réformer, prendre la mesure des enjeux dans une situation entièrement nouvelle. Le mérite en revient, comme souvent dans l'histoire, à leurs adversaires. Les socialistes, à défaut de sens de l'État, ont le sens de l'abus. En révélant leur désir d'exercer un contrôle sur la société tout entière, ils ont partout suscité des noyaux d'adversaires irréductibles, qui, aujourd'hui, de tous les horizons, viennent réveiller et rajeunir les partis. Ce phénomène, qui n'a guère retenu l'attention des observateurs, avait été analysé avec sa lucidité coutumière par Benjamin Constant, qui notait en 1813 :

« Ils attribuaient à l'opposition les malheurs de la nation, comme s'il était jamais permis à l'autorité de faire des changements qui provoquent une telle opposition, comme si les difficultés que ces changements rencontrent n'étaient pas, à elles seules, la sentence de leur auteur. »

L'opposition est donc légitime et nécessaire. Elle se consolide sur le terrain. Elle s'organise au Parlement. Il lui reste à trouver le juste ton, moins tendu, moins véhément, mais aussi, plus ardent, plus efficace[1], et ses leaders doivent encore découvrir le caractère décisif d'un double combat que rien ne les a préparés à conduire et à comprendre : la lutte pour les valeurs et la bataille de l'intelligence, ce combat qui nous conduit au-delà de nous-mêmes[2].

L'on insinue ici et là, dans un climat de désinformation, que la lutte des opposants au socialisme est en définitive inutile, parce que l'œuvre du PS serait irréversible[3]. C'est méconnaître une loi de la démocratie, formulée par Jean-Jacques Rousseau, selon lequel « il n'y a dans l'État aucune loi fondamentale qui ne se puisse révoquer[4] ». Au surplus, le but de l'opposition n'est pas d'abolir un ensemble de mesures, mais de promouvoir sa propre conception de la société.

L'on insinue encore que l'opposition est superflue, dès lors que le président de la République n'est plus socialiste qu'en apparence. Il est vrai qu'après avoir nié la crise pour conquérir le pouvoir, François Mitterrand la découvre depuis qu'il l'exerce ; qu'après avoir asphyxié ou nationalisé les entreprises, il leur promet de l'oxygène ; qu'après

---

1. Simone VEIL, 17 octobre 1982, *Europe 1*.
2. Voir Jean-Marie BENOIST, *Le Devoir d'opposition*, Robert Laffont. L'ambition de l'auteur est de rendre ses dimensions au combat politique.
3. *Business Week*, janvier 1983.
4. *Le Contrat social*, livre III, chap. 18.

avoir voué la liberté de l'enseignement à une lente agonie, il exalte sa vitalité[1].

Il est évident que nous serions nombreux à déposer les armes si les hommes au pouvoir retrouvaient les voies du socialisme européen, celles de la modération et de l'efficacité. Il ne paraît pas qu'ils y soient vraiment disposés.

Sous nos yeux, l'horizon du socialisme s'incline lentement. Il ne reste plus entre nos mains que les statistiques de la décadence, symboles desséchés des enthousiasmes d'hier. L'opposition n'a pas besoin de hausser le ton. Il lui suffit de confier sa cause à l'arbitrage de la France.

Car le reflux commence.

Michel MASSENET

1. Discours du 2 janvier 1983.

I

Les logiques de l'État socialiste

> « Il appartient aux hommes de lutter pour substituer au système économique en place d'autres rapports de production, une autre politique et une autre morale. Car en définitive, tout dépend du pouvoir. La stratégie de rupture avec le capitalisme n'est donc pas par hasard celle du parti socialiste. »
>
> *Programme socialiste,* 1980, p. 32.

L'histoire de la nouvelle politique économique (NPE) qui aura bientôt deux ans se caractérise *a priori* par une confusion essentielle dont beaucoup d'analystes sont victimes. Ses objectifs avoués, répertoriés dans un très grand nombre de documents, sont au nombre de deux :

1. Le remplacement du système d'économie décentralisée dans lequel nous avons vécu jusqu'à présent par un autre système.
2. La mise en œuvre d'une politique se voulant efficace de lutte contre la crise économique.

Ces deux objectifs doivent être intellectuellement distingués sans méconnaître que chez les responsables ou conseils de la majorité socialo-communiste, de nombreuses articulations existent entre les deux et que pour beaucoup d'entre eux la crise est une crise du système, de sorte que c'est d'abord en changeant celui-ci que l'on arrivera à vaincre celle-là dans ses principales manifestations.

Une question se pose alors : Quel est le système économique qui a été mis en place depuis le 10 mai 1981 ? Cette question n'est en aucune manière purement spéculative mais fondamentale puisque encore une fois le changement de système étant un objectif affirmé de la majorité il paraît normal, pour étudier les logiques des politiques, d'examiner les « règles du jeu » que selon une expression souvent entendue dans les propos des leaders socialistes il serait urgent de changer.

Modèle suédois ? Modèle autrichien ? Socialisme à la française ? Autogestion ? Socialisme de marché ? Y a-t-il eu des travaux, des réflexions ayant pour objet de définir théoriquement les contours et les modalités hypothétiques de fonctionnement d'un « système socialiste » ? Nous laisserons momentanément de côté le modèle de référence du PCF, lui parfaitement « déterminé » et dont la variante française vient d'être exposée brillamment par Philippe Herzog dans son ouvrage *L'Économie à bras le corps*[1] sur lequel nous reviendrons. Tenons-nous-en pour le moment aux socialistes. La construction de systèmes théoriques est une très ancienne tradition de la social-démocratie, et du socialisme allemand en particulier. C'est en liaison avec cette théorisation qu'étaient définis ce que l'on appelait dans le SPD d'avant 1914, d'une part le programme maximum dont l'objet était évident : la transformation totale de la société et du système économique, et le programme minimum qui définissait les objectifs de gestion courante et de satisfaction des revendications immédiates.

Force est de constater que cet effort de réflexion n'a pas été très poussé au parti socialiste et à l'extérieur de ce dernier, les commencements d'analyse élaborés dans tel ou tel colloque ou proposés par Michel Rocard n'ayant pas eu de suite. Certains observateurs s'en réjouissent en affirmant que l'absence de construction théorique garantit le réalisme des socialistes français.

---

1. Éditions sociales.

Nous pensons que cette manière de raisonner est erronée car d'une part les socialistes ont des alliés dotés d'un schéma explicatif qui est aussi, d'ailleurs, un schéma d'action et la « structure d'accueil » quasi obligatoire en cas de dérapage non contrôlé ; d'autre part, l'absence de description hypothétique, si elle ouvre le champ à tous les possibles en matière de politique économique, l'ouvre aussi à l'incertitude et à l'indétermination. On peut se demander si ce n'est pas à la lumière de ces remarques qu'il faudrait expliquer l'absence de planification et même l'absence de référence à la planification dans le discours tenu depuis bientôt deux ans.

Plusieurs considérations justifient que l'on énumère tout au moins les différents systèmes hypothétiquement concevables. D'une part un travail de réflexion a été mené et continue d'être mené au ministère du Plan par la commission de Réforme de la planification française qui, malgré son nom, ne peut pas manquer de poser des problèmes sur la nature et les modalités de fonctionnement du système mis en place. D'autre part, qu'il y ait réflexion théorique ou non, les différentes actions menées dans tous les domaines, les modifications des comportements des agents et des groupes font que la réalité se structure d'elle-même et qu'une certaine logique se met en place, volontairement ou non. Ajoutons enfin qu'il est impossible d'analyser séparément les politiques suivies et de recenser leurs contradictions et leurs inefficacités sans se référer à une hypothèse de système.

Les modèles concevables sont nombreux, surtout si l'on énumère à côté des systèmes « purs » des systèmes hybrides qui sont évidemment le lieu privilégié d'éclosion des contradictions. On pourrait imaginer un socialisme de marché dans lequel le gouvernement veillerait exclusivement à ce que les critères de l'optimum économique, dont chacun sait qu'ils sont bien atteints dans l'économie décentralisée, soient en toute circonstance respectés. Outre la définition des objectifs collectifs généraux l'action gouvernementale viserait à éliminer toutes les formes de monopole et de rente qui lui sont liées. Cette forme d'économie ne serait pas incompatible avec une très large politique de redistribution des richesses. Ce que l'on a appelé le modèle suédois est probablement une variante dégénérée, par certains côtés, de ce modèle pur.

Autre modèle souvent invoqué (mais il faut le dire rarement objet de véritable analyse économique en France) : le système autogestionnaire. On sait que l'exemple concret souvent cité est celui de la Yougoslavie. On sait, également, depuis les analyses de Vanek[1], quelles sont les conséquences globales de ce système : le chômage généralisé et cumulatif et le désordre total de l'investissement. L'expérience yougoslave confirme ce diagnostic.

Un troisième modèle serait celui dans lequel dominerait une logique de marché pour toutes les décisions à l'échelle décentralisée microéconomiques et l'action d'un plan souple et fort jouant un rôle de coordination et de prévision (étude de marché généralisée). Ce modèle ayant toutes les apparences d'un modèle « gaulliste », les raisons pour lesquelles les socialistes ne peuvent le prendre comme référence sont évidentes.

Le quatrième modèle n'a pas bonne presse apparemment puisque les communistes français eux-mêmes ne semblent pas s'y référer explicitement : il s'agit du modèle de planification stalinien dont les caractéristiques principales d'inefficacité sont suffisamment connues pour que nous puissions nous dispenser de les rappeler. Cependant, c'est une variante subtile mais non fondamentalement différente qui vient d'être proposée récemment par Philippe Herzog.

Enfin le dernier modèle est un modèle d'économie ouverte comportant un très gros secteur public, une nationalisation presque totale du crédit, un secteur privé important ; et, en faisant œuvre d'imagination on pour-

1. Voir, notamment : Jaroslav Vanek, *The Labor-managed Economy*, Essays, Cornell University Press, 1977.

rait le compléter en disant qu'il comporte un plan et une logique des relations secteur public-secteur privé. Ce serait le modèle du socialisme à la française. Il n'a qu'un défaut, c'est de ne jamais avoir été explicité.

La politique menée depuis mai 1981 a eu pour objet de mettre en place les principaux blocs constitutifs de ce système et simultanément une (ou des) politique(s) de lutte contre la crise économique, principalement contre le chômage. Il est probable qu'un grand nombre de contradictions et d'échecs résultent de cette action simultanée.

Un autre ensemble d'éléments qui jouent un rôle important pour expliquer la genèse des actions et éventuellement aussi les contradictions de l'action, c'est ce que nous appellerons les idées reçues. Ici, il est difficile de ne pas dire des banalités. La principale idée reçue — et nous n'en énumérerons que quelques-unes, très largement partagées par un grand nombre de militants et de responsables socialistes — consiste à *croire que le réel économique est totalement « construit »* et qu'il est donc possible de le reconstruire suivant un schéma préétabli. On en arrive à penser qu'il est possible d'agir non seulement sur la structure d'ensemble mais aussi sur les relations particulières qui la constituent. Et, bien entendu, cette construction doit s'opérer par l'intermédiaire du pouvoir politique. Cette « thèse » a des conséquences très importantes, dont la principale est l'affirmation répétée d'un volontarisme tous azimuts. Il serait intéressant d'énumérer les conséquences de cet état d'esprit sur l'appréhension des problèmes concrets. Donnons deux exemples au hasard. La notion de conjoncture économique avec son degré élevé d'autonomie est extrêmement difficile à appréhender dans ce cadre. Aussi, dans les diagnostics dressés par les économistes socialistes avant le 10 mai, le rôle de la conjoncture nationale ou internationale était totalement éclipsé. Autre exemple très intéressant : l'analyse qui est faite du rôle du progrès scientifique et technique dans la croissance économique. Le mode de raisonnement dominant est à peu près le suivant : il existe un stock important de techniques disponibles ; en les mettant en œuvre, on aurait un moteur de croissance indiscutable : alors, décidons « politiquement » de les utiliser, et le problème est considéré comme résolu. Cette manière de raisonner gomme le mécanisme proprement économique de la transformation des inventions scientifiques en innovations économiques et prépare de nombreuses désillusions. Elle ouvre la porte à des modes de pensées inquiétants, du type : si la transformation ne se fait pas, cela ne peut être dû qu'à la malignité, voire à la perversité de certains agents économiques qui bloquent (par méchanceté ?) le processus.

Seconde grande idée reçue dont il serait intéressant de mesurer les conséquences : la méfiance irraisonnée vis-à-vis de tout ce qui est monétaire et financier. En tant qu'économiste, on pourrait dire qu'aux yeux des socialistes les phénomènes réels sont déterminants et que la monnaie suit ou devrait suivre. Autre idée annexe qu'expriment seulement les purs politiques : les mécanismes financiers sont des mécanismes « louches ». D'où l'on déduira, par exemple, que si la valeur du franc baisse sur les marchés internationaux, c'est qu'il y a un complot des financiers internationaux contre le franc. Si l'on nationalise d'abord et en entier le crédit c'est pour des raisons presque morales dans leur fondement. Autre « idée reçue » dérivant de la précédente : la prééminence de la notion de stock sur la notion de flux : « Il y a de l'argent dans les banques », « Il faut prendre l'argent là où il est. » Qu'on nous pardonne, mais ces expressions triviales reflètent certaines structures de l'entendement en matière économique. Comme les calculs économiques fondamentaux passent par les calculs en monnaie la méconnaissance des mécanismes financiers et monétaires débouche comme toujours sur la politisation de l'économie, avec toutes ses conséquences : l'inefficacité d'abord, puis l'interventionnisme arbitraire et discrétionnaire. Un héros de Dostoïevski disait déjà que « la monnaie c'est de la liberté frappée ». Toute méfiance à l'égard de la monnaie ne peut manquer de devenir tôt ou tard une agression contre la liberté.

Les remarques qui précèdent sur ce que doivent être les mécanismes cohérents d'un système nouveau — en particulier le problème des relations secteur public-économie de marché —, et l'énumération partielle que nous venons de faire des « idées reçues », portent, certes, préjudice à la construction d'une économie politique du socialisme français et aussi à la cohérence de l'action de politique économique des partis au pouvoir. Toutefois cette action s'est aussi fondée sur l'analyse économique faite par certains auteurs[1].

Les logiques critiques du diagnostic

Les économistes socialistes et communistes sont unanimes : la crise est une crise du système capitaliste. Cependant et paradoxalement, ses causes ne sont pas, à titre principal, considérées comme extérieures à la France, d'où exclusion des chocs pétroliers et de la conjoncture internationale, — tout au moins jusqu'aux mois de juin-juillet 1982, au moment où l'échec de la première phase de l'action du gouvernement socialiste est devenu indiscutable. L'idée de base est la suivante : il y aurait des causes fondamentales « objectives » de crise mais les causes immédiates et amplificatrices sont les mauvaises politiques nationales qui ont conduit à une suraccumulation génératrice de chômage.

Les causes premières seraient la baisse des gains de productivité au terme d'une croissance prolongée, le fait que les types de consommation anciens ne jouent plus le rôle de moteur de croissance qui était le leur jusqu'aux années 1970, et que le travail improductif (tertiaire, commerces, services) aurait vu son volume augmenter

---

1. Notamment : H. LORENZI et *Alii*, *La crise du XXe siècle*, Economica, 1978.

aux dépens du travail qualifié de productif par les marxistes.

Ces causes auraient joué conjointement, entraînant une baisse de la rentabilité du capital qui, évidemment, engendre une tendance à la baisse de l'investissement. Face à cette baisse de rentabilité, la réaction des capitalismes nationaux et des pouvoirs publics aurait été de mettre en œuvre des politiques pour susciter un supplément d'accumulation, — essayer en quelque sorte, selon nos auteurs, de gagner par l'augmentation de la masse des profits ce que l'on perd du fait de la baisse des taux de profit. C'est d'une augmentation préalable et première des profits que les responsables (Raymond Barre) auraient attendu un soutien de l'activité, et en particulier une résorption du chômage ; la référence majeure étant le « théorème » du social-démocrate Helmut Schmidt selon lequel « les profits d'aujourd'hui engendrent les investissements de demain et les investissements de demain engendrent les emplois d'après-demain ».

La politique néo-libérale soutient en effet que la relance de la croissance entraîne la relance des investissements, donc des moyens de financement des entreprises. Or, toujours selon les néo-libéraux (repensés par nos néo-marxistes), cela implique qu'une fraction importante des résultats de la croissance soit affectée à l'investissement. Pour dramatiser l'analyse, les auteurs néo-marxistes résument cette politique en disant qu'elle a pour objectif, et pour effet, de modifier le partage salaires-profits en faveur des profits. Cette politique aurait, selon nos auteurs, engendré une suraccumulation. En outre, dans la situation de non-flexibilité des salaires, cette suraccumulation se serait accompagnée d'une substitution accélérée du capital au travail, qui aurait engendré un accroissement du chômage et que certains considèrent même comme la cause essentielle du chômage. Mais pour tous, cette crise n'est pas conjoncturelle, transitoire, elle traduirait une crise du système qui serait devenu inapte à se reproduire. Il faut changer de politique et remplacer le système. Que faire ? Après les logiques critiques du diagnostic, quelles sont les logiques de l'action normalement liées aux premières ?

Les logiques contradictoires de l'action

La grande réforme de structure a été celle des nationalisations. Il est certain qu'elle a répondu à un objectif proprement politique, à savoir un compromis entre les thèses communistes d'appropriation collective des moyens de production et la thèse socialiste du secteur public considéré comme un pôle moteur et entraînant. Toutefois, chez les « penseurs », les justifications logiques existent et jouent leur rôle. L'idée de base est la suivante : puisque du fait de la baisse de la rentabilité du capital, le secteur privé ne trouve plus en lui-même les déterminations qui le pousseraient à investir plus et que la politique néo-libérale, qui avait pour objet d'accroître d'une manière « artificielle » les fonds disponibles en vue de l'investissement en allégeant les charges des entreprises privées, n'a pas connu le succès attendu, la solution socialiste efficace serait l'extension du secteur public par les nationalisations. On escompte que l'État fera les investissements que les entreprises ne peuvent plus réaliser dans le cadre de leur logique propre. L'idée générale est que l'État ne serait pas soumis à la logique de la rentabilité de l'investissement au sens étroit du terme et que, par ailleurs, il aurait d'autres mobiles que la valorisation de tel ou tel investissement particulier. En termes de théorie économique et pour éviter de prendre trop de liberté avec la théorie de l'optimum d'allocation des ressources, on pourrait dire que le taux de profit escompté nécessaire pour justifier les décisions d'investissement est moins élevé pour l'investisseur public que pour l'investisseur privé. S'il en est ainsi, une masse d'investissements qui n'engendrent que des profits plus faibles vont pouvoir être réalisés. Cela est vrai pour le secteur public, mais cela le serait également pour les petites et moyennes entreprises dont le capital se trouverait dévalorisé selon Philippe Herzog[1] du fait de l'action des « monopoles ». Une marge d'investissement profitable apparaîtrait pour ces entreprises, contribuant d'autant à l'augmentation de l'investissement national. Évidemment, pour garantir que les mécanismes financiers de mobilisation des ressources joueront bien, émerge d'une manière induite la nécessité de nationaliser complètement le système de crédit.

À côté de la nationalisation qui est, en soi, censée entraîner une augmentation de l'investissement, le second point essentiel de l'action socialiste a pour objet la relance de la demande de consommation. Un grand nombre d'analyses concernant la relation entre la relance de la demande de consommation et la croissance ont été et sont présentées ; ce sont les plus simples qui, bien entendu, ont le plus de succès sous le nom de keynesianisme rudimentaire ou de keyneso-marxisme.

La consommation des ménages est une composante de la demande globale et, en tant que telle, elle nourrit l'accroissement du PIB, et dans la mesure où le taux de croissance de la demande est prévu comme durable, elle est certainement un facteur qui, une fois les capacités de production oisives remises en route, engendre des investissements supplémentaires. Des analyses plus subtiles ont été faites par certains auteurs[2]. Selon eux, la crise survenue depuis 1974 a certes entraîné une baisse de la production, mais la baisse de l'emploi aurait été plus faible, de sorte qu'il y aurait une baisse de productivité et en même temps un excédent de capacité. La relance de la consommation aurait donc pour conséquence la remise en route des équipements oisifs et à la fois l'augmentation de l'emploi et l'amélioration de la productivité, ce qui aurait donc aussi un effet bénéfique sur les coûts de

1. *L'Économie à bras le corps, op. cit.*
2. R. Boyer et J. Mistral, « L'Inflation en France », *Statistiques et Études financières,* 1976.

production, donc sur l'inflation, et donnerait enfin, à l'arrivée, une reconstitution des profits garantissant une nouvelle reprise de l'investissement.

Les conseillers du Premier ministre auraient dû se pénétrer de cette dernière analyse car la politique de relance de la demande qui a eu lieu entre mai 1981 et juin 1982 a connu un échec. Les causes de cet échec sont multiples et elles sont analysées par ailleurs dans le présent ouvrage. On pourrait y ajouter la politique d'augmentation des charges obligatoires des entreprises qui a empêché le mécanisme décrit par Boyer et Mistral de jouer. La relation demande de consommation des ménages-investissement a été bloquée et, en outre, aucune compensation n'est venue du jeu de la balance extérieure. L'accroissement de la demande a provoqué une augmentation des importations qui a entraîné un très fort déséquilibre de la balance extérieure.

Certes on ne peut, à ce point tout au moins, accuser les socialistes d'être en contradiction avec eux-mêmes. Le *Programme socialiste* 1980 prévoit (p. 51) que « le choix du parti socialiste, c'est l'arrêt de l'augmentation, puis la réduction de la part du commerce extérieur dans le PNB. Notre objectif sera que ce rapport soit ramené en dessous de 20 % ». Il est certain, par ailleurs, que dans sa première phase, la relance par la consommation populaire pouvait apparaître comme une procédure essentielle de « reconquête du marché intérieur ». Ce n'est que progressivement, dans le courant de l'année 1982, que l'on a commencé à se préoccuper de savoir si la conjoncture était bonne chez nos voisins et aux États-Unis...

Les contradictions nombreuses qu'ont révélées deux ans de politique socialiste conduisent à s'interroger sur le degré de résistance du système économique français. Pour les uns, au terme des trente dernières années, la société française a connu une révolution sans précédent, elle est devenue une société industrielle. La France aurait acquis définitivement une structure industrielle et son industrie serait devenue un élément invariant de sa structure. Un groupe non négligeable d'analystes pensent que quels que soient les erreurs, les échecs de la NPE, il peut se produire au plus des distorsions, des disfonctionnements, mais que la structure elle-même résistera parce qu'elle est un acquis définitif. D'autres, responsables politiques et observateurs, estiment au contraire qu'elle ne résistera pas. Notons cependant que leur argumentation a été fortement entamée du fait qu'une bonne fraction d'entre eux pensaient que les effets néfastes d'une politique inadaptée seraient bien plus rapides. Enfin, une troisième position plus subtile, plus difficile à interpréter, est résumée dans l'expression « rien n'est irréversible ».

Au terme de presque deux années de gouvernement socialiste, il est certes plus facile de prendre position sur ces différents points. Beaucoup constatent que le système ne s'est pas écroulé, et le soulagement l'emporte même chez ceux qui formulaient les pronostics les plus pessimistes. Si la France possède désormais un véritable système industriel moderne, il est en effet probable que sous les chocs dont il a été l'objet, celui-ci a très certainement, comme tout système, engendré des structures de survie. Mais à cette hypothèse, il faut en ajouter une autre : les modalités de dissolution d'un système ne sont pas nécessairement catastrophiques et en particulier les transformations des comportements, qui en sont évidemment une composante essentielle, prennent toujours du temps.

La résorption des contradictions

En bonne logique néo-marxiste, les contradictions doivent être résolues. Toutefois il y a (que l'on nous pardonne de philosopher) deux modalités de résorption : l'une où l'on fait confiance à titre principal au mouvement nécessaire des choses et aux libres réactions des hommes ; la seconde où l'on essaie de contraindre le réel par une action volontariste. C'est indiscutablement dans la première perspective que l'on doit situer les travaux de modélisation effectués dans le cadre de la préparation du IXe Plan (1984-1988). Ces travaux sont encore dans la phase préalable et les premières analyses d'exploration de l'avenir ont été effectuées sous la forme de la construction de scénarios. Leur grand nombre (vingt et un au total) permet de penser en effet que l'exploration des possibles a été poussée assez loin. Dans chaque scénario, la recherche de la cohérence interne est comme on sait une préoccupation importante et c'est cette recherche qui permet de déceler les déséquilibres et les contradictions qui appellent des politiques... Lorsqu'on passe en revue ces différents scénarios, on constate que les contradictions sont, en principe, traitées comme de simples contradictions de politiques économiques sans que soit jamais mis en cause directement le système dans lequel elles émergent. Or, comme nous allons le montrer, il s'agit très souvent de contradictions entre des politiques aussi logiques soient-elles, et le système lui-même. Les vingt et un scénarios résultent du croisement entre trois groupes d'hypothèses relatives à l'environnement international et sept relatives aux évolutions internes. Les groupes d'hypothèses internationales sont notés Z, Y et X et les scénarios d'évolutions économiques internes sont notés A, B, C, D, E, F et G[1].

L'hypothèse Z est celle d'une lente reprise économique correspondant, en gros, à un retour à l'état antérieur au deuxième choc pétrolier de 1979.

L'hypothèse Y est celle d'une stagnation prolongée avec tendances déflationnistes et protectionnistes généralisées.

L'hypothèse X repose sur la réussite de la politique américaine et une reprise de la croissance (2,8 % chez les

1. Voir les tableaux en annexe à ce chapitre pp. 79-85.

principaux partenaires de la France et 3,9 % pour les États-Unis).

Les travaux du ministère du Plan sont organisés à partir d'un scénario pivot qui est le scénario intérieur E, différencié selon les différents états de l'environnement international en scénarios complexes EZ, EY et EX.

Sur le plan interne, le scénario E se caractérise par une forte augmentation des dépenses publiques, une augmentation des prestations sociales à un taux plus élevé que le taux de croissance du PIB et dont le financement serait assuré par une augmentation de la TVA, un investissement important dans le secteur public, une baisse accélérée de la durée du travail, une faible progression du pouvoir d'achat.

Si l'on combine E à l'hypothèse moyennement optimiste d'environnement international Z, les caractères du scénario EZ sont alors les suivants : la croissance annuelle du PIB atteindrait 2,5 sous l'impulsion de l'accroissement des exportations (7 %) et de l'investissement productif (+ 5,5 %) alors que la consommation des ménages ne connaîtrait qu'une croissance de 1,8 %. Le taux de chômage (chômage/population active) passerait de 8,1 % à 9,5 % la dernière année du plan, ce qui correspond à 2 303 000 chômeurs. L'inflation atteindrait en moyenne un chiffre voisin de 9 %. Quant au pouvoir d'achat, il croîtrait de 0,2 % en 1984 pour atteindre une croissance de 1 % en 1988. Le déficit des administrations diminuerait progressivement, passant de 4 % à 2 % du PIB. Quant au déficit extérieur, il connaîtrait aussi une résorption progressive jusqu'à se rapprocher de l'équilibre en 1988.

Dans le scénario EY, la stagnation prolongée de l'environnement international engendre, comme on pouvait s'y attendre, une restriction de la demande d'exportation et les autres composantes de la demande se trouvant aussi affectées, la croissance économique ne serait guère supérieure à 2 %. Le taux de chômage dépasserait 10 % en fin de période pour un nombre de chômeurs de 2 438 000. Le déficit des administrations au sens large serait de 3,2 % du PIB en moyenne. Le déficit extérieur irait en croissant. La recherche de l'amélioration de la balance extérieure impliquerait une réduction de la croissance qui ne manquerait pas d'entraîner un nouvel accroissement du chômage.

Le dernier des scénarios pivots EX est celui de l'environnement international le plus optimiste avec une reprise généralisée de la croissance chez tous nos partenaires commerciaux. Paradoxalement, cette perspective très optimiste serait moins favorable pour la France que l'hypothèse de croissance internationale lente du scénario EZ. La compétitivité accrue des autres pays industriels due à l'efficacité des politiques anti-inflationnistes face à la sous-compétitivité des entreprises françaises engendrerait un déficit extérieur croissant et le chômage s'élèverait à 2 371 000 personnes en 1988. Dans ce contexte, les problèmes de balance extérieure deviendraient préoccupants et la gestion rigoureuse du taux de change serait impérative.

Tels sont les scénarios pivots. Ils permettent indiscutablement de repérer les problèmes à résoudre, ils révèlent certes l'importance de la crise internationale comme déterminant de la poursuite de la crise française. Mais ils révèlent aussi que *même lorsque l'environnement international devient favorable, voire très favorable*, le système rend toutes les politiques inopérantes, suscitant l'appel successif (ou simultané) à des politiques contradictoires.

Ainsi en est-il par exemple de la politique de l'emploi, dite de partage du travail, qui a toutes les caractéristiques d'une politique de « rationnement du travail ». Dans les scénarios, on peut lui attribuer un léger effet de freinage (disons arithmétique) de la croissance du chômage, mais le fait que cette croissance se maintienne indique, en toute hypothèse, que le chômage est très certainement induit et qu'en toute circonstance la politique de partage du travail n'est pas une politique de lutte contre le chômage. En outre, elle a en elle-même des effets induits pervers. Elle provoque une diminution de la durée d'utilisation des équipements et du capital technique, entraînant une sous-utilisation des capacités. Paradoxe : une insuffisance du travail par rapport aux équipements dans une conjoncture de chômage ! Autre phénomène pervers : à peine atteint-on l'objectif prévu des trente-cinq heures, l'interruption du processus de réduction engendre une nouvelle accélération du chômage.

Enfin, la politique de partage du travail a un effet pervers sur le mouvement de l'investissement. Elle réduit, comme on vient de le dire, l'efficacité de l'investissement existant en ne permettant pas sa pleine utilisation ; d'où la nécessité d'effectuer un investissement supplémentaire pour compenser cette sous-utilisation de l'équipement installé (c'est une véritable suraccumulation !), et sans que l'on soit sûr que la capacité financière des entreprises se soit suffisamment améliorée. Certes, l'évolution modérée des salaires devrait être un facteur favorable à la reconstitution des profits et des marges de financement, mais l'effet de hausse des coûts salariaux, imputable lui aussi à la politique de partage du travail, joue en sens contraire. Il en va de même de l'augmentation des prélèvements. On pourrait certes imaginer qu'elle permette d'alimenter un fonds collectif d'accumulation pour nourrir un fort investissement du secteur public. Le degré de certitude pour que ce mécanisme joue n'est pas très grand dans les scénarios de base.

Après le chômage et l'investissement, ce sont les difficultés de la balance extérieure qui apparaissent comme l'effet obligé des contradictions entre système et essais de politiques cohérentes. Tous les scénarios laissent prévoir le maintien ou l'accroissement du déficit extérieur avec, comme corollaires, un endettement extérieur croissant et des difficultés de change. La référence à des éléments explicites des programmes socialiste ou communiste, certaines prises de position en faveur du protectionnisme, pourraient donner à penser qu'il existe une modalité de solution de ce problème par une réduction importante de nos importations. Mais l'établissement de l'équilibre à un niveau déprimé engendrerait une réduction du taux de croissance et immanquablement une sensible augmentation du chômage. Si l'on échappe à la tentation du protectionnisme, on retombe sur les difficultés de gestion du change dans une conjoncture d'inflation plus élevée que l'inflation étrangère, avec la tentation d'ajustements momentanés par des dévaluations en chaîne.

Aux trois problèmes de base que nous venons de citer s'ajoutent évidemment la possibilité d'une inflation forte et la constatation que le taux de croissance des prélèvements obligatoires est dans tous les cas de figure supérieur au taux de croissance du PIB.

Après avoir envisagé les scénarios pivots, on peut passer en revue des scénarios organisés autour de politiques économiques typiques.

Le scénario AZ est, au fond, une poursuite de la politique du pouvoir d'achat qui s'est révélée insuffisante pour la période 1981- 1982 mais qui est ici présentée dans un contexte international (Z) de reprise d'une croissance modérée. L'augmentation des dépenses publiques et du pouvoir d'achat des salaires directs aurait pour conséquence une croissance de la demande des ménages qui justifierait un taux de croissance du PIB marchand de 2,9 %. Mais les effets négatifs seraient le freinage de l'investissement des entreprises, une inflation forte, la détérioration de la balance extérieure, conformément à un schéma connu.

Le scénario BZ se caractérise essentiellement par une gestion « rigoureuse » des dépenses publiques ayant pour objectif la maîtrise des prélèvements obligatoires et la limitation du déficit des administrations. Toutes choses étant invariantes par ailleurs, on constate que ce scénario donne en matière de croissance et d'échanges extérieurs des résultats très voisins de ceux de EZ.

Le scénario FZ se fonde sur une politique de modernisation accélérée de l'appareil productif en vue, dit-on, de limiter la dépendance extérieure de la France. Cela impliquerait évidemment un accroissement de l'effort d'investissement qui, pour l'essentiel, serait le fait du secteur public. Serait-il réalisé par un accroissement du prélèvement ? Le déficit extérieur, pour sa part, se trouverait accru en début de période, mais se résorberait ensuite lorsque le nouvel équipement permettrait d'accroître les exportations et de diminuer les importations.

Le scénario GZ remet en cause la politique de réduction de la durée du travail sous la forme d'un étalement dans le temps de l'échéancier de sa réalisation. La conséquence serait en premier lieu de limiter l'effet de réduction de l'utilisation des capacités de production résultant de la diminution de la durée du travail. Dans ce contexte, se produirait une accélération de l'investissement et le taux de croissance s'élèverait à 2,8 %. Le chômage serait en fin de période légèrement supérieur à ce qu'il est dans EZ. La hausse des prix se trouverait fortement freinée, traduisant l'amélioration des coûts salariaux. D'autres conséquences bénéfiques seraient l'amélioration de la compétitivité et de la balance extérieure.

Par leur objet même, les nombreux scénarios ainsi présentés ne remettent pas en cause, même partiellement, le système existant ou en cours de constitution. On pourrait même les trouver excessivement prudents sous ce rapport. Il y a à cela, très certainement, des causes contingentes. Quoi qu'il en soit de ces dernières, il n'est pas possible d'envisager le degré de réussite probable de telle ou telle politique prévue dans un scénario sans se référer à la forme qu'aura le système dans les années d'exécution du Plan. L'évolution actuelle ne permet d'entrevoir, *a priori*, que deux états possibles du système : un nouvel état stationnaire ou un modèle néo-stalinien.

Un nouvel état stationnaire

Après les diverses réformes de structure mises en place depuis mai 1981, les redistributions opérées, les différentes variables du système s'adapteraient les unes aux autres dans une nouvelle cohérence, ce qui donnerait, au mieux, une croissance 0. Certes, cet état témoignerait d'un renoncement collectif à des taux de croissance comparables à ceux que la France a connus dans le passé. Mais n'oublions pas que l'état d'esprit qui correspond à un tel modèle est latent chez de nombreux militants socialistes qui pensent que la croissance comporte plus de nuisances que de bienfaits.

Toutefois, un état stationnaire équilibré comporte sa logique. En particulier, il est nécessaire que soit garanti un volume d'investissement du capital brut suffisant pour couvrir le remplacement du capital utilisé. Or, en l'état actuel des choses, cela n'est pas assuré. En effet, on est contraint, à ce point, de nuancer l'analyse. Étant donné ce que seront en 1983 le taux de croissance des prélèvements obligatoires d'une part et le taux de croissance de la production intérieure brute marchande, d'autre part, la totalité de cette dernière sera absorbée par les prélèvements avant la fin du septennat. Il ne s'agit là, bien entendu, que de lois tendancielles car les prélèvements ne peuvent, en fait, être supérieurs à la production intérieure brute, et il est hypothétiquement possible que les pouvoirs publics agissent pour contrecarrer le jeu de ces lois tendancielles.

Il est en outre indispensable de ne pas confondre un système bloqué et un état stationnaire. En se référant à notre graphique explicatif (ci-après), pour éviter le blocage, il faudrait que la courbe d'évolution des prélèvements obligatoires soit maintenue en permanence en dessous de la droite de croissance de la production intérieure brute. Cela exige bien entendu une politique de rigueur. Mais n'oublions pas, enfin, que cette catégorie de dépenses possède une dynamique propre qui rend pratiquement impossible de les contrôler et de renverser la tendance à la croissance exponentielle qui les caractérise.

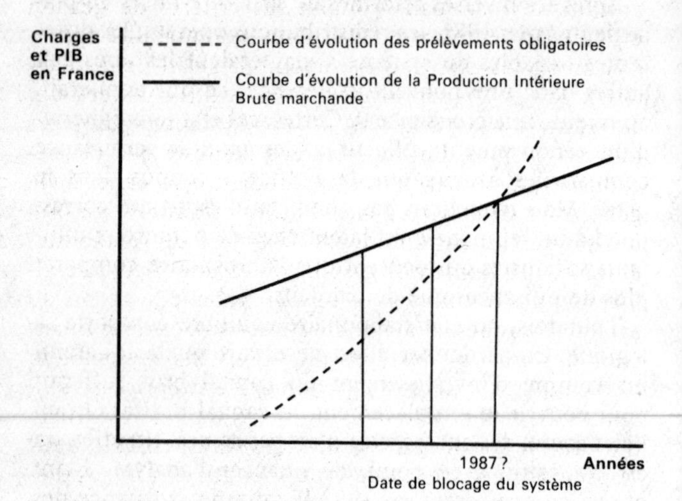

Si l'on suppose ces difficultés résolues, on peut très bien concevoir que le système acquière, au prix de grands efforts, une cohérence qui lui permette de se rapprocher d'un état stationnaire. La régulation d'un tel système serait sûrement extrêmement difficile mais elle est concevable. Le modèle de société correspondant serait une variante française, austère, de la social-démocratie. Tout ceci implique, en premier lieu, que l'on sorte de la phase transitoire actuelle qui ressemble beaucoup à une anarchie autoritaire et discrétionnaire.

Un modèle néo-stalinien

Mais dans ce dernier état des choses, un autre modèle risque de s'imposer, c'est le modèle néo-stalinien. La logique qui y conduit a été exposée très clairement dans un ouvrage récent de l'économiste du PCF, Philippe Herzog. L'analyse est fondée sur une critique radicale d'une économie dans laquelle coexisteraient un secteur privé important et un secteur public fort jouant un rôle entraînant, mais dans laquelle les critères de gestion efficace demeureraient les critères de rentabilité appréciés au niveau d'entreprises autonomes dans leurs décisions, les politiques économiques étant chargées des corrections éventuelles et de la régulation par leurs moyens propres. Philippe Herzog conteste que ce mécanisme puisse permettre de combattre la crise et de générer la croissance. Selon lui, les critères de gestion utilisés par les entrepreneurs (le critère de rentabilité) entraînent d'immenses gaspillages et une mauvaise allocation des ressources, — ce qu'il appelle le gâchis du capital. Il propose donc de substituer aux critères financiers des critères de types physiques qui ressemblent beaucoup aux critères de gestion de l'entreprise soviétique. À l'échelle collective, un mécanisme de planification de type stalinien est dès lors indispensable pour assurer une cohérence de type coercitif et l'incorporation dans le modèle des résultats de ce que l'on appelle la révolution scientifique et technique considérée comme le moteur exclusif de la croissance. La seule originalité de Philippe Herzog consiste à affirmer à plusieurs reprises que de fortes structures syndicales sont nécessaires au niveau de l'entreprise. Nous nous éloignons ici, indiscutablement, du modèle soviétique mais sans nous rapprocher pour autant de l'autogestion.

Inutile de décrire les mécanismes et les résultats d'un tel système : ils sont connus dans leurs grandes lignes. Il est seulement nécessaire, pour conclure, de préciser que dans un système qui n'a pas encore pris vraiment forme, où le discrétionnaire et l'arbitraire ont beaucoup de place, où les rôles des différents agents et secteurs économiques ne sont toujours pas précisés et où il n'y a pas de Plan, enfin dans une conjoncture de crise, les risques de blocage de l'économie peuvent, avec un degré de probabilité non négligeable, favoriser la mise en place d'un système économique néo-stalinien. L'affirmation de Michel Rocard selon laquelle « le IXe Plan sera un exercice tragique de psychodrame collectif » ne contredit pas cette hypothèse inquiétante.

Jean FERICELLI

Annexes

I

Les scénarios du IXe plan
(Source : le ministère du Plan.)

SCÉNARIO EZ						
Années	1984	1985	1986	1987	1988	Moyenne en cours du IXe Plan
Taux de croissance du PIB en volume (%)	2,9	2,4	2,3	2,3	2,8	2,5
Taux de croissance de la consommation des ménages, en volume (%)	3,2	2,0	1,3	1,1	1,8	1,8
Taux de croissance de l'investissement des entreprises, en volume (%)	5,9	5,5	5,5	5,1	5,4	5,5
Variation d'emploi total (en milliers)	+ 135	+ 127	+ 122	- 29	- 66	+ 58
Nombre de chômeurs au sens du BIT en milliers	1920	1996	2051	2172	2303	2088
Taux de chômage (chômage/population active) en %	8,1	8,4	8,5	9,0	9,5	8,7
Taux de croissance des prix à la consommation (en %)	8,7	9,0	9,5	9,4	7,7	8,9
Taux de croissance du pouvoir d'achat du salaire net moyen par tête (en %)	0,2	0,2	0,1	1,0	1,0	0,5
Taux de croissance du pouvoir d'achat du revenu disponible des ménages (en %)	+ 2,3	+ 1,9	+ 1,5	+ 1,4	+ 2,0	+ 1,8
Variation du taux des prélèvements obligatoires par rapport à l'année précédente (en % du PIB)	+ 0,3	+ 0,4	+ 0,5	+ 0,5	+ 0,2	+ 0,4
Capacité de financement des administrations (en % du PIB)	- 3,6	- 3,1	- 2,6	- 2,0	- 2,0	- 2,6

SCÉNARIO EY						
Années	1984	1985	1986	1987	1988	Moyenne en cours du IXe Plan
Taux de croissance du PIB en volume (%)	2,6	2,1	1,9	1,8	2,2	2,1
Taux de croissance de la consommation des ménages, en volume (%)	3,0	2,0	1,1	0,7	1,3	1,6
Taux de croissance de l'investissement des entreprises, en volume (%)	5,1	5,1	5,2	4,8	5,2	5,1
Variation d'emploi total (en milliers)	+ 102	+ 90	+ 77	- 80	- 125	+ 13
Nombre de chômeurs en sens du BIT en milliers	1956	2053	2133	2280	2438	2172
Taux de chômage (chômage/population active) en %	8,3	8,6	8,9	9,5	10,1	9,1
Taux de croissance des prix à la consommation (en %)	7,6	7,3	7,1	6,4	4,0	6,5
Taux de croissance du pouvoir d'achat du salaire net moyen par tête (en %)	0,2	0,1	0,0	0,3	0,1	0,1
Taux de croissance du pouvoir d'achat du revenu disponible des ménages (en %)	+ 2,1	+ 1,6	+ 1,2	+ 0,9	+ 1,3	+ 1,4
Variation du taux des prélèvements obligatoires par rapport à l'année précédente (en % du PIB)	+ 0,2	+ 0,5	+ 0,4	+ 0,5	+ 0,1	+ 0,3
Capacité de financement des administrations (en % du PIB)	- 3,9	- 3,6	- 3,1	- 2,7	- 2,8	- 3,2

SCÉNARIO EX						
Taux de croissance du PIB en volume %	2,8	2,3	2,2	2,1	2,7	2,4
Taux de croissance de la consommation des ménages, en volume (%)	3,3	2,0	1,3	1,0	1,6	1,8
Taux de croissance de l'investissement des entreprises, en volume (%)	5,8	5,7	5,7	5,3	5,8	5,7
Variation d'emploi total (en milliers)	+ 119	+ 112	+ 105	- 52	- 89	+ 39
Nombre de chômeurs au sens du BIT en milliers	1946	2032	2097	2230	2371	2135
Taux de chômage (chômage/population active) en %	8,2	8,5	8,7	9,3	9,8	8,9
Taux de croissance des prix à la consommation (en %)	7,2	7,3	7,1	6,2	3,7	6,3
Taux de croissance du pouvoir d'achat du salaire net moyen par tête (en %)	0,3	0,1	0,2	0,6	0,5	0,4
Taux de croissance du pouvoir d'achat du revenu disponible des ménages (en %)	+ 2,3	+ 1,7	+ 1,4	+ 1,2	+ 1,7	+ 1,7
Variation du taux des prélèvements obligatoires par rapport à l'année précédente (en % du PIB)	+ 0,3	+ 0,4	+ 0,4	+ 0,5	+ 0,0	+ 0,3
Capacité de financement des administrations (en % du PIB)	- 3,7	- 3,3	- 2,8	- 2,1	- 2,1	- 2,7

SCÉNARIO AZ						
Années	1984	1985	1986	1987	1988	Moyenne en cours du IXe Plan
Taux de croissance du PIB en volume (%)	3,3	2,8	2,7	2,6	3,2	2,9
Taux de croissance de la consommation des ménages, en volume (%)	3,9	2,7	2,0	1,8	2,5	2,6
Taux de croissance de l'investissement des entreprises, en volume (%)	5,7	5,1	5,0	4,4	4,6	4,9
Variation d'emploi total (en milliers)	+ 154	+ 153	+ 156	+ 10	- 25	+ 89
Nombre de chômeurs au sens du BIT en milliers	1907	1973	2016	2122	2238	2051
Taux de chômage (chômage/population active) en %	8,0	8,3	8,4	8,8	9,2	8,5
Taux de croissance des prix à la consommation (en %)	9,6	10,4	11,4	11,7	10,7	10,7
Taux de croissance du pouvoir d'achat du salaire net moyen par tête (en %)	1,2	1,1	1,1	2,0	2,0	1,5
Taux de croissance du pouvoir d'achat du revenu disponible des ménages (en %)	2,9	2,4	2,1	2,0	2,6	2,4
Variation du taux des prélèvements obligatoires par rapport à l'année précédente (en % du PIB)	+ 0,2	+ 0,6	+ 0,4	+ 0,6	+ 0,2	+ 0,4
Capacité de financement des administrations (en % du PIB)	- 3,8	- 3,4	- 3,0	- 2,5	- 2,6	- 3,1

SCÉNARIO BZ						
Taux de croissance du PIB en volume (%)	2,9	2,4	2,3	2,2	2,9	2,5
Taux de croissance de la consommation des ménages, en volume (%)	3,3	2,2	1,4	1,2	1,8	2,0
Taux de croissance de l'investissement des entreprises, en volume (%)	5,5	5,2	5,3	5,0	5,5	5,3
Variation d'emploi total (en milliers)	+ 105	+ 92	+ 81	— 74	—109	+ 19
Nombre de chômeurs au sens du BIT en milliers	1934	2024	2097	2236	2382	2135
Taux de chômage (chômage/population active) en %	8,2	8,5	8,7	9,3	9,9	8,9
Taux de croissance des prix à la consommation (en %)	7,0	6,9	6,6	5,2	3,3	5,8
Taux de croissance du pouvoir d'achat du salaire net moyen par tête (en %)	1,1	1,1	1,2	1,9	1,9	1,5
Taux de croissance du pouvoir d'achat du revenu disponible des ménages (en %)	2,3	1,9	1,4	1,3	1,8	1,7
Variation du taux des prélèvements obligatoires par rapport à l'année précédente (en % du PIB)	0	+ 0,1	+ 0,3	0	0	+ 0,1
Capacité de financement des administrations (en % du PIB)	- 3,5	- 3,1	- 2,4	- 1,7	- 1,4	- 2,4

SCÉNARIO FZ						
Années	1984	1985	1986	1987	1988	Moyenne en cours du IXe Plan
Taux de croissance du PIB en volume (%)	3,0	2,6	2,6	2,5	3,0	2,7
Taux de croissance de la consommation des ménages, en volume (%)	3,2	2,1	1,4	1,2	1,9	2,0
Taux de croissance de l'investissement des entreprises, en volume (%)	6,6	6,8	5,3	3,8	5,1	5,5
Variation d'emploi total (en milliers)	+ 143	+ 141	+ 141	- 12	- 52	+ 72
Nombre de chômeurs au sens du BIT en milliers	1913	1982	2027	2140	2264	2065
Taux de chômage (chômage/population active) en %	8,1	8,3	8,4	8,9	9,3	8,6
Taux de croissance des prix à la consommation (en %)	8,7	9,0	9,4	9,3	7,7	8,8
Taux de croissance du pouvoir d'achat du salaire net moyen par tête (en %)	0,3	0,3	0,4	1,0	1,0	0,6
Taux de croissance du pouvoir d'achat du revenu disponible des ménages (en %)	+ 2,2	+ 1,8	+ 1,5	+ 1,4	+ 2,0	+ 1,8
Variation du taux des prélèvements obligatoires par rapport à l'année précédente (en % du PIB)	+ 0,2	+ 0,5	+ 0,4	+ 0,5	+ 0,2	+ 0,4
Capacité de financement des administrations (en % du PIB)	- 3,5	- 3,0	- 2,4	- 1,7	- 1,5	- 2,3

SCÉNARIO GZ						
Taux de croissance du PIB en volume (%)	3,3	2,8	2,7	2,6	2,9	2,8
Taux de croissance de la consommation des ménages, en volume (%)	3,5	2,3	1,5	1,2	1,7	2,0
Taux de croissance de l'investissement des entreprises, en volume (%)	6,9	6,2	6,2	6,0	5,3	6,2
Variation d'emploi total (en milliers)	+ 60	+ 51	+ 43	+ 18	+ 22	+ 39
Nombre de chômeurs au sens du BIT en milliers	1983	2096	2188	2280	2362	2182
Taux de chômage (chômage/population active) en %	8,4	8,8	9,2	9,5	9,8	9,1
Taux de croissance des prix à la consommation (en %)	6,0	5,4	4,9	5,0	3,4	4,9
Taux de croissance du pouvoir d'achat du salaire net moyen par tête (en %)	0,5	0,5	0,4	0,3	0,3	0,4
Taux de croissance du pouvoir d'achat du revenu disponible des ménages (en %)	+ 2,2	+ 1,9	+ 1,5	+ 1,4	+ 2,1	+ 1,8
Variation du taux des prélèvements obligatoires par rapport à l'année précédente (en % du PIB)	+ 0,2	+ 0,3	+ 0,3	+ 0,2	+ 0,2	+ 0,2
Capacité de financement des administrations (en % du PIB)	- 3,6	- 3,1	- 2,4	- 1,9	- 1,9	- 2,5

PARTAGE CONSOMMATION-INVESTISSEMENT RÉSULTATS AUX PRIX DE 1970
VOLUMES CUMULÉS SUR LA PÉRIODE DU IXe PLAN

SCÉNARIOS	EZ	EY	EX	AZ	BZ	FZ	GZ
PIB marchand	5 739	5 651	5 710	5 816	5 731	5 775	5 816
Consommation des ménages	4 186	4 174	4 203	4 299	4 210	4 197	4 224
FBCF des ménages	258	256	258	266	260	258	270
FBCF des entreprises	836	816	834	824	825	851	862
FBCF des administrations	162	162	162	162	156	162	162
Part de la consommation dans le PIB	72,9	73,9	73,6	73,9	73,5	72,7	72,6
Part de la FBCF des entreprises dans le PIB	14,6	14,4	14,6	14,2	14,4	14,7	14,8

Unité : milliard de francs 1970

PARTAGE CONSOMMATION-INVESTISSEMENT RÉSULTATS AUX PRIX DE 1970
VOLUME SUPPLÉMENTAIRE DÉGAGÉ PAR LA CROISSANCE

SCÉNARIOS	EZ	EY	EX	AZ	BZ	FZ	GZ
PIB marchand	423	356	407	488	419	457	484
Consommation des ménages	253	233	258	348	273	264	285
FBCF des ménages	- 1	- 1	- 1	- 3	- 8	- 1	+ 1
FBCF des entreprises	127	115	130	116	121	136	148
FBCF des administrations	6	6	6	6	+	6	6
Part de la consommation dans le PIB	59,8	65,6	63,4	71,3	65,2	57,8	58,9
Part de la FBCF des entreprises dans le PIB	30,1	32,4	32,0	23,8	28,9	29,9	30,6

Unité : milliard de francs 1970

PARTAGE CONSOMMATION-INVESTISSEMENT ÉVALUATION AUX PRIX DE 1982
VOLUMES CUMULÉS SUR LA PÉRIODE DU IXe PLAN

SCÉNARIOS	Déflateur utilisé*	EZ	EY	EX	AZ	BZ	FZ	GZ
PIB marchand	3.067	17 602	17 332	17 513	838	17 577	17 712	17 838
Consommation des ménages	3.133	13 115	13 077	13 168	13 469	13 190	13 149	13 234
FBCF des ménages	3.580	924	916	924	952	931	924	967
FBCF des entreprises	3.033	2 536	2 475	2 530	2 499	2 502	2 581	2 614
FBCF des administrations	3.456	560	560	560	560	539	560	560
Part de la consommation dans le PIB	—	74,5	75,5	75,2	75,5	75,0	74,2	74,2
Part de la FBCF des entreprises dans le PIB	—	14,4	14,3	14,4	14,0	14,2	14,6	14,7

Unité : milliard de francs 1982

* Rapport de la valeur de la composante en 1982 dans le compte EZ à sa valeur aux prix de 1970.

PARTAGE CONSOMMATION-INVESTISSEMENT ÉVALUATION AUX PRIX DE 1982
VOLUME SUPPLÉMENTAIRE DÉGAGÉ PAR LA CROISSANCE

SCÉNARIOS	Déflateur utilisé*	EZ	EY	EX	AZ	BZ	FZ	GZ
PIB marchand	3.067	1297	1092	1248	1497	1285	1402	1484
Consommation des ménages	3.133	793	730	808	1090	855	827	893
FBCF des ménages	3.580	- 4	- 4	- 4	- 11	- 29	- 4	+ 4
FBCF des entreprises	3.033	385	349	394	352	367	412	449
FBCF des administrations	3.456	21	21	21	21	1	21	21
Part de la consommation dans le PIB	—	61,1	66,8	64,7	72,8	66,5	59,0	60,2
Part de la FBCF des entreprises dans le PIB	—	29,7	32,0	31,6	23,5	28,6	29,4	30,3

Unité : milliard de francs 1982

* Rapport de la valeur de la composante en 1982 dans le compte EZ à sa valeur aux prix de 1970.

COMPARAISON DES DIFFÉRENTS SCÉNARIOS SUR LA PÉRIODE DU PLAN

SCÉNARIOS	EZ	EY	EX	AZ	BZ	FZ	GZ
PIB étranger (en %)	2,7	1,5	2,8	2,7	2,7	2,7	2,7
Prix du PIB étranger (en %)	7,1	5,4	4,5	7,1	7,1	7,1	7,1
PIB marchand (en %)	2,5	2,1	2,4	2,9	2,5	2,7	2,8
Volume de la consommation des ménages (en %)	1,8	1,6	1,8	2,6	2,0	2,0	2,0
Volume de l'investissement des entreprises (en %)	5,5	5,1	5,7	4,9	5,3	5,5	6,2
Prix à la consommation (en %) (1)	8,9	6,5	6,3	10,7	5,8	8,8	4,9
Pouvoir d'achat du salaire net par tête (en %)	0,5	0,1	0,4	1,5	1,5	0,6	0,4
Pouvoir d'achat du revenu disponible des ménages (en %)	1,8	1,4	1,7	2,4	1,7	1,8	1,8
Emploi total en milliers	+ 289	+ 64	+ 195	+ 447	+ 95	+ 361	+ 194
Taux de chômage au sens du BIT en 1988 (% de la population active)	9,5	10,1	9,8	9,2	9,9	9,3	9,8
Variation du taux des prélèvements obligatoires au cours du IXe Plan	+ 1,9	+ 1,7	+ 1,6	+ 2,2	+ 0,4	+ 1,8	+ 1,2
Capacité de financement des administrations en 1988	- 2,0	- 2,8	- 2,1	- 2,6	- 1,4	- 1,5	- 1,9

II

La lettre de démission de Jean Gandois, administrateur général de Rhône-Poulenc, adressée au ministre de la Recherche et de l'Industrie le 21 juillet 1982.

Monsieur le Ministre,

Depuis le mois de juillet 1981, je vous ai exprimé, à diverses reprises, clairement, et par écrit, les réserves que m'inspirait la politique économique et sociale du gouvernement. Au cours des trois derniers mois, et notamment lors de notre entretien du 3 mai 1982, je vous ai fait part de mes vives préoccupations de voir le gouvernement continuer à annoncer des objectifs qu'il n'a pas, à mon avis, la possibilité d'atteindre.

Depuis le début du mois de juin, j'ai étudié avec beaucoup d'attention les propos du chef de l'État et les déclarations du Premier ministre. Cette analyse n'a malheureusement pas calmé mes appréhensions et je suis convaincu que la politique suivie comporte trop d'éléments contradictoires pour être réaliste.

Dans le domaine de mes responsabilités, ceci entraîne que les entreprises nationalisées ne seront pas en mesure de jouer, sur le plan économique et social, le rôle moteur qui leur a été assigné et qui a constitué la principale justification de leur nationalisation. En effet, la poursuite nécessaire de l'assainissement des structures industrielles, pour les rendre compétitives, ne permettra pas à ces entreprises de contribuer au développement et même au maintien de l'emploi, tandis que les objectifs de rigueur budgétaire ne permettront pas, quels que soient les montages financiers employés, de leur donner, de façon saine, les moyens de relancer les investissements.

En ce qui concerne Rhône-Poulenc, je ne peux pas avoir recours à des investissements importants qui ne seraient réalisables qu'en intéressant certaines sociétés étrangères à des parties de notre activité, et je ne peux pas davantage, par définition même, faire appel à de nouveaux actionnaires. Je ne serais donc en mesure de réaliser des programmes ambitieux d'investissement qu'en accroissant l'endettement du groupe, ce qui est incompatible avec son équilibre et ce que je ne ferai pas. Avec un tel contexte, la seule issue se trouverait dans une politique d'austérité, tant sur le plan économique (réduction des investissements, renforcement de la rigueur de gestion) que sur le plan social (poursuite de la réduction des effectifs, modération des augmentations de salaire, arrêt des processus de réduction de la durée du travail), et ce genre de politique est rendu impossible par le langage officiel qui a été tenu, et par les illusions qui ont été entretenues.

J'exerce aujourd'hui, par devoir, des responsabilités que — vous le savez mieux que quiconque — je n'ai pas sollicitées. J'ai accepté, de facto, de rester à mon poste, parce que j'espérais pouvoir ainsi contribuer au succès d'une entreprise à laquelle je demeure très attaché et, de cette manière, participer au redressement de l'économie française.

J'ai acquis maintenant la certitude que mon expérience et les compétences que je peux avoir ne présentent plus, pour Rhône-Poulenc, une grande utilité dans ces nouvelles perspectives.

J'estime, au contraire, que mes convictions profondes risquent d'être un obstacle à la politique que le nouvel actionnaire désire suivre. Il serait malhonnête de ma part et contraire à la conception que j'ai de mes responsabilités de m'associer à des orientations fondamentales auxquelles je n'adhère pas. L'ambiguïté qui en résulterait et le malaise que j'en ressentirais m'empêcheraient de consacrer toute mon énergie à la direction de cette grande entreprise et me rendraient incapable de communiquer aux autres un enthousiasme que je ne partagerais plus.

J'ai donc décidé de vous remettre ma démission de mes fonctions d'administrateur général et de futur président de Rhône-Poulenc. Cette décision est irrévocable. J'ai beaucoup réfléchi avant de la prendre. C'est la seule qui est conforme au sens que j'ai de mes responsabilités. Je sais qu'il sera difficile d'éviter que cette décision ait un retentissement politique, bien que je ne désire en rien lui donner cette dimension. C'est la raison pour laquelle je vous laisse le soin de fixer vous-même la date où elle prendra effet. Étant toutefois précisé que je tiens absolument à être libéré de mes responsabilités actuelles dans la première quinzaine de septembre 1982 au plus tard.

Si vous jugez que mon départ ne doit pas être immédiat, je continuerai à exercer mes fonctions, pendant le nombre de semaines que vous fixerez, dans un esprit de totale loyauté, personne d'autre que vous ne sera mis au courant par moi de ma décision, avant le jour où vous aurez décidé de rendre la nouvelle publique. Si des rumeurs, provenant des consultations que vous estimerez peut-être nécessaire d'avoir à ce sujet, venaient à se répandre, je vous préviendrais avant de faire toute déclaration.

Je vous prie d'agréer, Monsieur le Ministre, les assurances de ma haute considération.

J. Gandois

II

La rupture des grands équilibres

L'on entend souvent les hommes politiques se référer dans leurs interventions aux *grands équilibres économiques*. Les non-spécialistes ignorent en général de quoi il s'agit : ils comprennent obscurément qu'il est dangereux de perturber ces grands équilibres et qu'un homme d'État est d'autant plus vertueux et compétent qu'il les respecte ou qu'il les rétablit.

Le propos de cette étude est d'expliquer, surtout au non-spécialiste, à quoi correspond l'exigence d'équilibre et ce que sont plus précisément les « grands équilibres » à l'échelle d'une économie nationale. Nous serons ainsi en mesure, ayant montré comment la situation a évolué en France depuis mai 1981, de caractériser les principaux résultats de la politique économique socialiste par rapport à cette contrainte.

Nature et signification des grands équilibres économiques

Ce sont les tableaux de la comptabilité nationale qui permettent de prendre la vue d'ensemble la meilleure et la plus précise de ce problème, tout au moins à titre d'introduction.

Comme tout ensemble comptable, la comptabilité nationale enregistre des mouvements de valeurs au cours d'une année au moyen de l'écriture en partie double.

Autrement dit, chaque mouvement de valeurs est enregistré sous le double rapport de son origine et de ses destinations. Un compte ne peut pas être crédité d'une somme sans qu'un autre ou que plusieurs autres comptes aient été débités de tout ou partie de la même somme : si le compte des ménages a pu être crédité des salaires qui leur ont été versés, c'est parce que les comptes de leurs employeurs, qu'il s'agisse des entreprises, des administrations, des institutions financières, ont été débités des sommes correspondantes. Rappelons simplement que la comptabilité nationale se propose de montrer d'où viennent les biens et les services (en valeur monétaire) qui sont utilisés chaque année par les Français et quel usage ils en font.

Dès lors, les écritures devront expliciter *l'origine* de ces biens et services, ce que les comptables appellent les *ressources*, et d'autre part leurs *emplois*, c'est-à-dire leur *destination*.

Si nous prenons la nation dans son ensemble, la comptabilité nationale met en évidence l'identité suivante :

Produit national + importations =
revenu national = dépense nationale.

Il s'agit d'une *identité* car elle est vérifiée en toutes circonstances, quelle que soit la valeur des éléments qui composent le produit, le revenu ou la dépense nationale. Cela n'a rien de surprenant car cela signifie seulement que la production est à l'origine de la formation des revenus, au point que production et revenu sont les deux faces d'une même médaille. Cela signifie d'autre part que la production est l'objet d'une demande globale : la dépense nationale. La dépense nationale comprend la consommation, l'investissement, les dépenses publiques et les exportations ; c'est en somme le total des *emplois*, par rapport à la somme constituée par la production nationale et les importations, qui représentent les *ressources* de l'économie nationale.

Les postes comptables sont ainsi définis qu'au terme de l'année, le total des emplois est toujours égal au total des ressources, de même que dans le compte d'exploitation d'une entreprise le total de la colonne des débits est toujours égal au total de la colonne des crédits.

Nous savons cependant qu'une telle égalité n'est due, dans le cas d'une entreprise, qu'à l'existence d'un compte, le compte des profits et pertes, dont le solde, suivant le cas, figure au crédit (exercice déficitaire) ou au débit (exercice bénéficiaire) du compte d'exploitation.

Existe-t-il un pareil compte à l'échelle d'une nation, compte qui permettrait de caractériser le résultat de l'activité économique nationale au terme d'une année ? La réponse est affirmative : il s'agit du compte de *capital* dont le solde traduit soit une capacité de financement, soit un besoin de financement.

Que signifie cette notion ? Tout simplement ceci : l'économie française se divise en plusieurs *secteurs institutionnels* : ce sont les groupes d'agents retenus par la comptabilité nationale ; pour simplifier, indiquons qu'il s'agit essentiellement des ménages, des entreprises non financières, des entreprises financières, des administrations. Comme l'économie française n'est pas fermée sur elle-même, mais qu'elle entretient des relations avec l'étranger, un dernier compte, appelé *reste du monde*, est établi afin de récapituler le résultat des transactions de la France avec l'extérieur et d'assurer ainsi la cohérence des écritures.

Dès lors, pour chaque secteur institutionnel, le compte de capital va récapituler le total de ses ressources et le total de ses emplois. Le total de ses *ressources* est essentiellement constitué par les sommes qui restent à la disposition du secteur institutionnel étudié, une fois qu'il a satisfait à ses obligations fiscales et para-fiscales (cotisations sociales) ainsi qu'à ses besoins de consommation. Le solde ainsi dégagé représentera l'*épargne brute* du secteur : elle sera disponible pour des utilisations diverses[1].

Ces utilisations constituent les *emplois* du compte de

---

1. Sur l'ensemble de ces points, cf. Claude JESSUA, *Eléments d'analyse macroéconomique*, Paris, Montchrestien, 1982.

capital : ces emplois, pour le secteur institutionnel considéré, représentent son *investissement* global ; il ne peut guère s'agir d'autre chose puisque, par hypothèse, les dépenses de consommation du secteur ont déjà été faites et que les prélèvements obligatoires qui lui incombent ont déjà été acquittés. Le compte de capital met donc en balance l'épargne et l'investissement du secteur. De deux choses l'une : ou bien l'épargne du secteur sera supérieure à ses investissements : nous dirons alors que le secteur a dégagé une *capacité de financement*, solde qui viendra s'inscrire au total des emplois du compte de capital ; ou bien l'épargne du secteur n'est pas suffisante pour lui permettre de financer ses investissements : la différence entre investissement et épargne s'appellera dans ce cas *besoin de financement* et elle viendra s'inscrire dans la colonne des ressources.

Le secteur qui aura dégagé une capacité de financement pourra donc en prêter le montant aux secteurs qui ont mis en évidence un besoin de financement. Réciproquement, un secteur dont les ressources en épargne ne suffisent pas à financer les investissements devra emprunter à d'autres secteurs les sommes nécessaires. Habituellement, les ménages dégagent toujours une capacité de financement, tandis que les entreprises non financières, appelées *sociétés et quasi-sociétés* (SQS) par la comptabilité nationale, ont toujours un besoin de financement. La vocation des secteurs à capacité de financement est donc de subvenir aux besoins de financement des secteurs déficitaires en leur consentant des prêts.

Ainsi, lorsque l'on passera en revue la totalité des secteurs institutionnels, il sera constaté que la somme des capacités sectorielles de financement est égale à la somme des besoins de financement, ce qui signifie simplement que le total des prêts est identiquement égal au total des emprunts. Soulignons, toutefois, que lorsque nous parlons de la *totalité* des secteurs, nous y incluons le reste du monde. Nous abordons ici une question cruciale : en effet, la somme des capacités de financement des secteurs intérieurs (ménages, institutions de crédit, etc.) n'est jamais égale à la somme des besoins de financement des secteurs déficitaires (sociétés et quasi-sociétés, administrations publiques, etc.). Tantôt le total des capacités de financement est supérieur au total des besoins de financement : la différence constitue la *capacité de financement de la nation*, et celle-ci la place à l'extérieur en la prêtant au reste du monde. Tantôt c'est un *besoin de financement de la nation* qui apparaîtra : cela voudra dire que pour faire face à ses besoins, la nation devra emprunter au reste du monde, contractant ainsi des emprunts à l'étranger.

Ce qu'indique la capacité de financement de la nation, c'est donc que les ressources de l'économie ont été suffisantes pour faire face aux besoins de la nation, et même plus que suffisantes puisque l'on a pu dégager des sommes excédentaires que l'on a prêtées au reste du monde. Inversement, un besoin de financement de la nation voudrait dire que le pays n'a pas pu faire face à ses besoins à l'aide de ses seules ressources mais qu'il a dû faire appel à l'étranger pour se procurer les sommes qui lui manquaient. Dans ce cas, l'on serait tenté de dire que le pays vit au-dessus de ses moyens, qu'il dépense plus qu'il ne peut se procurer à l'aide de ses propres ressources. Il en irait de ce pays comme d'un particulier dont les dépenses excéderaient les revenus, et qui devrait combler ce déficit en s'endettant. Bien que cette vue ne soit pas fausse, un tel jugement, toutefois, risquerait d'être sommaire si l'on n'y regardait pas d'un peu plus près. Qu'en est-il donc de la France ?

Évolution et nature du besoin de financement de la France

Reportons-nous au tableau A ci-après qui, dans les *Comptes de la nation*, montre l'évolution du solde du compte de capital de 1974 à 1981.

Tableau A — *Capacité (+) ou besoin (-) de financement de la nation*	
Années	*Montants* (en millions de francs)
1974	— 30 632
1975	— 1 640
1976	— 27 190
1977	— 14 234
1978	+ 11 356
1979	— 1 633
1980	— 38 843
1981	— 46 167

Source : *Comptes de la nation 1981*

Tableau B — *Capacité (+) ou besoin (-) de financement des secteurs en 1981 (en millions de francs)*	
Sociétés et quasi-sociétés	— 139 173
Ménages	+ 113 635
Institutions de crédit	+ 26 253
Entreprises d'assurances	— 1 047
Administrations publiques	— 48 245
Administrations privées	+ 2 410
donc	
Besoin de financement de la nation	— 46 167

Source : *Comptes de la nation 1981*

L'on y suit de façon claire les effets des deux chocs pétroliers qui ont marqué cette période. Ces chocs se traduisent par un grave déséquilibre des paiements extérieurs. Nous voyons dès 1974 un fort besoin de financement apparaître à la suite de la guerre du Kippour 1973. Ce n'est qu'en 1978 que la France put rétablir la situation. Ce ne fut pas pour longtemps car le second choc pétrolier survint alors, dont les effets se firent sentir dès 1979, et surtout à partir de 1980. Nous ne possédons pas pour le moment les chiffres relatifs à 1982 mais, pour des raisons que nous allons examiner, il est probable qu'ils seront encore pires que ceux de 1981.

Or, 1981 n'est pas seulement la deuxième année du second choc pétrolier ; elle coïncide aussi avec l'arrivée au pouvoir en France d'une majorité de gauche, qui a mis en application une politique originale en matière économique. Il est donc intéressant de se demander dans quelle mesure cette politique a modifié, et peut encore modifier, la situation de la France par rapport aux grands équilibres de l'économie.

Nous allons voir que la situation de l'économie française est caractérisée par l'apparition et par l'aggravation de déficits importants. Nous les mettrons en relation avec la politique économique socialiste et nous nous interrogerons sur les perspectives d'avenir.

Nous prions toutefois le lecteur de bien vouloir jeter un coup d'œil sur le tableau B ci-contre : il y verra combien les capacités ou les besoins de financement des différents secteurs sont imbriqués les uns dans les autres, déterminant enfin la capacité ou le besoin de financement de la nation. Cette interdépendance des secteurs qui composent l'économie française est au centre même des difficultés qui se posent aux responsables de la politique économique. En effet, si les capacités sectorielles des secteurs français ne parviennent pas à satisfaire aux besoins de financement des secteurs déficitaires, c'est à l'étranger qu'il faudra faire appel pour combler la différence (cf. le tableau B). Pour mieux comprendre la situation actuelle de la France à cet égard, nous allons étudier la liaison entre les déficits et la signification de la contrainte extérieure qui s'impose au pays.

Les déficits de l'économie française. — Les principaux déficits qui apparaissent à la lecture des comptes et des statistiques se situent dans les dépenses publiques, auxquelles il faut ajouter les budgets sociaux et le secteur public industriel ; ils se situent aussi dans les comptes des entreprises. Nous essaierons de déterminer en quoi consiste la liaison entre ces déficits et les déséquilibres qui apparaissent dans le domaine du commerce extérieur.

Les déficits publics. — En matière de déficits publics, l'on pense immédiatement au budget de l'État. Le gouvernement Mauroy ayant mis en œuvre, dès son entrée en fonction, une politique économique de relance, le déficit budgétaire, qui était de 30,3 milliards de francs en 1980, est passé à 81 milliards en 1981. Il sera officiellement de 98,9 milliards en 1982. Cette évolution soulève plusieurs problèmes.

En premier lieu, le déficit budgétaire de l'État ne donne qu'une première approximation du montant des déficits publics. En effet, à ce déficit doivent s'ajouter :

— Le déficit des collectivités locales. Celui-ci n'a pas subi d'augmentation sensible en 1981 par rapport à 1980 ; il est probable qu'il en aura été de même pour 1982. En revanche, l'on peut éprouver quelques inquiétudes pour 1983, étant donné les frais supplémentaires qu'entraînera inévitablement la mise en application de la décentralisation administrative.

— Le déficit réellement enregistré une fois qu'ont été prises en compte les opérations financières budgétisées est toujours supérieur au déficit prévu lors de l'adoption de la loi de finances. Il serait donc très étonnant que le solde d'exécutions de la loi de finances pour 1982 soit par la suite très inférieur à 120 milliards. Pour 1983, le déficit prévu est d'environ 130 milliards ; il sera bien évidemment dépassé. Ces dépassements ne doivent pas nous étonner : ils sont fonction de l'irréalisme des hypothèses économiques qui ont fondé les prévisions budgétaires. Le budget de 1982 était fondé sur l'hypothèse d'un taux de croissance du PIB de 3,3 % alors qu'il se situera sans doute en réalité entre 1 et 1,5 %. Les prévisions officielles de croissance économique pour 1983 sont de 2 % ; il serait très étonnant qu'elles soient réalisées. Or tout recul de la croissance par rapport au taux prévu a pour effet de réduire les recettes fiscales et, probablement, d'accroître certaines dépenses, en particulier les prestations sociales.

— La Sécurité sociale elle-même présente des tendances inquiétantes au déséquilibre financier : celles-ci se manifestent particulièrement dans le domaine de l'assurance-maladie, de l'assurance-vieillesse et de l'assurance-chômage. Un triple effort d'économies de gestion, de réduction des prestations et d'augmentations des cotisations est entrepris pour faire face à ce déficit. Si le succès de cet effort n'est ni immédiat ni complet, c'est évidemment au budget de l'État qu'il appartient de faire la différence. Or n'oublions pas que toute erreur en excès commise dans la prévision du taux de croissance du PIB se traduit par des déficits importants, en particulier dans le domaine de l'assurance-chômage.

— Il faudrait enfin réserver un traitement à part au déficit du secteur public nationalisé, qu'il s'agisse des anciennes ou des nouvelles nationalisations. La situation y est en effet extrêmement préoccupante car l'on constate depuis 1981 d'une part l'apparition ou l'aggravation des déficits dans les entreprises anciennement nationalisées, d'autre part une situation généralement mauvaise dans les entreprises industrielles du nouveau secteur nationalisé. Pour 1983, les estimations qui circulent quant à la charge que ces entreprises vont présenter pour l'économie varient entre 50 et 65 milliards de francs, estimations qui comprennent les dotations en capital, les subventions d'équilibre, les charges de retraite et les indemnités de nationalisation (4 milliards pour ce seul poste).

Comme le montre le tableau ci-après ces charges résultent d'une évolution récente qui suscite beaucoup d'inquiétude quant au nouveau secteur nationalisé, toutes les entreprises concernées sauf deux (la CGE et Saint-Gobain-Pont-à-Mousson) étaient déjà déficitaires ; leur situation ne paraît pas s'améliorer.

TABLEAU C — *Évolution des résultats d'exploitation dans trois grandes entreprises nationales*

	1980	1981	1982 (e)
SNCF	- 0,7	- 2	- 5
EDF	bénéfices	- 4	- 8
GDF	bénéfices	- 0,9	- 3

(e) montants estimés
Unité : milliards de francs

Ces difficultés s'expliquent par le fait que l'on a systématiquement, bien avant le blocage des prix appliqué depuis juillet 1982, refusé aux entreprises anciennement nationalisées de faire évoluer leurs tarifs dans un sens et dans des proportions conformes à la vérité des prix. Par ailleurs, surtout pour les nouvelles entreprises nationales, il est à craindre que des contraintes de gestion ne leur soient imposées, qui privilégieraient des objectifs de politique économique générale (balance des paiements, emploi, aménagement du territoire) aux dépens des objectifs de rentabilité. Le gouvernement tournerait ainsi le dos aux conclusions qu'avait énoncées autrefois le rapport Nora et s'engagerait dans une voie dangereuse.

L'on voit ainsi quel a été et quel sera dans un proche avenir l'accroissement de la dimension des déficits publics. Ce phénomène, que personne ne songe à nier, place en fait l'économie française devant une situation très grave étant donné les possibilités financières du pays.

Dans des déclarations répétées, les porte-parole et les membres du gouvernement, notamment le ministre du Budget, ont longuement insisté sur le fait que cette situation n'est pas particulièrement alarmante si l'on compare le cas de la France à celui d'autres pays industriels, par exemple à l'Allemagne fédérale. L'on fait en particulier remarquer que le déficit actuel se situe aux alentours de 3 % du produit intérieur brut. Le ministre du Budget et le chef de l'État lui-même ont affirmé que cette proportion ne serait pas dépassée dans l'année et dans les années qui viennent. Outre que rien n'assure que cette promesse pourra effectivement être tenue, l'on ne comprend pas très bien à quoi correspond la valeur sacrée qui semble ainsi être attachée à un déficit budgétaire égal à 3 % du PIB. Pourquoi 3 % et non pas 2 % ou 4 % ?

L'important, en effet, dans un déficit budgétaire ne réside pas dans sa valeur absolue, ni même dans sa valeur relative par rapport au PIB, mais essentiellement dans la manière dont il est financé. Il s'agit de faire en sorte que le déficit ne soit pas financé par des moyens inflationnistes : la seule façon de respecter ce principe est d'assurer le financement en faisant appel aux ressources de l'épargne à long terme, autrement dit en empruntant sur le marché financier.

Or, si l'on se reporte à notre tableau B p. 94, l'on s'aperçoit que les ressources de ce marché financier, c'est-à-dire surtout la somme des capacités de financement des ménages et des institutions de crédit, sont du même ordre de grandeur que le déficit budgétaire. En d'autres termes, si le déficit était entièrement financé par des emprunts d'État, le marché financier s'en trouverait entièrement asséché : plus rien ne serait disponible pour répondre aux besoins des entreprises, besoins qui se trouvent être aussi du même ordre de grandeur, qu'il s'agisse des entreprises publiques ou des entreprises privées.

Dès lors, quatre conséquences paraissent inévitables : en premier lieu, le gouvernement ne peut émettre des emprunts d'État que pour une partie du déficit : de janvier à novembre 1982, quatre emprunts de 10 milliards, soit 40 milliards de francs au total, ont été émis. La seconde conséquence est que, ainsi qu'il fallait s'y attendre, le recours à des moyens monétaires de financement n'a pas pu être évité : il s'est essentiellement traduit par l'émission de bons du Trésor en compte courant, ce qui est à proprement parler de la création monétaire : l'on peut à peu près évaluer à environ 100 milliards de francs les bons ainsi émis en 1982[1]. Ainsi, les encours des bons du Trésor en compte courant, qui étaient de 61 milliards en avril 1981, ont atteint le niveau de 218 milliards au 1er novembre 1982.

Nous abordons alors la troisième série de conséquences du caractère excessif du déficit budgétaire : il s'agit des conditions de financement des entreprises.

Les difficultés financières des entreprises sont importantes, et l'on comprend bien pourquoi. Tout d'abord le coût du crédit pour les entreprises s'est élevé : en effet, le recours de l'État au marché financier, la nécessité de protéger un franc désormais fragile sur le marché des changes ont entraîné une hausse des taux de l'intérêt ; c'est ainsi que le taux sur le marché monétaire est passé, entre mai 1981 et mai 1982, de 12,25 % à 16,5 %. Ce sont là des taux prohibitifs pour que les entreprises puissent financer des investissements sur capitaux externes. Or jamais les entreprises n'ont disposé d'aussi peu de fonds propres, comme le montrent les tableaux D, E, F ci-contre.

Ces tableaux permettent en particulier de noter que le partage salaires-bénéfices a évolué au détriment de ces derniers, que les charges financières des entreprises (intérêts versés) se sont sensiblement accrues, enfin que le taux d'autofinancement a atteint en 1981 un creux historique. Les données relatives à 1982 ne sont pas encore disponibles mais toutes les indications laissent penser que les résultats seront encore pires qu'en 1981 ; en effet, outre que les entreprises ont eu à supporter quatre mois de blocage des prix, de juillet à octobre, les prix ne sont pas véritablement débloqués depuis le 1er novembre et les entreprises n'ont retrouvé qu'une très partielle maîtrise de cette variable.

Cette situation est aggravée du fait que, comme il est généralement admis, c'est un supplément de charges

1. Il s'agit des bons du Trésor en compte courant à la Caisse des dépôts et consignations et dans les banques.

TABLEAU D — *Décomposition de la valeur ajoutée des sociétés et quasi-sociétés non agricoles en dehors des grandes entreprises nationales*

(En %)

	1974	1975	1976	1977	1978	1979	1980	1981
Rémunérations des salariés	66,0	68,5	69,1	68,8	68,9	68,4	69,8	71,0
Impôts nets de subventions	6,9	6,8	6,4	6,8	7,0	7,4	7,2	6,8
Excédent brut d'exploitation (taux de marge)	27,1	24,7	24,5	24,4	24,1	24,2	23,0	22,2

Source : *Comptes de la nation 1981*

TABLEAU E — *Décomposition de l'excédent brut d'exploitation des mêmes en emplois*

(En % de la valeur ajoutée)

	1974	1975	1976	1977	1978	1979	1980	1981
Impôts sur les sociétés	4,6	3,1	3,7	4,1	3,4	3,6	3,9	3,9
Intérêts nets versés	6,9	6,2	5,7	5,6	5,1	4,8	5,5	6,7
Dividendes nets versés	4,1	4,0	3,7	3,7	3,6	3,8	3,9	3,9
Divers	1,4	1,4	1,1	0,8	1	0,6	0,1	0
Épargne brute (taux d'épargne)	10,1	10,0	10,3	10,2	11,0	11,4	9,8	7,7

Source : *Comptes de la nation 1981*

N.B. : L'on entend par intérêts *nets* et dividendes *nets* versés, les intérêts et dividendes versés, diminués des intérêts et dividendes reçus.

TABLEAU F
Taux d'autofinancement hors variation de stock

(En %)

	1973	1974	1975	1976	1977	1978	1979	1980	1981
Sociétés privées	67,9	56,3	61,8	61,2	64,2	73,5	80,5	65,5	52,8

Source : *Comptes de la nation 1981*

N.B. : Le taux d'autofinancement est ici défini comme le rapport de l'épargne brute à la formation brute de capital fixe.

nettes d'environ 100 milliards (en année pleine) qui a été imposé aux entreprises en 1982 : ce supplément résulte d'un certain nombre de dispositions et d'obligations de caractère fiscal et social. Cet accroissement des charges ne saurait survenir à un plus mauvais moment. Nous venons de voir en effet que le taux d'autofinancement des entreprises se situe à un minimum historique (tableau F) ; il semble donc à première vue que les entreprises devront, une fois de plus et plus que jamais, recourir à l'emprunt afin de faire face.

Or, l'endettement des entreprises a déjà atteint un niveau extrêmement préoccupant, en raison des charges financières qu'il implique, ainsi que le montre le tableau G ci-dessous.

TABLEAU G — *Charges financières des sociétés et quasi-sociétés non financières*

(En millions de francs)

	1977	1978	1979	1980	1981
Intérêts effectifs versés	68 586	71 054	79 259	102 960	135 396
Épargne brute	92 891	114 476	136 491	131 421	114 590

Source : *Comptes de la nation 1981*

L'on voit ainsi que pour la première fois en 1981, le seul montant des intérêts versés par les entreprises dépasse le montant de leur épargne brute ; c'est d'ailleurs cette augmentation de leurs charges financières qui explique la forte baisse de leur taux d'épargne qui a été enregistrée à la dernière ligne du tableau E (p. 101). Les perspectives pour 1982, dont les résultats ne sont pas encore disponibles, ne sont de toute manière pas très rassurantes car l'épargne brute des entreprises a peu de chances de s'être sensiblement accrue ; en revanche, pour les charges financières, il est question de les voir passer de 135 à 162 milliards de francs. En d'autres termes, les entreprises sont exsangues ; l'on voit mal en conséquence comment, dans un environnement national et international extrêmement déprimé, elles trouveront les ressources nécessaires pour mettre en œuvre la stratégie commerciale et industrielle dynamique que souhaite le gouvernement. La question est fondamentale, puisque c'est en fin de compte de la santé des entreprises que dépendent l'avenir de l'économie française et les revenus des Français. Nous touchons ainsi à la quatrième, et sans doute à la plus grave série des effets entraînés par la rupture des équilibres de financement : il s'agit des relations de la France avec l'extérieur.

Un déséquilibre important dans l'économie d'un pays finit inévitablement par se traduire sur le plan de ses relations avec l'extérieur.

Le déséquilibre originel de l'économie française a été accepté et décidé par le gouvernement Mauroy à partir du moment où il a mis en œuvre une politique de relance au prix d'un déficit budgétaire important. Il s'agissait de créer des emplois publics et de distribuer du pouvoir d'achat à des catégories dont on considérait qu'elles étaient défavorisées et par là même dignes d'intérêt.

Pour que cette relance ne fût pas purement nominale, il fallait qu'elle se traduisît par la mise à la disposition d'une quantité correspondante de biens et de services ; la France étant seule à mener une telle politique, nos partenaires commerciaux ont tiré parti des perspectives que leur offrait le marché français, de sorte que la relance a surtout profité aux fournisseurs de marchandises étrangères. Cette tendance était renforcée par le fait que les entreprises françaises avaient perdu de leur compétitivité, et sans doute aussi de leur dynamisme, déconcertées qu'elles étaient par les changements intervenus dans le domaine politique.

Le déficit de la balance commerciale de la France (calculé FOB-FOB[1]) a ainsi atteint 60 milliards en 1981 ; il a été d'environ 92,7 milliards en 1982.

---

3. C'est-à-dire sans tenir compte des frais de transport et d'assurance.

Dès lors, il n'est pas très surprenant que la France ait dû recourir à toute une série d'emprunts à l'étranger, d'une part pour financer ce déficit, d'autre part pour procurer aux entreprises du secteur public et du secteur privé des moyens que leurs propres ressources et que le marché financier français étaient désormais incapables de leur fournir, enfin pour constituer à la Banque de France des moyens d'intervention destinés à soutenir le franc sur le marché des changes.

Bien qu'il ne soit pas très facile d'avoir sur l'endettement extérieur de la France des chiffres qui ne soient pas sujets à contestation, il semble que l'endettement de la France à long et à moyen termes est actuellement de l'ordre de 330 milliards de francs, soit plus de 45 milliards de dollars.

Certes, une telle somme n'est pas exorbitante pour un pays de l'importance de la France. Ce qui est plus inquiétant en revanche, c'est le rythme auquel il a progressé depuis dix-huit mois. En effet, d'après l'OCDE, 6 730 millions de dollars ont été empruntés en 1981 ; 13 904 millions l'ont été en 1982. En fait, l'ensemble des emprunts contractés en 1982 pour le secteur public et le secteur privé atteint déjà 25 milliards de dollars. Plus que la masse de l'endettement, c'est son taux de progression qui est préoccupant : un pays qui voit son endettement progresser à ce rythme peut se faire piéger par la loi exponentielle des intérêts composés. N'oublions pas qu'un emprunt à 15 % voit son poids (intérêt et capital) doubler en cinq ans. Au rythme actuel de l'endettement, c'est dans trois ans que la charge de la dette (remboursements et intérêts) absorberait la totalité des emprunts nouveaux chaque année.

Bien entendu, les opérateurs étrangers sur les marchés des changes sont tout à fait au courant de la nature et de l'évolution des déséquilibres qui affectent ainsi l'économie française. C'est dire que s'il attache quelque prix au maintien de la parité du franc, le gouvernement voit sa liberté d'action singulièrement restreinte.

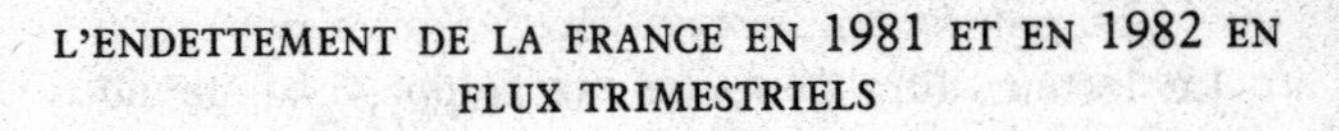
L'ENDETTEMENT DE LA FRANCE EN 1981 ET EN 1982 EN FLUX TRIMESTRIELS

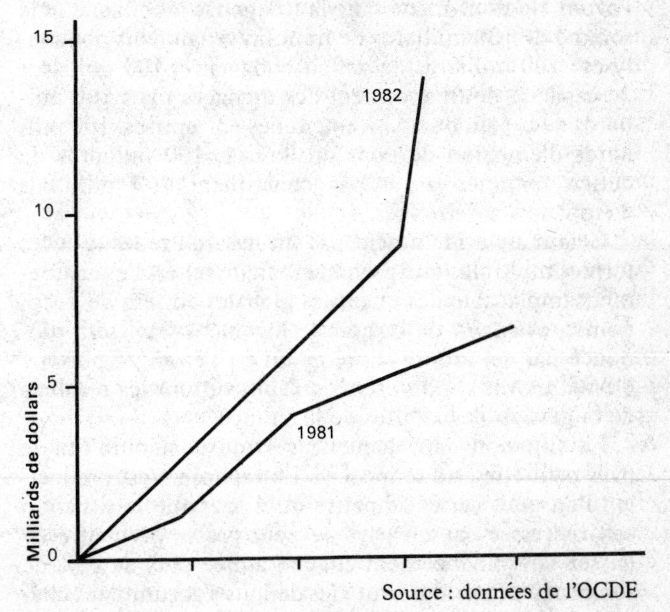

Source : données de l'OCDE

TABLEAU H — *Évolution du solde de la balance des paiements (transactions courantes) en milliards de francs*				
1978	1979	1980	1981	1982 (e)
+ 31,6	+ 22,1	— 17,6	— 25,8	— 81,1

Source : INSEE

Les perspectives d'avenir pour la France

Le lecteur aura peut-être été frappé, comme nous l'avons été nous-mêmes, de la fréquence avec laquelle la somme de 100 milliards de francs revenait dans nos analyses : 100 milliards de déficit budgétaire, 100 milliards de capacité de financement des ménages mais 100 milliards de besoin de financement des entreprises, 100 milliards d'émission de bons du Trésor, 100 milliards de déficit commercial et par conséquent 100 milliards d'emprunts à l'étranger.

Cela n'est évidemment pas un hasard : telles sont les formes multiples que prend le déficit ; tel est l'enchaînement implacable des quantités globales au sein de l'économie, et en fin de compte le jugement final sera prononcé par cet arbitre suprême qu'est l'étranger puisque c'est à ses yeux indifférents qu'apparaîtront les résultats de la gestion des affaires de la France.

La situation dans laquelle se trouve aujourd'hui le pays peut-elle être redressée ? La réponse n'est pas facile : l'on peut certes admettre qu'il *faut* que la situation soit redressée car un pays ne peut pas se permettre de laisser sans financement chaque année plus de 3 % de son produit intérieur brut : les déficits s'accumulant chaque année sous forme d'endettement, ce serait en relativement peu de temps à une situation irrattrapable que l'on aurait affaire. Toutefois, la source du mal, à savoir le déficit budgétaire initial de 100 milliards, étant localisée, que peut-on faire pour y remédier ? En principe, deux remèdes sont concevables : augmenter les recettes, réduire les dépenses. L'un et l'autre se heurtent à des obstacles politiques évidents : l'augmentation des recettes parce que le poids des prélèvements obligatoires s'est déjà considérablement accru depuis juin 1981 et qu'il paraît donc difficile de les alourdir encore.

Quant aux dépenses, chacun sait combien il est difficile en France de les réduire sans remettre en cause ce que certains considèrent comme des droits acquis. Il faudra bien pourtant en arriver là, et peut-être plus vite que le gouvernement ne semble le croire.

L'œil fixé sur l'horizon radieux des réformes de structure, les ministres donnent souvent l'impression de s'être installés dans le confort du raisonnement à long terme : la vision des lointains procure sans doute d'intenses satisfactions intellectuelles mais l'on aurait tort d'oublier que de nombreuses batailles économiques se sont perdues dans le court terme, dans l'effondrement monétaire ou dans la déconvenue d'une crise de trésorerie.

La France semble avoir surtout aujourd'hui besoin qu'on lui rappelle quelques idées simples : le déficit survient lorsque l'on a oublié qu'il ne faut pas vivre au-dessus de ses moyens, qu'il ne faut pas distribuer ce que l'on n'a pas produit, qu'il ne faut pas dépenser ce que l'on n'a pas gagné. Ces vérités peu excitantes pour des esprits subtils auraient du moins le mérite, si elles inspiraient l'action publique, d'être comprises par beaucoup plus de gens qu'on ne le croit et d'offrir au pays une issue honorable pour sortir de la situation fâcheuse où il se trouve aujourd'hui.

Il y a un peu plus de deux cents ans, Adam Smith écrivait : « Ce qui est prudence dans la conduite des affaires de n'importe quelle famille peut difficilement être appelé folie lorsqu'il s'agit du gouvernement d'un grand royaume. » On ne saurait mieux dire.

Claude JESSUA

Nous sommes en train de réussir

« ... Parce que nous refusons d'accepter la montée continue du sous-emploi qui, au-delà du gaspillage économique, représente un cancer social et un facteur de désagrégation de nos sociétés, nous avons la volonté de relancer l'économie, puis de retrouver la croissance, en respectant et en garantissant les grands équilibres économiques qui conditionnent le succès à long terme. Ce qui signifie, ce qui exige aussi, à la fois la mise en œuvre d'une politique industrielle dynamique et d'un nouveau partage du travail.

« ... L'orientation de notre politique semblait, jusqu'à présent, à contre-pied de celle de nos partenaires. Mais au moment où des seuils de chômage, fatidiques, sont franchis à l'étranger, l'analyse de la France est confortée et rencontre un écho croissant. Car l'Europe prend conscience qu'elle ne dominera pas la troisième révolution industrielle sans une croissance plus forte, qui est la condition nécessaire de la rénovation de son appareil productif.

« ... La seconde priorité nous est dictée par le fait que la société française est aussi l'une des plus inégalitaires des pays développés. Dès son installation, le gouvernement a donc pris des mesures destinées à améliorer la situation des Français les plus défavorisés, de ceux qui cumulent les inégalités. (...) Pour autant, la réduction des inégalités sociales n'est pas de l'égalitarisme. Il n'est pas question de généraliser à tous les avantages accordés aux Français les moins bien défendus.

« ... Mais la lutte contre le chômage et la réduction des inégalités passe aussi par une relance économique. Car, pour rétablir la prospérité de nos économies et asseoir sur des bases solides le progrès social, il nous faut retrouver le chemin de la croissance. C'est une évidence qui a parfois été perdue de vue au cours des dernières années, mais qui retrouvera progressivement toute sa force. Ce n'est pas dans la langueur ou dans la croissance « zéro » que nous trouverons la volonté et les moyens de relever les défis de la fin du XXe siècle. Cette idée aussi fait son chemin.

« ... Nous sommes en train de réussir et chacun le voit bien. La France, lentement, au prix d'efforts constants, centimètre par centimètre, est en train de sortir de l'ornière dans laquelle elle s'était enlisée. Poursuivons cet effort et poursuivons-le ensemble. Et pour mieux coordonner nos forces, discutons entre nous, encore et toujours. Voilà le contrat de solidarité que je rêve de voir passer entre tous les Français. »

Pierre MAUROY, *C'est ici le chemin,* Flammarion, 1982, pp. 212-215.

III

Les mésaventures du franc

Le dollar cotait à Paris 5,34 francs le 8 mai 1981, 6,19 francs le 9 avril 1982 et 7,30 le 12 novembre 1982, soit une baisse de près de 30 %[1] Le taux pivot du mark qui était de 2,35 francs depuis le 24 septembre 1979 passait à 2,56 francs le 4 octobre 1981, puis à 2, 83 francs le 12 juin 1982, soit une baisse du franc de 12 %.

Les réserves de change de la France s'élevaient à 363,4 milliards de francs au 8 mai 1981 et n'atteignaient plus qu'environ 260 milliards dix-huit mois plus tard, soit près de 100 milliards de moins.

L'endettement extérieur, qui se montait à 124 milliards de francs au 31 décembre 1980 pour 145 milliards de créances, passait à 320 milliards, selon une estimation rapportée par *Le Monde* du 7-8 novembre 1982, alors que les créances sur l'étranger étaient évaluées à 190 milliards, soit une dégradation de la position nette de 150 milliards de francs depuis décembre 1980. Avec 45 milliards de dollars d'endettement extérieur, la France a pris place parmi les pays les plus endettés du monde.

Enfin, le taux d'inflation enregistrait une hausse de 16,4 % de mai 1981 à novembre 1982, de 9,3 % par rapport à octobre 1981, pour atteindre 9,7 % à la fin de 1982, malgré quatre mois de blocage des prix.

---

1. Ce texte était achevé de rédiger fin novembre 1982. Nous n'avons actualisé que quelques chiffres essentiels. (N.d.E.)

Ainsi, tous les indicateurs monétaires externes et internes traduisent la détérioration profonde enregistrée depuis mai 1981 dans la situation de l'économie française soumise au choc socialiste après deux chocs pétroliers. En 1981, comme en 1975 et 1968, les stratégies de relance butent, quelques mois plus tard, sur la contrainte de l'ajustement extérieur, conduisant à la dépréciation du change et à l'inversion des objectifs de la politique économique.

Il suit de là que la situation du franc depuis mai 1981 n'est nullement originale par rapport au passé, même si elle marque une tendance incontestable à l'aggravation. Si l'on excepte la période de 1976 à 1981 où le gouvernement de Raymond Barre a su imposer le respect de cette contrainte extérieure, sans pour autant parvenir à abaisser le taux d'inflation, le changement s'est opéré dans la continuité, à cet égard. Par ailleurs, l'analyse de cette situation doit tenir compte du fait que la période examinée n'est pas homogène. À la politique donnant la priorité à la lutte contre le chômage à partir d'une relance de la demande de consommation a succédé, depuis juin 1982, après deux dévaluations, une politique de défense du franc et de lutte contre l'inflation totalement négligée auparavant.

De ce fait, s'il faut bien imputer à la première la responsabilité de la détérioration de la situation monétaire de la France, il n'en faut pas moins reconnaître à la seconde le mérite de vouloir réparer les dégâts commis pendant l'année folle de mai 1981 à juin 1982. Comment, en effet, ne pas approuver des déclarations comme celle du Premier ministre : « La rigueur ne pourra prendre fin que lorsque nous serons face à une reprise confirmée, vigoureuse et internationale » (*Le Matin,* 12 octobre 1982), ou celles de ministres affirmant : « Une relance faite par un seul pays risque très vite de s'étouffer » (Jacques Delors, *Le Monde* du 11 novembre 1982), ou : « Aucun pays ne peut se permettre d'utiliser seul le déficit budgétaire comme moyen de stimulation de l'économie » (Laurent Fabius, *Le Monde* du 11 novembre 1982) ?

C'est reconnaître, là, que la stratégie adoptée en mai 1981 reposait sur deux erreurs graves d'appréciation de la situation économique du pays dont le franc devait être la victime toute désignée : d'une part, une surestimation des capacités de croissance d'une économie entraînée, comme toutes les autres économies occidentales, dans un processus stagflationniste douloureux ; d'autre part, une sous-estimation des contraintes monétaires d'une économie engagée dans la compétition internationale.

La surestimation des capacités de croissance

Faire progresser le taux de croissance de l'économie française à un rythme supérieur à celui enregistré sous le précédent septennat et dans les économies de nos principaux partenaires commerciaux étrangers pouvait bien constituer une promesse électorale dans la phase de conquête du pouvoir politique, mais nullement un objectif de politique économique, réalisable durant la phase prévue d'exercice de ce pouvoir.

Dans les conditions contemporaines de l'économie mondiale, vouloir faire plus que les autres, ce n'est pas vouloir faire mieux, mais plus mal qu'eux. Certes, l'objectif est louable en soi. Nul ne peut nier qu'un fort taux de croissance soit une condition nécessaire d'une diminution du chômage, d'un relèvement des conditions de vie des catégories les plus démunies et d'une amélioration de la protection sociale. Tout le monde souhaiterait qu'il en soit ainsi.

Encore faut-il que cette accélération volontariste de la croissance ne déséquilibre pas l'économie nationale dans ses relations avec l'étranger lorsque celui-ci, de gré ou de force, s'oriente durablement vers un ralentissement de son activité économique. Pour avoir méconnu cette condition pendant près d'une année, le gouvernement actuel doit admettre, difficilement, qu'à l'ère de la croissance ralentie, la stimulation de celle-ci ne peut être qu'illusoire et conduire à une croissance sinon négative, du moins, toujours appauvrissante en termes de pouvoir d'achat international.

L'ère de la croissance ralentie

Il n'est plus pensable, à l'aube des années 80, de voir l'avenir comme on le voyait au début des années 60. Depuis 1974, il s'est, en effet, produit une cassure dans les taux de croissance des économies occidentales dont personne ne conteste plus la réalité. Ces taux, qui étaient de l'ordre de 5-6 % en moyenne annuelle depuis 1960, ont été divisés par deux entre 1974 et 1979 puis, encore par deux, entre 1979 et 1982.

De 3,1 % entre 1974 et 1979, le PIB marchand français tombe, ainsi, à 1,6 % l'an en moyenne de 1979 à 1982. Par deux fois, en 1975 et 1981, il connaît même une croissance nulle, le PIB total ne devenant positif, ces années-là, que du fait de la contribution du PIB non marchand (+ 0,2 % chaque fois).

Pour l'avenir à moyen terme 1982-1987, les prévisions faites en juin dernier par les principaux modèles économétriques variaient entre 2,6 %, en moyenne annuelle, pour les plus optimistes (Chase Econometrics) et 1,6 % pour les plus pessimistes (Gama). Pour 1983, leurs estimations tournaient autour d'un taux de 3 %. Or le Bipe qui, en juin 1982, annonçait, pour 1983, un taux de 2 % l'a rectifié en baisse, en octobre 1982, à 0,5 % ; *l'Expansion* prévoit 0,0 %, contre 2 % pour le ministre de l'Économie, et 0,5 % pour l'OCDE. Que deviendront alors, en 1987, les réalisations de taux de croissance ?

De quelque côté que l'on prenne le problème, l'idée s'impose que tous les facteurs tenant à la demande, qui avaient poussé les taux de croissance, depuis les années 50, à des niveaux de longue période exceptionnellement élevés ne sont plus susceptibles d'apporter, dans l'avenir prévisible, une contribution aussi puissante que par le passé au processus de croissance. Bien au contraire, ils iraient plutôt dans le sens d'une contraction de l'activité économique.

Il en est ainsi, tout d'abord, des besoins de consommation et d'investissement des ménages, des entreprises et des administrations qui forment la demande interne. Tous enregistrent, dans le sens de la baisse du rythme de leur croissance, les conséquences :
— du ralentissement démographique intervenu, à partir de 1964 dans tous les pays, à la suite de la chute du taux de natalité et du taux de fécondité ;
— de l'absence de relève des principaux produits industriels (automobiles, équipement ménager, produits de la pétro-chimie) qui ont contribué, par leur large diffusion dans toutes les couches de la population, à la formidable croissance des productions depuis les années 50 ;
— de l'épuisement des effets de l'exode rural et de la croissance urbaine en matière de logements et d'équipements collectifs.

Le taux d'investissement par rapport au PIB s'éloigne, depuis plusieurs années, des maxima de plus de 25 % atteints auparavant, par suite de cette diminution, ou au mieux stagnation, du potentiel de croissance de la demande. Par ailleurs, l'effet de rattrapage des Etats-Unis ne joue plus un rôle aussi dynamique, notamment en ce qui concerne la gestion et la stratégie d'entreprise. L'avenir devient plus incertain, dès lors que le niveau et le modèle américains n'exercent plus leur effet d'imitation et de balisage du futur. Enfin, du fait de cette incertitude, les innovations techniques qui se dessinent (informatique, robotique, applications de la biologie) deviennent plus risquées financièrement, d'autant plus que la plupart des firmes connaissent un endettement très élevé et subissent des pertes parfois énormes. Pour toutes ces raisons, l'investissement ne progresse plus.

Il en est de même, ensuite, des facteurs agissant sur la demande étrangère dont la contribution à la croissance a été primordiale depuis la fin des années 50 avec la création de la Communauté économique européenne et l'extraordinaire développement du commerce mondial.

Entre 1958 et 1980, les échanges intracommunautaires ont été multipliés par vingt-trois sur la base des exportations. La France, qui réalisait 28 % de ses exportations avec ses futurs partenaires européens en 1958, en réalisait près de 51 % en 1980, après être montée jusqu'à 56 % en 1973. La part de ses échanges extérieurs est passée de 10 % environ du PIB en 1958 à près de 25 % de nos jours, de très nombreuses entreprises exportant plus de 50 % de leur production. Il y a peu de chances qu'un tel rythme d'accroissement soit maintenu à l'avenir.

Le commerce mondial, dont le volume se développait au taux annuel moyen de 8,5 % dans la période 1963-1972, est resté stagnant en 1981, d'après le dernier rapport annuel du Fonds monétaire international, après avoir augmenté de 2 % seulement en 1980 contre 6,5 % en 1979. Le potentiel d'augmentation des exportations se réduit d'autant plus que de nombreux pays du tiers monde devront limiter leurs importations afin de rembourser un endettement qui les rend pratiquement insolvables à l'heure actuelle. Il est donc vain d'espérer de cette demande extérieure des débouchés suffisants pour maintenir la production des pays industrialisés à des niveaux élevés.

La contrainte financière et physique qu'exercent la cherté et la raréfaction de l'énergie, notamment d'origine pétrolière, vient s'ajouter à l'épuisement progressif des principaux facteurs de la croissance des *Trente Glorieuses*[1] tenant à la demande. C'est, depuis 1974, l'offre des pays importateurs de pétrole qui se trouve limitée du fait de la liaison qui existe entre accroissement de l'activité économique et importation de pétrole.

---

1. *Les Trente Glorieuses, ou la Révolution invisible de 1946 à 1975*; Fayard, 1979, nouvelle édition « Pluriel ».

Avec un taux de croissance à peine supérieur à 1 % et malgré une diminution de la consommation, la facture pétrolière s'élèvera à 180 milliards de francs environ en 1982 contre 32 en 1973. Si l'on admet que la demande de pétrole s'accroît plus que proportionnellement à partir de 3-3,5 % de taux de croissance, c'est une facture de plus de 200 milliards qu'il faudrait acquitter, à prix constant du baril, si la croissance française s'accélérait.

Or, selon le dernier rapport sur les *Perspectives énergétiques mondiales* de l'Agence internationale de l'Energie, il faut s'attendre, à partir de 1985, à un déséquilibre du marché pétrolier, l'offre devenant insuffisante par suite de l'accroissement de la demande des pays de l'OPEP et des pays en voie de développement et de la baisse de la production hors OPEP. Il s'ensuivrait une hausse certaine du prix du baril, afin de rééquilibrer le marché, avec évidemment un effet sur les capacités d'importation des pays industriels et donc sur leur taux de croissance.

Par ailleurs, ces volumes d'importations, dont le prix menace de croître à nouveau après la pause de 1982, font l'objet de paiements en dollars dont la hausse équivaut à un « choc » pétrolier du type de ceux de 1973 et 1979. Or, la hausse du dollar a de fortes chances de se prolonger tant la demande de cette monnaie internationale ne cesse de croître, sous l'effet, notamment, des besoins de remboursement des énormes dettes contractées ces dernières années.

Par conséquent, chacun de ces trois effets, croissance, prix, dollar, détermine à lui seul une augmentation de la facture pétrolière dont le règlement entraîne un prélèvement sur les ressources nationales et freine à lui seul la demande et, de ce fait, la croissance. Il est donc sage, pour un pays importateur, de contrôler le seul facteur sur lequel il peut exercer une action, à savoir sa propre croissance, de façon à moins mal supporter les effets prévisibles de la hausse des deux autres.

Mais cela laisse entier le problème de l'offre de

pétrole et de sa raréfaction tant absolue, du fait de l'épuisement des gisements, que relative, suivant la demande qui se manifeste. Sans économies d'énergie par unité de PIB et sans développement d'énergies nouvelles, la croissance économique a de fortes chances de buter sur un goulet d'étranglement « physique » et pas seulement financier.

La croissance de production se trouve donc contrainte, depuis 1974, à la fois du côté de la demande qui révèle des signes d'essoufflement et du côté de l'offre qui ne peut se développer sans provoquer un transfert de ressources insupportable vers les pays importateurs de pétrole, par ailleurs soumis à la gestion d'un stock de ressources épuisable. Etant donné ces perspectives, il est déraisonnable d'escompter, sur un horizon de cinq à dix ans, un sentier de croissance économique, pour la France, supérieur à 1 ou 2 % en moyenne annuelle. Ce cheminement tendanciel peut être, soit régulier dans le temps, soit irrégulier, de telle sorte qu'une croissance supérieure à la norme pendant une certaine période entraîne une croissance inférieure ou négative pendant la période suivante, afin de retrouver le sentier de moyen terme et restaurer les équilibres détruits.

Tout se passe alors comme si des forces de rappel ramenaient l'économie au niveau d'activité requis par l'intermédiaire de processus d'ajustement dont la particularité est d'être liée aux échanges et paiements internationaux. Ceux-ci peuvent bien être oubliés et négligés pendant un temps. Ils retrouvent, tôt ou tard, leur suprématie, car c'est par eux que s'opère le bouclage de l'activité économique. Rien d'étonnant, alors, dans ces conditions, à ce que toute stimulation de la croissance ne soit qu'illusion. C'est ce que le gouvernement français a expérimenté à partir de juin 1982, après avoir surestimé les capacités de croissance de l'économie française.

L'illusion d'une stimulation de la croissance

Tout comme un automobiliste qui, pour arriver plus vite à destination, ne respecte pas la limitation de vitesse dans des passages dangereux et se trouve contraint de s'arrêter et de perdre du temps soit par les gendarmes, soit par un accident, le gouvernement a été conduit à réviser les objectifs et les moyens de la stratégie à hauts risques de mai 1981. Depuis juin 1982 et après une seconde dévaluation, il a substitué à l'objectif de lutte contre le chômage par une relance de l'activité économique, l'objectif de lutte contre l'inflation et la dépréciation externe du franc qui ne peut être atteint que par une réduction ou, au mieux, une stagnation de l'activité économique. Encore faudra-t-il du temps pour cela, tant les dérapages financiers ont revêtu une ampleur sans précédent.

On ne peut, toutefois, placer sur le même plan les stratégies de relance de 1968 ou 1975 et celle de 1981, dans la mesure où les premières aboutissaient, finalement, à une accélération significative de la croissance qu'il fallait stopper, ensuite, pour rétablir l'équilibre extérieur, alors que la seconde n'a même pas obtenu le taux de croissance assez moyen de 3,3 % qu'elle prévoyait pour 1982, tout en supportant un passif financier extérieur encore plus lourd.

Ce n'est pas seulement le fait d'avoir voulu une croissance plus forte que celle enregistrée sous le précédent septennat qui constitue la grande erreur de la stratégie de mai 1981. C'est surtout d'avoir, de la sorte, voulu une croissance plus forte que celle de nos principaux partenaires. Ceux-ci étant engagés, depuis 1979, pour la Grande-Bretagne et les États-Unis (si l'on retient le changement dans la technique de contrôle monétaire du 6 octobre) et 1980 pour la RFA, dans une cure de désinflation qui devait ralentir considérablement leur croissance, il ne pouvait pas ne pas se produire un déséquilibre de nos échanges extérieurs et une baisse du taux de change du franc.

Il en a été ainsi chaque fois que notre croissance a été plus rapide que celle de l'étranger, nos importations s'accroissant plus que ne peuvent le faire nos exportations du fait à la fois de l'effet-volume et de l'effet-prix. Toutes les études empiriques démontrent, en effet, la liaison qui existe entre écart de croissance, solde des paiements courants et taux de change.

Le professeur Bordes-Marcilloux, dans une remarquable étude économétrique de la période 1971-1980[1], a ainsi montré que les périodes de croissance plus rapide du deuxième trimestre 1971 au premier trimestre 1974, du troisième trimestre 1975 au troisième trimestre 1977 ont été associées à une dégradation du solde des paiements courants et à une baisse du franc. Inversement, les périodes de croissance moins rapide qu'à l'étranger du premier trimestre 1974 au troisième trimestre 1975 et du deuxième trimestre 1977 au quatrième trimestre 1978, ont entraîné une amélioration du solde des paiements courants et de la situation du franc. Cette étude estimait à quatre trimestres, environ, le délai séparant une amélioration (détérioration) de la compétition d'une amélioration (détérioration) de l'état des paiements courants.

Sur une période beaucoup plus longue (1960-1980) et pour les seuls rapports entre le franc et le mark, la robustesse de cette relation « écart de taux de croissance — variation du taux de change » apparaît tout aussi forte, selon une étude de Bernard Keiser[2]. Alors que l'inflation française durant cette période est, en moyenne, supérieure de 2,5 % par an à celle de la RFA (7 % contre 4,5 %), le mark s'apprécie de 3,5 % par an en passant de 1,175 francs à 2,325 francs, soit une appréciation réelle (déduction faite de l'inflation) de 1 % par an en moyenne. Or, pendant toute cette période, le PIB français croît à un taux moyen annuel de 4,6 % contre 3,7 % pour le PIB allemand.

---

1. « Monnaie, taux de change et compétitivité », *Revue d'Économie politique*, n° 3, 1982.
2. *Le Monde diplomatique*, août 1981.

Si l'on subdivise cette période en deux, on observe qu'entre 1960 et 1975, l'écart des taux de croissance est favorable à la France de 1,2 % en moyenne annuelle (5 % en France, 3,8 % en RFA). Le franc se déprécie par rapport au mark qui fait l'objet de plusieurs réévaluations. En revanche, lorsque la RFA reprend le dessus, entre 1975 et 1980, en faisant 0,4 % de mieux que la France (3,6 % en RFA, 3,2 % en France), le mark faiblit aux abords de 2,30 francs et la Banque de France vole au secours du mark en novembre 1980 ! Ce n'est qu'en retrouvant une plus faible croissance que l'économie de la RFA revit à nouveau le mark remonter aux alentours de 2,83 francs à fin novembre 1982, en attendant mieux.

Il apparaît donc que la variation du taux de change dépend, pour une large part, de l'écart entre les taux de croissance de la France et du reste du monde industrialisé. De ce fait, privilégier l'aspect volume de cette croissance et oublier sa mesure en pouvoir d'achat international, revient à ne pas se préoccuper de la seule mesure valable de l'efficacité de la combinaison productive mise en œuvre. À quoi cela sert-il donc de produire plus de biens et services si cette croissance plus forte appauvrit, en unités de mesure internationales, ceux qui en sont les auteurs ?

Les résultats obtenus en 1981-1982 confirment cette analyse, mais y apportent des éléments nouveaux. Il n'y a pas eu, à proprement parler, relèvement du taux de croissance, bien que le déséquilibre extérieur ait été considérablement aggravé et la baisse du franc assez prononcée. L'accroissement de la demande de consommation consécutif à la hausse des salaires directs et des revenus de transfert n'a entraîné ni un redressement appréciable de l'activité, ni un renversement de la tendance au chômage :

— Le PIB ne s'est accru que de 0,3 % en 1981 et de moins de 1 % très certainement en 1982, alors que le gouvernement prévoyait 3,3 % pour cette année en octobre 1981.

— La production industrielle n'a pas encore retrouvé

son plus haut niveau du premier trimestre 1980 (indice 136 base 100 en 1970) et plafonne en 1982 entre 128 et 130 accusant une baisse de l'ordre de 3 à 4 %.

— Le nombre de demandeurs d'emplois, qui était de 1 645 700 au 30 avril 1981 (en données observées) a franchi depuis le seuil des deux millions.

Tout cela prouve bien la puissance des forces dépressionnistes à l'œuvre dans l'économie française.

Les paris sur lesquels reposait le succès de la stratégie de mai 1981 ont tous été perdus : il n'y a eu ni reprise de l'investissement, ni reprise des exportations et de l'économie mondiale. Le déficit budgétaire n'a pu être résorbé par un accroissement des recettes fiscales liées au développement de l'activité, puisque celui-ci ne s'est pas produit.

En revanche, la situation extérieure s'est considérablement dégradée :

— L'accroissement du volume des importations, à la fin du troisième trimestre 1981, va de pair avec une chute profonde du volume des exportations, creusant un déficit record de la balance commerciale pour les dix premiers mois de 1982 (80 milliards de francs contre 50,6 en 1981)[1].

— La France est maintenant déficitaire dans ses échanges avec tous les grands pays industriels, y compris la Grande-Bretagne.

— Le taux de pénétration en volume des produits importés n'a jamais été aussi élevé.

Il apparaît ainsi que les structures productives françaises n'ont pu répondre à la stimulation de leur offre que devaient provoquer les mesures de relance. D'un côté, leur relative inadaptation à la demande mondiale et la hausse de leurs coûts de production les placent en état d'infériorité à l'égard de leurs principaux concurrents, ce qui freine le développement des exportations. De l'autre, elles ne sont pas en mesure d'absorber, par un

1. Ce déficit a atteint en décembre 1982 92,7 milliards en données corrigées des variations saisonnières, soit près de cinq fois plus qu'en 1974 (20 milliards), année du premier choc pétrolier.

accroissement de leur offre, le pouvoir d'achat additionnel créé lors de la relance, ce qui accroît les importations et fait satisfaire par l'offre étrangère une grande partie de cette demande nouvelle. L'eau de la relance se perd dans les sables de la non-compétitivité internationale.

On comprend mieux, dès lors, pourquoi une économie dont le taux de couverture des importations par les exportations se situe durablement au-dessous de 100 % ne peut supporter de chocs exogènes de réelle ampleur sans baisse de son taux de change. Dans une telle économie, il convient, en effet, de veiller à ce que le taux de change ne subisse pas de pression à la baisse et que le solde des mouvements de capitaux enregistre l'entrée de capitaux extérieurs afin de compenser le déficit commercial. Pour cela, l'Etat doit exercer le moins d'influence possible sur l'activité économique par son déficit budgétaire, afin de ne pas trop la stimuler, ce qui accroîtrait les importations et donc le déficit extérieur.

Cette séquence « barriste » impose donc un certain nombre de contraintes en matière de taux de change, de finances extérieures et de finances publiques. Maintenues pendant une assez longue période, malgré les pressions qui se manifestaient en faveur de leur abandon, elles offraient, à ceux qui les feraient sauter, une marge de manœuvre suffisamment large pour pratiquer une politique plus laxiste. Toute la stratégie de mai 1981 a ainsi consisté, en renversant l'ordre des priorités « barristes », taux de change - solde extérieur - déficit budgétaire, à utiliser ces marges de manœuvre disponibles qui constituaient, par leur actif, et non par leur passif, le véritable « héritage ».

En accroissant le déficit budgétaire de près de 2 points de PIB, plus de croissance serait obtenue au risque d'une aggravation du déficit extérieur. Mais celui-ci pouvait être toléré, étant donné le stock relativement élevé des réserves de change et la surévaluation du franc. La baisse de celui-ci favoriserait, alors, la reprise des exportations.

Malheureusement, de paris perdus (la reprise mondiale) en mesures à contretemps ou à contre-courant (réduction de la durée du travail sans compensation sur les salaires, accroissement des charges des entreprises), ce processus de relaxation des contraintes a échappé au contrôle des stratèges qui l'avaient conçu prouvant par là même la validité de la séquence « barriste ». Il a donc fallu, à partir de juin 1982, revenir à l'objectif de défense du franc et de lutte contre l'inflation, en bloquant, cette fois, les salaires pendant quatre mois et en restaurant les équilibres financiers internes par un accroissement des prélèvements qui n'auront d'autre résultat que de diminuer la demande globale et l'activité que l'on se proposait, un an auparavant, de stimuler !

En soi, il n'était peut-être pas déraisonnable — à condition de ne pas surestimer la marge de progression possible — d'accepter une dépréciation du franc, légère et momentanée, afin de redonner quelque tonus à une activité languissante. Encore fallait-il bien choisir le moment et maîtriser la manœuvre. Or, aucune de ces conditions ne fut remplie. La gravité des tendances dépressionnistes fut ignorée, entraînant une surestimation des capacités de croissance. La dépendance de la France à l'égard de son environnement économique international, en pleine cure de désinflation, fut orgueilleusement méconnue, provoquant un déséquilibre extérieur rarement atteint. La maîtrise fit gravement défaut dans l'exécution, la satisfaction des promesses électorales et la « rupture avec le capitalisme » prenant le pas sur la gestion cohérente d'une économie en proie à de redoutables problèmes incorrectement évalués.

Tel un étudiant lisant mal son sujet d'examen et remettant une copie dont les développements préparés à l'avance s'avèrent « hors sujet », la France s'est trouvée dans l'obligation, en juin 1982, de se représenter à une nouvelle session en prenant garde, cette fois, de bien comprendre le sujet proposé afin d'y apporter une réponse mieux adaptée. Son gouvernement s'est, en effet, rendu compte non seulement que le problème était beaucoup plus difficile qu'il ne le pensait lors de son installation, mais encore qu'il avait dangereusement sous-estimé l'influence des contraintes monétaires, tant externes qu'internes, qui s'exercent sur sa politique économique.

La sous-estimation des contraintes monétaires

La politique économique à caractère volontariste ne se manifeste pas seulement par son ambition d'atteindre un taux de croissance et un volume d'emploi supérieurs à ceux qui résultent de l'évolution tendancielle à moyen terme. Elle se manifeste aussi par des choix en matière monétaire qui vont toujours, eux, dans le sens de l'acceptation de la baisse de la valeur interne et externe de la monnaie. La politique monétaire est, en effet, généralement conçue comme un moyen d'accompagnement de la politique économique, la monnaie devant être la « servante » de l'économie, non sa « maîtresse », suivant une formule célèbre, mais hélas ! erronée.

En réalité, cette monnaie n'est jamais un moyen que pour des apprentis sorciers qui ignorent la forme de rationalité économique supérieure que sa dépréciation a pour fonction d'exprimer, dès lors qu'aux ajustements économiquement nécessaires sont préférés des ajustements économiques différents, pour des raisons politiques. Du heurt de ces deux logiques naissent, alors, des tensions dont la variation de la valeur de la monnaie assure la régulation par sa dépréciation. C'est en cela que la monnaie et sa valeur sont davantage une résultante que l'on subit qu'un moyen que l'on utilise.

Dans ses deux phases, séparées par la dévaluation du 12 juin 1982, la politique économique conduite depuis mai 1981 illustre parfaitement cette analyse. Les variations du taux de change du franc ne sont pas seulement la conséquence de l'écart voulu des taux de croissance, qui en détermine, à long terme, le sens, mais aussi la conséquence des processus d'ajustement de l'économie à son environnement international qui en déterminent, eux, l'ampleur au cours d'une période donnée, par suite des choix qui ont été effectués.

À cet égard, s'il est évident, à travers le « discours » sur la crise et sa durée, que le gouvernement a, enfin, pris conscience des limites de son action volontariste en ce domaine, il n'est pas sûr qu'il ait fait les mêmes progrès en ce qui concerne la nature de l'ajustement extérieur à opérer et surtout de la politique monétaire à mener. L'occultation trop prolongée de l'un et la dénaturation insidieuse de l'autre font craindre que les plus graves difficultés soient devant nous et non derrière.

L'occultation de l'ajustement extérieur

L'héritage colbertiste est trop bien ancré dans les mentalités françaises pour qu'après vingt-cinq ans bientôt d'ouverture de notre économie sur l'extérieur les conceptions courantes de la politique économique aient pu pleinement assimiler les contraintes monétaires qui en découlent. Il s'ensuit que l'extérieur est considéré comme un monde devant, par principe, s'ajuster à l'économie nationale ; l'inverse n'étant jamais que l'exception qui confirme la règle, le signe des périodes anormales dont il faut tout faire pour limiter la durée.

Cette étonnante inversion des relations entre l'intérieur et l'extérieur n'est pas pour rien dans la régularité des crises de change qui surviennent en France chaque fois qu'un gouvernement s'engage trop loin dans cette direction. Comment expliquer autrement la popularité de la campagne de « reconquête du marché extérieur », justifiée pour certains secteurs relativement mineurs, alors que le dynamisme d'un pays et de sa politique devrait bien plutôt se manifester dans la conquête des marchés extérieurs ?

La politique du gouvernement actuel, surtout dans sa première phase, n'a pas échappé à cette tendance colbertiste comme le prouvent les choix effectués en matière de processus d'ajustement et de politique du change.

Le choix d'un processus adéquat d'ajustement extérieur constitue bien la contrainte fondamentale de toute politique économique à l'époque contemporaine dans la mesure où, pour assurer le financement d'un déficit de ses échanges extérieurs, un pays doit dégager les ressources nécessaires à ce financement soit sur ses propres ressources, soit par endettement. Du type d'ajustement choisi dépendra, à la fois, le caractère durable du rétablissement de l'équilibre et la stabilité future de la valeur externe de la monnaie nationale.

Or, la plupart du temps, les gouvernements français se sont refusés à faire jouer le premier type d'ajustement à caractère réel parce qu'il impliquait un prélèvement sur les emplois intérieurs de consommation et d'investissement qui en aurait fait baisser les taux de croissance, à défaut des niveaux. Il ne restait plus, alors, qu'à faire jouer l'ajustement financier par accroissement de l'endettement extérieur. Si cela ne suffit pas, l'ajustement final est opéré nominalement par la baisse de la valeur externe du franc qui assure, au profit du reste du monde, le transfert de richesse requis grâce à la baisse de la valeur de la production nationale mesurée en pouvoir d'achat international.

Depuis 1974, les chocs pétroliers et la hausse du dollar contraignent un pays comme la France, dont la balance commerciale ne peut durablement se maintenir en suréquilibre comme c'est le cas pour la RFA et le Japon, à rechercher un ralentissement des importations hors-énergie et une progression des exportations. De deux choses l'une : ou bien il réussit à opérer, en totalité ou en grande partie, la réallocation des ressources produites du secteur intérieur vers l'extérieur et l'exportation, soit en produisant plus, soit en restreignant les emplois intérieurs de ces ressources ; ou bien, il ne le réussit pas et ne se décide pas à diminuer les emplois intérieurs. Dans le premier cas, il évite la dévaluation, mais dans le second, il y court.

Le premier cas a correspondu, en gros, à la période 1974-1980, surtout après la correction de trajectoire imposée par Raymond Barre. Les exportations ont, en effet, très fortement progressé durant cette période permettant de combler en grande partie le déficit extérieur. Mais vers la fin de la période et après le second choc pétrolier, le processus de réallocation des ressources a commencé à manifester ses limites. D'une part, il n'a plus été possible de faire croître plus vite l'activité du fait de l'accroissement des importations de pétrole qui en résulte. D'autre part, le ralentissement mondial exerçait un effet de freinage sur la demande extérieure d'exportations. Enfin la consommation intérieure, bien qu'en plus faible progression que par le passé, n'avait pas suffisamment baissé pour entraîner une moindre croissance des importations. Par-dessus tout, la perpétuation de l'inflation à un rythme constamment supérieur à celui de notre principal partenaire commercial, la RFA, menaçait à terme et l'équilibre extérieur et la valeur du franc.

La période d'après mai 1981 a davantage correspondu au second cas de figure. Non seulement, la France n'a pas su profiter de la baisse des prix des matières premières importées et de la désinflation mondiale qui auraient pu lui permettre d'abaisser son taux d'inflation, mais elle a décidé d'accroître la consommation intérieure, alors que ses principaux partenaires commerciaux la diminuait, au contraire, pour freiner l'inflation. L'aggravation du déficit extérieur ne pouvait que s'ensuivre avec des pressions à la baisse du franc relançant l'inflation importée, d'autant plus que la production ne pouvait plus s'accroître pour les raisons déjà énoncées.

Il n'y a, dès lors, d'autre issue que, soit accroître encore plus l'endettement extérieur, soit imposer de nouvelles dévaluations au franc, soit procéder à une réduction du volume des ressources nationales affectées à la consommation et à l'investissement. Suivant une logique économique implacable, ces différentes issues ont toutes été exposées, la troisième en dernier lieu, bien entendu, et sous une forme indirecte.

L'endettement extérieur ne peut, cependant, s'accroître indéfiniment. Sa très forte progression, contestée par le gouvernement, détermine, elle-même, ses propres limites. Ce type d'ajustement financier, s'il peut aider à traverser une période difficile, ne peut, par ailleurs, jouer durablement, car il ne fait que reporter dans le temps l'ajustement réel nécessaire. Mais de toute manière, la France supportera pendant des années le poids du paiement des intérêts de cette énorme dette extérieure dont le remboursement pèsera lourdement sur le niveau de vie des Français à partir de 1990.

Restent alors les deux autres issues qui se réduisent, en fait, à une alternative. Ou bien les emplois intérieurs de consommation et d'investissement seront réduits à concurrence du montant de déficit extérieur et la valeur du franc se stabilisera, mais plus l'on voudra préserver l'investissement et l'avenir, plus il faudra réduire la consommation intérieure. Ou bien de nombreuses dévaluations viendront sanctionner l'absence de cet ajustement réel.

Le problème n'est plus, alors, de savoir si la politique économique doit arbitrer entre consommation et investissement ou entre catégories socio-professionnelles pouvant consommer plus ou moins. Il est de savoir si cette politique économique est capable d'opérer un arbitrage entre emplois intérieurs de consommation et d'investissement et emplois extérieurs d'exportations, le tout à partir d'un montant de ressources productives qui ne peut croître qu'entre 1 et 2 % en moyenne annuelle.

En maintenant un franc relativement fort, soutenu par des entrées de capitaux et en contenant le déficit budgétaire, le gouvernement de Raymond Barre a pu empêcher que les revenus réels ne baissent trop fortement, tout en freinant leur accroissement. En creusant exagérément les déficits tant budgétaire qu'extérieur, le gouvernement de Pierre Mauroy a fait sauter les digues qui préservaient de la baisse des revenus réels. Celle-ci est maintenant engagée du fait de l'accroissement des prélèvements fiscaux et sociaux, de la non-indexation des hausses de salaires sur le taux d'inflation et des économies à réaliser dans les régimes d'indemnisation du chômage. Plus elle sera prononcée, moins la valeur du franc baissera. Moins elle se produira, plus cette valeur sera menacée dans les dix ans à venir, tant le poids du remboursement des dettes extérieures se fera sentir.

La politique du change revêt alors une importance stratégique dont la signification n'est pas toujours bien comprise en France. L'erreur à ne pas commettre serait, en effet, de succomber aux illusions d'une thèse complaisamment distillée par certains suivant laquelle la France ne saurait s'accommoder d'un franc fort du fait de l'inadaptation de ses structures productives à la demande mondiale. Elle devrait donc laisser se déprécier un franc jugé surévalué afin de compenser par un effet-prix l'effet-quantité incapable de jouer par suite de mauvaise spécialisation internationale de nos structures industrielles[1].

La thèse est séduisante, dans la mesure où elle s'appuie, notamment, sur deux faits incontestables. Le premier est que la politique de franc fort du précédent gouvernement n'a pas favorisé la croissance de nos exportations entre 1977 et 1980 autant que l'avait fait, de 1973 à 1977, la politique tolérant une dépréciation du franc. Le second est que l'absence de cette dépréciation comprime les marges des entreprises françaises sur leurs marchés extérieurs où elles sont tenues de serrer les prix. Pour préserver leur profit, elles doivent donc hausser leurs prix sur le marché intérieur, ce qui contribue à annuler les effets favorables d'un franc fort sur les prix intérieurs et à abaisser à terme leur compétitivité sur les marchés

1. Michel AGLIETTA, « Il fallait en finir avec le franc fort », *Le Figaro*, 24-25 octobre 1981.

extérieurs, d'où la hausse des importations et la baisse des exportations.

Cette thèse contient, cependant, un certain nombre de faiblesses. Tout d'abord, elle feint d'oublier que la hausse des prix, en France, provient pour plus des deux tiers des produits alimentaires et des services et ne s'explique pas seulement par le phénomène de compensation des marges. De plus, la hausse des coûts de production joue, certainement, un rôle bien plus grand dans la hausse des prix à la production, sinon pourquoi les entreprises françaises à caractère multinational tireraient-elles plus de profits sur leur chiffre d'affaires à l'étranger qu'elles n'en tirent sur leur chiffre d'affaires en France ?

Ensuite, si la spécialisation industrielle de la France est si défectueuse qu'il est dit, ces effets-prix dus à la dépréciation du franc ne devraient pas pouvoir en compenser durablement les effets défavorables. Car s'il suffit de dévaluation pour stimuler nos exportations, c'est que notre spécialisation n'est pas si mauvaise que cela, bien qu'elle puisse, certes, être améliorée.

Enfin, cette thèse, outre qu'elle méconnaît la signification du message que l'État adresse aux entreprises en maintenant un franc fort, exagère considérablement la marge de manœuvre dont dispose un pays comme la France en matière de dévaluation dans un régime de taux de change fixe, mais ajustable, comme celui du Système monétaire européen. En effet, en ne cédant pas aux pressions lui demandant de laisser le franc se déprécier, un gouvernement fait, par là même, savoir aux entreprises qu'il ne faut pas qu'elles comptent sur lui et sur la dévaluation pour corriger les effets internationaux de leurs propres faiblesses. C'est en accroissant leur productivité qu'elles amélioreront leur compétitivité ; mais il n'y a pas de pires sourds que ceux qui ne veulent pas entendre.

D'autre part, il faut toujours distinguer entre une dévaluation-sanction ou défensive qui vient corriger les effets défavorables de la politique antérieure sur les échanges extérieurs du pays et une dévaluation sauvage ou offensive qui, outre ce rattrapage de compétitivité perdue, offre au pays une marge supplémentaire de surcompétitivité allant bien au-delà du strict rattrapage. La première n'est qu'un substitut coûteux de bonne gestion et de bonne stratégie à la fois des firmes et de l'État. Elle corrige les « bêtises », sans inciter à les supprimer, mais au prix d'un appauvrissement, en pouvoir d'achat international, du pays considéré. Sait-on qu'au taux de change du mark de 1959 (1,17 franc), 3 000 milliards de francs de PIB valent 2 550 milliards de marks, mais à 2,83 francs en novembre 1982, ces 3 000 milliards de francs ne valent plus de 1 140 milliards de marks ?

La seconde forme de dévaluation ne fait qu'amplifier les effets de la première en donnant, en plus, la garantie de pouvoir continuer plus longtemps à faire plus de « bêtises » que les voisins. Mais il ne faut pas prendre ces voisins pour plus altruistes qu'ils ne sont. Tous les efforts de coopération monétaire internationale accomplis depuis 1945 n'ont eu d'autre but que d'empêcher les pays, par le moyen de ces dévaluations sauvages, « d'exporter leur chômage » vers leurs voisins. Chacun a obtenu le droit, tant au FMI avant 1973 qu'au sein de la CEE, de participer à la modification de parité du taux de change de ses partenaires lorsque celle-ci se décide. Croit-on qu'au cours de ces négociations, dont les gouvernements se cachent bien de dévoiler les limites qu'elles apportent à leur souveraineté monétaire, les pays « sages » accepteraient de consentir à une dévaluation de l'ordre de 20 ou 25 % de la monnaie des pays moins « sages » ?

Cette seconde conception de la dévaluation est donc inconcevable, sauf à « se mettre en congé » de toute coopération monétaire internationale et à se replier sur un marché intérieur dont la reconquête pourra alors être entreprise au détriment de toute considération de *welfare* économique, mais au profit (?) d'une « rupture avec le capitalisme » dont il n'est pas sûr que la majorité des Français en ressente le besoin aussi vivement que certains militants et ministres socialistes.

En vérité, un pays comme la France n'est pas en situation de décider si sa monnaie doit être forte ou faible. Seule une économie dominante comme celle des États-Unis, et dans une moindre mesure comme celle de la RFA ou du Japon, peut se le permettre. Tout ce qu'il peut faire, c'est chercher à s'adapter ou non, sans trop forte dépréciation de sa monnaie, à tout changement brutal intervenant dans son environnement international (hausse du prix du pétrole, hausse du dollar, percée technologique d'un pays concurrent).

Le franc n'est alors fort ou faible, au résultat d'une politique adéquate, que si les structures productives françaises absorbent, ou non, ces chocs exagérés. Le choix ne porte donc pas tant sur le niveau du taux de change que sur la capacité du pays à tenir son rang dans la compétition internationale. Dans cette perspective, la politique du change ne peut donc être dissociée de la politique économique générale et plus particulièrement de la politique monétaire dont le rôle est essentiel dans la défense de la valeur de la monnaie. Or, en ce domaine, la France n'est pas à l'abri de cruelles désillusions tant les principes mis en avant par le gouvernement actuel sont en contradiction avec les exigences de la situation.

La dénaturation de la politique monétaire

Depuis les réformes bancaires de 1966-1967, la politique monétaire française s'est trouvée prise sous les influences contradictoires d'une conception ancienne tendant à lui faire assurer de manière prioritaire le financement des besoins du Trésor et de son vaste secteur bancaire et d'une conception plus récente, inspirée par les exigences de l'internationalisation croissante de l'économie française, tendant à lui faire respecter davantage les contraintes nées de cette internationalisation grâce à un rôle accru des mécanismes de marché.

Alors que la seconde paraissait en voie de s'imposer au

début des années 80, la première a connu un retour en force depuis le 10 mai 1981, plaçant à nouveau le système monétaire français dans les conditions d'une administration du crédit et de la monnaie comparable à ce qui existait au lendemain de la seconde guerre mondiale. Par le biais de la nationalisation des banques privées opérée en février 1982, le gouvernement actuel a révélé une conception de la politique monétaire nulle part ailleurs en vigueur dans le monde occidental. Celle-ci aboutit, en fait, à un renforcement inutile des contrôles de l'État dans les domaines où ils existaient déjà suffisamment et à un relâchement coupable de ces contrôles là où ils devraient exister.

Les raisons invoquées pour la nationalisation des banques privées, qui ne représentaient qu'environ 10 % du total des dépôts et 12 % du total des crédits distribués, ne sauraient résister un seul instant à l'analyse économique. La mesure était, en effet, soit inutile économiquement, car déjà prise, soit inadaptée économiquement car un service public du crédit est inconcevable, soit redondante étant donné les techniques déjà existantes de contrôle de la monnaie et du crédit.

La nationalisation des banques privées gérant plus d'un milliard de francs de dépôts était inutile économiquement si l'Etat voulait obtenir « le retour à la collectivité nationale du privilège d'émission de la monnaie partiellement concédé jusqu'ici » (déclaration du Premier ministre à l'Assemblée nationale, le 8 juillet 1981), car la mesure avait déjà été prise lors de la nationalisation de la Banque de France par la loi du 2 décembre 1945. En effet, dans un système monétaire où la monnaie de banque (dépôt à vue) constitue la forme principale de monnaie utilisée dans les paiements, la seule monnaie qui compte est la « monnaie centrale » ou avoir des banques à leur compte courant à la Banque de France.

Certes, chaque banque crée sa propre monnaie de banque, mais cette création est impossible sans l'existence de la monnaie centrale dont les banques ont besoin pour asseoir la création de leur propre monnaie. Or, c'est la Banque de France qui crée et offre cette monnaie centrale dont la disposition et le montant déterminent le montant de monnaie créé par les banques. Du fait de sa nationalisation en 1945, l'Etat contrôlait déjà la création monétaire des banques. Par conséquent, ce qui devait être nationalisé à cette fin l'était déjà.

La nationalisation des banques privées était d'autre part inadaptée et injustifiée économiquement dans une économie non planifiée autoritairement, dans la mesure où la constitution d'un « service public de crédit, orienté par la satisfaction de l'intérêt général » (Michel Charzat, *Le Monde,* 11 septembre 1981) ne repose sur aucun fondement économique. François Bloch-Lainé écrivait, en 1960 :

> « Un service public du crédit est inconcevable. Qui dit service public dit obligation de fournir, ce qui, en matière de crédit, est difficilement admissible. Il faut que ceux qui dispensent le crédit puissent toujours le refuser en se basant sur d'autres éléments d'appréciation que ceux qui influencent le pouvoir politique[1]. »

En reconnaissant que la nouvelle organisation du crédit doit permettre de « mobiliser et orienter les ressources prioritairement vers les investissements les plus créateurs pour combattre le chômage et l'inflation » Michel Charzat *(op. cit.)* reconnaissait implicitement que ces ressources ne peuvent être fournies à volonté et qu'une autre orientation de ces ressources que celle qui existait auparavant est possible, ce qui ne relève nullement de la notion de service public, mais du choix des objectifs de politique économique et des techniques habituelles de la politique monétaire.

La nationalisation des banques privées était, enfin, une mesure redondante car, outre le contrôle de la mon-

---

1. BLOCH-LAINÉ et de VOGUE, *Le Trésor public et le mouvement général des fonds,* Paris, PUF, 1960, p. 168.

naie centrale par la Banque de France, l'Etat disposait de moyens d'intervention considérables dans la « distribution » des crédits. Il démontrait, d'ailleurs, que la nationalisation n'était qu'une modalité particulière de contrôle puisque les banques mutualistes (Crédit agricole, Banques populaires et Crédit mutuel), les Caisses d'épargne et des institutions comme le Crédit national ou le Crédit foncier n'étaient pas comprises dans le champ de la nationalisation.

En effet, qu'il s'agisse de l'encadrement du crédit qui n'est rien d'autre qu'un rationnement administratif de la production d'actifs financiers monétaires des banques, de l'octroi de crédits à des taux privilégiés différents des taux de marché (près de 44 % du total des crédits en 1979), de la fixation des taux d'intérêt du placement suivant les réseaux et les types qu'il veut avantager, il n'y avait pas un objectif, global ou sectoriel, que l'Etat ne pouvait atteindre dès lors qu'il en manifestait la volonté. A quoi bon, alors, nationaliser des banques dont l'activité était déjà parfaitement maîtrisée et réglmentée ?

Seule, donc, une volonté politique de supprimer tout pouvoir financier d'origine privée et une conception planificatrice de l'activité économique peuvent justifier une mesure qui contient les plus graves menaces pour la stabilité de la monnaie nationale. Dès lors que, en effet, l'Etat seul peut décider en matière de crédit, ce sont non seulement l'affectation, mais aussi la quantité de ces crédits qui feront l'objet de décisions discrétionnaires dont on imagine mal qu'elles puissent refléter les conditions du marché. Sauf à considérer qu'un ministre, un Premier ministre ou un président de la République et leurs conseillers savent mieux que des industriels et des banquiers, opérant sur des marchés dont ils interprètent les messages, les décisions qu'il faut prendre, le risque est élevé de se trouver en présence d'une économie étatisée ne répondant à d'autres impulsions que celles venues d'en haut et dont toutes les expériences montrent l'inefficacité économique.

Il faut donc craindre que la monnaie ne soit créée

en une quantité excédant les nécessités d'une stabilité de l'unité monétaire et ne soit allouée, grâce aux crédits, selon des critères qui n'ont rien à voir avec ceux d'une économie engagée dans une compétition internationale.

Il ne faut pas attendre, en effet, d'une macro-décision politique sur l'octroi du crédit et de l'offre de monnaie qu'elle vise à en raréfier la mise à la disposition de l'économie dans le but de protéger la valeur de l'unité monétaire. Au contraire, la volonté d'aider la réalisation de programmes prioritaires conduit à accroître les crédits à des conditions le plus souvent inférieures au taux du marché. Or l'expérience montre que tout accroissement des agrégats monétaires par rapport au rythme d'accroissement antérieur entraîne des pressions sur le franc quelques mois plus tard.

Il est extrêmement difficile, en France, d'apprécier l'évolution des agrégats monétaires. Non seulement, ils sont publiés avec beaucoup de retard (fin novembre 1982, on ne connaît que les résultats de juillet 1982), mais surtout l'encadrement du crédit fausse l'appréciation de leur évolution tant il existe de soupapes de sûreté (hors-encadrement, désencadrement). Globalement, il semble cependant que la croissance de la masse monétaire se soit légèrement accélérée au premier semestre 1982 par rapport au premier semestre 1981 et corresponde à un taux de croissance annuelle d'environ 16 % alors que l'objectif de l'année avait été fixé à 12,5-13,5 %. Mais la croissance du second semestre est, en général, plus faible, permettant de ne pas trop s'éloigner de l'objectif. Il faut, toutefois, se rappeler que cet objectif se situait légèrement au-dessus de 10 % pour 1981.

Plus préoccupant est l'accroissement très sensible de l'endettement du Trésor qui doit trouver auprès de ses correspondants, des banques, de la Banque de France, sans parler du marché financier, les moyens de financement de son déficit tournant autour de 100 milliards de francs pour l'année. L'encours des bons du Trésor en compte courant est ainsi passé de près de 83 milliards fin 1980 à plus de 200 milliards fin juin 1982. Dans les contreparties de la masse monétaire, les créances sur le Trésor public se sont accrues de près de 71 milliards de francs depuis le début de l'année, atteignant 216,5 milliards contre 130,9 en décembre 1980.

Certes, les créances sur l'étranger, autre contrepartie de la masse monétaire, ont diminué de près de 26 milliards dans la même période, du fait du déficit extérieur, mais c'est beaucoup plus que cette baisse qui a été compensée par l'augmentation des créances sur le Trésor. Tout dépend alors de l'évolution des crédits à l'économie : ou bien leur montant sera contenu et la norme monétaire ne sera que légèrement dépassée, ou bien il ne le sera pas et la croissance de la masse monétaire deviendra excessive.

Or, il existe un lien très fort entre l'activité économique et les crédits à l'économie du fait de l'insuffisance des fonds propres des entreprises. Réduire ces crédits ou freiner leur accroissement reviendrait à n'accepter qu'une très faible croissance. Par ailleurs, ce n'est plus tant pour développer leur activité que les entreprises s'endettent que pour financer des pertes qui, pour les plus grandes d'entre elles, sont très élevées.

La contrainte monétaire joue alors ici à plein. Et tel est bien l'objectif des politiques de norme monétaire. En restreignant le crédit pour freiner l'inflation, les entreprises aux structures financières défaillantes doivent ou disparaître ou redresser leur gestion. C'est la cure d'assainissement entreprise aux Etats-Unis grâce à une politique de contrôle très rigoureux du stock monétaire entraînant une hausse des taux d'intérêt à des niveaux inégalés à certaines périodes et une appréciation du dollar.

Toute la question est alors de savoir si le gouvernement actuel acceptera de procéder à cette cure d'assainissement avant de laisser repartir l'économie d'elle-même ou s'il l'empêchera de se dérouler, soit en accordant des aides financières aux entreprises, soit en stimulant des investissements dont la rentabilité est encore incertaine. Dans la première hypothèse, les expériences étrangères prouvent que la cure doit s'étaler sur plusieurs années. Trois années ont été nécessaires aux Etats-Unis pour ramener leur taux d'inflation aux environs de 5-6 %, au prix de 11 millions de chômeurs et le même phénomène a été constaté en Grande-Bretagne. Malgré cela, il faudra encore attendre pour savoir si la tendance inflationniste est durablement abaissée. Le taux de change, cependant, est, dans ce cas, préservé. Dans la seconde hypothèse, l'inflation a de fortes chances de persister et le franc de baisser encore, surtout si l'étranger réussit sa cure de désinflation.

La politique monétaire ne saurait donc être une simple technique de financement des besoins de l'Etat et des entreprises appréciés et ordonnés par le pouvoir politique en fonction d'objectifs volontaristes. Elle est avant tout, même si elle doit accompagner le développement de l'activité économique, une technique d'encadrement des décisions économiques prenant en compte le besoin de stabilité de l'unité monétaire dans son expression internationale. Or la valeur de la monnaie dépend toujours, à long terme, de la rigueur avec laquelle sa création est contrôlée et de la volonté que l'Etat manifeste, par ses actes et sa stratégie, à la défendre.

En définitive, la hausse du niveau général des prix et la baisse du change sont les deux expressions jointes d'un même processus, l'inflation, qui n'est rien d'autre qu'un processus de régulation de l'activité économique par la dépréciation de la valeur de la monnaie. Ce processus intervient lorsque tous les autres processus qui auraient pu en empêcher le jeu ont, soit échoués, soit n'ont pas été mis en œuvre. Il en est ainsi lorsque des incompatibilités apparaissent dans l'évolution de grandeurs économiques liées et soumises à des contraintes d'équilibre.

A l'échelle intérieure, la hausse du niveau général des prix a, de ce fait, pour fonction de réduire le souhaitable, politiquement ou socialement, aux limites du possible, économiquement. La baisse du change se charge, elle, à l'échelle internationale, d'enregistrer et de sanctionner l'écart de situation qui en résulte relativement au reste du monde et de rendre le pays qui n'a pas les moyens de ses ambitions plus pauvre, en pouvoir d'achat international, que les pays qui ont la sagesse de proportionner leurs ambitions à leurs moyens.

Deux discours successifs, l'un sur le changement, l'autre sur la rigueur, ont balisé l'action du gouvernement depuis le 10 mai 1981. Puisse-t-il, à l'avenir, faire sienne l'opinion qu'exprimait Pierre Mendès France, il y aura bientôt trente ans :

> « Pour parler plus nettement les partis de gauche n'ont chance de réaliser leur idéal que s'ils s'obligent à plus de rigueur financière que les partis de droite. Les erreurs leur sont moins permises qu'à ceux-ci, car elles risquent de compromettre durablement leurs efforts et de sacrifier le sort de ceux-là même que la gauche prétend défendre[1]. »

Pierre BIACABE

---

1. « Equilibre économique et progrès social, ou Le Franc, Mythe et Réalité », *La Nef*, juin 1953, pp. 237-238.

Annexes

PRÉVISIONS DES TAUX DE CROISSANCE
DU PNB 1982-1987 POUR LA FRANCE

(% d'accroissement annuel)

	1982	1983	1984	1985	1986	1987
Chase econometrics	2,7	3,4	3,0	2,3	1,1	3,4
DRI	2,1	2,6	2,5	2,2	2,6	3,2
Wharton EFA	1,6	2,8	1,5	1,7	2,2	2,4
Gama	1,2	3,1	1,7	1,3	1,2	1,1

Source : Journées du Gama, juin 1982

PRINCIPAUX AGRÉGATS FRANCE 1981-1983

(en milliards de francs et variations en volume)

	1981	1982	1983
Produit Intérieur Brut	2688	3056 + 1 %	3377 + 0,5 %
Investissements	655	717 — 1,9 %	777 — 1,3 %
Importations	744	862 + 3,5 %	940 — 0,3 %
Exportations	688	762 — 3,5 %	856 + 2,2 %
Solde extérieur	56	100	84

Source : Prévisions Bipe, *L'Express*, 5-11 novembre 1982

SOLDES DU COMMERCE EXTÉRIEUR

(Chiffres en francs constants 1981 dans la seconde colonne)

(en milliards de francs)

1973	— 4,4	— 10
1974	— 20	— 38,4
1975	+ 6,8	+ 12,3
1976	— 22,8	— 37,4
1977	— 13,6	— 20,7
1978	+ 2,7	+ 3,8
1979	— 13,3	— 17
1980	— 57	— 65
1981	— 51	
1982	— 93	

COMPARAISON DES TAUX DE CROISSANCE DE LA PRODUCTION, DU REVENU DES MÉNAGES ET DES IMPORTATIONS

	Évolution annuelle du PIB marchand	Évolution annuelle du revenu disponible des ménages	Évolution des importatiòns en volume
1973	+ 5,4	+ 6,3	+ 16,1
1974	+ 3,2	+ 3,2	+ 5,9
1975	+ 0,2	+ 4,6	— 7,6
1976	+ 5,2	+ 2,8	+ 22,1
1977	+ 3	+ 3,3	+ 1,6
1978	+ 3,8	+ 5,2	+ 6,4
1979	+ 3,3	+ 1,5	+ 12,1
1980	+ 1,1	— 0,3	+ 7,4
1981	+ 0,2	+ 2,1	— 0,1
1982	+ 0,7	+ 1,7	+ 3,4

EXPORTATIONS ET IMPORTATIONS EN VOLUME DE 1981 À 1982

Source : *Le Monde*, 5 avril 1982

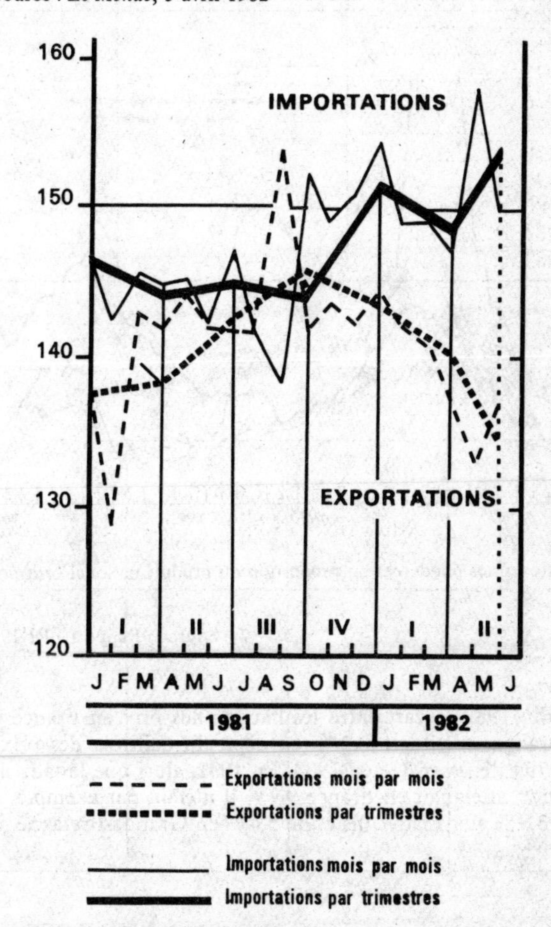

Pour toute l'année 1982, en volume, les importations ont augmenté de 3,4 % et les exportations diminué de 2,8 %.

HAUSSE DES PRIX À LA CONSOMMATION

Variations sur douze mois, en %

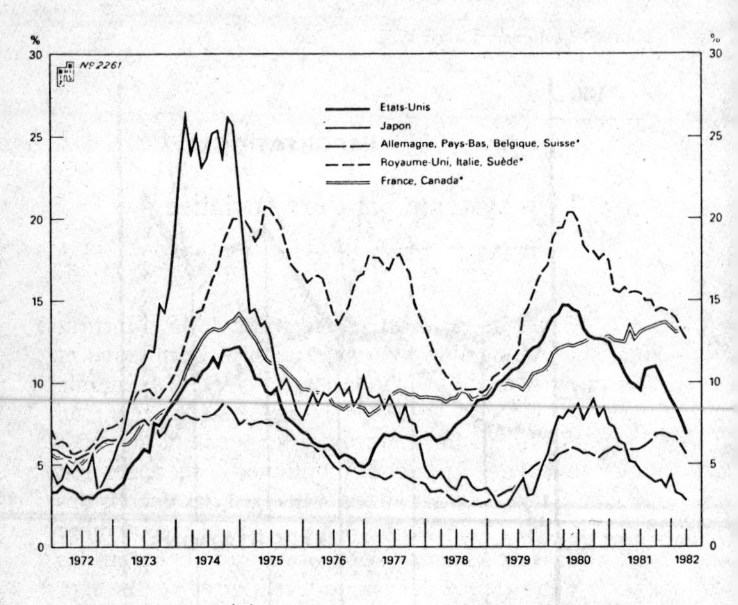

* Moyennes pondérées en proportion du produit national brut pour l'année 1977.

Source : Rapport BRI 1982

Fin 1982, l'écart entre les hausses des prix en France et à l'étranger se situait à 2 % (en dépit du contrôle des prix) et devrait dépasser 3 % en 1983. En 1982, alors que le taux d'inflation atteignait en France 9,7 % il n'était, par exemple, que de 3,9 % aux États-Unis et de 5,4 % en Grande-Bretagne.

IV

Un système bancaire socialisé

Aux termes de la loi du 2 décembre 1945, l'Institut d'émission, la Banque nationale pour le Commerce et l'Industrie, le Crédit Lyonnais et la Société Générale furent nationalisés. La volonté du législateur était de mettre les principales sources de financement de l'économie au service du plan économique de redressement national. Quelque vingt années plus tard, les décrets des 25 janvier et 23 décembre 1966 et du 1er septembre 1967, tous trois d'inspiration libérale, rapprochèrent les aires de compétence des banques d'affaires et des banques de dépôts et privilégièrent les circuits bancaires au détriment des circuits étatiques (FDES, Trésor...) dans le financement de l'économie nationale. Dans le cadre de l'avènement de la consommation de masse mais aussi de l'ouverture de l'économie française vers l'extérieur, cette réforme visait à briser toutes les rigidités héritées du passé.

La part des institutions financières bancaires dans la couverture des besoins de financement nationaux est aujourd'hui prépondérante : en 1981, par exemple, près des deux tiers (63,9 %) de l'encours total des crédits à l'économie leur étaient imputables. Ce n'est pas une éventuelle redistribution des parts respectives entre les différents réseaux de collecte de l'épargne qui s'est trouvée à l'origine de la nationalisation du secteur bancaire de 1981 mais le constat, dressé par le législateur, de l'incapacité des banques à lutter efficacement contre l'inflation et le chômage. Même les grandes banques nationalisées à la Libération ont été blâmées parce que, en l'absence de directives gouvernementales précises, elles ont calqué leur comportement sur celui des établissements privés. En sorte que la loi de nationalisation votée au cours de l'hiver dernier doit être comprise comme l'achèvement de celle entreprise par le gouvernement provisoire en 1945. Encore importe-t-il de savoir dès à présent que par-delà ses incidences sur les modes d'ajustement des besoins et des capacités de financement des agents économiques, cette loi s'inscrit dans un projet de réforme plus vaste qui doit éclore dans un futur proche.

La loi de nationalisation

Avant d'exposer les principales dispositions de la loi ainsi que d'examiner les critiques les plus évidentes qu'elle a suscitées, il convient d'en étudier les différents motifs.

Dans son allocution prononcée à l'Assemblée nationale le 18 octobre 1981, M. Jacques Delors, ministre de l'Économie et des Finances, adressait trois griefs essentiels au système bancaire tel qu'il existait : indifférent à l'intérêt général, ce dernier lui paraissait aussi égoïste et gaspilleur. La méconnaissance de l'incidence collective des décisions des banques, la seule prise en considération de la rentabilité financière immédiate des projets, les essais de contournement de la politique du crédit ainsi que certaines spéculations hasardeuses sur les marchés des changes fondaient l'absence de référence à l'intérêt général. L'égoïsme transparaissait dans l'octroi systématique de lignes de crédit aux emprunteurs disposant d'une forte « surface financière » ou offrant les gages les plus solides, aux régions les plus favorisées... Quant au gaspillage, il était justifié par une publicité jugée excessive et une course aux guichets qualifiée d'absurde.

S'appuyant sur ce constat assez global, le ministre de l'Économie et des Finances poursuivait en approfondissant l'analyse des défauts du système bancaire. Dans cette optique, il commença par relever des « inégalités excessives de traitement » dont la conséquence majeure était de pénaliser les petites et les moyennes entreprises puisque, selon lui, tant du point de vue des frais de gestion que de celui de la sécurité de la créance, les banques étaient toujours tentées de favoriser les grandes entreprises ; le fait que les PME ne pouvaient pas trouver des sources externes de financement autres que celles soumises à encadrement aggravait donc cette injustice. Jacques Delors dénonçait ensuite certains « excès de brutalité » de la part de banquiers qui n'accordaient plus aucune facilité à des clients en difficulté, précipitant ainsi leur déconfiture, ou qui se retiraient de prêts consortiaux dès leur mise initiale récupérée. Enfin le ministre stigmatisait la forte centralisation géographique de notre système bancaire.

Reconnaissant qu'il serait dangereux de demander aux banquiers d'abandonner les critères de rentabilité, de sécurité et de liquidité, Jacques Delors achevait l'exposé des motifs en élargissant ses considérations à l'ensemble du système économique en présence ; bon nombre des disfonctionnements du secteur bancaire trouvaient, d'après lui, leur origine dans la logique d'un système économique qui n'admet que le profit pour seul mobile. La conclusion n'était dès lors plus étonnante : « La logique générale du système doit donc être changée. »

Une fois la finalité des nationalisations explicitée, il restait au ministre à dévoiler les objectifs primordiaux que celles-ci permettraient au gouvernement d'atteindre. Résumés dans le rapport annuel du Conseil national du Crédit de l'an passé (1981, p. 128), ils consistaient à « accroître l'effort de financement au profit du tissu industriel et notamment des petites et moyennes entreprises, prendre en compte plus largement les impératifs à long terme définis dans le cadre de la planification, assurer une meilleure contribution des banques à la décentralisation et à l'aménagement du territoire ainsi qu'à la compétitivité de notre économie, associer les salariés et les usagers à la gestion des établissements bancaires, développer enfin le rayonnement international de notre système financier ».

Modifiée à la suite de la déclaration de non-conformité à la Constitution de certains articles par le Conseil constitutionnel, la loi de nationalisation fut votée le 11 février 1982. L'article 12-I de son titre II stipule :

« Sont nationalisées les banques inscrites sur la liste du Conseil national du Crédit en application de l'article 9 de la loi du 13 juin 1941, dont le siège social est situé en France, dès lors qu'elles détenaient, à la date du 2 janvier 1981, un milliard de francs ou plus sous forme de dépôts à vue ou de placements liquides ou à court terme en francs et en devises au nom de résidents, selon les définitions adoptées par le Conseil national du Crédit.

« Toutefois ne sont pas nationalisées :

« Les banques ayant le statut de sociétés immobilières pour le commerce et l'industrie fixé par l'ordonnance 67-837 du 28 septembre 1967 ou le statut de maison de réescompte fixé par le décret n° 60-439 du 12 février 1960 ;

« Les banques dont la majorité du capital social appartient directement ou indirectement à des personnes physiques ne résidant pas en France ou à des personnes morales n'ayant pas leur siège social en France. »

Quelques observations découlent de la lecture de ce texte. La première est de noter que les établissements financiers enregistrés et que les banques à statut légal spécial (c'est-à-dire le Crédit Agricole, le Crédit Populaire, le Crédit Mutuel, le Crédit Coopératif et la Banque française du Commerce extérieur) se trouvent exclus du champ de la nationalisation. La deuxième remarque est de nature plus financière puisque l'on constatera que le volume des dépôts a formé le critère le partage entre les banques à nationaliser et celles qui ne devaient pas l'être. Sur le plan juridique, par crainte de mesures répressives fort probables, on a pris le soin de ne pas soumettre à la loi les établissements étrangers.

Le respect simultané de ces différents critères a fait que trente-neuf banques, nommément citées dans le texte de loi, se sont trouvées nationalisées[1]. Précisons par ailleurs que les alinéas 13 à 28 de ce texte définissent les mécanismes d'indemnisation des actionnaires et établissent les règles de fonctionnement des nouveaux conseils d'administration.

Force est de constater que la loi de nationalisation a profondément changé la physionomie du système bancaire français[2]. A la suite de cette mutation structurelle, le « bloc » constitué par les banques nationalisées et celles qu'elles contrôlent peu ou prou possède neuf guichets sur dix, collecte plus de 87 % des dépôts et octroie plus des trois quarts des prêts. C'est dire que les autres banques françaises et étrangères, pourtant deux fois plus nombreuses, se trouvent désormais réduites à la portion congrue !

Sans avoir été nationalisés, soixante-dix établissements financiers sont passés, directement ou indirectement, sous contrôle majoritaire d'entreprises nationales... Au vu des statistiques[3], il apparaît que ce sont les établissements spécialisés dans le crédit immobilier et le financement des ventes à tempérament d'une part et les sociétés financières d'autre part qui ont été les plus touchés par cette vague de nationalisation... qui n'en porte pas le nom. Au total et tous secteurs d'activité confondus, on s'aperçoit que parmi les crédits débloqués par les établissements financiers, un sur trois dépend plus ou moins de décisions prises dans le secteur nationalisé.

---

1. Voir la liste en annexe à ce chapitre p. 166.
2. Voir en annexe p. 168 le tableau I extrait du rapport annuel du Conseil national du crédit.
3. Voir en annexe p. 169 le tableau II extrait du rapport du Conseil national du crédit.

Les critiques adressées à la loi de nationalisation ont été multiples et variées. La controverse entre ceux qui croient que toute nationalisation est de nature apocalyptique et ceux qui sont convaincus de son caractère uniquement salvateur est d'une stérilité affligeante. Aussi importe-t-il d'évoquer un certain nombre de critiques opposables aux intentions précédemment relatées, d'autres ne devant l'être qu'à un stade ultérieur de la réflexion.

À l'échelle microéconomique, outre le fait que le bien-fondé des reproches adressés aux banquiers est loin d'être flagrant tant il est vrai que leur action a été indispensable à l'essor de notre production et de nos échanges durant les « trente glorieuses », il est permis de se demander selon quels critères ceux-ci devront désormais établir leur conduite ; car, en définitive, soit le Plan décidera de l'affectation des ressources et la profession bancaire sera fonctionnarisée, soit il lui sera loisible d'arbitrer, auquel cas la cohérence avec le Plan ne sera plus assurée. S'agissant des particuliers, il n'est nullement certain que la qualité des produits et des services bancaires soit améliorée par la disparition de la concurrence et, l'expérience prouve que la fonctionnarisation d'une profession est rarement de nature à enrichir les contacts avec la clientèle.

L'argument selon lequel, dans le nouveau système, les petites et les moyennes entreprises seront mieux traitées n'est guère plus convaincant : étant donné que le secteur public élargi couvre désormais un sixième de la valeur ajoutée nationale et plus des deux cinquièmes de celle de l'industrie, il imposera de plus en plus ses conditions aux PME en matière de quantités, de prix ou de délais ; si celles-ci ne leur conviennent pas ou si, plus simplement, elles choisissent de conquérir des secteurs d'activités non recensés dans le Plan, on voit mal comment elles pourront obtenir un financement d'un établissement bancaire. S'il est vrai que l'étroitesse de leur surface financière a parfois été cause de l'avortement de certains projets voire de la fermeture de leurs portes, il est tout aussi juste d'admettre que les PME occupent une place essentielle dans la texture industrielle française. Et cela n'a pu se faire sans l'aide des banques.

D'un point de vue macroéconomique, le coût global des nationalisations s'est élevé à plus de 40 milliards de francs, dont environ 16 pour le seul secteur bancaire. À ces chiffres devront bien entendu s'ajouter les charges d'intérêt, particulièrement lourdes lors du premier exercice. Il est permis de se demander si, compte tenu de la situation économique et sociale, l'État n'aurait pas pu faire l'économie d'une « facture » excédant 5 % du budget de la France. L'opération étant faite, les motifs d'inquiétude sont autres. D'un côté, l'affectation optimale des ressources financières de l'économie n'est pas démontrée et ce d'autant plus que les directives du Plan se feront pressantes. De l'autre, la loi de nationalisation aura des répercussions internationales certaines, les détenteurs publics et privés de fonds ne pouvant que redouter l'emprise du pouvoir politique sur les circuits financiers.

Là réside tant sur le plan extérieur qu'intérieur la crainte la plus vive, celle qui concerne le mode d'ajustement des flux financiers. Disposant d'un quasi-monopole en matière de crédit, l'État pourra prendre des mesures discrétionnaires n'allant pas forcément dans le sens d'une plus grande efficacité économique : financement monétaire excessif des dépenses publiques, multiplication des emprunts obligataires, alourdissement de l'endettement extérieur...

Le financement de l'économie

Une fois leurs opérations sur biens et services (production, consommation, investissement, échanges...) et de répartition (perception ou versement de revenus d'impôts, de transferts courants...) effectuées, les agents économiques dégagent tantôt une capacité, tantôt un besoin de financement. Traditionnellement, les entreprises éprouvent un besoin de financement, tandis que les ménages sont structurellement prêteurs. Quant à la position des administrations, elle dépend essentiellement du cumul des soldes des comptes publics, centraux et locaux, et de ceux des organismes de Sécurité sociale. Dès lors, la mission primordiale des institutions de crédit est de contribuer à résoudre ces déséquilibres en drainant les fonds des agents à excédent vers les secteurs en déficit : c'est ce qu'on appelle leur fonction d'intermédiation financière. Toutefois, dans le cadre d'économies ouvertes, il n'existe *a priori* aucune raison pour que cette intermédiation conduise à un équilibre parfait ; ce sont les relations entretenues avec le reste du monde qui permettent alors l'ajustement. Aussi, avant de préciser comment ont évolué les divers circuits de financement dans un passé récent, paraît-il souhaitable de fournir quelques indications chiffrées sur la situation de la France.

Besoins et capacités de financement des agents résidents

Révélés par les Comptes de la nation, les soldes non financiers des agents dévoilaient en 1981 une double tendance[1]. Globalement, l'économie française fait apparaître un solde des flux non financiers déficitaire à l'égard du reste du monde, l'aggravation de la position à l'égard de la CEE surcompensant largement la légère amélioration de celle à l'égard des autres pays. Sectoriellement, les positions ne sont pas similaires : la chute de l'épargne brute des sociétés sensiblement équivalente au recul de leur formation brute de capital fixe explique la stabilisation de leur besoin de financement à un niveau inquiétant ; l'accroissement très sensible du déséquilibre des finances publiques joint à la disparition de l'excédent des comptes de la Sécurité sociale est à l'origine de la

1. Voir en annexe p. 170 le tableau III extrait des *Comptes de la nation.*

très nette dégradation de la situation non financière des administrations ; en revanche, sous l'effet respectif d'une amélioration des intérêts nets perçus et de la progression des rémunérations, notamment indirectes, les capacités de financement des institutions de crédit et des ménages se redressent de manière tangible.

Concrètement, les situations globales et sectorielles ont été équilibrées grâce aux opérations financières suivantes. Sur le plan externe, le besoin de financement de la nation a trouvé une contrepartie dans de fortes sorties nettes de capitaux à long terme, un excédent sensible des capitaux à court terme ainsi qu'une réduction significative des avoirs de change du secteur public et du secteur bancaire[1].

Sur le plan interne, on relève comme faits saillants un endettement important des entreprises, une émission considérable de bons du Trésor, une structure trop liquide des placements financiers des ménages ainsi qu'une transformation de fonds par les institutions de crédit, par nature malsaine[2].

Cela étant, il est désormais nécessaire d'approfondir l'analyse en examinant comment s'est opérée l'intermédiation financière.

L'intermédiation financière

Le rôle des banques dans le processus d'ajustement des offres et des demandes de fonds est primordial puisque ces dernières participent à l'obtention de l'équilibre de nos comptes extérieurs, souscrivent aux émissions de bons négociables de l'Administration et octroient la majeure partie des concours à l'économie. Toutefois, l'action des institutions financières non bancaires ne pouvant être négligée, on en soulignera les effets chaque fois

1. Voir en annexe p. 172 le tableau IV.
2. Voir en annexe pp. 172-173 les tableaux V et VI.

que cela s'imposera. À l'heure actuelle, on ne dispose que des statistiques portant sur l'exercice 1981, ce sont donc celles qui retiendront prioritairement notre attention. En prenant le soin de n'effectuer aucune extrapolation hâtive, il est néanmoins possible de déceler certaines évolutions à la lumière des séries trimestrielles et mensuelles que publie le Conseil national du Crédit et sous le projecteur de l'actualité conjoncturelle de ces derniers mois.

En premier lieu, l'étude des variations de la position monétaire extérieure de la France, dont l'évolution est décrite en annexe[1], dévoile une dégradation manifeste qui résulte de l'addition de deux tendances convergentes : d'une part, la position du secteur bancaire s'est détériorée de près de 43 milliards de francs, pratiquement du seul fait d'un excédent de ses engagements sur ses créances en devises et, d'autre part, la position du secteur public s'est aussi aggravée, les avoirs officiels de change nets s'étant effondrés de plus de 28 milliards de francs. Bien qu'il soit trop tôt pour disposer de chiffres synthétiques, même semi définitifs, sur l'ensemble de l'année 1982, il est plus que probable que cet endettement s'alourdira. Le recul de près de 50 milliards de francs des avoirs bruts de change déjà constaté au cours du premier semestre, l'émission d'un emprunt international de 28 milliards de francs ainsi que l'obtention très récente de notables lignes de crédit auprès du système bancaire saoudien fondent ce pronostic pessimiste.

Non moins riche d'enseignements est l'évolution des créances sur le secteur public. Passant de 8,4 à 8,8 milliards de francs de juin 1980 à juin 1981, les bons du Trésor en portefeuille détenus par la Banque de France se sont élevés à 32,8 milliards en juin 1982. La contribution des banques de second rang est tout aussi significative, la taille de leur portefeuille étant aux mêmes dates de 39,3 milliards, 37,7 et 80,3. Les institutions financiè-

---

1. Voir en annexe pp. 174-175 le tableau VII retraçant les variations de la position monétaire de la France en 1980 et 1981.

res non bancaires ont également accru leurs concours dans des proportions voisines, les données exactes ayant été de 44,8 milliards, 66,7 et 89,2. Au total, les émissions de bons qui avaient crû de 22,4 % durant la première période ont augmenté de 78,7 % au cours de la seconde. Pour mieux saisir le caractère très préoccupant de la situation, que l'on songe qu'en 1981 la création de monnaie issue de la souscription de bons en compte courant par les seules banques a suffi à compenser la destruction de monnaie, pourtant considérable (plus de 42 milliards de francs), due à la détérioration de leur position monétaire extérieure.

Notre troisième remarque concernera l'évolution des concours à l'économie. À l'évidence, leur croissance (18,8 % de juin 1981 à juin 1982) a amplement concouru à l'expansion des agrégats monétaires (12,3 % sur la même période). On observe, entre autres, une vive progression des crédits accordés aux non-résidents, notamment ceux libellés en devises, une accélération du rythme d'octroi des crédits à court terme et un freinage sensible de celui de déblocage des prêts longs, un tassement relatif des opérations de crédit-bail et une acquisition accrue de titres de placement. Pour mémoire, il ne faut pas omettre les crédits distribués par les institutions financières non bancaires ; d'un montant égal à la moitié de ceux distribués par les banques, l'encours de ces crédits a légèrement excédé 1 000 milliards de francs en juin 1982, leur double caractéristique étant d'être, pour plus de 90 % d'entre eux, accordés à des résidents et à termes éloignés (moyen terme non mobilisable et long terme).

Circuit de financement d'importance, le marché financier a procuré en 1981 près de 130 milliards de francs de ressources disponibles, 85 % de cet apport provenant des agents non financiers. L'analyse du partage du marché révèle que *l'économie française est de plus en plus socialisée.* En effet, l'ensemble du système bancaire étant nationalisé, si l'on additionne les émissions nettes de valeurs mobilières (actions + obligations) réalisées à l'instigation de l'État, des collectivités locales, des P et T, et des institutions financières, bancaires ou non, on obtient 78,9 % de la demande globale de fonds. Encore faut-il préciser qu'entre 5 et 6 % des quelque 20 % restant représentaient les emprunts obligataires des sociétés... nationales. Les premiers chiffres connus pour les mois de janvier à juin 1982 n'inversent en rien cette tendance[1]. Haut lieu du capitalisme d'antan, la Bourse a été transformée en circuit de refinancement étatique et para-étatique. Il ne s'agit plus de mesurer l'effet d'éviction du secteur privé par le secteur public, mais de constater l'effet d'écrasement de celui-ci par celui-là.

Pour assurer leur propre financement, les institutions de crédit ont fréquemment recours au marché monétaire. S'élevant à 1 200 milliards à la fin de 1981, le montant des transactions interbancaires peut être appréhendé en agrégeant les postes « refinancements » inscrits à l'actif des bilans des institutions financières, bancaires ou non ; il représente le quart de la masse des bilans consolidés. Les calculs effectués pour le premier semestre 1982 prouvent une stabilisation de ce montant. Mécanisme spontané de nivellement des trésoreries bancaires, le marché monétaire n'est pas exempt d'intervention des autorités étant donné que la banque centrale en assure l'équilibre grâce à des opérations dictées par les impératifs de la liquidité bancaire.

En définitive, on observe que les banques se trouvent au cœur du processus d'intermédiation financière. Elles accomplissent une fonction vitale pour l'économie. Au nom de la nécessité — que nous critiquerons plus loin — d'un contrôle absolu, elles ont été nationalisées. Le transfert de propriété à l'État ne modifiant pas fondamentalement cette fonction, de nouvelles réformes ont paru nécessaires.

---

1. Du fait des nationalisations des grandes entreprises industrielles mais aussi en raison de l'acquisition par l'État de nombreuses parts dans les filiales de ces groupes, la capitalisation boursière des sociétés françaises cotées en France s'est effondrée de 12 %.

Esquisse du nouveau projet de loi bancaire

Pour reprendre les termes du ministre de l'Économie et des Finances, on a l'impression que les nationalisations ne lèveront que les trois griefs originels que l'on faisait aux banques : le mépris de l'intérêt général, l'égoïsme et le gaspillage. Cette première phase de la réforme bancaire mettrait donc un terme, aux dires mêmes du ministre, au « libéralo-dirigisme » qui prévalait jusqu'à présent. Ce que nous nommerons la deuxième phase consisterait en un remodelage en profondeur des structures du système bancaire et en un renforcement sensible du pouvoir de contrôle. D'ores et déjà les lignes directrices de ce projet suscitent les plus extrêmes réserves.

Les principaux axes de la réforme

« La banque [n'étant], en fait, que l'un des lieux privilégiés où se révèlent les défauts et les contradictions d'un système économique et social », selon l'expression de M. Christian Pierret, rapporteur général de la commission des Finances à l'Assemblée nationale, on ne peut conclure autrement qu'à une mauvaise intermédiation de nos institutions financières. Plusieurs analyses tentent d'étayer cette déficience. Concentration et centralisation excessives sont d'abord invoquées : la France ne disposant guère d'établissements de moyenne dimension pas plus que de véritables places financières régionales, les PME et les régions les moins favorisées ont donc été pénalisées. La concurrence impulsée par les réformes de 1966-1967 n'a pas joué de manière harmonieuse mais se serait surtout manifestée par une « absurde course aux guichets » entraînant une désorganisation des réseaux de collecte de l'épargne. Par ailleurs, les déséquilibres structurels de trésorerie des institutions proviendraient de l'hétérogénéité et du cloisonnement de ces mêmes réseaux. Enfin, les critiques du système bancaire existant portent sur deux points capitaux : le pouvoir monétaire et le pouvoir économique qu'il détient, en soulignant que l'Institut d'émission n'a jamais fait que combler les vœux du marché et en rappelant la forte emprise des décisions bancaires sur la formation et l'orientation des investissements industriels.

D'où l'idée de réformer le mode de fonctionnement du système bancaire français pour « assurer un meilleur équilibre morphologique de notre réseau bancaire », « déconcentrer et décentraliser », « développer l'esprit mutualiste » tout en ne perdant pas de vue les critères impératifs d'utilité collective dans les procédures de choix et d'unicité de tutelle dans les structures d'organisation. Par souci de clarté, on peut articuler cette réforme autour de deux axes principaux : le réaménagement des réseaux et le resserrement du contrôle.

La banalisation et la régionalisation des structures sous-tendent le premier objectif. Par banalisation, il faut entendre une tendance à l'universalité de sorte que les institutions financières perdront, à terme, toute spécificité. Elles seront en effet autorisées à offrir toute la gamme des produits et des services bancaires et financiers. Un décloisonnement des réseaux de collecte apparaîtra alors comme le corollaire indispensable de l'homogénéisation des structures ; pour le rendre effectif, de nombreuses mesures devront être prises : harmonisation des régimes fiscaux, suppression de la cartellisation du système de distribution des prêts, extension à tous les établissements du pouvoir tutélaire du Conseil national du Crédit. Au total, cette réforme aboutira à la construction d'un système bancaire tripolaire : un pôle regroupant le secteur mutualiste et coopératif, un deuxième formé par les caisses d'épargne, le rassemblement de toutes les banques inscrites constituant le troisième. Quant à la régionalisation, le but poursuivi est avant tout d'abaisser les coûts de transaction en cherchant le plus possible à drainer l'épargne locale vers des projets d'investissements géographiquement rapprochés ; pour y réussir, il faudra décider une régionalisation des implantations qui, de la décentralisation de certains réseaux existants à la création de nouvelles unités, laisse apparaître un éventail de possibilités déjà à l'étude.

L'accroissement de la surveillance de l'appareil bancaire s'exercera par deux canaux. Les prérogatives de la Banque de France s'étendront dans la mesure où les refinancements à taux variables seront abandonnés au profit de quotas de concours à taux fixes déterminés pour chaque établissement en fonction de la nature de l'opération, d'après des critères de sélectivité édictés par le Plan. Ce dernier sera, *in fine*, le second instrument de pression puisque l'assujettissement des banques aux directives du Plan sera complet. De ces idées découlent des conséquences dont il faut se garder de mésestimer la portée : marginalisation sinon disparition du marché monétaire, priorité concédée au financement des dépenses de l'État, compression draconienne des octrois de crédit à court terme.

Des inquiétudes qui se confirment

Avant de développer les objections concernant le projet de réforme lui-même, il importe de réfuter plusieurs arguments qui figurent dans l'exposé des motifs.

Un système bancaire n'est pas une vue de l'esprit ; il repose sur un ensemble de relations personnelles que seule la confiance a pu établir. Rien n'est plus pragmatique que l'exercice de la profession bancaire, même dans ses rapports avec l'Institut d'émission ; et l'expérience prouve que, hormis le cas des pays totalitaires, le rayonnement d'un système bancaire, est inversement proportionnel à la vigueur du contrôle dont il est l'objet. Une fois ceci posé, il est vrai que notre système bancaire prête le flanc à certaines critiques ; l'excès de concentration et de centralisation mérite en effet d'être dénoncé tout en reconnaissant que cette physionomie d'ensemble n'a pas été spécialement désirée par les banquiers mais calquée par eux au fil du temps sur nos structures économiques et administratives. Que la concurrence n'ait pas toujours joué de la façon la plus efficiente est tout aussi vrai mais comment expliquer, alors, qu'en une quinzaine d'années notre système bancaire se soit hissé au niveau des tout premiers du monde ? Affirmer que la Banque de France n'a eu de cesse d'alimenter le marché monétaire est tout à fait caricatural car celle-ci, répétons-le, n'assure pas l'équilibre du marché interbancaire en fonction des disponibilités monétaires des organismes prêteurs mais en raison des fluctuations des facteurs de la liquidité bancaire. Prétendre que les banques ont disposé d'un pouvoir économique et industriel exorbitant est tout aussi déraisonnable car face à la crise et à l'affaiblissement de leurs marges, il est somme toute normal qu'elles aient privilégié simultanément les trois impératifs de rentabilité, de sécurité et de liquidité (que leur reconnaît M. Delors), donc le court terme. En vérité, depuis le premier choc pétrolier, la demande de prêts longs n'est plus relativement aussi soutenue et du reste, avant l'émergence de la crise, a-t-on jamais entendu un détracteur du système actuel reconnaître que les crédits distribués par les banques, nationales et privées, contribuaient largement au financement de la croissance ?

Par-delà des erreurs de diagnostic, des interrogations beaucoup plus profondes surgissent.

La banalisation du système bancaire n'a, en soi, rien de révolutionnaire ; par tradition, les banques allemandes ont une vocation universelle et leurs homologues britanniques s'orientent aussi dans ce sens, plus, il est vrai, sous l'empire d'une authentique concurrence que du fait d'une réglementation contraignante. Et les unes et les autres sont généralement bien placées sur le marché mondial. La régionalisation des structures ne peut être que profitable à l'économie nationale si, *et seulement si*, d'une part, elle accompagne la décentralisation des entreprises et des administrations et, d'autre part, s'opère selon un schéma laissant aux unités régionales un degré d'autonomie suffisant. Or le second volet de la réforme qui se propose de renforcer le dispositif de contrôle laisse quelque peu sceptique. En outre, il est permis de croire que plusieurs banques récemment nationalisées délaisseront leur aire d'activité primitive au profit d'implantations parisiennes de telle manière que la loi de nationalisation provoquera une sorte de neutralisation partielle des efforts de décentralisation.

Mais les préoccupations essentielles résident ailleurs. Elles découlent des dispositions en matière de contrôle et concernent les perspectives du marché financier, l'avenir du marché monétaire et l'évolution de tout le système bancaire français.

À eux seuls, les besoins de financement désormais structurels de l'État et des collectivités publiques exigent un essor du marché financier. De même, les déficits chroniques des entreprises publiques expliquent de fréquents appels au marché des capitaux. L'érosion dramatique de l'autofinancement des sociétés privées milite également en faveur d'une réactivation de la Bourse car le financement monétaire des investissements qui en a résulté a atteint aujourd'hui ses limites. Outre les dangers inflationnistes qu'il incorpore, ce dernier a fait que des entrepreneurs ont intégré certains de leurs prêts à leurs capitaux permanents et ne les ont plus remboursés, forçant les banquiers à se transformer en actionnaires sinon de droit, du moins de fait. Dans l'optique d'une stimulation de l'offre de capitaux propice au rétablissement des fonds propres des entreprises une commission a été appointée. Présidée par M. Dautresme, elle a rendu son rapport au ministre de l'Économie. Outre un certain nombre de mesures de nature à encourager l'épargne longue que le gouvernement a déjà en partie appliquées sous des formes très légèrement différentes, la commission suggère la création de « places financières de proximité », l'aide à l'accession des entreprises au compartiment spécial et l'institution de « marchés de blocs de titres », sortes d'antichambres du marché des capitaux. Ces décisions et ces intentions iront dans le bon sens si l'État veille à ce que ce soit le secteur privé qui bénéficie en priorité des nouvelles souscriptions de valeurs mobilières ; car il demeure paradoxal que dans une économie dite de marché les entreprises privées ne puissent disposer que de moins du cinquième du total des émissions et n'aient d'autre alternative pour combler leurs besoins externes de financement que de s'adresser à un système bancaire intégralement nationalisé.

La volonté de suppression, à terme, du marché monétaire démontre une surprenante méconnaissance des mécanismes monétaires élémentaires et ouvre la voie à une étatisation galopante de l'économie. Les transactions interbancaires servent avant tout à niveler les positions de trésorerie des banques[1] ; ceci signifie que tant que le marché monétaire n'est pas structurellement emprunteur, les institutions de crédit peuvent se refinancer de façon autonome, c'est-à-dire sans intervention de la banque centrale. Une telle procédure évite en partie le recours systématique au refinancement auprès de l'Institut d'émission, ce qui fait que l'assertion selon laquelle la Banque de France n'a jamais cessé depuis 1971 de fournir au marché les liquidités qu'il désirait n'est pas forcément fondée alors qu'il est tout à fait exact d'affirmer qu'un circuit de refinancement à taux fixes (réescompte) contraint les autorités à entériner les opérations de crédit effectuées par les banques de second rang. Pour les spécialistes, il s'agit de la différence essentielle qui sépare les économies de marché des économies d'endettement. Pour ceux qui ne le sont pas, cela équivaut à une accentuation du caractère dirigiste de notre système bancaire, étant donné que tout refinancement transitera par le canal du réescompte. Les auteurs du projet de réforme font valoir que la remise à l'honneur du méca-

1. Ce pourrait être évidemment un moyen détourné pour étouffer les banques étrangères qui, en raison de la faible étendue de leur réseau de guichets, ne peuvent guère s'adresser qu'au marché monétaire pour obtenir de la monnaie nationale.

nisme du réescompte échappera à la critique du systématisme du refinancement, car ne seront admises au réescompte que les seules opérations prévues par le Plan. Dont acte. Mais une telle conception du financement de l'économie ne pourra favoriser que les investissements lourds, donc ceux réalisés par l'État et les entreprises nationalisées au détriment des projets des PME — qui devaient pourtant être choyées par la réforme — et comprimer au strict minimum le volume des crédits à court terme dont PME et particuliers en difficulté ont tant besoin. Ne serait-ce pas là une nouvelle forme de brutalité bancaire, bien réelle, mais acceptée parce que décidée ?

Le marché monétaire a une autre fonction, tout aussi importante, celle de réguler les taux d'intérêt. On lui reproche aujourd'hui de ne pas l'avoir remplie convenablement. C'est oublier que de nombreuses études mais aussi la simple observation des faits montrent que la partition des taux d'intérêt existant dans un pays de moyenne dimension ne peut que dépendre du niveau des taux internationaux.

C'est également omettre de reconnaître que le marché monétaire est loin d'être un marché libre puisque, à la différence des marchés euromonétaires, les autorités y interviennent ; par leurs achats fermes ou leurs prises en pension d'effets, elles sont en mesure de peser à tout moment sur la liquidité bancaire et d'affecter le niveau des taux en tenant compte des flux de capitaux et des conditions prévalant sur le marché des changes. Et il semble bien que dans un contexte de crise et en présence de fortes pressions à la baisse sur le franc l'Institut d'émission ait réussi à maintenir des conditions de refinancement tout à fait acceptables.

C'est négliger enfin le fait capital qu'en effectuant des transactions sur le marché interbancaire les institutions financières se couvrent du risque de taux. Ainsi quand la structure des taux créditeurs se déforme, comme ce fut le cas en France l'automne dernier pour les gros dépôts, elles cherchent sur le marché des placements qui leur assurent la couverture de leurs nouveaux risques. Il est évident que certains écueils du système actuel disparaîtront dans le projet de réforme puisque, par définition, plus un dispositif de contrôle est dirigiste, moins il admet la présence du risque. À la limite, les banques n'en courraient plus aucun si elles étaient contraintes de n'appliquer que les directives du Plan. À condition, bien sûr, que celles-ci ne se révèlent pas erronées.

On retrouve, une fois encore, les dangers de l'étatisation. En extrapolant à l'extrême l'orientation actuelle, il serait facile de proclamer impératif le document du Plan, de fusionner trois réseaux de financement devenus homogènes parce qu'universels en une banque d'État unique et de créer parallèlement une banque nationale d'investissement — n'en a-t-il pas été question ? — chargée d'affecter autoritairement les fonds disponibles aux emplois sélectionnés par les autorités centrales. De telles structures existent déjà ailleurs ; elles ont pour noms respectifs *Gosplan, Gossbank* et *Strojbank*. Les récentes déclarations du ministre de l'Économie et des Finances, considérant comme fantaisiste la mise sur pied d'une banque nationale d'investissement, rendent irréaliste un aussi funeste scénario. Mais ceci n'atténue en rien le caractère nuisible du nouveau projet de loi car, en plus des rigidités qu'il ne manquera pas d'introduire, il entravera l'essor du système bancaire en le reléguant au rang de simple outil d'exécution du Plan.

Cette sclérose prévisible de nos structures bancaires et financières est dangereuse à un double titre : elle néglige l'évolution de l'environnement international et procède d'une logique dont la finalité n'émerge pas clairement.

Grâce aux réformes libérales de 1966-1967, la place de Paris a réussi le tour de force de devenir le deuxième centre financier européen ; l'étroitesse du marché des capitaux, l'existence d'une réglementation plutôt dirigiste, la surveillance du crédit et le maintien du contrôle des changes permettent en effet de faire état d'un véritable exploit. Les dispositions prises — la loi de nationalisation — ou en préparation — le renforcement du contrôle, notamment aux frontières — s'opposeront à l'extension du rayonnement de la place de Paris. Cette tendance au repli arrêtera l'expansion des flux financiers internationaux, pourtant rendue impérieuse par la complémentarité des économies.

Que notre système bancaire et financier ait besoin d'être amendé sur plusieurs points, cela n'est pas niable. Flexibilité et souplesse devraient présider à ces perfectionnements. Comme, à l'évidence, ce n'est pas la voie qui a été choisie, on discerne mal le but ultime de cette réforme. Soit, ce qui semble assez plausible dans l'état actuel des choses, la nécessité s'est fait sentir de mener à terme une réflexion critique sur les méfaits du profit en régime capitaliste, auquel cas la nationalisation ne résolvant que la question de l'appropriation dudit profit, il faut encore poursuivre afin d'imposer aux banques l'emploi quasi exclusif du critère d'utilité collective et de les assujettir à une réglementation tatillonne dans l'espoir d'accroître leur efficacité économique et leur performance financière ; c'est tout bonnement nier les leçons de l'histoire. Soit, fait plus grave, il s'agit d'instaurer une période transitoire, celle du capitalisme d'État, qui préludera à une transformation plus radicale des structures — en quelque sorte une troisième phase de la réforme — destinée à assurer l'avènement du socialisme.

En vérité, depuis l'époque de la pré-Renaissance, où les marchands-banquiers avançaient de l'argent à des taux usuraires, jusqu'à la nôtre, où les systèmes financiers font montre d'une grande faculté d'adaptation en épousant les mutations des structures économiques et sociales, les relations entre les prêteurs et les emprunteurs n'ont jamais été fondées sur autre chose que sur la confiance. Et, indépendamment du régime de propriété du capital, celle-ci ne s'édicte pas.

Œuvrer pour la gagner, voilà tout.

Alain REDSLOB

Annexes

LISTE DES BANQUES INSCRITES NATIONALISÉES AUX TERMES DE L'ARTICLE 12-II
DE LA LOI N° 82-155 DU 11 FÉVRIER 1982

II. — Sont nationalisées, dans les conditions prévues à l'article 13, les banques suivantes :

a) Banques inscrites à la cote officielle :
Banque de Bretagne ;
Crédit commercial de France ;
Crédit industriel d'Alsace et de Lorraine (CIAL) ;
Crédit industriel et commercial (CIC) ;
Crédit industriel de Normandie ;
Crédit industriel de l'Ouest ;
Crédit du Nord ;
Hervet (Banque) ;
Rothschild (Banque) ;
Scalbert Dupont (Banque) ;
Société bordelaise de crédit industriel et commercial ;
Société centrale de banque ;
Société générale alsacienne de banque (Sogénal) ;
Société lyonnaise de dépôts et de crédit industriel ;
Société marseillaise de crédit ;
Société nancéienne de crédit industriel et Varin-Bernier ;
Société séquanaise de banque ;
Worms (Banque).

b) Banques non inscrites à la cote officielle :
Banque centrale des coopératives et des mutuelles ;
Banque corporative du bâtiment et des travaux publics ;
Banque fédérative du crédit mutuel ;
Banque française de crédit coopératif ;
Banque de La Hénin ;
Banque de l'Indochine et de Suez ;
Banque industrielle et mobilière privée (BIMP) ;
Banque de Paris et des Pays-Bas ;
Banque parisienne de crédit au commerce et à l'industrie ;
Banque régionale de l'Ain ;
Banque régionale de l'Ouest ;
Banque de l'union européenne ;
Chaix (Banque) ;
Crédit chimique ;
Laydernier (Banque) ;
Monod Française de banque ;
Odier Bungener Courvoisier (Banque) ;
Sofinco La Hénin ;
Tarneaud (Banque) ;
Vernes et commerciale de Paris (Banque) ;
Union de banques à Paris.

TABLEAU I : LE SYSTÈME BANCAIRE FRANÇAIS DEPUIS MAIS 1982

	Nombre d'établis-sements	Montant des dépôts collectés (en milliards de francs)*	Pour-centage	Montant des crédits consentis (en milliards de francs)*	Pour-centage	Nombre de guichets	Pour-centage
Banques nationalisées ou contrôlées directement ou indirectement par des entreprises nationalisées..	*124*	*679 593*	*87,57*	*770 592*	*77,61*	*8 838*	*90,54*
Avant 1982							
Banques nationalisées (loi du 2 décembre 1945).	3	452 433	58,30	456 637	46,-	5 516	56,51
Banques dont le capital est détenu, directement ou indirectement, à plus de 50 % par des banques, des compagnies d'assurances ou des entreprises industrielles nationalisées	27	6 770	0,87	13 088	1,31	154	1,58
Extension 1982							
Nouvelles banques nationalisées (lois des 11 février et 17 mai 1982)	36	207 225	26,70	258 230	26,01	2 946	30,18
Banques dont le capital est détenu, directement ou indirectement, par suite de la loi du 11 février 1982, à plus de 50 % par des banques, des compagnies financières ou des entreprises industrielles nationalisées ..	58	13 165	1,70	42 637	4,29	222	2,27
Autres banques	*253*	*96 502*	*12,43*	*222 317*	*22,39*	*923*	*9,46*
Banques françaises	115	34 530	4,45	83 799	8,44	467	4,79
Banques étrangères**	138	61 972	7,98	138 518	13,95	456	4,67
ENSEMBLE	**377**	**776 095**	**100,-**	**992 909**	**100,-**	**9 761**	**100,-**

* Chiffres au 5 janvier 1982.

** Banques dont le siège social est à l'étranger ou dont la majorité du capital appartient, directement ou indirectement, à des personnes morales étrangères ou à des personnes physiques ne résidant pas en France.

TABLEAU II : UNE NATIONALISATION QUI N'EN PORTE PAS LE NOM													
	Crédit immobilier et financement de ventes à crédit			Crédit-bail mobilier et immobilier			Sociétés financières Divers et Unions meunières			Maisons de titres	Total		
	Nombre d'établissements	Montant des crédits consentis (en milliards de francs)*	Pourcentage des crédits consentis	Nombre d'établissements	Montant des crédits consentis (en milliards de francs)*	Pourcentage des crédits consentis	Nombre d'établissements	Montant des crédits consentis (en milliards de francs)*	Pourcentage des crédits consentis	Nombre d'établissements	Nombre d'établissements	Montant des crédits consentis (en milliards de francs)*	Pourcentage des crédits consentis
Établissement contrôlés directement ou indirectement à plus de 50 % par des entreprises nationalisées	*38*	*25 131*	*17,57*	*19*	*14 612*	*10,21*	*41*	*10 634*	*7,44*	*12*	*110*	*50 377*	*35,22*
Avant 1982	14	11 199	7,83	11	7 263	5,08	14	3 710	2,60	1	40	22 172	15,51
Extension en 1982	24	13 932	9,74	8	7 349	5,13	27	6 924	4,84	11	70	28 205	19,71
Autres établissements	*75*	*67 748*	*47,35*	*53*	*12 472*	*8,72*	*116*	*12 459*	*8,71*	*46*	*290*	*92 679*	*64,78*
Établissements sous contrôle français	55	61 618	43,07	42	11 437	8,-	105	11 789	8,24	41	243	84 844	59,31
Établissements sous contrôle étranger	20	6 130	4,28	11	1 035	0,72	11	670	0,47	5	47	7 835	5,47
ENSEMBLE	**113**	**92 879**	**64,92**	**72**	**27 084**	**18,93**	**157**	**23 093**	**16,15**	**58**	**400**	**143 056**	**100,-**

* Chiffres au 5 janvier 1982.

TABLEAU III : BESOINS ET CAPACITÉS DE FINANCEMENTS

Millions de francs

	1977	1978	1979	1980	1981
S 10. Sociétés et quasi-sociétés	— 88 761	— 72 813	— 86 658	— 141 035	— 139 173
soit :					
S 11. Grandes entreprises nationales	— 23 488	— 28 727	— 30 906	— 43 343	— 53 728
S 12. Autres sociétés et quasi-sociétés	— 65 273	— 44 086	— 55 752	— 97 692	— 85 445
S 40. Institutions de crédit	6 673	11 099	11 869	14 751	26 253
S 50. Entreprises d'assurance	1 228	534	— 817	— 2 011	— 1 047
S 60. Administrations publiques	— 15 703	— 40 039	—16 198	9 247	— 48 245
soit :					
S 61. Administration publique centrale	— 13 023	— 27 133	— 19 720	— 5 494	— 33 097
dont : S 611. État	— 12 974	— 28 159	— 22 448	— 10 900	— 35 317
S 62. Administrations publiques locales	— 16 481	— 15 271	— 14 595	— 13 445	— 14 787
S 63. Administrations de sécurité sociale	13 801	2 365	18 117	28 186	— 361
S 70. Administrations privées	1 302	1 389	1 455	1 826	2 410
S 80. Ménages	81 027	111 186	88 716	78 379	113 635
TOTAL : Capacité (+) ou besoin (—) de financement de la Nation	— 14 234	11 356	— 1 633	— 38 843	— 46 167
Envers les D.O.M.-T.O.M. [S 91]	— 2 949	— 3 443	— 3 465	— 3 685	— 3 256
Envers les « Pays de la zone franc en 1971 » [S 92]	6 018	8 746	10 893	15 230	18 920
Envers l'étranger [S 93]	— 17 303	6 053	— 9 061	— 50 388	— 61 832
soit :					
Pays de la C.E.E. et institutions communautaires européennes [S 931]	— 10 140	— 2 532	— 2 136	— 6 820	— 21 753
Autres pays étrangers [S 932]	— 7 163	— 8 585	— 6 925	— 43 568	— 40 078

TABLEAU IV : RÉSUMÉ DES OPÉRATIONS ENTRE LA FRANCE ET LE RESTE DU MONDE

Soldes, en millions de francs

	1977	1978	1979	1980	1981
1. OPÉRATIONS NON FINANCIÈRES	— 14 234	11 356	— 1 633	— 38 843	— 46 167
Biens et services	— 5 228	14 273	— 2 705	— 55 732	— 55 554
Opérations de répartition	— 9 006	— 2 917	1 072	16 889	9 387
2. OPÉRATIONS FINANCIÈRES	14 234	— 11 356	1 633	38 843	46 167
a. Capitaux à long terme	2 524	— 13 927	— 20 423	— 37 448	— 45 365
F 40. Obligations	4 743	277	— 4 122	4 221	2 640
F 50. Actions et autres participations	2 208	1 568	— 303	— 2 840	— 11 030
F 70. Crédits à moyen et long terme	— 4 427	— 15 772	— 15 998	— 38 829	— 36 975
b. Capitaux à court terme	11 949	4 420	40 596	88 324	74 429
F 10. Monnaie	2 073	4 052	231	1 408	— 315
F 20. Dépôts non monétaires	— 8 631	— 20 323	36 149	67 071	67 023
F 60. Crédits à court terme	1 272	20 598	3 886	19 717	7 721
Divers (F 30 et 80)	— 27	93	330	128	
c. Ajustement	7 197	2 017	11 364	17 721	— 6 826
d. F 00. Moyens de paiement internationaux	— 7 436	— 3 866	— 29 904	— 29 754	23 929

TABLEAUX V ET VI : RÉSUMÉ DES OPÉRATIONS FINANCIÈRES ANNÉE 1981

OPÉRATIONS	FLUX NETS DE CRÉANCES												
	S 40				S 50	S 60			S 10	S 70	S 80	S 90	**Total**
	S 411	S 412	S 421	S 422		S 61	S 62	S 63					
Moyens de paiements internationaux	—22 950	2 641	”	”	”	”	”	”	3 500	”	4 000	11 120	**—1 689**
Monnaie	”	— 16 030	— 2 377	3 075	495	942	2 000	—5 166	29 201	1 200	70 091	— 315	**83 116**
Dépôts non monétaires	”	12 778	902	821	1 000	1 000	3 636	2 500	9 712	400	112 750	79 801	**225 300**
Bons négociables	—10 164	50 411	19 988	708	”	”	”	”	”	”	”	”	**60 943**
Obligations	”	5 200	8 512	2 480	18 190	200	350	4 016	2 400	”	43 467	9 750	**94 565**
Actions et autres participations	”	4 665	784	7 270	9 463	19 614	”	800	10 197	”	21 701	11 541	**86 035**
Crédits à court terme	24 656	56 134	8 988	—21 100	2 250	12 494	500	4 197	23 609	”	”	20 307	**132 035**
Refinancements	*34 457*	”	*— 1 165*	*—25 935*	”	”	”	”	”	”	”	”	**7 357**
Autres crédits à court terme	*— 9 801*	*56 134*	*10 153*	*4 835*	*2 250*	*12 494*	*500*	*4 197*	*23 609*	”	”	*20 307*	***124 678***
Crédits à moyen et long terme	”	117 703	65 906	129 897	2 780	6 716	700	1 292	15 067	1 200	”	7 783	**349 044**
Réserves techniques d'assurance	”	”	”	”	”	”	”	”	3 697	”	29 156	”	**32 853**
Total	**—8 458**	**233 502**	**102 703**	**123 151**	**34 178**	**40 966**	**7 186**	**7 639**	**97 383**	**2 800**	**281 165**	**139 987**	**1 062 202**
Solde des créances et dettes												**—52 993**	**—52 993**

Désignation des secteurs ou sous-secteurs institutionnels

S 40 Institutions de crédit.
S 411 Banque de France.
S 412 Autres institutions monétaires.
S 421 Caisse des dépôts et consignations et caisses d'épargne.
S 422 Autres institutions de crédit.
S 50 Entreprises d'assurance.
S 60 Administrations publiques.
S 61 Administration publique centrale.

OPÉRATIONS	FLUX NETS DE DETTES												
	S 40				S 50	S 60			S 10	S 70	S 80	S 90	Total
	S 411	S 412	S 421	S 422		S 61	S 62	S 63					
Moyens de paiements internationaux	6 380	4 740	"	"	"	"	"	"	"	"	"	—12 809	— 1 689
Monnaie	— 7 726	73 840	4 721	— 978	"	13 259	"	"	"	"	"	"	83 116
Dépôts non monétaires	820	117 862	81 905	8 768	1 900	— 430	"	"	1 697	"	"	12 778	225 300
Bons négociables	"	— 100	"	4 293	"	56 750	"	"	"	"	"	"	60 943
Obligations	"	28 219	"	28 020	"	16 110	1 788	1 600	11 718	"	"	7 110	94 565
Actions et autres participations	"	2 184	"	15 118	342	"	"	"	45 820	"	"	22 571	86 035
Crédits à court terme	3 110	— 9 400	8 035	17 103	"	—12 567	"	6 600	96 977	"	9 591	12 586	132 035
Refinancements	"	*— 9 000*	"	*16 357*	"	"	"	"	"	"	"	"	7 357
Autres crédits à court terme	3 110	— 400	8 035	746	"	—12 567	"	6 600	96 977	"	9 591	12 586	124 678
Crédits à moyen et long terme	"	— 217	"	34 922	130	941	20 185	— 200	101 362	390	146 773	44 758	349 044
Réserves techniques d'assurance	"	"	"	"	32 853	"	"	"	"	"	"	"	32 853
Total	**2 584**	**217 128**	**94 661**	**107 246**	**35 225**	**74 063**	**21 973**	**8 000**	**257 574**	**390**	**156 364**	**86 994**	**1 062 202**
Solde des créances et dettes	**—11 042**	**+16 374**	**+8 042**	**+15 905**	**—1 047**	**—33 097**	**—14 787**	**— 361**	**—160 691**	**+2 410**	**+124 801**		**—52 993**

S 62 Administrations publiques locales.
S 63 Administrations de Sécurité sociale.
S 10 Sociétés et quasi-sociétés non financières.
S 70 Administrations privées.
S 80 Ménages (y c. entreprises individuelles).
S 90 Reste du monde.

Source : *Rapport sur les Comptes de la nation*

TABLEAU VII : VARIATIONS DE LA POSITION
(y compris les pays d'outre-mer

	1980			
	1er trimestre **	2e trimestre **	3e trimestre **	4e trimestre **
A. Secteur bancaire				
1. *Créances et engagements en francs :*				
a. Créances	— 933	— 47	— 308	— 465
b. Engagements	+ 6 941	+ 1 495	+ 3 934	— 108
Total 1	+ 6 008	+ 1 448	+ 3 626	— 573
2. *Créances et engagements en devises :*				
a. Créances	+ 9 311	— 4 794	— 5 232	— 69 189
b. Engagements	— 3 410	+ 5 296	+ 10 465	+ 76 092
Total 2	+ 5 901	+ 502	+ 5 233	+ 6 903
Variation de la position du secteur bancaire	*+ 11 909*	*+ 1 950*	*+ 8 859*	*+ 6 330*
B. Secteur public				
1. *Avoirs à court terme et à vue :*				
a. Réserves officielles	— 7 300	— 4 603	— 2 397	— 3 849
b. Créances sur le FECOM	+ 80	—	—	— 8 518
c. Créances sur le FMI	—	+ 179	—	— 5 561
d. Droits de tirages spéciaux	— 1 297	— 208	— 133	+ 1 261
e. Autres créances	— 1 003	— 980	— 950	— 154
Total 1	— 9 520	— 5 612	— 3 480	— 16 821
2. *Engagements à court terme et à vue :*				
a. Engagements envers le FECOM	—	—	—	—
b. Engagements envers le FMI	— 104	— 290	— 237	+ 3 971
c. Allocations de droits de tirages spéciaux	+ 1 062	—	—	—
d. Autres	+ 3 186	— 304	— 348	+ 341
Total 2	+ 4 144	— 594	— 585	+ 4 312
Variation de la position du secteur public	*— 5 376*	*— 6 206*	*— 4 065*	*— 12 509*
Solde des mouvements de capitaux monétaires	*+ 6 533*	*— 4 256*	*+ 4 794*	*— 6 179*

* Chiffres provisoires.
** Chiffres semi-définitifs.

MONÉTAIRE EXTÉRIEURE DE LA FRANCE
de la zone franc)

En millions de francs

	1981				
Année **	1er trimestre **	2e trimestre **	3e trimestre *	4e trimestre *	Année *
— 1 753	+ 856	— 2 215	+ 435	+ 2 203	+ 1 279
+ 12 262	— 20	— 4 270	— 3 829	+ 6 678	— 1 441
+ 10 509	+ 836	— 6 485	— 3 394	+ 8 881	— 162
— 69 904	+ 21 443	+ 8 908	+ 4 742	— 49 245	— 14 152
+ 88 443	— 2 026	— 14 576	+ 5 244	+ 68 376	+ 57 023
+ 18 539	+ 19 417	— 5 668	+ 9 991	+ 19 131	+ 42 871
+ 29 048	*+ 20 253*	*— 12 153*	*+ 6 597*	*+ 28 012*	*+ 42 709*
— 18 149	— 7 979	+ 4 790	+ 17 831	— 537	+ 14 105
— 8 438	+ 1 743	+ 6 856	—	—	+ 8 599
— 5 382	—	— 1 490	—	—	— 1 490
— 377	— 1 896	— 141	—	—	— 2 037
— 3 087	— 1 300	+ 406	— 373	— 80	— 1 347
— 35 433	— 9 432	+ 10 421	+ 17 458	— 617	+ 17 830
—	—	+ 23 850	— 822	— 16 906	+ 6 122
+ 3 340	— 110	+ 1 343	— 18	— 13	+ 1 202
+ 1 062	+ 1 131	—	—	—	+ 1 131
+ 2 875	— 812	+ 260	+ 841	+ 2 036	+ 2 325
+ 7 277	+ 209	+ 25 453	+ 1	— 14 883	+ 10 780
— 28 156	*— 9 223*	*+ 35 874*	*+ 17 459*	*— 15 500*	*+ 28 610*
+ 892	*+ 11 030*	*+ 23 721*	*+ 24 056*	*+ 12 512*	*+ 71 319*

Source : *Statistiques et Études financières, n° 389, p. 60*

Démagogie française

Quand un peuple se résigne à la défaite, l'austérité y devient la forme principale de la démagogie.

Voici la leçon qu'il faut tirer de l'extraordinaire masochisme actuel des Français. La source en est profonde : toute nation, pour survivre, a besoin de désigner un responsable à ses malheurs et de confier à un pouvoir admiré la charge de la protéger du mal, de lutter contre lui. ... La France n'échappe pas à cette règle de fonctionnement de tout ordre social ; mais elle s'est fait une spécialité de ne jamais, ou presque, désigner son dirigeant suprême comme responsable de ses malheurs.

... La raison de ce perpétuel contournement du pouvoir est à la fois simple et intolérable : les Français n'aiment pas prendre le risque de sacrifier celui qui les protège, de transformer leur dieu en bouc émissaire. Ils ont peur de se trouver sans personne à admirer, sans père à respecter, et d'être abandonnés à eux-mêmes, incapables de gérer sans violence leurs rivalités. Voici pourquoi la France n'a jamais vraiment cessé d'être une royauté de droit divin : parce que le peuple a peur de lui-même. ... Certes, depuis sept ans, la démagogie française a aussi tenté de dénoncer d'innombrables responsables étrangers à la crise ! On a vu défiler au hit-parade des victimes expiatoires les producteurs de pétrole, les Japonais, les syndicats, les monopoles ou les partis politiques. Mais, à l'évidence, ces boucs émissaires ne conjurent plus assez bien la violence : alors que tant de Français voudraient encore le croire, tous ces « ennemis de la France » n'expliquent pas toute la crise... les syndicats ne freinent pas la compétitivité des entreprises, les monopoles ne contrôlent plus les prix, les partis politiques sont sans influence réelle sur l'économie, les Japonais ne réussissent que par nos échecs.

Alors, le pouvoir laisse apparaître, ou en dénonce lui-même, d'autres boucs émissaires : les immigrés, les juges, les journalistes, les ministres, le premier ministre même, tout y passe. Mais, là encore, cela ne suffit pas ; et cette quête fantasmatique de responsables pousse les Français, encore une fois, pour protéger leur chef suprême, à se vouloir eux-mêmes boucs émissaires et à se couvrir des cendres de l'austérité, avec la même jouissance masochiste, la même veulerie et la même débrouillardise que celles qu'ils éprouvaient sous l'Occupation. Excessif ? Pourtant, même si elle est intolérable, cette explication est la seule qui tienne de l'actuelle résignation devant l'avenir : « *Les Français trouvent dans l'austérité assumée l'ultime moyen d'éviter de s'en prendre à leur président.* » Ainsi, s'est installée la nouvelle démagogie française : elle flatte ce qu'il y a de plus veule en chaque homme : la peur de soi.

Jacques Attali, *Le Monde,* 30 novembre 1980.

V

L'entreprise et l'État prédateur

« L'hypothèse où cette crise serait durable porte des conséquences que je ne peux envisager. Mais, en admettant qu'elle soit temporaire, il faut bien reconnaître que nous ne pourrons la franchir que dans la mesure où des degrés de liberté de gestion ne nous auront pas été retirés les uns après les autres. Dans un système figé, nous serons pris par les glaces. En attendant, on sent une certaine érosion des quelques souplesses qui nous restent, étant entendu que le phénomène n'est pas récent. Il remonte à une dizaine d'années. La tendance peut paraître comme s'accélérant, mais le mal est ancien ».

Général Jacques Mitterrand
président de la SNIAS ;
interview au *Quotidien de Paris* 8 novembre 1982.

À peu près tous les indicateurs de nature macro ou micro économique se sont détériorés depuis 1981 : le nombre de faillites s'est accentué, le chômage s'est aggravé ainsi que le taux d'inflation différentiel de la France avec les grands pays industriels, la situation financière des entreprises, le déficit du commerce extérieur, la situation du franc par rapport aux grandes monnaies etc. Il serait, bien entendu, injuste de faire porter le fardeau de ce désastreux constat à la seule gestion socialiste. D'abord, parce que les deux premières années de l'actuel septennat se sont déroulées dans une conjoncture économique internationale défavorable (tout le monde le reconnaît, même si les socialistes ont été les derniers à s'en rendre compte) ; de même qu'en Bourse tous les titres varient à peu près de concert, il est difficile pour un pays d'aller à l'encontre d'une conjoncture économique internationale défavorable et de se distinguer des autres.

Ensuite, parce que comme le souligne la citation placée en exergue de ce texte, un certain nombre de dysfonctionnements du système économique français existaient avant le 10 mai 1981.

Enfin, il faut être prudent dans l'analyse et l'interprétation des résultats économiques. Il y a moins de deux ans que les socialistes sont au pouvoir et les séries statistiques étant publiées avec un certain retard, les résultats obtenus jusqu'à présent constituent une série trop courte pour que l'on puisse toujours en tirer des conclusions tout à fait significatives.

Cela ne veut pas dire que l'expérience socialiste ne doive pas être jugée avec inquiétude et sévérité. Ces sentiments, on ne peut manquer de les éprouver à la lecture des résultats économiques obtenus, mais surtout, — et cela est plus inquiétant, car plus profond et plus durable —, lorsqu'on analyse la situation à la lumière d'un des apports les plus récents de l'analyse économique, la théorie des « droits de propriété ».

Au sens économique du terme, les droits de propriété définissent l'ensemble des lois, des règles et des usages qui contribuent à fixer les droits de chacun quant à l'usage, à l'appropriation et au transfert des biens produits. En particulier, le système des droits de propriété permet de définir les rapports économiques qui existent entre l'État et les agents économiques et en particulier les individus[1].

---

1. Toute société, qu'elle reconnaisse ou non « le droit de propriété », est donc caractérisée par un système de droits de propriété.

On a pu montrer qu'une économie est d'autant plus efficace que les droits de propriété y sont exclusifs (ce qui ne veut pas dire sans aucune

Pour améliorer leur sort, ces derniers peuvent affecter leur temps et allouer leurs efforts soit par le biais du secteur des biens et des services, en essayant de produire ce que les autres voudront bien leur acheter, soit en essayant d'obtenir des syndicats, des partis politiques ou de l'État que les règles du jeu soient modifiées à leur avantage. La première voie définit un système d'échange, et la seconde la conception socialiste de l'économie et de la société. Dans le premier système, les individus jouent sur le clavier de l'effort, de l'échange et de la productivité tandis qu'ils jouent sur celui de la redistribution dans le second. Le succès de ceux qui ont choisi la première voie, et qui se traduit par la richesse, semble de plus en plus mal accepté par l'État qui suscite et suggère (de façon plus ou moins contraignante) la seconde voie.

Il est cependant des situations de richesse qui ne sont remises en cause par personne, celle, par exemple, des artistes. Certains gagnent des fortunes grâce au vote permanent que constitue « l'obole » que chacun leur donne pour lire leur roman ou entendre leur musique. Personne ne leur conteste vraiment ces gains parce que l'acte volontaire et libre de l'échange y est parfaitement visible.

Mais quelle différence y a-t-il entre cette situation et celle du chef d'entreprise qui, il y a une vingtaine d'années, a créé la société Majorette pour fabriquer et vendre des voitures miniatures ? Cette société née dans la région de Lyon réalise aujourd'hui un chiffre d'affaires de 300 millions de francs en étant implantée dans plus de 85

---

restriction ; exclusif veut dire sans partage et seulement limité de façon explicite par la loi) et que le coût de leur transferabilité est réduit. Quand l'exclusivité et la transferabilité des droits sont restreintes (entreprises nationalisées) ou quand leur coût d'échange est élevé, le système économique est moins performant dans le processus d'allocation des ressources et la productivité donc la croissance sont moindres.

On trouvera une excellente analyse de la théorie des droits de propriété dans Y. SIMON, « Le marché et l'allocation des ressources, une contribution de la théorie des droits de propriété », texte paru dans ROSA et AFTALION (éditeurs), *L'Economie retrouvée, critiques et nouvelles analyses*, Economica, 1976.

pays et en commercialisant quelques gammes de voitures miniatures en plastique vendues dans les bureaux de tabac et des points de vente équivalents, au prix de 10 francs environ l'unité.

Quelle différence y a-t-il entre Émile Veron (président fondateur de Majorette), Charles Aznavour, Herbert von Karajan et Guy des Cars ? Très grande sans doute sur le plan esthétique, et chacun appréciera différemment leur talent respectif. Mais tous ont une chose en commun : personne n'a forcé le public à les plébisciter et, partant, à faire la fortune qu'ils ont acquise par le seul acte volontaire et libre de l'échange dont la théorie économique a montré qu'il était facteur d'enrichissement mutuel. Or, alors que la sanction de la performance individuelle est largement acceptée, celle qu'obtiennent les entreprises de taille plus importante, dont les succès ne peuvent plus être attribués à un seul homme, est plus que jamais remise en question parce que mal comprise.

Les socialistes s'efforcent de faire une distinction entre les entreprises et ceux qui les possèdent. Les premières seraient « bonnes » et dignes d'intérêt, il faut donc les protéger parce que de leur développement dépendent l'emploi, la croissance économique et la hausse du niveau de vie. Les seconds feraient au contraire figure de verrue posée sur le corps sain de l'entreprise. Cette distinction parfaitement fausse ne date certes pas d'aujourd'hui mais le contresens qu'elle constitue a été aggravé depuis l'arrivée des socialistes au pouvoir[1]. Elle met en péril les objectifs mêmes qu'ils cherchent à atteindre.

C'est cette distinction qui est à la base de la vague de nationalisations officialisée par la loi du 11 février 1982 dont nous analyserons les effets et les premiers résultats

1. On en trouve une illustration dans l'article que Didier Motchane publia dans *Le Monde*, le 12 août 1982, en réponse aux déclarations de Jean Gandois, sous le titre significatif : « Une politique industrielle ne peut pas être la politique des industriels. »

dans la première partie de ce chapitre. Comme les libéraux, les socialistes sont en faveur de la croissance, de l'investissement productif et de l'emploi. Mais l'analyse qu'ils font du dérèglement de la croissance économique survenu depuis dix ans les a amenés à prendre des mesures qui vont à l'encontre du but poursuivi. Ils veulent dynamiser l'économie mais tous leurs efforts n'ont fait qu'affaiblir les entreprises en accentuant le divorce entre celles-ci et les Français par la dilution des droits de propriété.

La politique du gouvernement socialiste en matière d'investissement (« 1982 sera l'année de l'investissement » P. Mauroy) qui se situe au cœur de la politique économique est, à cet égard, on ne peut plus significative. En effet, l'impératif industriel est devenu le crédo du gouvernement socialiste qui l'aborde un peu comme les gouvernements précédents avaient quelquefois tendance à le faire, c'est-à-dire en prenant prétexte du divorce qui existerait entre les Français et leur industrie pour développer cette dernière en quelque sorte malgré eux ou en dépit d'eux. « Hormis quelques périodes de son Histoire, la France n'a jamais consacré à l'industrie les efforts qu'elle méritait », déclarait J.-P. Chevènement à l'occasion des Journées de politique industrielle de novembre 1982. Qu'à cela ne tienne, on va lui administrer malgré elle les remèdes qui lui sont nécessaires sans voir qu'on ne fait ainsi qu'aggraver le divorce et donc le mal.

Première mesure : la nationalisation des principaux groupes industriels qui sont censés devenir par l'investissement la force d'entraînement de l'économie. On avance comme justification le fait que seules les grandes entreprises nationales ont investi depuis 1973 (comme l'indique la figure 1). Et il est de fait que le secteur industriel concurrentiel a relativement peu investi durant les dix dernières années. Il y a à ce phénomène plusieurs raisons et la crise économique n'est pas la moindre. Mais il en est une qui est spécifiquement française : les effets conjoints de l'inflation et de la fiscalité ont rendu médiocre la rentabilité de l'investissement dans le secteur industriel. Au lieu de s'attaquer aux causes de ce phénomène — que nous analyserons plus loin —, les socialistes préfèrent s'en prendre aux conséquences. Pour faciliter le financement des investissements des entreprises publiques et nationalisées et des autres, il était plus commode d'avoir une parfaite maîtrise du système financier. Ce qui a été fait par la nationalisation de l'ensemble du système bancaire resté encore privé. Ce faisant, la tentation est grande, alors, d'utiliser le système financier dans le sens d'une plus grande répression financière[1], c'est-à-dire, d'un côté, en accentuant la spoliation insidieuse de l'épargne, et d'un autre côté en pratiquant une politique de taux bas par la réglementation du crédit et l'établissement d'un système parallèle d'aide aux entreprises (que nous analyserons dans la seconde partie de ce chapitre). Ces mécanismes d'aide, de bonification, d'exemption bureaucratiques permettent de redonner d'un côté ce qui par ailleurs a été pris aux entreprises sous la forme d'un accroissement des charges qui pèsent sur leurs comptes d'exploitation, tout en accroissant du même coup la socialisation de l'économie et donc son étatisation.

La politique des socialistes à l'égard de l'industrie et des entreprises en général se caractérise en fin de compte par la tentative de recréer par des moyens artificiels des liens entre celles-ci et les Français que d'autres avaient contribué à distendre mais qu'eux semblent devoir rompre définitivement. Ces moyens artificiels entraînent de grandes incohérences dans l'action économique gouvernementale pour ne produire que de piètres résultats.

---

1. Sur les mécanismes de la répression financière, voir J.-J. Rosa et M. Dietsch, *La Répression financière*, Bonnel, 1981.

Figure 1

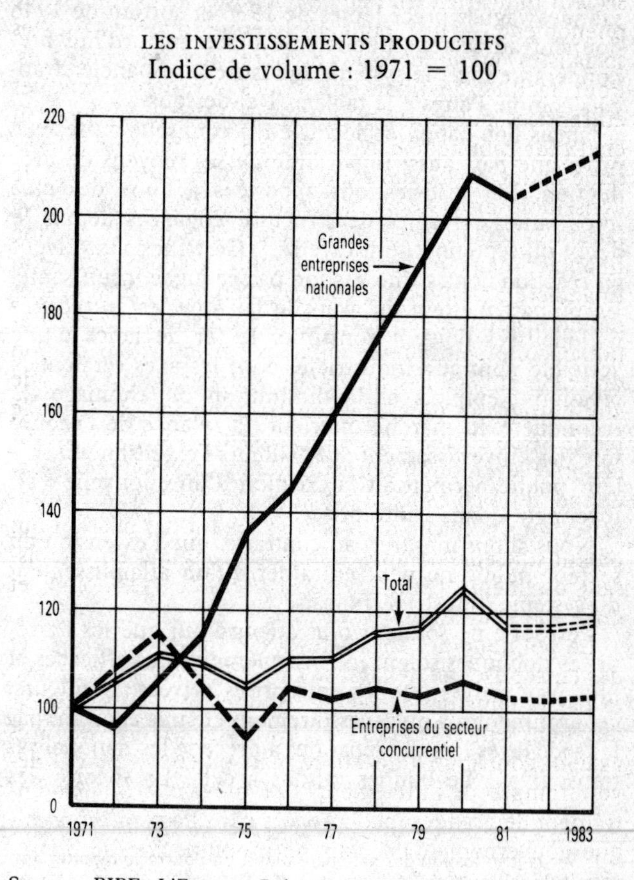

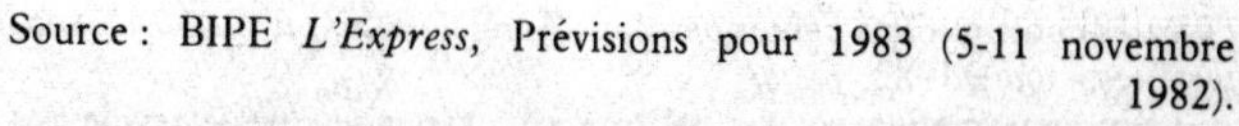
Source : BIPE *L'Express,* Prévisions pour 1983 (5-11 novembre 1982).

Les nationalisations

Par la loi de nationalisation du 13 février 1982, l'ensemble du secteur bancaire et douze groupes industriels parmi les plus importants étaient nationalisés. Ces nationalisations s'ajoutant à celles décidées lors des deux grandes vagues précédentes de 1936 et surtout de 1946 donnent au secteur public une place aujourd'hui prépondérante dans le système industriel et financier français comme l'atteste le tableau 1 ci-dessous.

Jamais une nation occidentale n'a confisqué au secteur privé une part aussi importante de ses moyens de production. Les justifications apportées à l'une des plus importantes réformes de structure engagées depuis le début du septennat sont diverses[1]. Certaines s'inscrivent en réaction contre une gestion passée jugée insuffisante. La plupart mettent en avant le fait que les entreprises nationalisées doivent constituer le fer de lance d'une véritable politique industrielle dont les axes seraient la création d'emplois et la diminution du chômage, la reconquête du marché intérieur, la relance de l'économie par l'investissement ; par ailleurs l'extension du secteur public permettrait la création d'une nouvelle « citoyenneté » dans l'entreprise[2].

Nous allons montrer, au contraire, que l'extension du secteur public ne peut entraîner qu'un affaiblissement du système industriel français.

Personne ne soutient plus aujourd'hui que les entreprises publiques soient intrinsèquement plus efficaces et plus productives que les entreprises privées. D'ailleurs, cet argument n'a qu'accessoirement été mis en avant par les socialistes lors du débat qui a précédé les nationalisations. Il y a de bonnes raisons à cela. La théorie des

---

1. Sur la justification des nationalisations, on pourra se reporter aux diverses contributions contenues dans *Après-Demain*, n° 246-247, septembre-octobre 1982.

2. En cette matière, le « socialisme à la française » ne se révèle pas très original : comme le soulignent Monsen et Walters passant en revue le fonctionnement des entreprises publiques européennes, les hommes politiques attendent partout d'elles les mêmes bienfaits : développement de l'investissement, réduction du chômage, diminution de l'inflation, etc. Voir R. MONSEN et K. WALTERS, « State owned firms : A Review of the Data and Issues », dans L. PRESTON (ed.), *Research in Corporate Social Performance and Policy*, Vol. 2, JAI Press, 1980.

Tableau I PART DES ENTREPRISES PUBLIQUES (en % du chiffre d'affaires par branches)

	Avant les nationalisations	Après les nationalisations
Sidérurgie	1	80
Première transformation de l'acier	1	58
Métallurgie et première transformation des métaux non ferreux	13	63
Chimie de base	23	54
Transformation des matières plastiques	4	15
Textiles artificiels	0	75
Parachimie	5	14
Pharmacie	9	28
Verre	0	35
Matériaux de construction et céramique	1	8
Papier carton	0	9
Fonderie	4	22
Travail des métaux	2	8
Machines-outils	6	12
Équipement industriel	3	14
Matériel lourd (manutentions, mines, sidérurgie, génie civil)	0	5
Armement	58	75
Bureautique et informatique	0	36
Matériel électrique	0	26
Matériel électronique ménager et professionnel	1	44
Équipement ménager	0	25
Construction navale	0	17
Construction aéronautique	50	84
Banques	65	85
Toutes branches industrielles	*20*	*35*

Source : *Le Secteur public dans l'industrie avant et après les nationalisations*, ministère de la Recherche et de l'Industrie, Direction générale des Stratégies industrielles, publication n° 25, 1982.

droits de propriété et celle des organisations permettent de formuler l'hypothèse selon laquelle les entreprises publiques sont moins bien gérées, donc moins productives que les entreprises privées. Cette hypothèse se trouve tout à fait confirmée par les vérifications empiriques qui ont pu être effectuées d'abord et surtout à l'étranger et plus récemment en France. Les premières données dont nous disposons tant sur la gestion des grandes entreprises publiques depuis 1981 que sur les nouvelles entreprises nationalisées confirment amplement ce fait, et plus rapidement qu'on aurait pu le prévoir.

De plus, aucune expérience de nationalisation tant française qu'étrangère ne permet d'affirmer que les entreprises nationalisées compensent par d'autres avantages, sauf purement catégoriels, leur moindre performance économique.

Cette détérioration ne connaît qu'un seul remède : la dénationalisation ; la dénationalisation non seulement des entreprises dont la propriété a été transférée à l'État par la loi du 13 février 1982 mais aussi de la plupart de celles qui faisaient partie du secteur public avant mai 1981. La dernière vague de nationalisation aura au moins eu le mérite de reposer le problème de l'existence de l'ensemble du secteur public, industriel et financier. Pour conclure cette partie, nous présenterons donc une méthodologie pour engager ce processus qui se heurtera à la coalition des mentalités « archaïques » et des intérêts acquis.

Le Nôtre, Colbert et l'entreprise...

Revenons un moment, pour commencer, aux arguments qui ont été présentés pour justifier les nationalisations. Quelques commentaires que l'ancien commissaire général au Plan, Michel Albert, formulait en 1979 à propos du Plan lui-même, permettent de les résumer assez fidèlement[1] :

---

1. Cours à l'Institut d'études politiques de Paris, 1979.

« N'est-ce pas une tendance permanente de l'esprit cartésien que d'associer l'efficacité aux notions de raison et d'autorité, de pouvoir ? Nous n'avons guère le sens de la concurrence. Il en va un peu pour notre Plan, comme de la Constitution au XIXe siècle. La pente naturelle de notre esprit nous porte aux systèmes fixes qui décrivent tout dans la rigueur et la clarté. Les images de Le Nôtre et de Colbert forment naturellement des analogies avec ce qui fait en France la popularité permanente de l'idée du Plan. Au fond, beaucoup voudraient qu'en toute matière, le Plan raisonne comme ceci : nous produisons aujourd'hui 25 millions de tonnes d'acier. Le Plan prévoit que nous passions à 35 millions de tonnes d'ici à cinq ans. Pour cela il faut recruter X personnes que nous devons former, et investir Y milliards qui feront l'objet de financements privilégiés avec notamment une inscription sur le calendrier du Trésor.

« Cela paraît satisfaisant pour l'esprit pour deux raisons : d'abord, c'est clair ; ensuite, ce type de déclaration exprime une volonté ferme. »

Il suffit de remplacer le mot « Plan » par « entreprise nationalisée » pour retrouver l'essentiel de l'argumentation socialiste en faveur de l'extension du secteur public : l'entreprise nationalisée, c'est clair et d'autant plus qu'il y en a une par branche ou par filière à laquelle on peut éventuellement adjoindre le qualificatif « de France » ; l'entreprise nationalisée permet d'exprimer une volonté industrielle ferme qui s'appelle force d'entraînement du tissu industriel français, reconquête du marché intérieur, investissement productif, défense de l'emploi, etc. Mais, poursuivait Michel Albert, avec toujours l'exemple de la production planifiée d'acier :

« Malheureusement, rien ne prouve que l'acier qui sera ainsi produit dans le cadre d'un partage des responsabilités entre l'État et les entreprises sera moins cher que celui des concurrents ; au contraire, cette coresponsabilité, on l'a souvent constaté, développe un esprit d'irresponsabilité, source de gaspillage. De plus, à mesure que l'économie se développe, l'État est moins bien placé pour choisir telle production plutôt que telle autre. »

De même la coresponsabilité entre les entreprises nationalisées et l'État qui s'effectue par l'intermédiaire du contrat de Plan[1] aboutit au gaspillage et à la moindre efficacité des entreprises publiques par rapport à leurs homologues du secteur privé.

Que la nationalisation appauvrisse à long terme l'économie en affaiblissant l'efficacité des entreprises, il ne manque pas, d'abord, de justifications théoriques pour l'affirmer.

Toute la théorie moderne des organisations[2], par exemple, consiste à voir dans quelles conditions on peut concilier les avantages de l'organisation en équipe, qui aboutit à une meilleure productivité grâce à la spécialisation des tâches, avec ceux du travail individuel « motivé » où la performance de chacun est aisément vérifiable. La réalisation du potentiel de productivité d'une équipe exige la surveillance et le contrôle de chacun de ses membres. La surveillance et le contrôle constituent l'apanage et la justification des dirigeants de l'entreprise. Mais ceux-ci doivent être incités à exercer une surveillance efficace. Dans l'entreprise privée, cette contrainte vient de ce que les actionnaires perçoivent le profit résiduel de la gestion de l'entreprise, c'est-à-dire celui qui n'apparaît qu'après que tous les partenaires de l'entreprise — salariés, fournisseurs, sécurité sociale, prêteurs, fisc — ont été rémunérés conformément aux contrats et droits de propriété qui définissent la nature des relations de chacun et la rémunération qu'ils reçoivent de l'entreprise. C'est la raison pour laquelle la loi donne aux actionnaires — qui sont les partenaires les plus vulnérables de l'entreprise, parce que les derniers servis —, le

1. Voir M. Charzat, « Nationalisations, la voie française », *Le Monde*, 20 décembre 1982.

2. Voir en particulier sur ce sujet O. Williamson, « The Modern Corporation : Origins, Evolution, Attributes », *Journal of Economic Litterature*, décembre 1981 et O. Williamson, *Markets and Hierarchies : Analysis and Antitrust Implications*, Free Press, 1975.

droit de nommer ceux qui gèrent et surveillent les coûts.

Les actionnaires peuvent remplacer les dirigeants tout en respectant le contrat de travail qui lie ces derniers à l'entreprise s'ils ne remplissent pas correctement ces fonctions et ne dégagent pas suffisamment de profit. Dans une économie capitaliste où la Bourse fonctionne correctement cette circulation des dirigeants s'accomplit naturellement. En effet, les cours en Bourse d'une entreprise non rentable baissent parce que les actionnaires vendent leurs actions. Dans ce cas, l'entreprise devient vulnérable à une offre publique d'achat ou d'échange, qui permet à une nouvelle majorité d'actionnaires de prendre le contrôle de l'entreprise défaillante et de nommer de nouveaux gestionnaires chargés de redresser la situation. De ce fait, la Bourse joue un rôle essentiel dans la surveillance et la qualité du *management* des entreprises : c'est sa fonction de police. Un tel mécanisme n'existe pas dans l'entreprise publique.

La théorie des organisations distingue également « l'entreprise managériale » de l'entreprise privée. L'entreprise managériale est celle dont le dirigeant est assez peu contrôlé par les propriétaires. L'entreprise publique est sa forme la plus accomplie dans la mesure où les contrôles qui s'exercent sur elle sont très lointains. Que l'on songe aux pouvoirs de la Cour des comptes où, avant la dernière vague de nationalisations, seulement sept conseillers à plein temps étaient supposés contrôler 109 entreprises publiques. De la même façon, quelle efficacité peuvent avoir les pouvoirs de contrôle *a priori* du ministère des Finances où seulement cinq personnes sont affectées à l'ensemble EDF-GDF, six aux Charbonnages de France et sept à toute la SNCF ?

Les quelque 40 millions d'électeurs, qui sont aussi, en principe, les actionnaires de ces entreprises nationalisées, ont très peu d'incitations à s'enquérir de la qualité de leur gestion. Le voudraient-ils qu'ils éprouveraient beaucoup de difficultés, comme l'attestent les commentaires du rapport spécial des Entreprises publiques sur la loi de Finances pour 1981[1]. Même s'ils disposaient de ces informations, ils ne pourraient pas s'en servir et vendre leur part de ces entreprises publiques puisque celles-ci ne sont pas négociables.

À l'inverse, le marché financier, par sa nature même, est très efficace dans sa fonction de surveillance des sociétés privées qui y sont cotées. En effet, la Bourse n'est pas une abstraction mais l'endroit où des milliers d'épargnants et de spécialistes, analystes financiers et gestionnaires, sans cesse à l'affût de toute information pertinente sur les sociétés, leur gestion et leur stratégie achètent et vendent les titres de ces sociétés. Ils ont un intérêt direct à exercer un meilleur jugement que leurs voisins, car de lui dépendent en dernier ressort leur gains ou leurs pertes[2].

L'information étant de moins bonne qualité dans l'entreprise publique que dans l'entreprise privée et la sanction quasi inexistante, la surveillance et le contrôle y sont également plus lâches. Toutes choses égales par ailleurs, les entreprises publiques dépenseront donc davan-

---

1. Dans le rapport sur la loi de Finances pour 1981 (n° 933, annexe 16, *Entreprises publiques*), le rapporteur spécial, M. Jacques Feron écrit : « Si le contrôle parlementaire est éminemment souhaitable, est-il en pratique possible ? [...] Pour un rapporteur unique, la tâche est écrasante, il suffit pour s'en rendre compte de consulter la nomenclature des entreprises publiques publiée en annexe de la loi de Finances. On y trouve en effet 84 sociétés publiques nationalisées ou d'État, 49 sociétés d'économie mixte auxquelles s'ajoutent environ 80 filiales et sous-filiales, seules celles où les capitaux publics représentent au moins 30 % du capital social étant d'ailleurs répertoriées. »

Et, plus loin : « Une des mauvaises habitudes de l'administration — goût du secret — semble d'ailleurs être parfaitement respectée dans les entreprises publiques. Votre rapporteur avait, dans une de ses questions, demandé des précisions sur le montant des salaires versés aux dirigeants des entreprises publiques. Il est fort regrettable que le Parlement ne puisse avoir de renseignements sur ce point, alors que le montant des salaires versés aux dirigeants des entreprises privées peut être connu beaucoup plus facilement. » Etc.

2. Sur l'évaluation des sociétés et les critères de décision d'investissements en Bourse des spécialistes, on pourra se reporter à B. JACQUILLAT et B. SOLNIK. *Les Marchés financiers et la gestion de portefeuille*, Dunod, 3e édition, 1981.

tage en matières premières, en fournitures, en salaires, en équipements que les entreprises privées et les décisions d'investissement et stratégiques n'y seront pas nécessairement prises selon des critères de rentabilité.

Le jugement des faits

En fin de compte, la productivité et l'efficacité de l'entreprise publique sont nécessairement moindres que celles de l'entreprise privée. Cette hypothèse, de nature parfaitement théorique pour l'instant, se trouve pleinement validée sur le plan des faits. Les principales études effectuées à l'étranger sont à cet égard concluantes[1]. On y découvre, sans grande surprise, que l'entreprise publique, toutes choses égales par ailleurs, fait moins de profits que l'entreprise dont le dirigeant est étroitement contrôlé, que les frais de personnel et les frais généraux y sont plus élevés, qu'elle poursuit un objectif de croissance pour la croissance, même au détriment des profits.

En France, bien que le matériau soit abondant, les résultats demeurent fragmentaires mais néanmoins significatifs[2].

Il est intéressant, par exemple, de comparer Peugeot et Renault. D'abord parce que Renault appartient au secteur concurrentiel et que la liberté d'action des dirigeants ne dépend pas seulement du degré du contrôle exercé par l'État mais aussi du jugement quotidien exercé par les consommateurs. Opérant sur un marché mondial très concurrentiel, Renault a donc toute chance d'être mieux géré qu'un monopole naturel ou de fait.

Ensuite, parce qu'à Renault est associé le mythe de l'entreprise nationale performante et bien gérée. Le Premier ministre lui-même, lors des débats parlementaires sur les nationalisations, ne déclarait-il pas qu'on « allait faire des nationalisations de type Renault » ?

---

1. Voir en annexe p. 242 un aperçu sur ces études.

2. Les premiers résultats ont été rapportés dans G. GALLAIS-HAMONNO, *Les Nationalisations... À quel prix ? Pour quoi faire ?*, PUF, 1977.

Or, « si l'on s'en tient aux seuls documents publics, le groupe automobile nationalisé a reçu, en incluant Renault nouvelles industries et en raisonnant en francs de 1981, plus de 5 milliards de fonds propres de l'État depuis 1970. Comme l'État s'est montré par ailleurs un actionnaire discret en se satisfaisant d'infiniment moins sous forme d'intérêts, de dividendes, et d'impôts, Renault a disposé ainsi de ressources importantes. Pendant ce temps, les groupes privés se trouvaient dans une situation inverse face à des actionnaires peu généreux et exigeants, et à un État qui réclamait par exemple à Peugeot encore plus qu'il ne donnait à Renault[1]. »

L'analyse pourrait être poursuivie. Citons quelques chiffres supplémentaires. De 1966 à 1975, Peugeot a versé pour 2 400 millions de francs d'impôts. Pendant la même période, Renault a reçu 2 000 millions de francs de l'État en dotations gratuites en capital. De 1975 à 1979, Peugeot a versé quatre fois plus d'impôts à l'État que Renault (3,8 % de son chiffre d'affaires pour Peugeot contre 0,7 % pour Renault). Le taux de marge pour Renault mesuré par le ratio de sa marge brute d'autofinancement à son chiffre d'affaires a été à peu près la moitié de celui de Peugeot.

Cette analyse partielle a été étendue, dans une étude récente, par Georges Gallais-Hamonnol[2] à cinq secteurs de l'économie : l'industrie automobile, les transports maritimes, l'assurance vie, l'assurance contre le vol, les banques de dépôt. Dans presque tous les cas, les résultats sont significatifs : les entreprises privées sont nettement plus rentables que les entreprises publiques sur la période 1972-1979 comme l'atteste le tableau 2.

La conséquence ultime pour le contribuable est que les firmes privées le « payent » tandis que le contribuable actionnaire des entreprises nationalisées doit payer pour

1. Didier Pene, « L'exemple de la Régie Renault est-il probant ? » *Le Monde,* 27 octobre 1981.

2. G. Gallais-Hamonno, « The Utility Function of Government-owned firms in France : The Capture of Profits », *Cahiers de Recherche,* Institut orléanais de Finance, 1982.

Tableau 2 COMPARAISON DE LA RENTABILITÉ ENTRE FIRMES DU SECTEUR PRIVÉ ET FIRMES DU SECTEUR PUBLIC

	Nombre de sociétés	Période de comparaison	Rentabilité en %
Industrie automobile[1].		1970-1979	
Renault	1		0,036
Peugeot	1		2,73⋆
Transports maritimes[1].		1972-1979	
Cie Gle maritime	1		7,97⋆
Chargeurs réunis Delmas Vieljeux	2		1,49⋆
Assurance vie[2].		1976-1979	
Sociétés nationalisées	3		1,203
Sociétés privées	8		1,448
Assurance contre le vol[2].		1970-1979	
Sociétés nationalisées	3		0,237⋆
Sociétés privées	18		0,831⋆
Banques de dépôt[2].		1975-1979	
Sociétés nationalisées	3		
Sociétés privées	42		0,485⋆

1. La rentabilité est mesurée par la marge bénéficiaire, c'est-à-dire le rapport de l'excédent brut d'exploitation au chiffre d'affaires.
2. La rentabilité est mesurée par la rentabilité des actifs, c'est-à-dire le rapport du bénéfice net aux actifs.
⋆ Statistiquement différent de zéro.

Source : Adapté de Georges GALLAIS-HAMONNO, « The Utility Function of Government Owned Firms in France : The Capture of Profits », *Cahiers de Recherche,* Institut orléanais de Finance.

que celles-ci continuent à fonctionner. En effet, les firmes privées dégagent un excédent brut d'exploitation qui est affecté aux contribuables de trois façons différentes : par les impôts qu'elles versent sur leurs bénéfices, par la participation qu'elles paient à leurs employés au titre du plan de participation établi en 1967, et par les dividendes qu'elles versent aux actionnaires tandis qu'elles réinvestissent une partie de leurs bénéfices pour financer leurs investissements. Inversement, dans la mesure où les sociétés nationalisées ne dégagent aucun bénéfice ou très peu, comme dans le cas de Renault, elles ne paient aucun impôt, ne versent pas de participation à leurs salariés et aucun dividende à l'État.

Les tableaux 3 et 4 illustrent cette constatation. On remarquera que la participation obligatoire des salariés aux profits est importante lorsque les sociétés font des bénéfices. Dans le cas de Peugeot, le total cumulé de la participation des salariés a été légèrement supérieur aux dividendes distribués aux actionnaires ; chez Delmas Vieljeux, cette participation a constitué environ la moitié des dividendes distribués. En ce qui concerne l'impôt sur les sociétés, alors que les actifs des trois sociétés nationalisées d'assurance-vie représentaient 84 % des actifs totaux des entreprises d'assurance-vie pendant la période 1976-1979, elles n'ont réalisé que 69 % des bénéfices et n'ont payé que 29 % des impôts versés par les sociétés du secteur. Dans le secteur de l'assurance contre le vol, les actifs de ces mêmes trois sociétés représentaient 49 % des actifs du secteur alors qu'elles n'ont réalisé que 34 % des bénéfices et versé seulement 12 % des impôts durant la même période.

Autre argument avancé en faveur des nationalisations : l'entreprise nationalisée doit conférer une nouvelle « citoyenneté » à ceux qui y travaillent.

La signification de ce terme de citoyenneté est imprécise : on entend sans doute dire que l'épanouissement des employés sur leur lieu de travail devrait être supérieur dans l'entreprise nationalisée à ce qu'il est dans l'entreprise privée. Bien qu'apparemment conforme à la théorie des droits de propriété[1], cet objectif ne semble

---

1. Voir à ce sujet M.Jensen et W. Meckling, « Theory of the

Tableau 3 COMPARAISON DE L'AFFECTATION DE CERTAINS FLUX FINANCIERS DES FIRMES DU SECTEUR PRIVÉ ET DES FIRMES DU SECTEUR PUBLIC

Montants cumulés en millions de francs 1976-1979	Nombre de sociétés	Impôts cumulés sur les sociétés	Pourcentage du total	
			Bénéfices	Actifs
Assurance vie				
publiques	3	48,3	68,9	83,7
privées	18	106,8	81,1	16,3
% des firmes publiques		29,3 %		
Assurance contre le vol				
publiques	3	62,3	34,3	48,7
privées	18	476,0	65,7	51,3
% des firmes publiques		11,7 %		

Source : Adapté de Georges GALLAIS-HAMONNO, *op. cit.*

Tableau 4 COMPARAISON DE L'AFFECTATION DE CERTAINS FLUX FINANCIERS DES FIRMES DU SECTEUR PRIVÉ ET DES FIRMES DU SECTEUR PUBLIC

Montants cumulés en millions de francs	Flux financiers allant à ...			
	État	Employés	Actionnaires	
	Impôt sur les bénéfices[1].	Participation aux bénéfices	Dividendes	Augmentation de capital
Industrie automobile				
1970-9				
Renault	903,3	33,6	829,6 [2]	2 226
Peugeot	5 075,6	654,2	643,0	280
Total	5 978,9	687,8	1 472,6	2 506
% firmes publiques	15,1 %	49 %	56,3 %	88,8 %
Transports maritimes				
1975-9				
Cie générale maritime	- 104,4	0	0	1 286
Chargeurs réunis	51,1	20,9	41,4	0
Delmas Vieljeux				

1. Dont on a déduit les subventions d'équipement.
2. Renault verse un intérêt fixe sur les dotations en capital de l'État.

Source : Adapté de Georges GALLAIS-HAMONNO, *op. cit.*

pas avoir été atteint dans les entreprises publiques, avant le 10 mai 1981.

Une étude du magazine *L'Expansion*[1] réalisée en 1975 dans cinquante des plus grandes entreprises françaises apporte un éclairage précis sur ce point. Elle a été réalisée à partir d'interviews effectuées par deux journalistes, tant auprès des directions générales que des comités d'entreprise sur la base d'un questionnaire comportant quarante questions, classées en douze rubriques[2]. Chaque fois qu'une société apparaissait dans une rubrique parmi les dix meilleures, elle recevait une étoile. Les résultats sont surprenants : chaque fois qu'un secteur comportait à la fois des entreprises publiques et des entreprises privées, ces dernières arrivaient en tête avec un nombre d'étoiles plus important. Le CIC obtenait huit étoiles (sur un total maximum possible de douze) contre six à la BNP, la compagnie d'assurance privée La Paternelle AGP quatre étoiles contre deux à la compagnie d'assurances nationalisée AGF. Même l'image sociale de Renault ne semblait qu'une illusion : elle n'apparaissait qu'une seule fois parmi les dix meilleurs (pour les conditions de travail), tandis que Peugeot apparaissait trois fois (conditions de travail, information des salariés et politique d'aide au logement).

Quant aux performances financières des entreprises publiques et nationalisées depuis le début du septennat socialiste, les premiers éléments chiffrés que nous possédons ne font que valider les hypothèses évoquées plus haut et confirmer les quelques résultats empiriques que nous venons brièvement de passer en revue. — À ceci près : les résultats dépassent les prévisions les plus pessimistes (comme l'atteste le tableau 5). *Toutes les entreprises sont déficitaires* (sauf, marginalement, Saint-Gobain-

---

firm : Managerial behavior, Agency costs and Capital structure », *Journal of Financial Economics*, 3, 1976.

1. *Examen social*, *L'Expansion*, avril 1975.

2. Information, formation, comité d'entreprise, logement, emploi, rémunérations, promotion, les femmes, conditions de travail, vie syndicale, conflits, accidents.

Pont-à-Mousson et la Compagnie générale d'Électricité). *Toutes les entreprises* concernées ont vu leur situation se détériorer en 1982 et déjà, pour la plupart, en 1981. Le déficit cumulé des grandes entreprises nationales (entreprises publiques) et des entreprises publiques du secteur concurrentiel (entreprises nationalisées), s'élève à près de 70 milliards de francs en 1982 et il est destiné à atteindre plus de 100 milliards en 1983. À de tels niveaux, on perd facilement toute notion de la représentativité des chiffres, mais ce déficit financé par le contribuables[1] représente près de la moitié de la valeur en Bourse des entreprises cotées du secteur privé, près de 5 % du PNB, et l'équivalent du déficit budgétaire.

Ce déficit des entreprises publiques et nationalisées ne comprend par ailleurs ni les subventions en capital par lesquelles l'État joue son rôle d'actionnaire, ni le financement des régimes de retraite complémentaire (10 milliards de francs pour la SNCF et 10 milliards de francs pour les Charbonnages de France). Il ne comprend pas non plus les besoins de financement en trésorerie de ces entreprises qui ont été de 130 milliards de francs en 1982.

Rien ne permet d'entrevoir une amélioration en 1983, certes pour des raisons liées à l'environnement économique, mais surtout à cause des contraintes que le gouvernement exerce sur les entreprises publiques et nationalisées pour masquer les échecs qu'il enregistre par ailleurs. Par exemple, il a demandé à la SNCF, déjà bien pourvue sur le plan des effectifs, d'embaucher 20 000 personnes supplémentaires en 1983, ce qu'elle n'a pu faire qu'en partie. Autre exemple : les plans d'embauche d'EDF prévoyaient une augmentation des effectifs de 2 % par an. Le gouvernement lui a imposé 4 % d'aug-

1. J.-J. Rosa a pu, à juste raison, parler de « capitalisme des pertes » et de « contribuable actionnaire », pour décrire un tel phénomène. Voir J.-J. Rosa, « Nationalisations : le capitalisme des pertes », *Le Figaro*, 20-21 juin 1981.

Tableau 5 RÉSULTATS DES ENTREPRISES PUBLIQUES ET NATIONALISÉES
Pertes en millions de francs

	1979	1980	1981[2]	1982[3]
I - Grandes entreprises nationalisées				
EDF	(677)	84	(4640) (4640)[1]	(8250) (8250)[1]
GDF	5	49	(950) (950)[1]	(4000) (4000)[1]
CDF	60	(484)	(3130) (7370)[1]	(2000) (8500)[1]
SNCF	108	(674)	(2020) (17430)[1]	(5000) (23000)[1]
RATP	24	(24)	(5030) (10270)[1]	(3000) (8100)[1]
Air France	214	10	730 (1100)[1]	(1000) 1350)[1]
Air Inter	42	56	50 (35)[1]	≃ 0
Total (I)	224 (21071)[1]	(983) (22881)	(15450) (41796)[1]	(21250) (53200)[1]
II — Entreprises publiques du secteur concurrentiel				
Renault	1016	1547	(675)	(3000)
Thomson	460	502	(168)	(1000)
CGE	455	556	586	500
Saint-Gobain	656	909	420	200
Rhône-Poulenc	791	(1947)	(335)	(500)
PUK	991	607	(2000)	(2200)
Usinor (Société mère)	(933)	(1229)	(3918)	(3500)
Sacilor	(1539)	(2006)	(2897)	(3500)
CII HB	210	180	(430)	(2000)
Total (II)	2107	(881)	(9417)	(15000)
III — Total (I) + (II)	(18964)[1]	(23762)[1]	(51222)[1]	(68200)[2]

1. Résultat net déclaré plus subventions d'exploitation.
2. Les chiffres de 1981 sont issus des rapports annuels de sociétés. La publication de ces derniers a lieu fin octobre pour les grandes entreprises nationales alors que la commission des opérations de Bourse enjoint aux sociétés privées de publier leurs comptes et rapports annuels dans le courant du premier semestre.
3. Les chiffres de 1982 proviennent d'estimation de plusieurs bureaux d'études de banques.

mentation (ce qui n'a pas eu de répercussion sur les chiffres 1982) dont les effets se feront sentir pendant trente ans. Par ailleurs, l'endettement en devises d'EDF (principalement en dollars) a dépassé les 30 milliards de dollars pour lesquels EDF a obtenu du gouvernement la garantie de change. Celle-ci n'a pas encore eu à jouer ; il n'empêche que la perte de change devrait être considérable si la parité du franc avec le dollar reste à son niveau actuel ou se détériore.

Il faut d'ailleurs noter que la situation de ces entreprises n'est pas homogène. Alors que les grandes entreprises nationales font l'objet de pressions incessantes de la part du gouvernement, celui-ci se comporte généralement — pour l'instant — à l'égard des sociétés industrielles nouvellement nationalisées selon la doctrine anglaise du parti travailliste de l'« *arm's length* » en essayant d'interférer le moins possible dans leur gestion. Même pour ce qui est des perspectives du groupe des grandes entreprises nationales, leur situation et les contraintes qui s'exercent sur elles présentent des différences notables. Ainsi EDF ne bénéficie jusqu'à présent d'aucune subvention d'exploitation (son déficit avant et après subventions d'exploitation est le même dans le tableau V) ce qui n'est pas le cas des autres grandes entreprises nationales, à l'exception de GDF. Ainsi, le chiffre d'affaires de la RATP ne couvre que le tiers de ses charges. Le plan d'investissement de CDF, qui visait à faire passer la production charbonnière de la France de 20 à 30 millions de tonnes, a été récemment abandonné, mais près de deux milliards de francs d'investissements avaient été auparavant engagés, — en pure perte.

Ainsi il apparaît que les pertes considérables des entreprises publiques et nationalisées sont la première manifestation des investissements non rentables que le gouvernement socialiste entend effectuer par le biais du secteur public élargi ; il méconnaît par là le fonctionnement des entreprises et la manière dont s'y déroule le processus d'investissement, comme le rappelait récemment un banquier[1] :

« Je me sens obligé de faire preuve d'un scepticisme total à l'égard des mesures que compte employer le gouvernement

1. P. de Week, « L'expérience socialiste jugée de l'Étranger », *Le Figaro*, 6 novembre 1982.

pour relancer les investissements ; on se propose d'injecter dans l'industrie un certain nombre de milliards de francs, avec comme « devoir d'école » d'affecter ces sommes prêtées à des investissements productifs. Bien que banquier, ma participation aux conseils d'administration d'industries importantes m'a montré combien les décisions relatives aux investissements sont délicates à prendre et combien elles sont risquées. Ce sont des décisions indispensables parce que l'avenir des entreprises en dépend. Mais ce sont aussi des décisions qui ne peuvent qu'être étudiées de manière approfondie, mûries et qui surtout, pour avoir des chances de succès, doivent être le point d'une continuité dans la pensée et dans l'action. Des décisions aussi qui deviennent terriblement périlleuses lorsque l'argent à investir n'est pas de l'argent gagné préalablement mais prêté... Croire que ce processus industriel, le plus délicat, le plus risqué, le plus difficile, peut être résolu par une action volontariste et il faut le dire assez précipitée, me paraît une grande illusion. Dans des circonstances normales, le nombre des investissements conduisant à des échecs est déjà assez sensible. Dans les conditions où le gouvernement entend orienter les investissements, le nombre des échecs doit forcément, à mon avis, être considérablement supérieur et atteindre un pourcentage important des sommes investies. »

Dénationaliser

En définitive, il n'y a aucune raison, sauf idéologique et corporatiste visant à donner des avantages à une clientèle syndicale ou électorale, pour que l'État prenne en charge la fabrication d'automobiles, la sidérurgie ou le crédit. Contrairement à la direction qui a été prise, c'est donc vers une diminution du poids et du rôle relatif de l'État qu'il faut s'orienter. Les avantages en seraient immenses bien que progressifs et diffus dans beaucoup de domaines où l'État intervient trop[1]. Dans celui qui

1. Sur les axes d'une politique de déréglementation en France, voir P. MENTRE, *Gulliver enchaîné*, La Table Ronde, 1982 ; A. FOURCANS, *Pour un nouveau libéralisme*, Albin Michel, 1982... et le discours prononcé par François MITTERRAND à l'Élysée à l'occasion des cérémonies de vœux 1983...

nous préoccupe, le système industriel et financier, il s'agit de rendre au secteur privé les entreprises du secteur public et nationalisé, à l'instar de plusieurs expériences étrangères et en particulier de celle qui est en train de se dérouler avec succès en Grande-Bretagne.

Cette mutation ne constituerait pas un retour en arrière mais permettrait de remettre la France sur la voie d'une économie moderne. En effet, comme on l'a vu, la nationalisation, par le transfert de propriété à l'État, transforme une propriété individuelle librement négociable en une propriété collective en indivision. Tous ceux qui connaissent en pratique la situation d'indivision en savent les contraintes et les frustrations. Il est intéressant de noter de ce point de vue que la formule de la propriété mobilière individualisée et librement négociable d'une entreprise, qui caractérise le capitalisme, est une invention juridique récente qui ne s'est développée qu'avec la révolution industrielle. C'est la propriété collective indivise qui constitue un archaïsme et non la propriété mobilière privée, qui représente au contraire un progrès institutionnel considérable. Sans cette technique, nous n'aurions pas davantage atteint notre niveau de vie actuel qu'en l'absence de la machine à vapeur, du moteur à explosion ou les télécommunications[1].

Pour accomplir cette mutation, il faut d'abord analyser l'ensemble du secteur public et nationalisé pour déterminer quelles entreprises ou éléments d'entreprises doivent être rendus au secteur privé, selon quel échéancier et par quels moyens.

L'observation de la figure 2 facilite l'étude des deux premières questions. Cette figure représente les entreprises du secteur public ou nationalisé dans une matrice où l'un des axes représente la situation plus ou moins concurrentielle dans laquelle elles se trouvent tandis que le deuxième axe représente leur niveau de rentabilité. Ainsi le groupe Paribas ou telle banque récemment

---

1. Voir à ce sujet H. LEPAGE, *Demain le capitalisme*, « Pluriel », 1978.

nationalisée sont rentables et se trouvent en situation de concurrence avec les autres banques d'affaires ou de dépôts. Rhône-Poulenc, Sacilor ou CDF Chimie se trouvent elles aussi dans le secteur concurrentiel mais ne sont pas rentables. La Caisse des dépôts et consignations se trouve en situation de quasi monopole (par le réseau des caisses d'épargne qui lui assure l'essentiel de ses ressources et qui bénéficie d'avantages exorbitants dans la collecte de l'épargne) et est par ailleurs rentable. Enfin, le système postal regroupé au sein des PTT jouit d'un monopole de droit et n'est pas rentable.

Figure 2

POSITION MATRICIELLE DES ENTREPRISES PUBLIQUES ET NATIONALISÉES

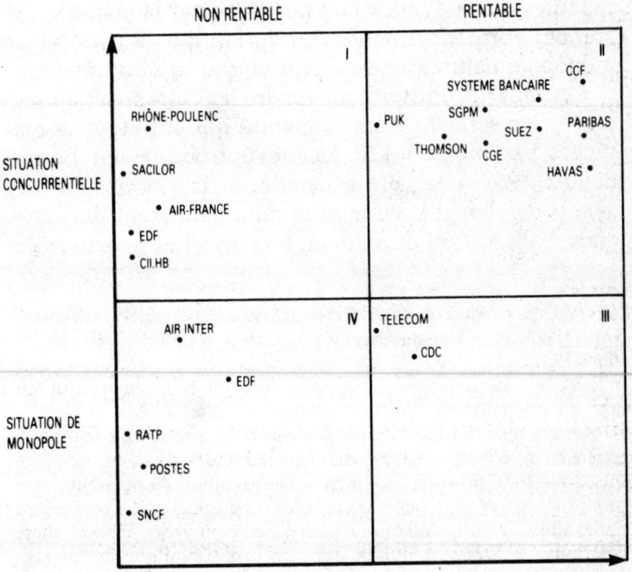

La première tâche consisterait à établir un tel tableau matriciel pour l'ensemble du secteur public et nationalisé en faisant éclater des entreprises pour y faire figurer certains de leurs éléments (en distinguant par exemple dans les PTT, les télécommunications et le système postal).

L'échéancier de la dénationalisation se déduirait de l'observation d'une telle matrice. Seraient d'abord rendues au secteur privé les sociétés rentables du secteur concurrentiel. Parallèlement des efforts seraient poursuivis pour faire passer dans des délais raisonnables les entreprises ou certains de leurs éléments d'une part du carré I vers le carré II, en rendant rentables par des mesures appropriées les entreprises provisoirement ou structurellement non rentables du secteur concurrentiel, et d'autre part du carré IV vers le carré I. Cette dernière politique peut paraître plus difficile à mener que la précédente ; elle est cependant possible pour la majorité des grandes entreprises nationales du fait que la position de monopole naturel tend de plus en plus à s'estomper[1].

Les moyens utilisés pour rendre les entreprises au secteur privé seraient ceux-là mêmes qui ont été déjà employés par plus de 120 sociétés introduites en Bourse depuis 1962 à la cote officielle de la Compagnie des agents de change[2]. Pour ceux qui douteraient des capacités d'absorption du marché lors de telles opérations et

---

1. Voir à ce sujet et pour les entreprises nationalisées anglaises : S. LITTLECHILD, « Denationalisation », *Journal of Economic Affairs*, octobre 1981.

2. Il s'agit de la procédure de mise en vente réservée aujourd'hui aux introductions de sociétés dont l'importance est à l'égal de la notoriété et qui ont choisi la « voie royale » pour leur entrée sur le marché officiel. Par cette procédure, au moins 25 % des titres de la société introduite sont mis instantanément à la disposition du public par une procédure qui se rapproche des procédures d'adjudication concurrentielles utilisées outre-Atlantique pour la mise en vente hebdomadaire des Bons du Trésor et qui assurent un prix d'équilibre de marché. D'autres procédures pourraient être utilisées, telles l'offre publique de vente, encore imparfaitement rodée à la Bourse de Paris, une augmentation du capital ou d'autres formules encore.

qui craindraient la mainmise sur ces sociétés de quelques « grands groupes », l'expérience anglaise en cours offre toutes les assurances nécessaires[1].

Même si cette privatisation semble recueillir de plus en plus d'adhésions et de partisans du côté des partis de l'opposition qui considéraient avant mai 1981 le secteur public comme un tabou auquel il n'était pas question de toucher, il est à craindre cependant qu'elle ne se fasse pas sans difficulté le jour où le problème se posera concrètement. Comme le rappelle Jean-Jacques Rosa :

> « À côté du coût pour le pays, la nationalisation présente des avantages particuliers. Elle permet tout d'abord aux gouvernements d'installer des amis politiques aux postes de commandement selon le principe du "parachutage", ce qui n'est pas sans avantage pour mener une politique et récompenser les fidélités. Ainsi, le secteur nationalisé élargit-il les perspectives de carrière des entrepreneurs du marché politique et des hauts fonctionnaires[2]. »

Même si l'étude de *L'Expansion* citée plus haut ne donnait pas d'avantages distinctifs aux entreprises publiques du point de vue du confort de leurs employés, la nationalisation présente certains avantages pour les salariés ou en tout cas certains d'entre eux. On connaît l'importance du budget du comité d'entreprise d'EDF — près de 2 milliards de francs en 1982 soit un quart du

---

À ce sujet, on pourra se reporter à B. JACQUILLAT et J. MC DONALD, « The Pricing of Initial Equity Issues : The French Sealed Bid Auction », *Journal of Business*, janvier 1974 ; B. JACQUILLAT, J. MC DONALD et J. ROLFO, « L'introduction en Bourse des sociétés », *Banque*, n° 385, juin 1979 ; et B. MIRAT, *La Bourse et ses acteurs*, Dunod, 1971.

1. La privatisation par mise à la disposition du public des titres de British Airways et Cable and Wireless à la suite de leur introduction en Bourse ont excédé 3 milliards de francs. Celle de Britoil effectuée fin 1982 a été la plus importante de toute l'histoire de la Bourse de Londres.

2. J.-J- ROSA, « Nationalisations, le capitalisme des contribuables », *Politique économique*, n° 7, mai-juin 1981.

déficit de l'entreprise — mais la même étude de *L'Expansion* montrait que les syndicats de salariés obtiennent davantage dans les entreprises publiques que ce qui est prescrit par la loi. Ainsi la BNP a 2 permanents syndicaux pour 10 000 employés, la SNCF 3, les Assurances générales de France 7, la RATP 10, le ministère des PTT 12, EDF 15, etc. et la Banque de France 24.

Enfin, et ce n'est pas le moins important, les entreprises publiques ne risquent jamais d'être mises en faillite et le licenciement des salariés y est des plus rares. Le relâchement de la surveillance, pour un salaire équivalent à ce qu'on peut obtenir dans les autres entreprises, permet une réduction de l'effort et donc une augmentation de la véritable rémunération. Un certain nombre de groupes, salariés, syndicats, hommes politiques en place trouvent ainsi des avantages indiscutables dans la nationalisation, dont le coût est supporté de manière diffuse et pour ainsi dire insensible, par l'ensemble des contribuables. Il faudrait que le processus de pertes se développe encore davantage avant que les électeurs peu informés de ces mécanismes viennent à bout de cette coalition puissante d'intérêts.

L'emprise de l'État sur le système financier

L'emprise de l'État sur le système financier français se mesurait habituellement selon cinq critères[1], qui sont devenus caducs depuis la loi de nationalisation du 13

---

1. Il s'agissait de la détention du capital (Banque de France, banques nationales), du contrôle financier indirect exercé par l'État *via* les filiales des banques nationales, la BFCE ou l'IDI, du contrôle exercé par des établissements publics, démembrement de l'État tels que la Caisse des dépôts et consignations, du contrôle qu'il exerçait par la nomination des dirigieants dans des établissements où il n'a pas de contrôle financier (Crédit Foncier de France, Crédit National, Comptoir des entrepreneurs...), du contrôle qu'il exerçait par la nomination d'un commissaire du gouvernement auprès des instances dirigeantes (banques d'affaires, SDR).

février 1982 étendant le secteur public financier à presque l'ensemble du système bancaire. L'emprise de l'État sur le système financier s'exerçait naguère, pour une part minoritaire, de manière directe et pour le reste de manière diffuse et graduée. Elle est aujourd'hui totale et les effets pervers de cette emprise, aujourd'hui considérables, ont été parfaitement résumés par le gouverneur de la Banque de France, M. Renaud de la Genière, dans sa lettre de présentation du compte rendu annuel adressé, au président de la République le 18 mars 1982 :

« Directement pour les banques nationalisées ou indirectement pour les organismes à statut légal spécial, l'État va déterminer ou influencer l'activité de l'essentiel du système bancaire. Dès lors, tous les éléments de ce dernier devraient être placés dans une position de stricte égalité vis-à-vis de la loi fiscale et budgétaire, de la réglementation de la profession et de ses opérations et des instruments techniques de la politique monétaire...

« La correction des distorsions actuelles n'est pas seulement nécessaire pour que la concurrence s'exerce loyalement entre les réseaux et pour que leur développement soit fonction de leur dynamisme et non de leurs privilèges. Elle est aussi indispensable pour que les taux d'intérêt puissent résulter de la confrontation de l'ensemble des épargnes et des investissements. Encore faut-il que les interventions publiques, même rendues semblables pour les différents réseaux, ne perturbent pas la formation des taux.

« Or, ces interventions multiplient les régimes spéciaux pour les différentes catégories de ressources et d'emplois des banques : exonérations fiscales, réglementation de divers taux d'intérêt, bonifications, affectation d'épargne dégrevée ou subventionnée à des prêts privilégiés, contrôle des changes ; cet arsenal s'enrichit chaque année sans que ce qui a été accordé selon les contingences soit remis en question.

« Nous avons ainsi abouti à une réglementation financière tout à la fois onéreuse pour les finances publiques et peu propice à l'orientation souhaitable de l'épargne : l'endettement est favorisé par rapport au développement des fonds propres et certains placements liquides au détriment des placements stables. L'objectif devrait être de redresser ces distorsions afin de faciliter la confrontation, aussi large que possible, des épargnes et de leurs placements à l'intérieur de notre pays, et le moment venu, dans un cadre plus vaste. »

Cette déclaration fait ressortir la nouvelle emprise de l'État sur le système financier français de trois manières : l'État qui contrôle la quasi-totalité des banques inscrites peut influencer l'activité du système bancaire, c'est-à-dire le crédit dans le sens qu'il souhaite ; cette emprise se situe dans le droit fil de celle que nous avons décrite dans les pages précédentes consacrées aux nationalisations, en l'étendant. Cette maîtrise dans l'allocation des crédits est accentuée par ce que le gouverneur de la Banque de France appelle les interventions publiques, c'est-à-dire les techniques de restriction et de sélection des crédits que l'État met en œuvre par sa politique du crédit. Enfin, l'arsenal des techniques de contrôle financier s'est enrichi d'un circuit financier parallèle destiné à faciliter l'aide aux entreprises et qui intervient par le biais d'exemptions fiscales, de bonifications, de subventions, etc., de manière croissante et discrétionnaire.

Comme le souligne M. Renaud de la Genière, cet enchevêtrement et cette superposition de contrôles aboutissent à une réglementation financière tout à la fois onéreuse pour les finances publiques et peu propice à l'orientation de l'épargne. Les mesures prises en faveur de cette dernière, tout en révélant l'incohérence de l'action gouvernementale (on tend à rendre d'une main ce qu'on a pris de l'autre), sont notoirement insuffisantes pour redresser une telle situation, comme on le verra dans la troisième partie de ce chapitre.

Restriction et sélectivité du crédit

Avant 1981 et aux regards des critères classiques de mesure du contrôle de l'État, on pouvait évaluer le pouvoir potentiel de ce dernier (en % au total des bilans des institutions financières) de la manière suivante[1].

---

1. Pour plus de détails sur cette classification, voir R. PENAUD, *Les Institutions financières françaises,* 2e édition, revue *Banque* éditeur, 1982.

— Institutions financières sous contrôle public total ou potentiel	64,6 %
— Secteur mutualiste	14,4 %
— Établissements financiers	4,1 %
— Secteur privé bancaire	16,9 %
Ensemble des institutions financières	100,0 %

L'État contrôlait donc à peu près les deux tiers du système financier. Depuis la loi du 13 février 1982 portant nationalisation de trente-huit banques, c'est près de 85 % du système bancaire français qu'il contrôle désormais. La nature de ce transfert est indiquée dans le tableau 6.

Le pouvoir socialiste n'a pas été long à profiter de cette situation lorsqu'il a fallu au milieu de l'année 1982 « trouver » quelque dix milliards de prêts pour renflouer les bilans de certaines sociétés industrielles nouvellement nationalisées ; ordre a été donné au système bancaire, au prorata de l'importance de chacun de ces éléments, d'y pourvoir sans que les banques sollicitées aient eu la possibilité de refuser d'accorder de tels prêts déguisés à faible taux d'intérêt, en arguant, par exemple, du fait que les risques pris étaient excessifs d'un point de vue bancaire.

Cette forme d'interventionnisme est directe et extrême. Il en existe une autre, plus traditionnelle mais aussi plus diffuse et plus pernicieuse, que l'extension du secteur public à l'ensemble du système bancaire a rendue plus facile : c'est la réglementation du crédit, qui met simultanément en œuvre des techniques de restriction et des techniques de sélection. Comme c'est une part de « l'héritage » de l'« ancien régime » que le gouvernement socialiste exploite et développe énergiquement, il n'est pas inutile d'en rappeler les principaux mécanismes.

Les techniques de *restriction* du crédit reposent sur le contrôle des activités des banques, et s'exercent sur un domaine étendu qui englobe à la fois les conditions d'accès à la profession, les règles de compétence ou de spécialisation, les taux pratiqués, le niveau des ressources

Tableau 6 SITUATION DES BANQUES INSCRITES AU REGARD DU DISPOSITIF DE NATIONALISATION*

	Nombre d'établissements	Montant des dépôts collectes en MMF	%	Montant des crédits consentis	%	Nombre de guichets	%
Banques nationalisées ou contrôlées directement ou indirectement par des entreprises nationalisées	124	679 593	87,57	770 592	77,61	8 832	90,54
Avant 1982 *Banques nationalisées* (loi du 2 décembre 1945)	3	452 433	58,30	456 637	46	5 516	56,51
Banques dont le capital est détenu directement ou indirectement à plus de 50 % par des entreprises nationalisées	27	6 770	0,87	13 088	1,31	154	1,58
Extension 1982 Nouvelles banques nationalisées	36	207 225	26,70	258 230	26,01	2 846	30,18
Banques dont le capital est détenu directement ou indirectement à plus de 50 % par des entreprises nationalisées	58	13 165	1,70	42 637	4,29	222	2,27
Autres banques	253	96 502	12,43	222 317	22,39	923	9,46
Banques françaises	115	34 530	4,45	53 799	8,44	467	4,79
Banques étrangères	138	61 972	7,98	138 518	13,95	456	4,67
Ensemble	377	776 095	100	992 909	100	9 761	100

* Chiffres au 5 janvier 1982.
Source : Adapté du Conseil National du Crédit, Statistiques mensuelles.

des banques et de leurs emplois. Les contrôles des taux et les contraintes quantitatives constituent le cœur de la réglementation traditionnelle du crédit.

La contrainte majeure en matière des prix est représentée par les limites que les autorités monétaires fixent en matière de rémunération des dépôts. Les dépôts à vue des résidents ne peuvent être rémunérés et la rémunération des dépôts à terme et bons de caisse n'est libre qu'au-delà d'un montant plancher ou d'une durée minimale. Par ailleurs, l'épargne courte investie en banque ne bénéficie pas des mêmes privilèges fiscaux que celle qui est investie dans les caisses d'épargne.

À l'origine, l'objet du contrôle des taux créditeurs était de protéger les épargnants en évitant aux banques de faire de la surenchère dans leurs rémunérations avec pour contrepartie le danger qu'elles s'engagent dans des opérations risquées dans l'affectation de leurs emplois. Aujourd'hui, le contrôle de la rémunération des dépôts entre dans le cadre d'une politique plus large d'orientation des fonds vers les divers réseaux. C'est à cet objectif que correspond la création du livret d'épargne populaire, les privilèges fiscaux supplémentaires accordés à l'épargne déposée auprès des caisses d'épargne et les mesures strictes de limitation des rémunérations des dépôts à terme auprès des banques inscrites décidées par M.J. Delors en juillet 1981 (plancher de 500 000 francs de dépôts et durée minimale de six mois).

Le coût du crédit bancaire, c'est-à-dire en gros les taux débiteurs, est en principe libre depuis 1967. En réalité, il fait l'objet d'une surveillance étroite de la direction du Trésor alors que, par ailleurs, plus de la moitié des crédits à l'économie sont consentis à des taux privilégiés, ce qui, conjointement avec le contrôle des dépôts, détermine largement le niveau des taux « libres » des banques. Cette politique tend, de fait, comme nous le verrons plus loin à renchérir le coût des crédits non privilégiés et à réduire leur quantité.

Les contraintes en matière de croissance des crédits bancaires s'exercent principalement par le biais de l'encadrement du crédit. Cette technique beaucoup plus brutale que celle du rationnement de la liquidité bancaire — relativement inopérante en France — a pour inconvénient de figer la concurrence puisqu'elle gèle les parts de marchés des banques, et, en fait, conforte les rentes de situation des plus grandes. La concurrence par les prix ne pouvant s'exercer pleinement à cause du contrôle qui s'exerce sur les taux, la discrimination entre emprunteurs se fait sur d'autres critères ; elle affecte plus, naturellement, les emprunteurs ayant une moindre notoriété ou une assise financière moins solide, indépendamment de la qualité des emplois auxquels seraient destinés les crédits qu'ils demandent[1].

1. Sur ces mécanismes de « repression financière ». voir de nouveau le livre de J.-J. Rosa et M. Dietrich, *op. cit.*

L'objet de la *sélectivité du crédit* n'est pas d'agir sur la quantité du crédit mais plutôt sur sa répartition entre les différents secteurs de l'activité économique. Elle est l'instrument d'une planification micro-économique du crédit.

Son objectif est à la fois d'opérer une redistribution des fonds vers les secteurs jugés prioritaires, (traditionnellement le logement, les PME, le secteur agricole, l'État et les collectivités publiques et locales) et de maintenir l'activité dans ces secteurs en période d'encadrement du crédit ou de taux d'intérêt élevés. L'hypothèse qui sous-tend cet objectif est le suivant : le marché favorise les grandes entreprises, il est incapable de fournir les crédits qui sont nécessaires à des secteurs de l'économie jugés prioritaires ou à des catégories précises d'entreprises ni d'atteindre certains objectifs tels que le maintien d'un tissu de PME, la promotion de l'innovation, la recherche de nouveaux produits, éléments qui ne font pas directement partie des normes habituelles de distribution des crédits.

Les méthodes de la sélectivité consistent moins à imposer des conditions aux emprunteurs qu'à contrôler les actions des prêteurs. Ces contrôles prennent en France essentiellement deux formes. Un quasi-monopole de la distribution de certaines catégories de crédits conféré par l'État à certaines institutions financières d'une part, et des contraintes imposées aux banques inscrites sur l'utilisation de leurs ressources d'autre part.

Dénoncé successivement par le rapport Marjolin-Sadrin-Wormser (1969) et par le rapport Mayoux (1979), ce cloisonnement des circuits financiers aboutit à la situation suivante :
— Certains secteurs de l'activité économique obiennent, en raison de la loi et du règlement, les meilleures conditions de disponibilité, de durée et de taux de leurs dépôts auprès d'institutions financières spécialisées ; par ailleurs, ils reçoivent de celles-ci une partie importante sinon l'ensemble de leurs ressources externes à long terme.

— Ces institutions peuvent maintenir ces conditions de banque grâce aux avantages qu'elles possèdent elles-mêmes quant au coût et aux autres conditions de la collecte de leurs ressources.

L'autre forme de sélectivité du crédit consiste à imposer aux institutions financières et notamment aux banques commerciales des plafonds d'emplois et autres contraintes sur l'utilisation de leurs ressources.

Les techniques de réglementation financière que nous venons d'évoquer ont pour effet d'instaurer un rationnement des crédits distribués qui prend deux formes : une limitation de la part des ressources allant aux entreprises dans l'ensemble des ressources financières consenties par le système financier ; une limitation de la part des crédits allant aux entreprises les plus risquées.

Pour ce qui concerne le premier point, le tableau 7 montre clairement qu'au cours des dix dernières années, la part des sociétés dans l'ensemble des crédits à l'économie a eu tendance à décroître en permanence : elle est passée de 57,3 % à 41,5 % de 1971 à 1981[1].

---

1. Cette décrue ne peut être liée à la baisse récente des investissements puisqu'elle est intervenue bien avant celle-ci et avec une amplitude plus forte. Cette décroissance relative du crédit bancaire a été compensée de manière subtile par une augmentation du *crédit interentreprises* qui aujourd'hui représente un encours de plus de 1 000 milliards, *supérieur à l'ensemble des crédits bancaires aux entreprises.* Le développement du crédit interentreprises s'explique à la fois par la réglementation du crédit et le jeu combiné de l'inflation et de la fiscalité. Un projet assez avancé du ministère des Finances viserait à le réglementer pour lui faire perdre son importance. Toute action hâtive des pouvoirs publics se révélerait une source de pertes pour de nombreuses firmes, certaines appartenant aux secteurs que l'on cherche à protéger, tout en étant par ailleurs inefficace tant il est vrai que l'équilibre en matière de crédit interentreprises est un équilibre stable, quasi-constitutionnel, auquel il ne faut toucher qu'avec prudence.

Voir à ce sujet B. JACQUILLAT et M. DIETSCH, *Le Financement des entreprises : le crédit interentreprises et la grande distribution*, Cahiers de Recherche du CESA et Institut La Boétie, 1983.

Tableau 7 DÉCOMPOSITION DE L'ENSEMBLE DES CRÉDITS À L'ÉCONOMIE PAR CATÉGORIE DE BÉNÉFICIAIRES*
(En moyenne annuelle)

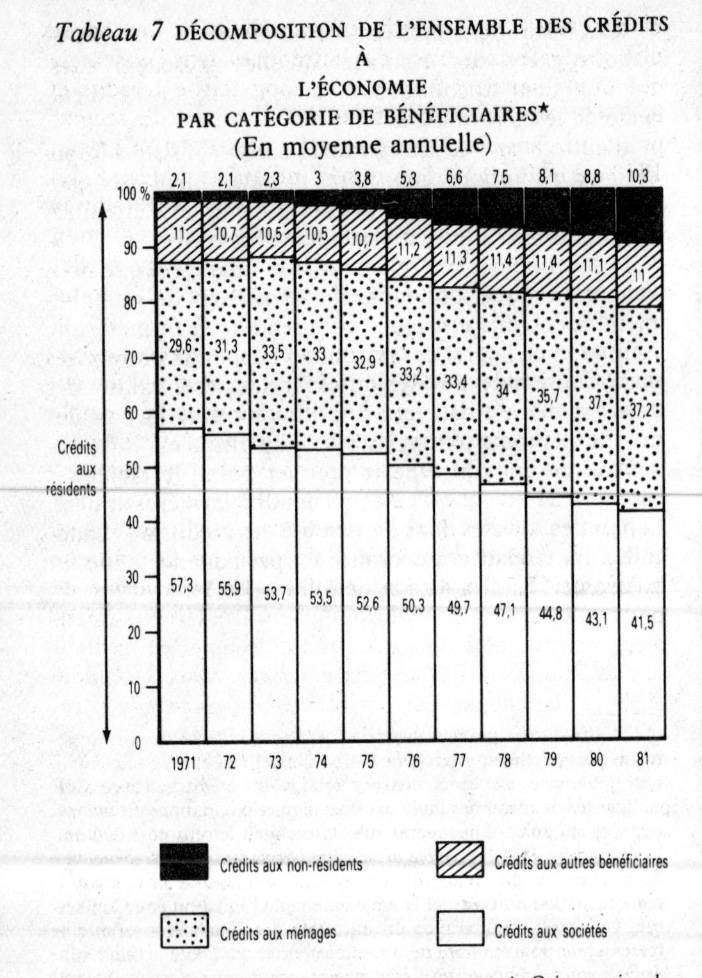

* Non compris la Caisse nationale des autoroutes et la Caisse nationale des télécommunications.

Source : Conseil national du Crédit.

Ce déclin est imputable à la fois à une réduction des crédits de trésorerie dans l'ensemble des crédits et à une réduction des crédits à moyen et long terme destinés aux entreprises. Il est à mettre en parallèle avec une baisse plus générale de la place des entreprises dans l'ensemble des flux financiers à moyen et long terme (crédits et émissions sur le marché financier). La part du secteur productif dans ces flux est en effet passée de 56,1 % en 1970 à 45,4 % en 1981, comme l'indique le tableau 8. La réduction de la part des entreprises dans les crédits à moyen et long terme s'est accompagnée d'une réduction de la part des entreprises dans les émissions nouvelles d'actions et d'obligations comme le fait ressortir le tableau 9.

Cette évolution est à mettre en parallèle avec la croissance des financements destinés au secteur public qui passe de 61 % en 1976 à 78 % en 1982 dans l'ensemble des concours assurés par le marché financier. Ce mouvement d'éviction des emprunteurs privés par les emprunteurs publics est une tendance caractéristique de l'évolution des marchés de crédit et des marchés financiers au cours des dernières années. Il s'appuie sur la politique budgétaire où s'expriment les dotations sous forme de prêts bonifiés et sur le cloisonnement des circuits financiers puisque certaines institutions financières véhiculent de manière prioritaire ces dotations. Mais il s'appuie aussi largement sur le contrôle des émissions de titres sur le marché financier par le Trésor[1].

1. L'émission par le Trésor français et les autres emprunteurs publics de volumes importants d'obligations à plus longue échéance accroît le coût du financement à long terme pour les entreprises et les autres emprunteurs du secteur privé et leur en réduit l'accès. Découragée par un marché financier peu réceptif, une société cherchant à financer des installations ou équipements nouveaux peut tout simplement annuler ou amputer ses projets ou encore (dans l'espoir de refinancer ses engagements ultérieurement) se décider à les réaliser en empruntant à court terme. Ces dernières années, les entreprises ont opté pour les deux solutions : l'investissement en capital fixe a diminué et le financement est aménagé de plus en plus sur la base du court terme, ce qui affaiblit la structure des bilans.

Sur l'effet d'éviction des emprunteurs privés par les emprunteurs publics, voir B. FRIEDMAN, « La politique du Trésor américain met en péril le financement du secteur privé », *Harvard Business Review*, septembre, octobre 1982.

Tableau 8 PARTS DES DIVERS EMPRUNTEURS DANS L'ENSEMBLE DES FLUX DE FINANCEMENT LONGS (en %)

	1970	1971	1972	1973	1974	1975	1976	1977	1978	1979	1980	1981
Collectivités locales	8,1	8,3	9,4	8,6	9,0	8,8	7,7	8,0	8,4	7,6	6,1	6
Autres administrations	2,0	1,3	1,2	1,0	1,0	0,8	1,1	2,9	0,5	0,3	0,4	0,7
Logement ménages	20,6	28,0	31,0	28,0	22,0	21,9	29,1	25,0	29,8	33,6	27	27,4
Entreprises logement	15,7	11,8	8,7	9,3	10,1	9,3	9,0	11,1	10,5		9,8	
Industrie, services, commerces	38,6	37,9	35,9	35,9	40,9	42,5	38,3	32,4	31,8	41,8	35,7	45,4
Agriculture	1,8	1,8	1,7	2,4	0,6	2,1	0,9	4,0	0,5		1,4	
Reste du monde	13,2	10,9	12,2	14,7	16,5	14,5	17,0	13,8	19,7	16,7	19,6	20,5

Source : Tableau de financement à long terme — Rapports du FDES.

Tableau 9 RÉPARTITION DES ÉMISSIONS DE VALEURS MOBILIÈRES ENTRE SECTEUR PUBLIC ET SECTEUR PRIVÉ (en %)

	1976	1977	1978	1979	1980	1981	1982[1]
Total secteur public et semi-public (1)	51	57	64	63	68	71	78
Émissions obligations du secteur privé (2)	27	22	14	17	14	17	18
Émissions d'actions du secteur privé (3)	22	21	22	20	18	12	4
Total secteur privé (2) + (3)	49	43	36	37	32	29	22
Total (1) + (2) + (3)	100	100	100	100	100	100	100

1. Chiffres provisoires.

Source : *L'Année boursière*, Compagnie des agents de change, diverses années.

Tableau 10 IMPORTANCE DES CRÉDITS À TAUX PRIVILÉGIÉS PAR SECTEUR BÉNÉFICIAIRE

Secteur	1969			1973			1979			1981		
	en % du total	en % des crédits au secteur	en % des crédits à l'économie	en % du total	en % des crédits au secteur	en % des crédits à l'économie	en % du total	en % des crédits au secteur	en % des crédits à l'économie	en % du total	en % des crédits au secteur	en % des crédits à l'économie
Entreprises												
— hors logement	34,1	28,6	15,9	29,8	22,5	11,5	22,5	25,8	9,8	21,8	28,5	10,5
— logement[1]	23,5	86,4	10,9	23,6	82,9	9,1	16,1	85,3	7,1	16,5	84,2	7,0
Ménages (hors entreprises individuelles)	21,4	50,0	10,0	23,6	35,8	9,1	31,7	44,6	13,9	32,0	44,5	12,6
Administrations (sauf État)	20,8	89,2	9,7	21,6	84,8	8,4	19,4	76,9	8,5	18,1	79,0	7,5
Non-Résidents	0,2	5,8	—	1,4	21,3	0,5	10,3	55,4	4,5	11,6	65,0	6,6
Total	100,0		46,5	100,0		38,6	100,0		43,8			

1. Ces prêts recouvrent l'ensemble des concours aux organismes constructeurs et notamment les prêts aux organismes d'HLM lorsque le but est la location.

Source : Banque de France.

La politique sélective du crédit profite par ailleurs moins aux entreprises qu'aux autres agents économiques comme l'indique le tableau 10. On observe ainsi que la part des entreprises dans l'ensemble des crédits à taux privilégiés s'est sensiblement réduite en dix ans, même si la part des crédits à taux privilégiés dans le total des crédits accordés aux entreprises s'est accrue.

Ce qui veut dire qu'une part de plus en plus importante de l'économie française se trouve assistée en bénéficiant de crédits à taux privilégiés (plus de 50 % en 1982), même si les entreprises en profitent moins qu'avant. Cette réduction de la part des entreprises dans les crédits privilégiés paraît d'autant plus significative que ces crédits sont habituellement moins touchés par les mesures d'encadrement et qu'ils diminuent moins en période de désendettement. Pour les entreprises privées, l'augmentation de la rareté relative des fonds tend donc à s'accompagner d'un renchérissement relatif de leur coût.

D'autres indices confirment encore l'existence d'un rationnement des crédits bancaires ou assimilés à la disposition des entreprises et notamment des entreprises industrielles et commerciales, puisqu'elles bénéficient moins qu'avant des crédits privilégiés dont les taux sont bien inférieurs à ceux des crédits normaux, comme l'atteste le tableau 11.

La part des banques inscrites — qui sont les principaux fournisseurs de crédit aux entreprises — dans le total des crédits à l'économie a eu tendance à baisser de 1974 à 1982. Celle des banques mutualistes et des organismes financiers du secteur public a eu, par contre, tendance à croître.

Par ailleurs, la part des grandes entreprises nationales dans la masse des financements a nettement augmenté durant cette même période. Cette aide aux entreprises, par le biais d'un système financier parallèle, fait l'objet d'un effort sans précédent depuis l'arrivée au pouvoir des socialistes, avec, pour l'instant, des résultats déplorables.

Tableau 11 LE COÛT RÉEL DES CRÉDITS NORMAUX ET PRIVILÉGIÉS

	1972	1977	1979	1981
Crédits normaux				
Escompte commercial	3,8	3,4	4,4	2,4
Découverts — avances	5,0	4,1	5,0	2,8
Prêts personnels	6,55	8,5	6,85	7,2
Taux de base bancaire	0,8	— 0,1	0,8	0,2
Crédits à moyen terme	3,2	2,25	3,25	2,75
Crédits-logement	4,8	5,6	5,2	5,5
Crédits privilégiés				
Prêts aux jeunes artisans	— 0,95	— 3,4	— 3,2	— 4,5
Prêts aux artisans	0,55	— 1,4	— 1,2	— 3
Crédits à l'exportation	0,70	— 1,4	— 2,7	— 3,7
Prêts bonifiés à l'agriculture	— 1,70	— 4,9	— 4,7	— 4
Prêts HLM - accession	— 2,80	— 2,9	— 4,0	— 1,5
Prêts d'épargne logement	— 1,2	— 3,9	— 5,2	— 7,0
Prêts bonifiés à l'agriculture	0,8	— 2,4	— 3,7	— 4,0
Prêts immobiliers conventionnés	2,3	0,9	— 2,0	— 1,0

Source : Adapté de ROSA et DIETSCH, *La Répression financière*, Bonnel, 1981, Conseil national du Crédit, Rapports annuels — Banque de France, Service des Études.

Un système financier parallèle

Les socialistes se sont rendu compte des difficultés des entreprises et ont donc renversé la vapeur avec l'aide financière aux entreprises qui est devenue le troisième volet important de l'interventionnisme financier de l'État facilité par la mainmise sur les institutions financières distributrices de crédit et les pouvoirs et techniques de réglementation qui viennent d'être exposés.

Les aides publiques aux entreprises constituent depuis

longtemps un outil de caractère politique, déguisé sous le vocable de politique industrielle, et manié avec délectation par le pouvoir. Il a ainsi la possibilité de dispenser à ses clients avec magnanimité l'argent public et l'illusion de s'attacher ses bénéficiaires directs et indirects à bon compte sur le dos du contribuable.

L'aide aux entreprises existait avant le 10 mai 1981, mais se distinguait de celle qui se pratique aujourd'hui de trois manières : elle était d'un montant somme toute limité, elle s'exerçait par l'intermédiaire d'un petit nombre d'organismes financiers et de manière officielle.

Pour l'essentiel, le système de distribution n'était pas directement géré par l'État. Un certain nombre d'organismes financiers (Crédit national, Caisse d'équipement aux PME, sociétés de développement régional, Caisse centrale de crédit coopératif) accordaient des prêts bonifiés (24 milliards de francs en 1982 soit deux fois plus qu'en 1980). Des prêts participatifs étaient accordés par les banques et les établissements de prêts à long terme (ce système date de 1980 mais reste mineur, puisque seulement 2 milliards de francs ont été accordés sous forme de prêts participatifs aux entreprises en 1982). Depuis 1981 des prises de participation en fonds propres sont effectuées par l'intermédiaire des sociétés de financement (SOFI) des SDR qui, pour ce faire, reçoivent une subvention de 25 % de l'augmentation du capital d'une PME à laquelle ils souscrivent, ou 50 % s'il s'agit d'une création d'entreprise.

Bien que l'argent public canalisé par ce système se soit accru depuis 1981 (plus que doublé), l'aide aux entreprises s'effectue maintenant par *des interventions directes de l'État.*

Celles-ci sont menées essentiellement par le ministère de l'Industrie (qui, avec un budget de 3 milliards de francs pour 1983, accorde des crédits de politique industrielle) et surtout par le ministère des Finances qui gérera en 1983 directement une enveloppe de 25 milliards de francs et indirectement une enveloppe équivalente par le pouvoir coercitif que le Trésor exerce presque tous les jours sur l'ensemble du système bancaire en le forçant à porter ou à accroître ses lignes de crédits aux entreprises en difficulté. En même temps *ces aides sont devenues occultes.* La plus grande partie d'entre elles était regroupée dans un compte spécial du Trésor inscrit dans le budget ; depuis le 1er juillet 1982, ce compte a été débudgétisé pour contribuer à réduire le déficit budgétaire ; le financement est assuré par les organismes financiers cités plus haut qui se procurent les ressources nécessaires sur le marché financier en obtenant du Trésor une inscription préférentielle.

Pour dispenser ces aides directes de l'État[1], un véritable réseau administratif et financier parallèle a été mis en place : 90 comités départementaux d'examen et de financement des entreprises (CODEFI), le Comité interministériel pour l'aménagement des structures industrielles (CIASI), devenu Comité inter-ministériel des structures industrielles (CISI), la Société d'analyse et de diagnostic économiques et financiers (SADEF), la SOFIPARIL, le Comité inter-ministériel pour le développement des investissements et le soutien de l'emploi (CIDISE), le Fonds national de garantie pour les prêts participatifs (SOFARIS), la Délégation à l'aménagement du territoire qui accorde des primes de développement régional, des primes de localisation d'activité tertiaire, des primes de localisation d'activité de recherche, des primes d'aménagement du territoire, le Fonds national de garantie pour la création d'entreprises, l'Agence nationale pour la création d'entreprises (ANCE), le Fonds spécial d'adaptation industrielle (FSAI), l'Agence de l'informatique (ADI), les sociétés financières d'innovation, le Comité d'orientation pour le développement des industries stratégiques (CODIS), la Compagnie pour le financement des stocks à l'étranger (COFISE), les SOFERGIES, l'Agence nationale pour la récupération et l'amélioration des déchets (ANRAD), etc.

1. Sur les aides publiques à l'industrie, voir B. Cor, « Les aides publiques aux entreprises », *Banque,* n° 419, juillet-août 1982.

L'importance prise par les aides aux entreprises présente au moins quatre dangers tels qu'il est à peu près certain que le tissu industriel français ne sortira pas renforcé de ces pratiques.

Le saupoudrage. — La source des aides étant le budget de l'État, il n'est pas possible d'accroître notablement le nombre des aides sans rogner ailleurs (sauf à accroître la pression fiscale, ce qui se produit effectivement). À partir du moment où l'État accepte d'aider certaines catégories d'agents économiques, celles qui n'en bénéficient pas encore exercent de telles pressions qu'elles finissent par y avoir accès. On multiplie le nombre de bénéficiaires sans nécessairement accroître la masse totale disponible. La recherche des prêts bonifiés devient un jeu à somme nulle, puisque tout le monde y a droit et les chefs d'entreprise et leurs responsables financiers engloutissent du temps et des efforts considérables en *pure perte* pour l'économie.

L'éviction des petites PME. — En général, les seuils minima d'emplois imposés sont tels que les PME de moins de 20 employés ne peuvent en bénéficier. Or, selon une étude récente effectuée au MIT[1], plus de 80 % des emplois créés actuellement aux États-Unis le sont par des entreprises employant moins de 20 personnes.

Le favoritisme des circuits administratifs. — Il est certain que les grands groupes, avertis et organisés, utilisent abondamment les aides de l'État. Ils sont mieux armés que les autres pour en profiter. Même si un *Recueil national des aides économiques aux entreprises*[2] existe et est constamment mis à jour, la complexité des circuits administratifs est telle que seules les grandes entreprises peuvent adopter une politique « d'abonnés » impliquant une systématisation du recours aux aides publiques, qui est rentable par la masse des crédits bonifiés en jeu. On ne peut rencontrer aujourd'hui un directeur financier d'entreprise sans qu'il vous annonce qu'il aurait honte

---

1. Massachusetts Institute of Technology.
2. Éditions Adhésion, 1982.

s'il n'arrivait pas à ce que tous les emprunts qu'il contracte pour son entreprise se fassent à des taux bonifiés, ce qui n'est pas complètement une boutade.
— Ce type de relations entre l'État et l'entreprise ne peut que contribuer à développer *l'esprit d'assistance* des hommes d'affaires français. N'a-t-on pas intérêt à s'enrichir en faisant du *lobbying* auprès de l'État et donc au détriment de la société plutôt qu'en produisant et en enrichissant les autres par l'échange ?

Quels ont été jusqu'à présent les résultats de cette politique d'aide aux entreprises ? Là encore les séries statistiques sont à la fois trop courtes et trop globales pour qu'on puisse en tirer des conclusions définitives. Au vu des chiffres dont on dispose, on ne peut conclure qu'à l'échec. En orientant une part importante de l'épargne vers des investissements peu rentables, la politique sélective de taux d'intérêt faibles et l'aide inconsidérée aux entreprises contribuent à diminuer l'efficacité économique de l'investissement.

L'efficacité de l'investissement se mesure en comparant le taux de croissance réel du produit intérieur brut au taux d'investissement (celui-ci étant le rapport de la formation brute de capital fixe au produit intérieur brut). Ce ratio indique de combien une augmentation de 1 % de l'investissement dans le produit intérieur brut permet d'augmenter le taux de croissance de celui-ci. Comme l'indique le tableau 12, ce rapport n'a cessé de se dégrader au cours de la précédente décennie. Cette dégradation s'est amplifiée depuis 1980. Ainsi, l'injection forcée de crédits alliée à une politique de taux d'intérêt bas a encouragé l'investissement comme il est normal, mais a grandement réduit son efficacité. L'emprise de l'État sur le système financier aboutit ainsi à une mauvaise allocation des ressources, c'est-à-dire à leur gaspillage.

Tableau 12 EFFICACITÉ DE L'INVESTISSEMENT EN FRANCE 1970-1982

%	1970	1971	1972	1973	1974	1975	1976	1977	1978	1979	1980	1981	1982[1]
Augmentation du produit intérieur brut (I)	5,73	5,41	5,90	5,38	3,28	0,19	5,17	2,81	3,59	3,17	1,12	1,58	0,95
Taux d'investissement (II)	23,39	23,53	24,07	24,24	23,70	22,90	22,59	21,65	21,14	21,17	21,24	21,07	21,85
Efficacité de l'investissement (III) = (I) ÷ (II)	0,245	0,220	0,245	0,222	0,138	0,008	0,229	0,130	0,170	0,150	0,053	0,075	0,043

1. Les chiffres pour 1982 sont des estimations parues dans la presse et provenant de différents organismes de prévisions économiques.
Source : *Comptes de la nation.*

La réduction des droits de propriété par la fiscalité et l'inflation

La théorie des droits de propriété étendue à l'entreprise explique comment peuvent naître les conflits entre les actionnaires, les créanciers, les dirigeants et comment ils peuvent être résolus[1]. Un autre partenaire participe au partage du surplus, c'est l'État ; même si les droits de propriété privée sont intégraux en ce sens qu'ils présentent leurs deux caractéristiques essentielles : l'exclusivité et la transférabilité, l'État exerce une ponction par la pression fiscale, enlevant aux droits de propriété le caractère de totale exclusivité qu'ils pourraient avoir par ailleurs.

L'objet de la troisième partie de ce chapitre n'est pas de critiquer la pression fiscale ou le système fiscal, mais d'examiner l'influence conjointe de l'inflation et de la fiscalité sur les droits de propriété relatifs à l'entreprise et donc sur l'épargne, l'investissement et la croissance.

Les deux conditions nécessaires (mais non suffisantes, naturellement) d'une bonne croissance économique sont, d'une part, l'existence d'une épargne de niveau satisfaisant et d'autre part, l'allocation efficace de cette épargne aux investissements les plus productifs. La première condition implique que l'épargne soit rémunérée convenablement (le niveau de rémunération s'entend après prélèvement fiscal, bien entendu). Or, par le biais de l'imposition des sociétés, les droits de propriété sur le surplus de l'entreprise ont, depuis une dizaine d'années, été transférés de manière voilée, progressive mais certaine dans le sens d'un partage accru au profit de l'État. En effet, en période d'inflation le système fiscal n'est pas neutre : l'inflation affecte les revenus de l'épargne investie dans les entreprises et en conséquence son rendement réel net disponible. Cet effet conjoint de l'inflation

1. Voir à ce sujet B. Jacquillat et M. Levasseur, « Signaux, mandats et gestion financière : une revue de la littérature », *Cahiers de Recherche*, CESA, 1983.

et de la fiscalité a eu progressivement pour effet de rendre nulle, voire négative, la rémunération réelle de l'épargne à risque : il contribue donc à affaiblir l'investissement, la croissance et l'emploi.

L'analyse chiffrée du phénomène n'a pu être poursuivie jusqu'en 1982, en raison du retard dans la publication de certaines données liées à la situation financière des entreprises. Mais les mesures prises par le gouvernement socialiste en matière de fiscalité n'ont pu qu'accentuer la détérioration que l'on constate jusqu'en 1979 : création d'un impôt sur les grandes fortunes, d'une tranche supplémentaire — à 65 % — d'imposition sur le revenu, majoration exceptionnelle de 5 % de l'impôt sur le revenu, et en particulier sur les revenus de l'épargne (ce qui porte le taux d'imposition marginale des personnes physiques à 70 %) ; accroissement des charges sociales et parafiscales de l'entreprise, ce qui en période de blocage des prix réduit les bénéfices et, partant, les revenus des investisseurs.

Les avantages fiscaux mis en vigueur dans la loi de Finances de 1983, et qui prolongent sous d'autres formes ceux du précédent septennat ne suffiront pas plus que par le passé à compenser cette détérioration.

L'analyse du phénomène s'opère à deux niveaux : celui des sociétés et celui des particuliers.

— Au niveau des sociétés, l'inflation tend à modifier le taux effectif de l'impôt par l'intermédiaire de deux forces qui ont une influence contradictoire sur leur bénéfice imposable.

En période d'inflation, la base d'imposition des entreprises tend à croître. En effet, le régime d'évaluation au coût historique des amortissements et des achats de matières surestime les bénéfices ; l'interaction de l'inflation et de la fiscalité crée des profits fictifs qui sont imposés au même taux que les profits réels[1].

---

1. L'impact des règles fiscales d'amortissement sur le bénéfice imposable en période d'inflation est clair : les entreprises sont autorisées à

Cependant les entreprises étant autorisées à déduire de leur bénéfice les charges nominales et non réelles d'intérêt, elles retranchent ainsi de leur base imposable les charges financières mais dont une partie est fictive en période d'inflation.

Quel est le solde net de ces deux effets contradictoires ? Une étude récemment parue[3] portant sur un échantillon de 571 entreprises françaises parmi les plus importantes de 1967 à 1979 permet de répondre à cette question. Comme le montre le tableau 13, en 1979, dernière année de l'analyse, le montant des impôts additionnels payés en raison de la sous-évaluation des amortissements et des stocks représentait 150 % du montant de l'impôt payé par l'ensemble des entreprises de l'échantillon. Le pourcentage se répartissait à peu près par moitié : 51 % provenaient de l'imposition des profits fictifs créés par le régime fiscal des amortissements et 49 % de l'appréciation sur stocks. Les gains d'endettement entraînaient en contrepartie une économie fiscale qui ne compensait que partiellement l'accroissement de la charge fiscale imputable à la surévaluation des éléments

---

déduire du bénéfice imposable, chaque année, une dotation aux amortissements correspondant à une dépréciation de leurs actifs immobilisés ; cette dotation, destinée à remplacer les immobilisations obsolètes, est calculée par rapport au coût historique de ces immobilisations au lieu d'être calculée par rapport à leur coût de remplacement.

Par ailleurs, et pour ce qui concerne les stocks, lorsque les variations de stocks sont comptabilisées selon la méthode FIFO (premier entré, premier sorti) ou selon celle du coût moyen pondéré, l'évaluation des stocks à leur coût d'achat déforme le bénéfice de l'entreprise en période d'inflation et ceci pour deux raisons : d'un côté, la méthode FIFO conduit à sous-estimer le coût des consommations de l'entreprise au cours de l'exercice ; de l'autre, et en conséquence, le stock de clôture qui s'ajoute aux ventes de l'exercice pour la détermination des produits de l'exercice est comptabilisée, à des prix qui sont les plus proches de la fin de l'exercice, c'est-à-dire, en période d'inflation, aux prix les plus élevés ; ce qui gonfle les produits de l'exercice et donc les bénéfices et les impôts de manière artificielle.

3. M. DIETSCH, « Inflation, fiscalité et rentabilité de l'épargne investie dans les entreprises », *Cahiers de Recherche,* LEPUR, 1982, à paraître dans *Finance,* 1983.

Tableau 13 L'INFLATION ET L'IMPÔT SUR LES SOCIÉTÉS : 571 ENTREPRISES, 1967-1979

(En millions de francs.)

Années	Sous évaluation amortissements (1)	Impôt additionnel Sous évaluation stocks (2)	Ensemble (3) = (1) + (2)	Économie fiscale d'endettement (4)	Impôt additionnel net (5) = (3) + (4)	Impôt sur les sociétés payé (6)	Impôt additionnel en pourcentage de l'impôt payé (7) = (5) ÷ (6)
1967	177	139	316	134	182	548	33,21
1968	214	210	424	211	213	681	31,28
1969	301	348	649	407	242	866	27,94
1970	378	348	726	463	263	921	28,55
1971	462	451	913	609	304	1048	28,98
1972	566	569	1135	740	395	1283	30,78
1973	761	796	1557	1085	472	1614	29,24
1974	1044	1312	2526	1981	375	2455	15,27
1975	1324	2271	3595	2663	932	1682	55,41
1976	1671	1779	3450	2163	1287	2279	56,47
1977	2028	1844	3872	2247	1625	2204	73,73
1978	2333	2188	4521	2467	2054	2381	86,27
1979	2457	2522	4979	3099	1880	3118	60,28

Source : M. Dietsch, « Inflation, fiscalité et rentabilité de l'épargne investie dans les entreprises », *Cahiers de Recherche,* LEPUR, 1982, à parai?tre dans *Finance* 1983.

d'actifs. En définitive, en 1979, les impôts supplémentaires prélevés sous l'effet de l'inflation représentaient 60 % de l'impôt sur les sociétés payés par environ 600 entreprises françaises parmi les plus importantes. Leur taux d'imposition serait ainsi passé de 50 % — taux officiel et apparent — à 78 % — taux effectif.

L'effet net de l'interaction fiscalité-inflation est donc accroître le taux de prélèvement sur les bénéfices des sociétés réduisant d'autant la rémunération globale des actionnaires et des prêteurs.

— Les revenus des capitaux placés en entreprise ne sont pas seulement imposés au stade de l'entreprise, ils le sont aussi au stade des bénéficiaires de ces revenus-ménages et institutions — à des taux qui varient selon la qualité de ces derniers. Il faut donc compléter l'analyse précédente effectuée au niveau des sociétés par celle de l'incidence de l'inflation et de la fiscalité au niveau personnel. C'est en effet le rendement réel final net d'impôt qui est pour l'investisseur le déterminant ultime.

Pour ce faire, l'étude que nous venons de citer considère l'évolution du ratio de l'impôt *effectif* total payé sur les revenus du capital placé en entreprise par rapport à sa base imposable, qui est l'ensemble des revenus réels de l'entreprise.

L'impôt effectif total sur les revenus du capital placé en entreprise est défini comme la somme de trois composantes : l'impôt sur les bénéfices des sociétés, l'impôt payé par les actionnaires sur leurs dividendes et l'impôt payé par les créanciers sur les intérêts, ces deux derniers impôts étant acquittés soit au titre de l'impôt sur le revenu, soit au titre de l'impôt sur les sociétés.

La base d'imposition des revenus des placements en entreprise est le revenu avant impôt allant aux actionnaires et aux prêteurs de l'entreprise. Elle se compose du résultat avant impôt, ajusté pour tenir compte des profits fictifs engendrés par les règles fiscales d'amortissement et de stocks, et des frais financiers nets des produits financiers. Elle comprend donc les bénéfices distribués et les bénéfices mis en réserve, les intérêts nets versés aux actionnaires et l'impôt sur les sociétés.

Les intérêts payés par les entreprises étant dans leur totalité perçus par les créanciers de l'entreprise, il n'est pas nécessaire de les corriger pour tenir compte de l'inflation dans la mesure où la même correction serait à accomplir à la fois au niveau de la détermination de la base imposable et au niveau de la détermination des revenus perçus. Par ailleurs, les gains d'endettement réalisés en raison de la dévalorisation des dettes des entreprises ne sont pas intégrés dans le calcul de la base imposable du fait de la parfaite symétrie entre les gains réalisés par les actionnaires sur les emprunts effectués par l'entreprise et les pertes des prêteurs.

Le taux d'imposition apparent est défini comme le rapport des impôts payés sur l'ensemble des revenus du capital y compris les profits fictifs résultant de la sous-évaluation des amortissements et des stocks.

Le tableau 14 ci-après, qui fait ressortir la part des différents impôts, appelle les remarques suivantes :

— L'imposition effective des bénéfices représentait en 1979 80 % de la base imposable telle qu'on l'a définie plus haut ; elle n'a cessé de croître pendant dix ans.

— L'imposition effective des dividendes est très légèrement négative et constante sur la période d'observation.

— L'imposition effective des intérêts a, pendant le même temps, plus que doublé pour représenter 25 % de la base imposable en 1979.

— Les effets fiscaux de l'inflation ont accru la pression fiscale effective aussi bien sur les actionnaires que sur les prêteurs. Cette hausse résulte davantage d'une érosion des revenus des placements en termes réels que d'une augmentation discrétionnaire de la pression fiscale « apparente » sur les revenus.

— La comparaison des évolutions du taux d'imposition apparent et du taux d'imposition effectif montre que les effets de l'inflation sur la fiscalité des revenus de l'épargne placée en entreprise ont très largement dominé la tendance apparente à l'allégement de la pression fiscale observée à partir de 1977[1].

1. Les mesures contribuant à cet allégement ont été reprises sous des formes quelque peu différentes à la suite des recommandations de la commission Dautresme.

Tableau 14 ÉVOLUTION DU TAUX D'IMPOSITION APPARENT ET EFFECTIF DE L'ÉPARGNE PLACÉE EN ENTREPRISE

(En %)

Années	*Taux apparent total*	Part des bénéfices	Dividendes	Impôts sur les intérêts	*Taux effectif total*	Part des bénéfices	Impôts sur dividendes[1]	Intérêts
1966	43	36	- 1	8	57	48	- 1	10
1967	41	35	- 2	8	58	48	- 1	11
1968	43	35	0	8	66	55	- 1	12
1969	40	31	- 1	10	75	58	- 1	18
1970	39	29	- 1	11	59	44	- 1	16
1971	40	30	- 1	11	71	52	- 1	20
1972	41	32	0	9	73	57	- 1	17
1973	41	31	0	10	82	62	- 1	21
1974	45	35	- 1	11	104	80	- 1	25
1975	40	30	- 1	11	342	254	- 1	89
1976	42	33	0	9	100	79	- 1	22
1977	37	29	0	8	84	67	- 1	18
1978	38	31	- 1	9	118	93	- 1	26
1979	37	28	0	9	104	80	- 1	25

1. Le taux de -1 % apparemment surprenant, s'explique par les raisons suivantes : il s'agit d'un taux d'imposition moyen pour l'ensemble des actionnaires qui comprend à la fois les ménages, les institutions financières, les entreprises et les actionnaires étrangers. Cette valeur est fortement déterminée par l'importance des actionnaires détenant des participations en cascade dans des entreprises auxquelles s'applique un taux négatif de -46,25 % en raison du régime des sociétés-mères et filiales. Le taux estimé au niveau des actionnaires hors entreprises et étrangers, est positif et égal à 13,2 %, ce qui, compte tenu de l'avoir fiscal, représente un taux marginal d'imposition de l'actionnaire moyen de 53 %.

Source : DIETSCH, *op. cit.*

— L'inflation et la fiscalité ont eu pour conséquence de faire supporter à l'épargne placée en entreprise un taux d'imposition effectif bien supérieur au taux de rendement apparent à tel point que certaines années les impôts payés étaient globalement supérieurs à la base imposable (1974, 1975, 1976, 1978, 1979).

Cette altération des droits de propriété par l'action conjointe de l'inflation et de la fiscalité a donc eu des effets négatifs sur les revenus annuels des titres, actions et obligations détenus par des épargnants. C'est la raison pour laquelle la rentabilité obtenue par les épargnants sur ces titres a été faible en francs courants et négative en termes réels depuis vingt ans, ce qui explique en partie la faiblesse du marché boursier français par rapport à celui des grands (et moins grands) pays industriels, comme l'indique la figure 3.

Comme nous l'avons déjà souligné, bien que les chiffres sur lesquels se fonde notre analyse s'arrêtent en 1979, l'évolution de la fiscalité (impôt sur la fortune, majoration exceptionnelle de 5 %, création d'une tranche à 65 % d'imposition sur les revenus) ainsi que l'accélération de l'inflation jusqu'à la fin 1981 et son maintien à un taux proche de 10 % depuis, n'ont pu qu'amplifier ces phénomènes d'amputation, avec toutes les conséquences néfastes déjà mentionnées.

En définitive, la réglementation du crédit et de l'épargne, l'inflation et la fiscalité sont telles qu'elles aboutissent au prélèvement d'un impôt qui ne figure pas au budget de l'État, assorti d'une subvention. L'impôt est supporté par l'épargnant qui n'obtient le plus souvent qu'un taux d'intérêt réel négatif sur les placements, — autant dire qu'il paie pour qu'on utilise son épargne. Le système financier, qui devient ainsi un auxiliaire du fisc, consent ensuite à certains emprunteurs privilégiés des taux débiteurs faibles, voire nuls ou négatifs, qui constituent une subvention déguisée à une partie du système productif. « Le grand avantage pour l'État de cet impôt-subvention par réglementation étant que cette fiscalité supplémentaire ne figure pas explicitement dans le bud-

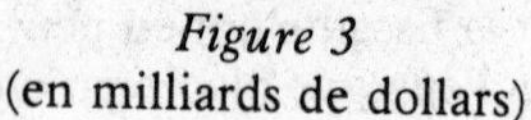

Figure 3
(en milliards de dollars)

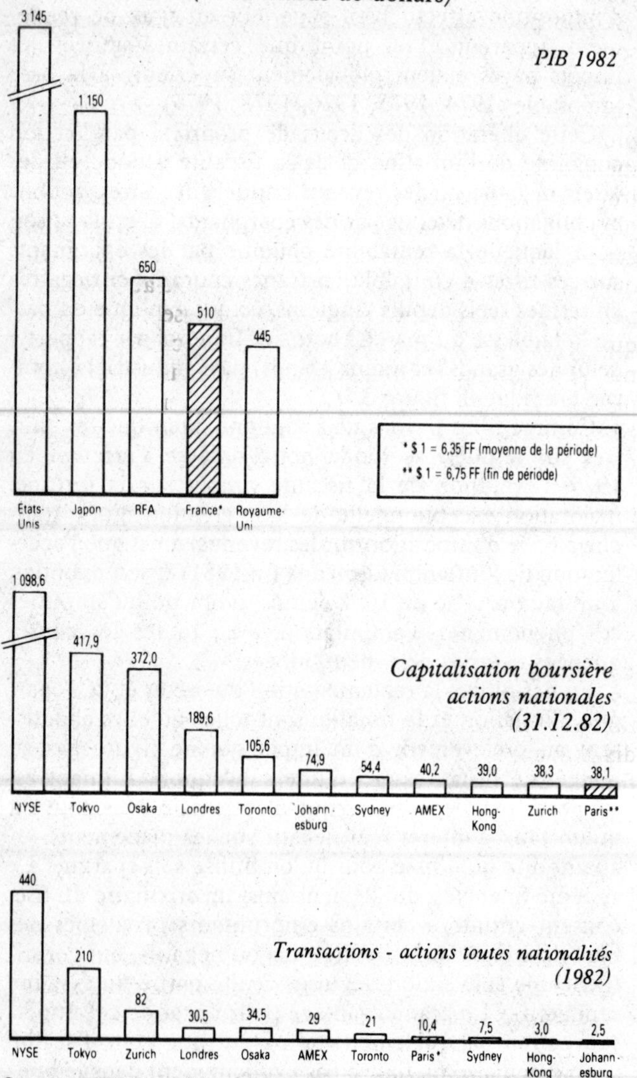

Source : FMI, Capital international.

get et échappe à l'attention et au contrôle des contribuables[1]. »

Cet impôt lié à l'organisaiton du système financier et à son contrôle par l'État ne peut que s'alourdir avec la nationalisation de l'ensemble du système bancaire puisque celle-ci a été justifiée par le souci d'accroître encore plus la sélectivité du crédit. Assez curieusement, le système bancaire a été nationalisé parce que les socialistes trouvaient les banquiers trop « frileux ». Le remède est pire que le mal puisque, précisément, si les banques étaient frileuses, c'est-à-dire faisaient des prêts peu risqués et contribuaient donc insuffisamment au développement des jeunes entreprises, c'est à cause du contrôle qui s'exerçait sur elles par les diverses techniques dont nous avons rappelé l'efficacité. La nationalisation complète du système financier ne fera que renforcer cette absence de prise de risque et nuira donc au développement et à l'innovation dans l'industrie française.

L'accroissement des charges sociales et parafiscales

L'étude des rapports entre l'État, les entreprises et le système financier et des efforts destinés à raffermir le tissu industriel français serait incomplète si l'on ne mentionnait l'essentiel des différentes mesures prises depuis dix-huit mois et qui ont aggravé la pression fiscale et financière s'exerçant sur le système productif.

Une pression irrésistible

Comme l'indique le tableau 15, de 1973 à 1983 et compte tenu des dernières estimations, la pression fiscale totale en France — c'est-à-dire l'ensemble des impôts et cotisations sociales — se sera accru de près de 25 %.

1. J.-J. Rosa et M. Dietsch, *op. cit.*

Tableau 15 ÉVOLUTION DES PRÉLÈVEMENTS OBLIGATOIRES
(IMPÔTS + COTISATIONS SOCIALES)
1973-1983

(En % du PIB)

	1973	1974	1975	1976	1977	1978	1979	1980	1981	1982	1983
Allemagne	36,3	36,3	35,7	36,7	37,9	37,7	37,5	37,4	37,2	n,d	n,d
États-Unis	29,7	30,2	30,2	29,3	30,3	30,2	31,3	30,7	30,1	n,d	n,d
France	35,7	36,3	37,4	39,4	39,4	39,5	41,1	42,6	42,9	43,9	44,5[1]
Grande-Bretagne	31,9	35,3	35,9	35,8	35,2	33,8	33,5	36,1	36,8	n,d	n,d
Italie	26,3	28,3	29,0	30,3	30,9	31,3	30,3	32,4	32,3	n,d	n,d
Japon	22,5	23,0	21,0	21,9	22,5	24,2	24,8	26,1	26,5	n,d	n,d

1. Chiffre obtenu en faisant la somme des impôts et des cotisations sociales, publiés dans le Rapport économique et financier joint à la loi de Finances rapportée au produit intérieur brut estimé pour 1983.

Source : OCDE et loi de Finances.

Tableau 16 RÉPARTITION DES PRÉLÈVEMENTS OBLIGATOIRES SUR LES ENTREPRISES EN 1981

(En % du PIB)

	Allemagne	États-Unis	France	Grande-Bretagne	Italie	Japon (2)
Impôts sur les bénéfices	1,9	2,8	2,2	3,6	2,7	4,5
Cotisations sociales (à la charge des employeurs)	7,1	4,6	12,5	3,6	7,2	3,8
Impôts sur salaire et main-d'œuvre à la charge de l'employeur	—	—	0,9	1,0	—	—
Autres impôts payés par les entreprises	0,4[1]	—	1,4[3]	—	—	1,3
Total	9,4	7,4	17,0	8,2	9,9	9,6

1. Ce chiffre est la somme de l'impôt sur le capital payé par les entreprises (0,2 %) et l'équivalent allemand de la taxe professionnelle.
2. Chiffre de 1980.
3. Essentiellement la taxe professionnelle.

Source : OCDE

Les publications de l'OCDE permettent de distinguer les impôts et les cotisations sociales supportés par les ménages de ceux supportés par les entreprises. On a reproduit dans le tableau 16 les principales catégories d'impôts et de cotisations sociales supportées par les entreprises. En 1981, la pression fiscale totale s'exerçant sur les entreprises françaises, avec un taux au minimum de 17 %, était *plus de deux fois supérieure* à celle que subissaient les entreprises américaines ou britanniques, et supérieure de 80 % à celle que supportaient les entreprises japonaises, allemandes et italiennes. C'est en France que la contribution des entreprises à l'ensemble des prélèvements obligatoires est la plus élevée : 39,8 % contre 25,3 % en Allemagne, 25,5 % aux États-Unis, 22,2 % en Grande-Bretagne, 30,5 % au Japon.

Il est exact, comme ces tableaux le soulignent et comme les joutes politiques entre la majorité et l'opposition l'ont fait ressortir depuis 1981, que cette tendance à l'accroissement des prélèvements obligatoires ne date pas de mai 1981. Il n'en reste pas moins qu'elle n'a fait que s'accélérer depuis lors, sous le triple effet de l'accroissement du chômage, du ralentissement économique et des « innovations sociales » introduites alors même que la France avait bâti au fil des ans un système de protection sociale déjà ambitieux.

Les réformes sociales mises en place depuis le début de l'actuel septennat ont eu pour effet (certains ne se matérialiseront financièrement qu'à partir de 1983) d'alourdir les charges pesant sur les entreprises à concurrence d'environ 90 milliards de francs, en année pleine comme l'indique le tableau 17.

Il suffit de rapprocher ce chiffre du montant des frais financiers payés par les entreprises en 1981 — 135 milliards de francs — et surtout de l'épargne brute qu'elles ont dégagée la même année, soit 115 milliards, pour se rendre compte que de telles sommes sont loin d'être négligeables. Cette augmentation de la pression fiscale s'est faite au détriment du revenu des entreprises et de leur capacité d'autofinancement comme l'atteste la fig. 4.

Tableau 17 BILAN DE L'AUGMENTATION DE CHARGES PESANT SUR LES ENTREPRISES AU 1.11.1982
(En milliards de francs)

Au titre du budget de l'État 1982 dont :	
— Taxation des frais généraux	1,1
— Subordination de l'aide fiscale à l'investissement à une création d'emploi	2,8
— Taxation intérieure sur les produits pétroliers	2,8
Taxe professionnelle	3
Sécurité sociale (relèvement du plafond au 1er juillet 1981)	2
Sécurité sociale (mesures de novembre 1981)	12
Cinquième semaine de congés payés et réduction de la durée du travail à 39 h	45
Conséquences de la réforme Auroux (hypothèse de 1,6 % de la masse salariale)	13
Majoration cotisations UNEDIC au 1/12/1982	7,2
Versement transport à Paris et en province	0,7
Retraite à 60 ans (effet à partir de 1983)	?
Augmentation du pouvoir d'achat du SMIC	?
Coût du blocage des prix	?

Bien entendu, ces chiffres sont à prendre avec précaution et il ne faudrait pas les interpréter trop hâtivement. D'abord, certaines des mesures adoptées ont été chiffrées sans tenir compte des progrès de la productivité qui sont susceptibles de les accompagner. Ensuite, des prélèvements obligatoires plus importants ne signifient pas nécessairement une détérioration de la compétitivité des entreprises françaises[1].

1. Une augmentation des charges non compensée par une augmentation de productivité se traduit soit par une baisse de l'épargne brute des entreprises, soit par une hausse de leurs prix et donc de l'inflation,

Figure 4

RÉMUNÉRATION DES SALARIÉS
(SALAIRES + COTISATIONS SOCIALES)
ET REVENU DISPONIBLE BRUT DES ENTREPRISES[1]
EN POURCENTAGE DE LA VALEUR AJOUTÉE DES SOCIÉTÉS NON FINANCIÈRES
(hors grandes entreprises nationales et hors entreprises individuelles)

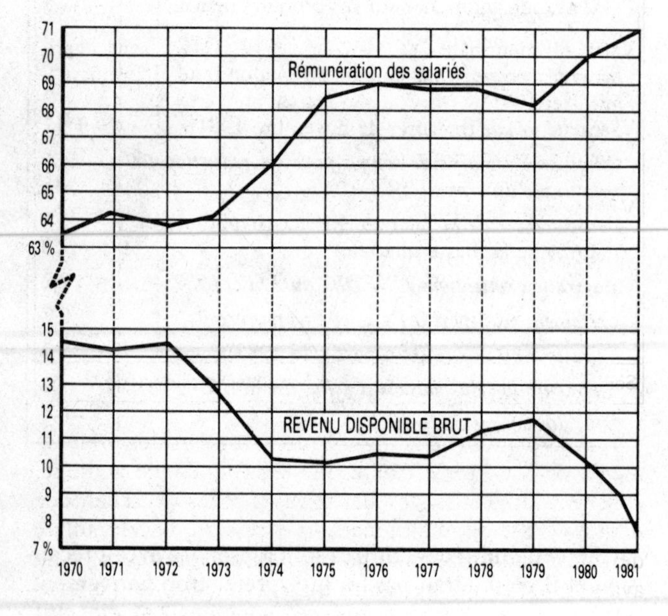

1. Exclus les frais financiers et les dividendes.

Source : Comptes de la nation.

---

soit les deux. Dans ces deux derniers cas, l'augmentation des taux d'inflation devrait se traduire par une dépréciation du franc sur le marché des changes selon le principe de la parité des pouvoirs d'achat, ce qui a des effets complexes sur la compétitivité des entreprises, mais peut leur être favorable. Sur toutes ces questions, voir G. FEIGER et B. JACQUILLAT, *Finance internationale*, Dalloz, 1982.

Enfin l'accroissement des charges sociales et parafiscales n'est pas la seule cause de la détérioration de la situation financière des entreprises, celle-ci est notoire depuis 1980, comme l'atteste l'évolution de leurs bénéfices résumée dans le tableau 18.

Tableau 18 ÉVOLUTION DES BÉNÉFICES DES SOCIÉTÉS FRANÇAISES 1980-1982

Pourcentage	*1980*	*1981*	*1982*
Variation nominale (y compris sociétés pétrolières	— 2,7 %	— 33 %	sans changement
Variation réelle (y compris sociétés pétrolières)	— 15,3 %	— 47 %	— 9,9 %
Variation nominale (non compris sociétés pétrolières)	— 15 %	— 2,5 %	+ 2,6 %
Variation réelle (non compris sociétés pétrolières)	— 28,6 %	— 16,5 %	— 7,3 %

Source : Divers bureaux d'études économiques et financières.

Il n'en demeure pas moins que l'ampleur des prélèvements obligatoires est telle que si la tendance actuelle, constatée au cours des dernières années et accentuée depuis 1981, se maintenait, la pression fiscale totale devrait atteindre 50 % de la production intérieure brute avant 1988, ce qui veut dire qu'à cette date, les particuliers et les entreprises consacreraient la moitié de leurs ressources à payer des impôts et des cotisations sociales. Un tel alourdissement pose le problème des seuils au-delà desquels la pression fiscale a des effets négatifs sur l'épargne, sur le partage du temps entre loisirs et travail, sur la prise de risque et l'innovation[1].

1. Sur ces problèmes, on pourra consulter A. ATKINSON et J. STIGLITZ, *Lectures on Public Economics,* Mc Graw Hill, 1980.

Le président de la République s'est ému de l'accroissement de la pression fiscale et financière lorsqu'il a déclaré en clôture des journées de politique industrielle de novembre 1982 que « toutes les capacités d'épargne, de création et de gestion de la nation devaient être concentrées sur les entreprises capables de gagner les batailles de demain [...] Pour ce faire, il faut procéder à une stabilisation des charges sociales et financières ».

Malheureusement les diverses logiques, souvent contradictoires, à l'œuvre dans la France socialiste ne laissent pas augurer une telle stabilisation.

Vers le post-socialisme

À la fin de 1988, la France devra donc s'orienter dans une phase de post-socialisme présentant beaucoup de similitudes avec celle où se trouve engagée la Grande-Bretagne et où entrera prochainement l'Allemagne. Elle l'abordera dans des conditions difficiles car elle ne disposera alors d'aucune capacité d'endettement lui donnant un ballon d'oxygène nécessaire pour pratiquer une réorientation industrielle sur des bases saines. Le besoin de désendettement se posera à tous les niveaux : la nation et l'État vis-à-vis de l'extérieur et les entreprises vis-à-vis du système financier et l'on n'y parviendra que par un rééquilibre de tous les comptes. Celui-ci ne se fera pas en un jour comme on a pu le constater dans les pays qui ont dû s'engager sur la voie d'un tel redressement.

Ce redressement par le rééquilibrage des comptes ne pourra s'opérer que si deux types d'actions sont entrepris : un renforcement de l'austérité pour les particuliers et le développement des productions et des industries compétitives.

Le développement des industries compétitives passe par un accroissement du nombre et un renforcement de l'autonomie des centres de décision. À cet égard, nous avons vu comment devrait être engagé le processus de dénationalisation des groupes industriels. En effet, l'un des inconvénients de l'extension du secteur public aura été de maintenir artificiellement des industries traditionnelles du XIXe siècle (à la manière de la sidérurgie portée à bout de bras depuis plus de dix ans). La dénationalisation fera disparaître certaines d'entre elles ; plus le processus de dénationalisation sera rapide, plus les coûts d'ajustement qu'il entraînera seront élevés à court terme mais moindres ils seront au total.

La disparition de toute politique industrielle artificielle[1] rendra superfétatoire l'emprise de l'État sur le système financier. Le désengagement financier de l'État consistera d'abord à rendre au secteur privé l'essentiel du système bancaire, c'est-à-dire l'ensemble des banques inscrites, les nouvelles nationalisées ainsi que les trois « vieilles », et également à abolir les privilèges particuliers qui segmentent les marchés et les réseaux financiers en empêchant la concurrence de fonctionner. Il faudra ensuite déréguler le crédit et les placements en déréglementant les taux d'intérêt, aussi bien débiteurs que créditeurs, en supprimant peut-être la discrimination fiscale qui existe entre les diverses formes de placement. Il faudra enfin desserrer l'emprise qu'exercent les institutions financières de l'État situées au sommet de cette pyramide d'interventionnisme.

Des systèmes devront être mis au point pour rendre l'investissement dans les entreprises plus attirant pour les épargnants. On devra imaginer autre chose que les « carottes fiscales » dont on a vu qu'elles ne comprenaient pas l'érosion insidieuse et profonde provoquée par l'effet conjoint de l'inflation et de la fiscalité. Les entreprises ne devront plus être considérées indéfiniment comme la vache à lait d'une politique de solidarité... dans l'appauvrissement.

Bertrand JACQUILLAT

---

1. Comme l'indique W. CORDEN « la meilleure politique industrielle consiste à fournir de bonnes infrastructures, un cadre réglementaire souple qui permette de limiter l'exercice de monopoles ou la constitu-

Annexe

L'efficacité économique comparée des entreprises publiques et des entreprises privées

Un certain nombre d'études ont été effectuées à l'étranger pour mesurer l'efficacité économique des entreprises publiques par rapport à celle des entreprises privées. Voici les conclusions de quelques-unes d'entre elles.

En Grande-Bretagne, Robert Miller[1] a mesuré la rentabilité des capitaux investis des entreprises du secteur nationalisé par rapport à celles des entreprises privées de 1968 à 1980. Les résultats présentés dans le tableau ci-dessous parlent d'eux-mêmes.

Dans une étude ancienne, Davies[2] a comparé les caractéristiques d'activité des grandes banques d'Australie dont certaines étaient privées et d'autres nationalisées. Alors que les autorités monétaires avaient pris soin de placer banques privées et publi-

---

tion de cartels, des systèmes éducatifs permettant de générer un capital humain nécessaire aux succès industriels, un cadre institutionnel léger qui fournisse des indications sur les perspectives industrielles (mais qui ne s'accompagne d'aucune subvention ou action coercitive), un système fiscal simple et stable, un marché des capitaux libre, fluide et pensant », etc. voir W. CORDEN « Relationship between Macro-economic and Industrial Policies », *The World Economy,* septembre 1980.

1. MILLER, « National Failures », *Cahiers de Recherche*, Institute of Economic Affairs, 1982 : étude actualisée de George et Priscilla PACONYI, *Failing the Nation*, *The Record of Nationalized Industries*, Fraser Ansbacher Ldt, Londres 1974.

2. D.G. DAVIES, « Property Rights and Economic Behavior in Private and Government Enterprise : The Case of Australia's Banking System », ronéoté, Duke University, 1978.

ques dans des conditions de concurrence équitables, il est apparu que sur la période de 1962 à 1972, les investissements des banques nationalisées sont allés à des projets moins risqués ayant une rentabilité plus faible que ceux des banques privées. Par ailleurs, les bénéfices des banques nationalisées, rapportés aux fonds propres, aux dépôts, au nombre d'employés se sont révélés inférieurs à ceux des banques privées.

TAUX DE RENTABILITÉ DES CAPITAUX INVESTIS
Entreprises britanniques — 1968-1980

	Entreprises nationalisées	Entreprises privées
1968	7,1	12,4
1969	6,0	11,9
1970	7,1	9,9
1971	0,8	9,8
1972	0,9	9,6
1973	1,3	7,5
1974	— 0,1	3,8
1975	— 0,8	3,6
1976	1,9	4,3
1977	1,8	5,9
1978	1,0	5,7
1979	— 0,2	7,3
1980	— 0,4	5,6

Source : Robert MILLER, *National Failures*, Institute of Economic Affairs, 1982.

Reprenant une étude fameuse du même Davies[1] à propos des transports anciens, une étude conduite par Y. Meusburger[2] a confronté les coûts d'Air Inter avec ceux des compagnies régionales (*locals*) américaines et conclu, compte tenu des effets d'échelle, à une supériorité assez nette des coûts d'Air Inter comme l'indique la figure ci-dessous où l'on constate

1. D.G. DAVIES, « The Efficiency of Public Versus Private Firm : The case of Australia's Two Airlines », *Journal of Law and Economics*, vol. 14, n° 1, août 1971.

2. Y. MEUSBURGER, « *Etude comparative des coûts de production dans le transport aérien* », mémoire de DEA-Université de Paris I, 1979.

que, les coûts d'escale exceptés, chaque poste fait l'objet d'une nette majoration lorsqu'on passe de la moyenne des *locals* américains à Air Inter[1].

ANALYSE DES COÛTS COMPARATIFS EN MATIÈRE DE TRANSPORTS AÉRIENS

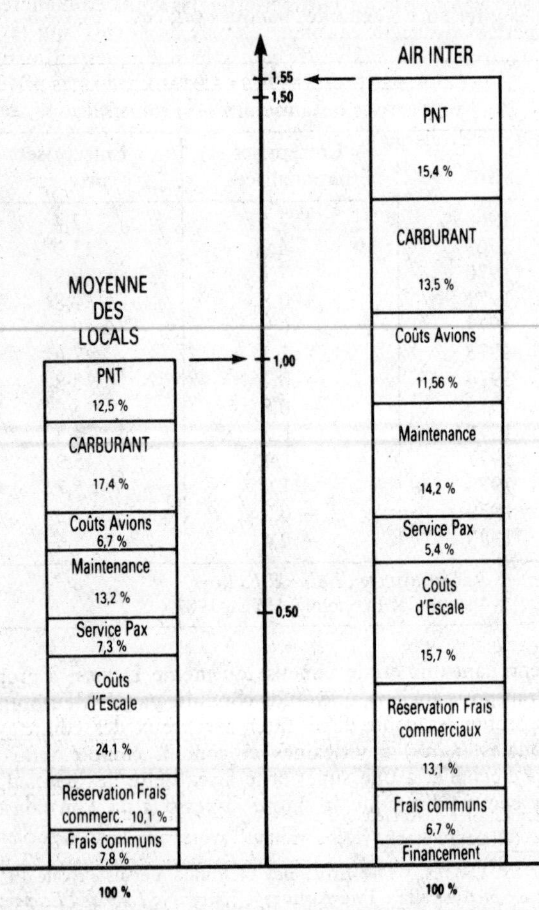

1. Cité dans X. GREFFE, *Analyse économique de la bureaucratie*, Economica, 1981.

Nous nous arrêterons à ces quelques études bien qu'il en existe nombre d'autres qui concluent en général à la supériorité des coûts publics par rapport aux coûts privés. Citons, à titre d'exemples l'étude de Crain et Zarokoohi[1] qui montre la supériorité des coûts publics en matière de transport d'eau, celle de R.A. Meyer[2] qui prouve la supériorité des coûts en matière de transports d'électricité ou même l'étude de Nicols[3] qui révèle que les firmes coopératives et non plus publiques en matière d'assurance ont des coûts supérieurs à ceux des firmes privées. L'ensemble de ces résultats constitue une justification de la théorie des droits de propriété[4].

---

1. W.M. CRAIN et A. ZARDKOOHI, « A Test of the Property Right of the firm : Water Utilities in the US », *The Journal of Law and Economics*, vol. 21, octobre 1978.

2. R.A. MEYER, « Publicity owned versus Privately owned Utilities : A Policy Choice », *Review of Economic Studies*, novembre 1975.

3. A. NICOLS, « Stocks versus Mutual Savings and Loan Association Some Evidence in Behavior », *American Economic Review*, vol. 57, mai 1967.

4. Pour une vue d'ensemble de cette littérature et des résultats obtenus dans ces études, on pourra consulter, Louis de ALESSI, « The Economics of Property Rights : A Review of the Evidence » in R.O. Zerbe, (ed.), *Research in Law and Economics*, 1980.

Tableau de bord de l'économie française

% d'accroissement annuel	1979	1980	1981	1982	1983	1983	1983	
					Prévision Gama	Prévision Rexeco	*L'Expansion* Prévision volume	milliards de F.
RESSOURCES :								
P.I.B. marchand	3,4	1,3	0,2	0,7	2,4	0,5	0,0	3332
Importations...	10,5	4,6	— 1,5	1,6	6,1	1,3	— 0,4	921
EMPLOIS :								
Consommation des ménages	3,3	1,5	1,7	2,4	1,4	1,0	0,7	2511
Consommation des administrations	3,1	2,7	4,4	2,5	2,3	2,9	1,0	142
Investissement brut :	2,7	1,2	2,3	— 2,6	0,2	— 1,0	— 2,2	765
• Sociétés et entreprises individuelles	1,8	4,2	— 3,5	— 3,0	0,8	— 0,5 %	— 3,0	420
• Ménages	4,7	— 3,8	— 1,1	— 3,0	1,0	— 5,0	— 3	197
• Administrations	1,6	1,6	— 0,3	0,0	— 1,3	1,5	1,0	110
• Institutions financières	4,7	— 6,4	— 1,1	0,0	3,5	—	1,5	38
Exportations	7,1	3,0	4,6	— 3,5	7,4	1,0	1,5	831
Hausse des prix	11,8	13,6	14,0	9,7	10,4	9,1	10,0	
Balance commerciale	— 10	— 57	— 62	— 93	—	— 75 ou — 85 *		— 90
Dette extérieure brute (en milliards de francs)	100	125	162	300	—		—	— **
Taux de chômage	5,9	6,3	7,5	8,5			9,3	

* Selon les hypothèses de change. ** Notre estimation (Jean Fericelli) : 400 milliards.

VI

Les entreprises françaises en péril

La situation financière des sociétés françaises devient préoccupante : après avoir essuyé de plein fouet les conséquences du premier choc pétrolier, elles avaient réussi à assainir leur situation financière entre 1975 et 1979, au prix toutefois d'une politique d'investissement quelque peu restrictive, c'est-à-dire en hypothéquant l'avenir. L'évolution de trois indicateurs confirme cette impression : le taux de marge, le taux d'endettement et le taux d'investissement.

C'est dans un environnement économique généralement déprimé et dans une situation de relative fragilité financière que les sociétés françaises ont dû affronter le second choc pétrolier puis l'arrivée de la Gauche au pouvoir.

Aux effets d'une forte progression initiale du prix des consommations intermédiaires importées, se sont ajoutés les effets de l'augmentation des coûts salariaux, de la hausse générale des taux d'intérêt et des dévaluations du franc. Il ne pouvait en résulter qu'une nouvelle dégradation de la capacité d'autofinancement des sociétés et un endettement accru, bien que les programmes d'investissement aient marqué un nouveau repli, comme en témoigne l'évolution des trois indicateurs précédents.

Indicateurs / Années	1973	1974	1975	1976	1977	1978	1979
Taux de marge[1]	28,5	27,3	25,3	25,2	25,3	25,3	25,5
Taux d'endettement[2]	37,2	39,3	39,0	39,0	39,2	34,7	33,5
Taux d'investissement	20,3	20,1	19,1	19,7	19,0	18,6	18,1

Source : *Comptes de la nation et Centrale des bilans*

	1979	1980	1981	1982*
Taux de marge	25,5	24,4	23,6	22,6
Taux d'endettement	33,5	35,2	36,8	> 38
Taux d'investissement	18,1	18,9	18,5	18,6

* Estimations INSEE

Source : *Comptes de la nation et Centrale des bilans*

De fragile, la situation financière des sociétés françaises est devenue préoccupante, encore qu'une approche globale masque les situations particulièrement graves observées au cœur des forces vives de notre tissu industriel : la situation financière de l'ensemble des grandes entreprises nationales s'est profondément dégradée en raison des effets conjoints d'un accroissement de leur

1. Les comptables nationaux mesurent le taux de marge et le taux d'investissement en rapportant respectivement l'excédent brut d'exploitation des sociétés et quasi-sociétés à la valeur ajoutée :

$$\text{Taux de marge} : \frac{\text{Excédent brut d'exploitation}}{\text{Valeur ajoutée}}$$

$$\text{Taux d'investissement} ? \frac{\text{Formation brute de capital fixe}}{\text{Valeur ajoutée}}$$

2. La Centrale des bilans de la Banque de France mesure le taux d'endettement en rapportant l'endettement total (obligations, autres emprunts, crédits bancaires et comptes d'associés) au capital engagé (valeurs immobilisées, besoins en fonds de roulement et liquidités) :

$$\text{Taux d'endettement} ? \frac{\text{Endettement total}}{\text{Capital engagé}}$$

endettement et d'un effondrement de leurs résultats ; de même, certaines PME qui présentaient une structure d'endettement très lourde ne pouvaient traverser la tourmente qu'à la condition de connaître une forte progression de leurs résultats d'exploitation. C'est plutôt le phénomène inverse qui a été observé pour l'instant. Peut-on cependant être optimiste pour l'avenir ?

Les budgets économiques et les prévisions associées à la loi de Finances décrivent une évolution de nature à améliorer la situation financière des entreprises. Ils reposent sur des hypothèses d'amélioration des termes de l'échange, de diminution des coûts salariaux et d'allègement des charges financières dont les effets se traduiraient par une augmentation relative plus importante de l'épargne brute des sociétés que des besoins de financement liés au financement des investissements ou à celui des besoins en fonds de roulement.

Si les enquêtes de conjoncture ont effectivement décelé au cours du premier semestre 1982 les manifestations d'un ralentissement de la dégradation observée jusqu'alors, celle-ci s'est aggravée au cours des deux derniers trimestres sous l'effet notamment du blocage des pirx, de l'accroissement des charges salariales (cinquième semaine de congés payés) et de la hausse des prix à l'importation

Les comptes prévisionnels de la nation pour 1982 et les principales hypothèses économiques pour 1983, présentés à la commission des Comptes et des Budgets économiques de la nation le 29 septembre mettent l'accent sur « une lutte contre l'inflation » qui permettrait au gouvernement de « mener une lutte pour l'emploi à court et moyen terme ». S'il est vrai que d'un point de vue macroéconomique, une diminution de l'inflation améliore la compétitivité des entreprises, stimule la demande des ménages et réduit les pressions qui s'exercent contre le franc, elle génère cependant des effets mécaniques de nature à réduire les marges brutes réelles des sociétés :

— le ralentissement de l'inflation allège la charge finan-

cière réelle des entreprises faiblement endettées à taux variables ;
— compte tenu de l'assiette de l'impôt sur les sociétés, seules les sociétés bénéficiaires peuvent profiter du ralentissement de l'inflation, dans une proportion d'ailleurs limitée aux investissements qui font l'objet d'un amortissement fiscal ;
— les besoins réels en fonds de roulement diminuent si le prix moyen des marchandises stockées et si le coût réel des financements à court terme décroissent plus vite que la moyenne des prix.

La stricte observation de la réalité montre que peu de sociétés françaises sont dans une situation financière qui leur permettrait de bénéficier des effets favorables de la désinflation. Pour la plupart d'entre elles au contraire, les effets pervers vont entraîner une perte de substance grave et irrémédiable, c'est-à-dire une dégradation peut-être irréversible de la valeur économique de notre tissu industriel et commercial.

Comment analyser en termes financiers la valeur économique d'une entreprise ? Comment s'explique la dégradation de la valeur économique des entreprises françaises depuis 1980 ? Comment se manifestent les effets pervers d'une politique anti-inflationniste ?

Ce sont les trois questions auxquelles nous tenterons de répondre.

Les deux critères d'évaluation de la valeur économique d'une entreprise : solvabilité et rentabilité

Économistes et financiers s'accordent généralement à reconnaître que l'objectif fondamental est de rechercher les moyens qui permettent de maximiser la valeur à long terme de l'entreprise, même si cet objectif est rarement perçu, en France, à travers la maximisation de la richesse des actionnaires. Mais le financier a sur l'économiste l'avantage de centrer son observation sur la réalité intrinsèque de l'entreprise, parce que ses propres performances seront mesurées par les conséquences directes que ses décisions auront sur la recherche du profit et sur la solvabilité financière à travers le développement de son entreprise. Un projet d'investissement, par exemple, peut être très rentable, mais s'il impose à un moment donné un besoin de financement supérieur à la capacité d'autofinancement ou d'endettement de l'entreprise, il doit être rejeté. *A contrario,* un projet d'investissement peut ne pas poser de problèmes de financement incompatibles avec la capacité de financement d'une entreprise, et être rejeté parce qu'il ne dégage pas une rentabilité suffisante. *Par conséquent, la solvabilité et la rentabilité sont les deux critères fondamentaux d'évaluation de la valeur économique d'une décision.* La vie d'une entreprise étant constituée d'une multitude de décisions, généralement interdépendantes, la valeur économique globale d'une entreprise est fonction de la valeur économique de chacune des décisions qui sont prises.

On a longtemps considéré que les décisions prises dans une entreprise devaient être appréciées par rapport aux effets qu'elles exerçaient sur la rentabilité à long terme de l'entreprise. Une décision était bonne si elle avait pour effet d'augmenter la rentabilité sous une forme ou sous une autre, mauvaise dans le cas contraire. En réalité, cette optique occultait le risque d'insolvabilité associé à chacune des décisions : chaque décision exerce un effet sur la rentabilité et sur la solvabilité de l'entreprise. Elle repose donc sur une appréciation de ses effets sur la valeur économique globale d'une entreprise sur un horizon donné. Dans notre cas nous retiendrons un horizon relativement court (deux à trois ans), compatible avec l'horizon des prévisions que l'on peut raisonnablement retenir. Deux questions se posent de façon pratique : comment quantifier la valeur économique d'une entreprise ? Comment suivre et mesurer le risque d'insolvabilité et le risque de rentabilité ?

Comment quantifier la valeur économique globale d'une entreprise ?

Notre propos n'est pas d'entrer dans une controverse sur le concept de la valeur, mais de proposer un concept opératoire simple, certainement réducteur, mais d'une utilisation qui s'est toujours révélée efficace sur le terrain. Transposé à l'analyse de la situation financière des entreprises françaises, ce concept nous permettra de mieux appréhender leurs risques. *La valeur économique globale d'une entreprise, pendant un intervalle de temps donné, est définie par le volume des* cash-flows *(ou flux nets de trésorerie) que l'exploitation du potentiel matériel et humain de cette entreprise est capable de dégager pendant cette période et par le volume des flux financiers requis pour assurer le financement des besoins de trésorerie.* Par conséquent, les performances globales d'une entreprise, comme celles d'une décision particulière, sont évaluées par les répercussions que les décisions qui sont prises ont sur les *cash-flows* (avant tout financement) liés à l'exploitation, et sur les flux financiers liés aux ressources qui sont mises en œuvre pour financer l'activité normale de l'entreprise ou l'exploitation d'un projet particulier[1].

D'une manière générale, le financier considère que :
— Si les *cash-flows* liés à l'exploitation sont supérieurs aux flux financiers liés aux ressources qui sont mises en œuvre, la valeur économique globale de l'entreprise augmente à concurrence de la différence. Cette diffé-

1. Le financement a en effet pour habitude de distinguer les flux nets de trésorerie liés à l'exploitation, et les flux financiers nets des financements mis en œuvre : les flux nets de trésorerie (FNT) sont donc égaux à la somme algébrique des dépenses liées à l'achat des immobilisations, à la constitution des besoins en fonds de roulement (soit de façon schématique, les stocks + crédit clients — crédit fournisseurs) et aux recettes nettes des charges d'exploitation et de l'impôt sur les sociétés.

Les flux financiers (FF) ont alors pour objet d'équilibrer les besoins ou les excédents de trésorerie dégagés au niveau des flux nets de trésorerie.

rence mesure le surplus monétaire actualisé net, ou capacité nette d'autofinancement, après rémunération des apporteurs de capitaux et remboursement des ressources mises à disposition de l'entreprise. Elle permet à l'entreprise de se développer.
— Si les *cash-flows* (ou flux nets de trésorerie) sont inférieurs aux flux financiers, la valeur économique globale de l'entreprise s'appauvrit à concurrence de la différence. L'entreprise est dans l'impossibilité de se développer. Elle est condamnée, tôt ou tard, à disparaître.

La valeur économique d'une entreprise n'augmente qu'à la condition que la somme des cash-flows *soit supérieure à la somme des flux financiers requis ; elle régresse dans le cas contraire. La variation de la valeur économique sera égale à la valeur actuelle des* cash-flows *futurs.*

Pour transposer l'approche du financier à l'évaluation de la situation financière d'un ensemble d'entreprises, nous devrons naturellement introduire quelques simplifications : nous raisonnerons sur les marges bénéficiaires (ou déficitaires) des entreprises et sur leur niveau d'endettement, c'est-à-dire en négligeant le décalage qui existe entre une situation comptable et une situation de trésorerie. Ces restrictions ne nous paraissent cependant pas de nature à remettre en cause cette approche.

Comment mesurer le risque d'insolvabilité ?

La mesure du risque dérive directement des hypothèses précédentes. Si l'on admet que la valeur économique globale d'une entreprise dépend de la suite de *cash-flows* que son exploitation est capable de générer, et simultanément, des flux financiers requis pour assurer l'équilibre des besoins et des ressources, on observe que le risque se matérialise à deux niveaux :
— Le risque quasi permanent qu'à un moment donné les besoins de financement induits par une décision donnée ne puissent plus être financés par des capitaux propres ou par recours aux emprunts, l'entreprise ayant

atteint sa capacité maximum de recours aux actionnaires ou d'endettement. Nous appellerons ce risque, *risque d'insolvabilité à court terme.*

— Le risque qu'à l'issue de la durée de vie économique d'une décision, la somme des *cash-flows* générés par la décision s'avère globalement inférieure au coût des ressources mises en œuvre pour financer la décision. Nous appellerons ce risque, *risque de rentabilité à long terme.*

Toute décision présente donc un double risque lié aux deux types de flux qui affectent la valeur économique d'une entreprise. Cependant ces risques ne sont pas indépendants : ils sont au contraire fortement liés. Par exemple une augmentation de la rentabilité a pour effet d'élever la limite de solvabilité :

— soit directement, lorsque les *cash-flows* générés par l'exploitation sont réinvestis dans l'entreprise : ils accroissent la trésorerie de l'entreprise et ils en améliorent la structure financière, donc la capacité d'endettement ;

— soit indirectement, même lorsque les *cash-flows* générés par l'exploitation sont distribués aux actionnaires, puisqu'ils améliorent le rendement des capitaux propres : ces derniers seront plus enclins à souscrire à une augmentation de capital dans ces conditions.

Quelle appréciation peut-on porter sur l'évolution de la valeur économique des sociétés françaises lorsqu'on l'observe à travers ces deux critères de solvabilité et de rentabilité ?

La dégradation de la valeur économique des entreprises depuis 1980

Malgré certaines mesures libérales, la demande finale n'a pas augmenté sensiblement en 1981 et tout indique qu'elle a également stagné en 1982. Dans ce contexte économique, les entreprises françaises ont vu leurs marges bénéficiaires se dégrader sous l'action conjointe d'une augmentation des coûts relativement plus importante que celle des prix. On observe de ce fait une détérioration de leur compétitivité alors que le niveau alarmant de leur endettement, associé à une baisse de leur capacité d'autofinancement, les conduit à limiter leurs programmes d'investissement. Les statistiques globales masquent toutefois des situations particulières dont certaines se révèlent alarmantes ; nous en examinerons quelques-unes.

Compression des marges bénéficiaires et détérioration de la compétitivité

Depuis 1980, on assiste à une dégradation des marges bénéficiaires qui s'explique par une progression des coûts d'exploitation plus rapide que celle des prix. Cette dégradation est particulièrement préoccupante dans le cas du secteur public concurrentiel, compte tenu du rôle moteur que le secteur nationalisé est censé jouer dans la relance de l'investissement national.

La sidérurgie et la chimie lourde ont vu leurs résultats se détériorer encore en 1982. Les grandes entreprises nationalisées auront enregistré à elles seules un volume global de pertes supérieur à 24 milliards de francs en 1982, contre 7,5 milliards en 1981[1].

Cette dégradation s'explique principalement par des raisons structurelles et conjoncturelles.

D'abord et surtout l'importance du programme d'investissement : il a doublé en francs constants entre 1973 et 1982, alors que le taux d'autofinancement n'a jamais dépassé 50 % et s'est réduit par la suite, la majorité des financements étant assurés aux conditions du marché.

Viennent ensuite les raisons conjoncturelles : l'évolution des taux de change : si l'on intègre les termes de l'échange des grandes entreprises nationales, il est pro-

1. Voir, pour plus de détail les tableaux du chapitre précédent.

bable qu'une variation défavorable de la parité franc contre dollar exerce un effet multiplicateur voisin de 10^{10} sur leur résultat d'exploitation ; le ralentissement de l'activité économique ; une diminution de la productivité unitaire liée au ralentissement du volume des ventes, à la diminution de la durée hebdomadaire du travail et à une politique d'embauche volontariste ; un relèvement insuffisant des tarifs auquel sont particulièrement sensibles les entreprises du secteur énergétique.

RÉSULTATS NETS DES GROUPES PUBLICS DANS LES SECTEURS DES BIENS INTERMÉDIAIRES, DES BIENS D'ÉQUIPEMENT ET DES BIENS DE CONSOMMATION
(en milliards de francs)

Secteurs Années	1979	1980	1981
1 - Chimie ancienne (CDF Chimie, EMC, SNPE, ATO, SANOFI, SEITA)	+ 0,2	—0,3	—1,4
2 - Nucléaire (Cogema, Eurodif)	+ 0,2	—0,03	—0,3
3 - Sidérurgie (Sacilor, Usinor, Métallurgie de Normandie)	—3,0	—3,3	—7,5
4 - Biens intermédiaires nouveaux (Rhône-Poulenc, Chloé chimie, PUK, Saint-Gobain hors CII)	+ 2,4	—0,5	—2,8
5 - Biens d'équipement anciens, Renault, SNIAS, SNECMA)	+ 1,1	+ 0,8	—0,6
6 - Biens d'équipement nouveaux (CGE, Thomson, CII, Dassault, Matra	+ 1,6	+ 1,7	+ 0,4
Total	+ 2,5	—1,5	—12,2

Source : Direction de la Prévision — Bureau de l'Industrie.
Origine : Comptes consolidés des groupes.

La dégradation des marges bénéficiaires est moins marquée dans le secteur des entreprises commerciales, autant qu'on puisse en juger par l'excédent brut d'exploitation[1] ;mais, si 1982 a été une assez bonne année, 1983 va voir le commerce entrer à son tour — et pour la première fois depuis la guerre — dans une période de « vaches maigres », le pincement généralisé des marges coïncidant avec la baisse du pouvoir d'achat.

Comme dans le cas des grandes entreprises nationales, cette dégradation s'explique, dans le contexte d'un marché replié, par un écart défavorable entre la progression des prix de vente unitaire et la progression du coût des consommations intermédiaires et des charges salariales.

En effet, les coûts des matières premières importées se sont fortement accrus à la suite de chaque dévaluation du franc. Cette évolution pourrait être aggravée si une reprise de l'activité économique aux États-Unis avait pour effet d'élever les cours des matières premières.

Les charges salariales ont suivi une évolution plus complexe à analyser, en raison des effets conjoints d'une hausse variable des salaires horaires (forte dans un premier temps, en 1981 et au second semestre 1982, puis modérée lors de la période de blocage), d'une diminution des prélèvements sociaux (-2, 2 points) et de la baisse de la durée hebdomadaire du travail, qui a permis de reporter au second semestre un ajustement des effectifs.

Les marges bénéficiaires des entreprises françaises se sont sensiblement dégradées en 1982, malgré les effets favorables d'une répercussion sur les prix de certains coûts à l'issue de la période de blocage (hausse de la TVA par exemple). Cette dégradation a été particulièrement forte pour les entreprises fortement importatrices (secteur agro-alimentaire, secteur des biens d'équipement, etc.) sans que les entreprises fortement exportatrices soient beaucoup plus favorisées.

---

1. Le mode de calcul de cet indicateur le rend cependant très approximatif.

En effet, la concurrence étrangère a considérablement augmenté sur l'ensemble des marchés en 1982, alors que la hausse des coûts était supérieure en France à celle que l'on pouvait observer chez nos partenaires. Les effets favorables des dévaluations semblent, pour l'instant, avoir eu plus pour effet de reconstituer les marges à l'exportation que d'améliorer la compétitivité de nos produits et de reconquérir des parts de marché. Une reconstitution généralisée des marges serait d'ailleurs indispensable pour éviter l'effondrement d'un grand nombre d'entreprises trop fortement endettées. Si le nombre des défaillances d'entreprises paraît s'être stabilisé en 1982, c'est à la suite d'une hausse de 20.3 % pour l'ensemble des secteurs en 1981, contre 6,9 % en 1980.

Aggravation du risque d'insolvabilité d'un grand nombre d'entreprises

En 1981, on a observé un phénomène identique à celui qui avait suivi le premier choc pétrolier : pour compenser la dégradation de leurs marges bénéficiaires, les entreprises ont été obligées d'augmenter leur endettement, soit pour financer leurs investissements, soit pour financer l'augmentation de leurs besoins en fonds de roulement. Il en est résulté une augmentation d'autant plus importante des frais financiers que le recours accru à l'endettement s'est réalisé dans une période de hausse générale des taux d'intérêt. Le même phénomène a été observé dans les principaux pays de l'OCDE, mais avec une ampleur plus modérée : certains pays ont mieux réussi à freiner la progression de leurs coûts salariaux (RFA, Pays-Bas) ou ont réussi à élever leurs profits à l'exportation (Japon).

Le risque d'insolvabilité n'est pas encore suffisamment généralisé pour provoquer une dégradation importante et irréversible de l'ensemble de notre tissu industriel et commercial. Mais, d'une part, une dégradation régulière des marges bénéficiaires pendant plusieurs années consécutives y conduirait inévitablement ; d'autre part, l'évolution des marges bénéficiaires et des taux d'intérêt provoque un effet de levier négatif qui comprime la rentabilité des capitaux propres.

Si les marges bénéficiaires ne réussissent pas dans un avenir proche à compenser cet effet négatif, les entreprises seraient contraintes à ajuster par le bas leur situation financière afin de rester en deçà de leur limite d'insolvabilité. Cet ajustement ne pourrait se faire qu'au prix d'une réduction de leurs investissements. Celle-ci réduirait leur rentabilité, détériorerait leur compétitivité internationale et conduirait inévitablement à leur disparition dans une économie de marché ouverte sur l'extérieur.

Bien que le risque d'insolvabilité ne soit pas encore généralisé, une attention particulière doit être portée sur certains secteurs de notre économie, et d'abord, le secteur public.

Si l'on s'intéresse à nouveau à la situation des grandes entreprises nationales, on observe que le niveau de leur endettement à long et moyen terme avant 1980 était déjà préoccupant : il était, en moyenne, égal à leur chiffre d'affaires.

DETTES À LONG ET MOYEN TERME DES GRANDES ENTREPRISES NATIONALES EN 1980 EN POURCENTAGE DE LEUR CHIFFRE D'AFFAIRES						
EDF	SNCF	GDF	PTT	CDF	AIR FRANCE	ENSEMBLE
154 %	76 %	45 %	96 %	88 %	23 %	101 %

La raison bien connue de cet endettement important tenait d'une part à l'importance de leur programme d'investissement, et d'autre part, à l'insuffisance de leur autofinancement ou de leurs dotations en capital.

Cet endettement s'est sensiblement accru en 1981 et en 1982 à la suite d'un double effet : de nouveaux emprunts ont été contractés pour financer de nouveaux investissements et pour faciliter l'amortissement des emprunts antérieurs (consolidation de la dette) ; les emprunts contractés en devises ont dû être réévalués pour tenir compte de la dépréciation du franc : on peut estimer en effet à 30 % l'endettement en devises d'EDF, à 50 % l'endettement en devises de la SNCF et des PTT.

La charge de la dette ainsi accumulée, régulièrement depuis 1974 et de manière accélérée en 1981 et 1982, se traduit inévitablement par une progression très rapide des frais financiers : leur part dans la valeur ajoutée est ainsi passée de 11 % en 1973 à 23 % en 1982, représentant plus de 13 milliards de francs en 1982 contre 7 milliards en 1980. Bien que la limite d'insolvabilité de ces entreprises soit définie par la propre limite de solvabilité de l'État, leur endettement fait peser sur notre économie un risque grave.

S'il est vrai que certaines grandes entreprises bénéficient de la part des prêteurs de privilèges qui leur permettent d'atteindre des ratios d'endettement exorbitants (cinq à six fois les fonds propres), il n'en va généralement pas de même pour les PME pour lesquelles l'orthodoxie financière la plus répandue interdit habituellement un endettement supérieur au montant des fonds propres. Certaines PME ont cependant une structure d'endettement à moyen et long terme très dangereuse, bien que ces entreprises soient traditionnellement moins endettées à long terme qu'à court terme (crédits de trésorerie mobilisables ou non). Près du quart des PME ont ainsi un endettement supérieur à une fois et demie leurs fonds propres, c'est-à-dire un endettement relatif supérieur à celui qu'on observe pour le quart des grandes sociétés les plus endettées.

D'une manière générale, la croissance de l'endettement global des entreprises françaises s'explique plus par une augmentation de leurs besoins en fonds de roulement (alourdissement des stocks, allongement des délais de règlement de la clientèle, etc.) que par le financement de nouveaux programmes d'investissement. Mais les besoins de financement à court terme, s'ils ont été accueillis de façon relativement libérale par les banques, se sont heurtés vers le milieu de l'année 1982 aux contraintes suscitées par l'encadrement du crédit et la reconstitution des marges bancaires. Les banques qui avaient été fortement pénalisées par le biais des réserves obligatoires, sur les dépassements qu'elles avaient consentis en 1981, ont été rappelées à une plus grande rigueur.

Les enquêtes mensuelles effectuées en 1982 montrent que les anticipations des entrepreneurs les portent à limiter leurs investissements, la structure financière de leur entreprise ne leur permettant plus d'augmenter un endettement qui frôle la limite de solvabilité. *Le risque pour les années à venir réside peut-être plus dans une nouvelle dégradation de la rentabilité de nos entreprises que dans une augmentation rapide du nombre des défaillances.*

Ces observations portent à penser qu'une majorité d'entreprises françaises s'acheminent vers une situation où leur équilibre financier ne pourra être maintenu qu'au prix d'une régression de leur valeur économique. Cette conclusion repose cependant sur des observations très fragmentaires et hétérogènes, elle n'intègre pas, en outre, les conséquences perverses de la nouvelle politique de lutte contre l'inflation.

Les effets pervers de la désinflation

D'un point de vue macroéconomique, de nombreuses études menées tant en France qu'à l'étranger ont montré à quel point une hausse excessive et prolongée du niveau général des prix exerçait sur l'économie des pressions d'autant plus intolérables que la hausse était supérieure à celle qui pouvait être observée chez les principaux partenaires économiques. La profession de foi présentée dans les Comptes prévisionnels de la nation pour 1982 et les principales hypothèses économiques pour 1983 s'inscrivent à cet égard dans la ligne de la plus pure orthodoxie financière :

« Le rythme trop élevé de la croissance des prix en France apparaît un obstacle majeur à une plus forte croissance et à un meilleur emploi.

« Dans le domaine des échanges extérieurs, il conduit à une perte permanente de compétitivité. Or, les changements de parité ne peuvent les corriger dans tous les aspects. Dans la structure actuelle des importations françaises qui enregistre un poids élevé des importations peu substituables (énergie, matières premières, certains biens d'équipement professionnels), la baisse de la parité a des effets pervers, plus difficiles à combattre, en matière de tensions inflationnistes comme d'évolution des soldes extérieurs à court terme. De plus, par l'évolution des termes de l'échange qu'elle induit, elle pèse sur le pouvoir d'achat des revenus tirés de la production.

« Pour l'économie intérieure, le rythme trop élevé des prix peut conduire à décourager l'épargne et à freiner l'investissement, ne serait-ce qu'en raison de l'incertitude qu'elle introduit sur l'évolution ultérieure des coûts[1]. »

A en croire les prévisions associées à la loi de Finances pour 1983, les entreprises bénéficieraient globalement du ralentissement de l'inflation. Dans ses modalités, le Plan présenté le 12 juin 1982 marque une forte volonté de peser fortement sur la croissance des salaires et sur celle des prix de vente afin de rétablir un meilleur partage de la valeur ajoutée. Les idées générales sont simples :

— la capacité d'autofinancement des entreprises augmenterait sous l'effet d'une réduction du poids réel de l'impôt sur les sociétés : l'impôt sur les sociétés diminuerait plus rapidement que le revenu réel des entreprises, du fait de la déductibilité fiscale d'amortissements calculés sur la base du coût historique d'acquisition des valeurs immobilisées ;

— les charges financières des entreprises diminueraient également sous l'effet d'une diminution de leurs besoins en fonds de roulement : cette diminution entraînerait un

1. Comptes prévisionnels de la nation pour 1982, p. 17.

allègement de leur endettement à court terme, donc une réduction proportionnelle des frais financiers.

A y regarder de plus près, ces points de vue méritent d'être fortement nuancés : une approche trop globale de ce problème masque un certain nombre d'effets pervers que le financier connaît bien. Ces effets tiennent à plusieurs causes et peuvent agir de façon contraire sur la situation financière des entreprises :

— Pour bénéficier des effets favorables de la déductibilité fiscale des amortissements, les entreprises doivent avoir fortement investi au cours des dernières années ; nous avons vu qu'il n'en était rien.

— Les variations des besoins en fonds de roulement sont fonction de plusieurs facteurs :

- la variation des délais moyens de règlement des clients comparés aux délais moyens de règlement des fournisseurs : or le crédit inter-entreprise représente aujourd'hui un encours supérieur à 1 000 milliards de francs ;
- l'évolution de la structure des prix relatifs des charges et des produits : les entreprises les plus fortement exposées dans un marché concurrentiel risquent de subir une baisse plus importante de leurs prix de vente que de leurs coûts unitaires.

— Les frais financiers supportés pour le financement des besoins en fonds de roulement ne diminuent généralement pas aussi rapidement que l'inflation pour plusieurs raisons :

- les taux d'intérêt réels tendent à s'élever en période de ralentissement de l'inflation ;
- les entreprises les plus fortement endettées à taux fixes supportent une charge financière d'autant plus forte que le ralentissement de l'inflation est important : cette charge pèse sur les marges bénéficiaires et réduit par conséquent la contribution des capitaux propres au financement des besoins en fonds de roulement.

Dans un contexte caractérisé par des situations financières délicates, et par l'existence d'un grand nombre d'entreprises particulièrement vulnérables, le ralentissement de l'inflation, s'il est bénéfique à long terme, présente cependant un risque important à court terme pour un certain nombre d'entreprises que ne compensent pas les effets favorables que d'autres peuvent en attendre : un risque de dégradation rapide des marges bénéficiaires des entreprises les plus endettées ; une diminution de l'endettement à court terme, limitée aux entreprises les mieux protégées.

Ces deux manifestations de la désinflation exercent sur la valeur économique des entreprises des effets d'une ampleur et d'un sens qui dépendent de la situation financière qu'elles ont acquise en période d'inflation et des contraintes qui pèsent sur la nature de leur activité : d'une manière générale, les effets pervers affecteront plus sensiblement les entreprises les plus vulnérables.

Un risque de dégradation des marges bénéficiaires des entreprises les plus endettées

Autant l'inflation allège le poids de l'endettement, autant le ralentissement de l'inflation pèse sur les marges bénéficiaires. Cet effet négatif est plus sensible pour les entreprises si ; l'endettement est important, la part à taux fixes élevée ; enfin, si les taux d'intérêt nominaux baissent moins vite que le niveau général des prix.

Bien qu'il soit difficile d'évaluer avec précision la part des frais financiers correspondant à un endettement à taux fixes, on peut toutefois estimer, par recoupement entre les statistiques du Conseil national du crédit et les estimations de la commission financement du VIIIe Plan, que les crédits à moyen et long terme à taux fixes représentaient en 1981 60 % de l'ensemble des crédits à moyen et long terme accordés par les institutions financières bancaires et non bancaires. Si l'on admet que tous les crédits à court terme sont à taux variables les crédits à taux fixes représentent près de 40 % de l'ensemble des crédits.

ENCOURS DES CRÉANCES ET DETTES DES ENTREPRISES À LA FIN DE 1981 (en milliards de francs)			
	Total	Taux fixes	Taux variables
I — Endettement	1 403	605	798
Crédits à l'économie	1 257	500	757
Crédit bail	71	30	41
Obligations	75	75	0
II — Dépôts monétaires	— 288	— 178	— 110
III — Total net (I-II)	1 115	427	688
IV — Pourcentages	100 %	38 %	62 %

Bien que cette estimation soit partielle[1], elle permet de préciser comment les frais financiers des entreprises sont susceptibles d'évoluer dans une situation de ralentissement de l'inflation.

— Les frais financiers relatifs à un endettement à taux variables ne peuvent diminuer en termes réels qu'à la condition que les taux baissent plus vite que le niveau général des prix.

Les perspectives associées à la loi de Finances pour 1983 font apparaître une croissance beaucoup plus rapide de la charge d'intérêt réelle que de la charge nominale. Ce phénomène risque de toucher de façon dramatique la fraction des PME lourdement endettées à court terme et à taux variables.

— Les frais financiers relatifs à un endettement à taux fixes seront, par définition, inchangés : ce sont cette fois toutes les grandes entreprises nationales, dont nous avons vu à quel point elles étaient endettées, qui ris-

1. Faute de statistiques, il n'est pas possible de retenir les obligations détenues, les dépôts de tiers, le volume du crédit inter-entreprise (dont le volume est très différent d'un secteur ou d'une entreprise à l'autre, même si l'ensemble s'annule sur un plan macroéconomique), etc.

quent de connaître de graves difficultés, même si elles bénéficient largement de crédits à taux bonifiés.

ÉVOLUTION DE LA CHARGE FINANCIÈRE RÉELLE EN FONCTION DES DIFFÉRENTIELS DE PRIX (PIB et taux de base)							
	1977	1978	1979	1980	1981	1982*	1983*
Prix du PIB marchand	8,5	9,6	10,4	11,5	11,6	12,3	8,9
Taux de base nominal	9,5	9,1	9,8	12,6	14,2	13,9	11,0
Taux de base réel = (b) — (a)	+ 1,0	— 0,5	— 0,6	1,1	2,6	1,6	2,1
Variation de la charge d'intérêt nominale %	12,7	5,1	9,7	27,7	38,9	16,3	7,5
Variation de la charge d'intérêt réelle %	13,9	4,1	8,9	26,5	38,8	15,6	10,2

* Prévisions associées à la loi de Finances pour 1983

La logique d'une approche macroéconomique fait abstraction des conséquences pratiques qu'un ralentissement de l'inflation fait peser sur les marges bénéficiaires d'un grand nombre d'entreprises. Cette faiblesse est encore plus manifeste lorsqu'on en examine les effets sur les variations des besoins en fonds de roulement.

Une diminution de l'endettement à court terme, limitée aux entreprises les mieux protégées

D'après les prévisions associées à la loi de Finances pour 1983, le ralentissement de l'inflation entraînerait une diminution des besoins en fonds de roulement de nature à provoquer un allègement de l'endettement à court terme et une diminution des frais financiers.

La diminution des besoins en fonds de roulement résulterait d'une amélioration des termes de l'échange, d'une décélération du coût salarial par unité produite, enfin d'un assainissement des charges financières lié à la baisse des taux du marché monétaire (taux du marché monétaire à 11 % à comparer à une hausse du niveau général des prix à la production de 8,9 %).

Ces hypothèses paraissent très optimistes.

L'amélioration des termes de l'échange supposerait un rétablissement de notre balance commerciale, dont on observe l'effondrement depuis deux ans. Ce rétablissement ne pourrait être obtenu que par une amélioration de la parité franc/dollar de nature à réduire le coût des matières premières importées, mais simultanément à renchérir le prix de nos produits à l'exportation. Le passé récent incite à une grande prudence à cet égard : les prix internationaux des matières premières importées par la France, exprimés en francs, sont passés de l'indice 100 en 1978 à l'indice 170-180 à fin 1982, tandis qu'ils passaient, en devises, de l'indice 100 en 1978 à l'indice 110 à fin 1982, après avoir atteint l'indice 140 au cours du premier trimestre 1980. Seules pourront bénéficier d'une amélioration éventuelle des termes de l'échange les entreprises les moins importatrices et les plus compétitives sur le plan international.

A l'inverse, le ralentissement de l'inflation peut entraîner une augmentation des besoins en fonds de roulement pour les entreprises dont les prix de vente et les salaires seraient sinon bloqués, tout au moins fortement contenus et qui, dans le même temps, auraient à supporter la hausse de consommations intermédiaires importées ou dont les prix seraient fixés par les autorités communautaires, la hausse de certaines charges fiscales (TVA par exemple) ou des prélèvements sociaux accrus (UNEDIC, extension de la cinquième semaine de congés payés), etc.

On ne peut cependant prétendre à une meilleure compréhension des conséquences d'un ralentissement de l'inflation sur la valeur économique des entreprises françaises qu'en intégrant les particularités qui affectent la variation de leur rentabilité et de leur solvabilité à court terme.

La désinflation exerce sur la rentabilité et sur la solvabilité des entreprises des effets qui aggravent à court terme la situation des entreprises les plus vulnérables

Pour apprécier les effets d'un ralentissement de l'inflation sur la variation de la rentabilité et de la solvabilité à court terme, il serait nécessaire de distinguer un grand nombre de cas de figures possibles. Nous ne retiendrons cependant que les situations définies par deux types de contraintes :
— La nature des délais de règlement accordés aux clients et aux fournisseurs ; chacun sait que les contraintes de ce type ne peuvent pas être modifiées sensiblement à court terme.
— Le différentiel de prix subi par les entreprises entre leurs prix de vente moyens unitaires et les prix de revient moyens de leurs charges d'exploitation. Il conviendrait certes de distinguer la structure des prix relatifs tant au niveau des prix de vente qu'au niveau des charges ; pour des raisons de clarté de l'exposé, nous ne le ferons pas : la compréhension des mécanismes deviendrait rapidement plus complexe, sans pour autant modifier de façon significative les principales conclusions.

Menée en termes de rentabilité et de solvabilité l'analyse revient à effectuer une simulation dont nous exposons les principales modalités en annexe à ce chapitre.

Les résultats de cette simulation qu'on peut résumer dans le tableau ci-dessous, montrent que :
— *Pour les entreprises qui ne bénéficient pas d'un différentiel de prix favorable, le blocage des prix suivi d'un ralentissement de l'inflation entraîne une très forte augmentation de l'endettement à court terme.* Cette augmentation est amplifiée par une forte dégradation de la rentabilité lorsque les délais de règlement des clients sont supérieurs aux délais de règlement des fournisseurs (C), elle est atténuée dans le cas contraire (A).
— *Pour les entreprises qui bénéficient d'un différentiel de prix favorable, le blocage des prix suivi d'un ralentissement*

de l'inflation entraîne une forte diminution de l'endettement à court terme. Cette diminution est amplifiée par une forte progression de la rentabilité lorsque les délais de règlement des clients sont supérieurs aux délais de règlement des fournisseurs (B), elle est atténuée par une diminution de la rentabilité dans le cas contraire (D).

Situations possibles / Critères d'appréciation de la situation financière	Nature des délais de règlement			
	Délai de règlement des clients > au délai de règlement des fournisseurs		Délai de règlement des clients < au délai de règlement des fournisseurs	
	Effet prix fav.	Effet prix défav.	Effet prix fav.	Effet prix défav.
Effets sur la rentabilité	Favorable	Incertain	Incertain	Défavorable
Effets sur la solvabilité	Favorable	Défavorable	Défavorable	Défavorable
Effet sur la valeur économique des entreprises	Favorable	Défavorable	Favorable	Explosif
Catégories d'entreprise	B	A	D	C

C'est donc avec une attention particulière que l'on doit examiner l'évolution de la situation financière des entreprises qui ne jouissent pas d'un effet prix favorable ou qui ne disposent pas de délais de règlement des clients supérieurs aux délais de règlement des fournisseurs. *Celles qui subissent les effets conjoints de ces deux contraintes sont dans une situation financière explosive*[1].

1. C'est pour cette raison que François Mitterand, dans un discours prononcé à Figeac à l'automne 1982, a lancé l'idée d'un « moratoire » concernant les charges financières des entreprises. Cette suggestion, dont la mise en œuvre serait d'une extraordinaire complexité, a suscité de telles réactions dans les milieux bancaires et financiers, tant français qu'internationaux, qu'elle n'a pas été, pour l'instant, suivie d'effets.

Les impacts d'un ralentissement soutenu de l'inflation ne peuvent pas être analysés d'une façon globale : c'est seulement au prix d'une analyse financière menée en termes de flux que peuvent être appréhendées les conséquences d'une telle politique. Incontestablement bénéfique à long terme, une politique de désinflation peut cependant précipiter la disparition d'un grand nombre d'entreprises dont la situation financière, particulièrement instable aujourd'hui, pourrait exploser sous la pression d'une évolution défavorable de l'environnement national ou international : une augmentation des salaires moyens par tête plus forte que les hypothèses retenues ? Une évolution moins favorable de la productivité que prévue, sous l'effet conjoint d'un ralentissement des investissements productifs et d'une demande intérieure déprimée ? Une réduction des parts de marché à l'exportation ou un accroissement de la pénétration des produits étrangers sur le marché domestique ? Le maintien du dollar à un niveau plus élevé que prévu ? Une croissance trop modérée de la demande mondiale ?

Autant de facteurs d'incertitude qui hypothèquent lourdement l'avenir de nos entreprises[1].

Bertrand-Hugues ABTEY

---

1. Pour plus de détails, et de chiffres, voir, par exemple, le « Rapport annuel de la France 1983 » présenté par *L'Expansion* (7-20 janvier 1983) : « jamais les perspectives n'ont paru si mauvaises... la dégradation financière est l'obsession des professionnels interrogés. Elle explique qu'ils ne songent qu'à stabiliser ou à comprimer les effectifs au travail. Il n'est pas sûr que les emplois créés dans les services soient suffisants pour empêcher une nouvelle diminution de la population active occupée en France... ».

Annexes

L'analyse revient à effectuer une simulation sur la grille de situation suivante :

Situations possibles / Critères d'appréciation de la situation financière	Nature des délais de règlement			
	délai de règlement des clients > au délai de règlement des fournisseurs		délai de règlement des clients < au délai de règlement des fournisseurs	
	Effet prix fav.	Effet prix défav.	Effet prix fav.	Effet prix défav.
Effets sur la rentabilité	$\triangle P_p > \triangle Pc$ ou $\triangledown P_p < \triangledown Pc$	$\triangle P_p < \triangle Pc$ ou $\triangledown P_p > \triangledown Pc$	$\triangle P_p > \triangle Pc$ ou $\triangledown P_p < \triangledown Pc$	$\triangle P_p < \triangle Pc$ ou $\triangledown P_p > \triangledown Pc$
Effets sur la solvabilité	*idem*	*idem*	*idem*	*idem*
Effets sur la valeur économique des entreprises	*idem*	*idem*	*idem*	*idem*
Catégories d'entreprise	B	A	D	C

— Par *effet prix favorable*, il faut entendre : soit une augmentation des prix de vente unitaires des produits plus rapide que l'augmentation des prix de revient unitaires des charges d'exploitation ($\triangle P_p > \triangle Pc$) ; soit une diminution des prix de vente unitaires des produits moins rapide que la diminution des prix de revient unitaires des charges d'exploitation ($\triangledown P_p < \triangledown Pc$)

— Par *effet prix défavorable*, il faut entendre : soit une augmentation des prix de vente unitaires des produits moins rapide que celles des prix de revient unitaires des charges d'exploitation ($\triangle P_p < \triangle Pc$) ; soit une diminution des prix de vente unitaires des produits plus rapide que celle des prix de revient unitaires des charges d'exploitation ($\nabla P_p > \nabla Pc$).

Nous avons retenu trois périodes annuelles découpées chacune en trimestres, notées de A1 à A12 : la première période (A1 à A4) est caractérisée par une économie d'inflation ; la seconde (A5 à A8) par une économie de blocage des prix au niveau atteint en A4 ; la troisième (A9 à A12) par une économie de désinflation à partir du niveau atteint en A8.

Les taux d'inflation et de désinflation ont été volontairement exagérés afin de mieux mettre en valeur des évolutions caractéristiques :

Par périodes trimestrielles / Variation des prix relatifs	Périodes d'inflation		Périodes de désinflation	
	Effet prix fav.	Effet prix défav.	Effet prix fav.	Effet prix défav.
$\triangle Pc$	+ 10 %	+ 20 %	- 20 %	- 10 %
$\triangle P_p$	+ 20 %	+ 10 %	- 10 %	- 20 %

Les décalages entre délais de règlement ont été fixés à une période, soit trois mois, et les besoins de financement à court terme ont été supposés financés à des taux moyens variables de période en période :

Périodes d'inflation	A1	A2	A3	A4
Taux moyens annuels	12 %	13,2 %	14,5 %	16 %
Taux moyens trimestriels*	3 %	3,3 %	3,6 %	4 %
Périodes de blocage	A5	A6	A7	A8
Taux moyens annuels	14,4 %	13 %	11,6 %	10,5 %
Taux moyens trimestriels*	3,6 %	3,3 %	2,9 %	2,6 %

Périodes de désinflation	A9	A10	A11	A12
Taux moyens annuels	9,4 %	8,5 %	7,6 %	6,9 %
Taux moyens trimestriels*	2,4 %	2,1 %	1,9 %	1,7 %

* Les taux sont légèrement inférieurs aux taux actuariels trimestriels *équivalents* aux taux moyens annuels.

Lorsqu'à un moment donné, la situation d'une entreprise se caractérise par un excédent à court terme, cet excédent est rémunéré sur la base du taux moyen trimestriel des crédits à court terme, minoré d'un point.

La situation de départ des quatre catégories d'entreprise est caractérisée en A_0 par un flux de recettes égal à 200 et par un flux de dépenses d'exploitation égal à 150. Leur évolution dépend de la catégorie à laquelle elles sont rattachées, toutes choses étant considérées égales par ailleurs[1].

Pour effectuer notre simulation — dont nous ne livrons ici que les principaux résultats — nous avons procédé successivement au calcul : de la valeur à francs courants des flux d'exploitation évalués en fonction des hypothèses de délais de règlement clients-fournisseurs et des hypothèses relatives au différentiel de prix entre les produits et les charges ; de la valeur actuelle des flux d'exploitation évalués à taux variables avant financement et avant impôts ; de la situation de trésorerie après impôt sur les sociétés (évalué à 50 %) et après financements (ou placements) à court terme comparée à la situation comptable ; de l'évolution comparée des *cash-flows,* c'est-à-dire des flux d'exploitation après impôt sur les sociétés et avant frais financiers et de l'endettement à court terme (flux financiers à court terme dont frais financiers).

Enfin, nous avons comparé l'évolution de la rentabilité, de l'endettement à court terme et de la valeur économique des quatre catégories d'entreprises, à l'issue de chacune des trois périodes (inflation, blocage, désinflation).

1. Notamment les parts de marché, l'élasticité de la demande par rapport au prix, etc. Les décalages liés aux opérations concernant la TVA ont également été négligés.

VII

Expérience socialiste, emploi, chômage

Deux dévaluations en neuf mois, un commerce extérieur proche de l'équilibre en avril 1981, progressivement transformé en un déficit devenu « exécrable » durant l'été 1982 — et qui l'est de plus en plus en novembre de la même année —, une baisse du pouvoir d'achat tranquillement annoncée aux Français pour 1982 et 1983 après trente-cinq années d'une progression parfaitement continue, des entreprises soumises à une lente asphyxie financière et rendues incapables d'investir, voire de renouveler leur parc d'équipements, un accroissement de 25 % environ en un an des dépenses publiques budgétisées, le dépassement allègre du cap des 2 000 000 de chômeurs en juillet 1982... tous ces points « forts » du victorieux bilan de dix-huit mois de gestion « socialiste » incitent à s'interroger plus particulièrement sur le sort réservé aux questions de l'emploi et du chômage qui alimentèrent, si abondamment, le très sérieux discours de la cohorte des candidats de gauche à la veille des élections de mai-juin 1981.

Nous nous acquitterons de cette tâche en commençant par un rapide examen de l'évolution du chômage et de l'emploi depuis le début de la crise. Nous examinerons ensuite l'avenir que peut laisser espérer, en ce brûlant et difficile domaine, la politique économique et sociale mise en œuvre par le nouveau pouvoir.

Crise, emploi et chômage depuis 1973

L'un des événements qui a le plus frappé l'opinion publique — et le plus tourmenté les responsables politiques — depuis bientôt dix ans est certainement la montée brutale du chômage. La crise économique que subissent les pays industrialisés depuis 1973-1974 a connu d'autres dimensions : inflation, chute de la croissance, difficultés des paiements internationaux, crise pétrolière et énergétique... Il n'en demeure pas moins vrai que l'amplification du chômage constitue un aspect de la crise dont la possibilité, voire l'hypothèse avaient totalement été perdues de vue *en France* depuis les années 50[1].

En fait le développement du chômage ne coïncide pas exactement avec les débuts de la crise généralement datés de 1973 ou 1974. De 1950 à 1967 les taux de chômage[2] sont restés, en France, compris entre 1 et 2 %, très inférieurs dans l'ensemble à ceux observés dans d'autres grands pays industrialisés (Royaume-Uni, Etats-Unis, Italie par exemple). De 1960 à 1967 ils sont, en moyenne annuelle, de 1,7 % dans notre pays. Dès 1968 cependant le seuil des 2 % est franchi et l'on assiste ensuite à une progression régulière des taux (2,8 % en 1974). Pour la période 1968-1974 la moyenne annuelle s'établit à 2,51 %. En 1975 le taux de chômage passe brusquement à 4,1 % (augmentation de plus de 48 % du taux de chômage par rapport à l'année antérieure, et de plus de

1. Les difficultés chroniques du système de paiements internationaux demeurent un phénomène relativement abstrait et lointain pour l'opinion publique *moyenne*. L'inflation (certes très modérée de 1958 à 1968) continue à faire partie du possible pour cette opinion plus ou moins habituée à la voir périodiquement resurgir, et non moins accoutumée à la voir combattre (expériences de stabilisation) ou à se voir prémunie contre ses effets (indexation des salaires, des emprunts, etc.). La chute de la croissance n'a pas, jusqu'en 1982, vraiment amputé les niveaux de vie confortables d'une grande majorité de la population et en ce sens n'a pas vraiment frappé ou inquiété le « Français moyen ».

2. Nombre de chômeurs en pourcentage de la population active totale (chômage + emploi).

63 % par comparaison au taux annuel moyen des années 1968-74). Et par la suite la progression ne cessera plus, comme en font foi les données suivantes :

1975 : 4,1 %	1979 : 5,9 %
1976 : 4,4 %	1980 : 6,3 %
1977 : 4,7 %	1981 : 7,5 %
1978 : 5,2 %	1982 : 8,5 %

Le cap des 500 000 chômeurs est franchi en 1970 (cela ne s'était plus vu en France depuis 1938). Celui du million est doublé en 1977. En 1981 on dépasse largement les 1 500 000 chômeurs. En 1982 le seuil des 2 000 000 chômeurs est atteint et dépassé[1]...

Notre pays n'est certes pas le seul à connaître cette détérioration du marché du travail, comme l'indique le tableau A ci-dessous. Le caractère très général du phénomène — qui montre bien qu'il s'agit là d'un effet particulièrement spectaculaire d'une crise dépassant

TABLEAU A — CHOMAGE EN POURCENTAGE DU TOTAL DE LA POPULATION ACTIVE

	Moyenne annuelles									Milieu d'année
	1964-73	1973	1974	1975	1976	1977	1978	1979	1980	1981
Belgique	2,5[a]	2,8	3,1	5,1	6,6	7,5	8,1	8,4	9,0	11,0
France	2,2	2,6	2,8	4,1	4,4	4,7	5,2	5,9	6,3	7,5
Allemagne	0,8	0,9	1,6	3,7	3,7	3,7	3,5	3,2	3,1	4,8
Italie	5,5	6,2	5,3	5,8	6,6	7,0	7,1	7,5	7,4	8,5
Japon	1,2	1,3	1,4	1,9	2,0	2,0	2,2	2,1	2,0	2,4
Pays-bas	2,2	3,9	4,4	5,9	6,3	6,0	6,2	6,6	7,8	12,3
Royaume-Uni	3,1	3,0	2,9	3,9	5,5	6,2	6,1	5,7	7,4	11,2
Etats-Unis	4,4	4,7	5,4	8,3	7,5	6,9	5,9	5,7	7,0	6,9
Moyenne	2,7	3,2	3,4	4,8	5,3	5,5	5,5	5,6	6,3	8,1

a : 1966-1973

Source : OCDE Secrétariat, *OCDE Statistiques de Population Active,* et A. MADDISON, ed. *Unemployement : a European Perspective,* Croom Helm, Londres, 1982.

1. Taux de croissance annuel moyen du chômage (en %) :
1950-1960 : — 1,85
1960-1967 : + 0,22
1967-1974 : + 6,88
1974-1981 : + 16,12.

largement le seul cas français — n'enlève rien à son impact psychologique, économique et social : il s'agit bien du mal le plus urgent à combattre et à résorber.

Lorsqu'on s'interroge sur les origines de la montée du chômage on constate que celle-ci relève, notamment dans le cas français, d'une *conjonction* de facteurs variés — dont aucun, s'il avait agi seul, n'aurait pu conduire à la situation présente.

En tout premier lieu il faut évidemment mentionner le ralentissement de la croissance économique. Le produit intérieur brut français, qui n'a cessé de progresser à un rythme supérieur à 5 % l'an de 1950 à 1973, voit sa croissance ralentir ensuite brusquement. Voici quelques données caractéristiques sur ce point (prix constants de 1970) :

Périodes	Taux de croissance annuels moyens (%) du PIB
1959-1973	5,68
1973-1981	2,49
1973-1979	3,11
1979-1981	0,65

Il est clair que de graves difficultés surgissent à partir de 1973 et qu'elles s'amplifient sur la fin de la période examinée (1979-1981). Depuis 1973 les taux de croissance de l'économie française sont en moyenne inférieurs de 56 % à ceux des années 1959-1970, tandis que les taux enregistrés en 1980 et 1981 leur sont inférieurs de 88 %... Le graphique n° 1 ci-contre établi en coordonnées semi-logarithmiques montre (par comparaison à la croissance très régulière de la période 1959-1973) le ralentissement constaté en 1974 (+ 3,2 %), la quasi-stagnation de 1975 (+ 0,2 %), puis la croissance assez modérée observée jusqu'en 1979, et enfin le fort ralentissement à nouveau connu en 1980 (+ 1,1 %) et 1981 (+ 0,2 %).

Sur le graphique n° 2 ci-contre, on voit bien que la

I : EVOLUTION DU PRODUIT INTERIEUR BRUT FRANÇAIS (1959-1981)

(Coordonnées semi-logarithmiques) Prix constants de 1970

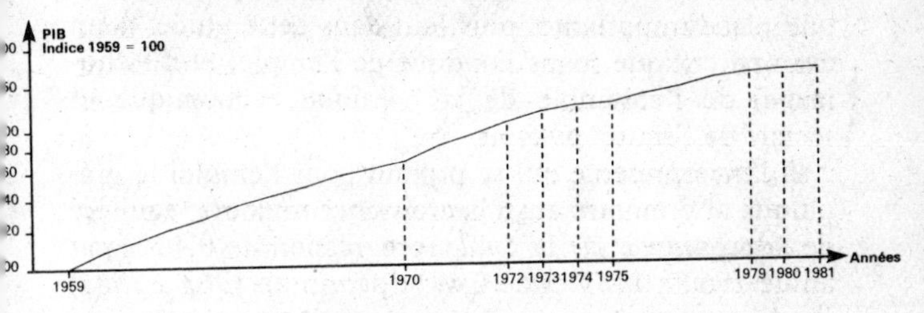

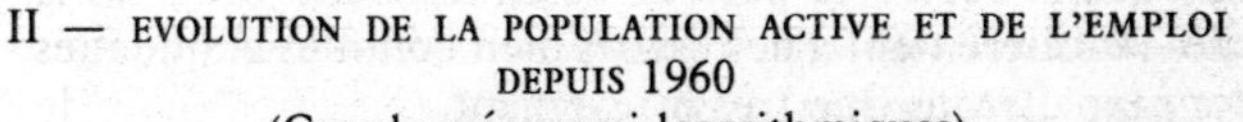

II — EVOLUTION DE LA POPULATION ACTIVE ET DE L'EMPLOI DEPUIS 1960

(Coordonnées semi-logarithmiques)

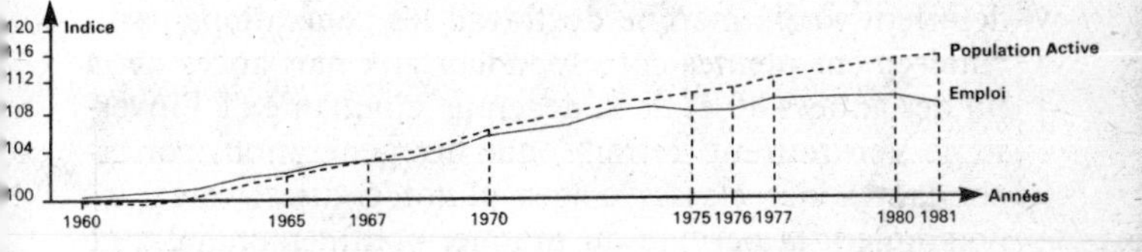

courbe de l'emploi, qui connut une progression assez régulière jusqu'en 1974, présente ensuite un profil beaucoup plus perturbé : baisse de niveau en 1975 (- 0,52 %), légère reprise en 1976 (+ 0,23 %) suivie d'une stagnation jusqu'en 1980, nouvelle chute en 1981 (- 0,71 %). Le parallélisme entre les difficultés économiques générales et la moindre vitalité de l'emploi nous paraît parfaitement clair[1]. En ce sens il nous semble tout à fait vain

1. De 1960 à 1981 l'emploi et la population active ont progressé aux taux annuels moyens de 0,46 % et 0,74 % par an respectivement. Cependant, de 1963 à 1974 ces deux quantités ont progressé selon des rythmes de croissance beaucoup plus proches : 0,72 % par an pour l'emploi et 0,84 % par an pour la population active. Sur la période 1973-1981 l'emploi ne progresse plus qu'au taux annuel de 0,13 % tandis que la population active continue son ascension au rythme annuel de 0,84 %. Si l'emploi avait poursuivi sa progression au rythme de la période 1963-1973 il aurait atteint le niveau de 22 510 000 personnes

ou utopique de vouloir traiter de l'amélioration du marché du travail indépendamment de la situation économique d'ensemble. Pour cette raison aussi nous réserverons une place importante, plus loin dans cette étude, à un examen critique (dans l'optique de l'emploi et du chômage) de l'ensemble de la politique économique et sociale de l'actuel pouvoir.

À l'inverse de ce qui se produit pour l'emploi le graphique n° 2 montre aussi la croissance toujours régulière de la *population active totale* (progression de 0,46 % par an de 1960 à 1981 et de 0,49 % par an de 1963 à 1981) sur l'essentiel de la période retenue. Cette progression très régulière tient à des causes bien connues et que nous ne rappellerons que très brièvement.

Tout d'abord des causes *démographiques* : depuis 1965 déferlent sur le marché du travail les générations particulièrement pleines correspondant aux naissances de la fin des années 40 et de la décennie cinquante ; à l'inverse ne s'en retirent (retraite) que des générations correspondant à des classes d'âges plutôt creuses (intégrant notamment la période du premier conflit mondial) ; ce double mouvement (entrées abondantes, sorties relativement réduites) concourt à maintenir à haut niveau l'offre de travail et donc le volume de la population active. Et la « mécanique » démographique continuera à agir dans le même sens jusqu'à la fin de ce siècle.

Viennent ensuite des causes que l'on qualifie souvent de *sociologiques,* qui n'agissent d'ailleurs pas toutes dans le même sens, mais dont la résultante contribue également, en dernière analyse, à soutenir la croissance de la population active. Le tableau B montre, pour les quatre phases quinquennales composant la période 1954-1980, l'origine des variations de la population active.

---

occupées en 1981. La population active étant alors de 23 346 000 personnes on n'aurait enregistré que 836 000 chômeurs (moins qu'en 1975 : 902 000) soit un taux de chômage de 3,6 % (au lieu de 7,5 %).

TABLEAU B — DÉCOMPOSITION DES VARIATIONS DE LA POPULATION ACTIVE

EN MILLIERS

	1954-1962[1]	1962-1968[1]	1968-1975[1]	1975-1980
1. INCIDENCE DE L'ÉVOLUTION DÉMOGRAPHIQUE (NON COMPRIS LE SOLDE MIGRATOIRE) ...	99	658	849	1 015
2. SOLDE MIGRATOIRE D'ACTIFS ...	329[2]	679[2]	290	20[3]
3. INCIDENCE DE LA VARIATION DES TAUX D'ACTIVITÉ DES HOMMES :				
a. MOINS DE 25 ANS ...	- 88	- 218	- 254	- 90
b. 25-54 ANS ...	- 13	- 26	11	- 15
c. 55 ANS ET PLUS ...	- 107	- 285	- 261	- 210
4. INCIDENCE DE LA VARIATION DES TAUX D'ACTIVITÉ DES FEMMES :				
a. MOINS DE 25 ANS ...	- 8	- 102	- 97	- 75
b. 25-54 ANS ...	- 16	126	568	595
c. 55 ANS ET PLUS ...	- 54	- 134	- 134	- 50
5. VARIATION TOTALE DE LA POPULATION ACTIVE (= 1 + 2 + 3 + 4) ...	442	698	972	1 190
dont :				
HOMMES ...	171	301	250	365
FEMMES ...	- 29	397	722	825

1. Les chiffres ont été ramenés en variation sur 5 années, c'est-à-dire que les variations sur la période 1954-1962 ont été multipliées par 5/8 ; celles sur 1962-1968 par 5/6 ; celles sur la période 1968-1975 par 5/7.
2. Y compris les rapatriés d'Algérie.
3. Solde migratoire estimé pour l'année 1975, il est supposé nul par la suite.

Source : INSEE, division « Emploi ».

À l'effet purement démographique, de type positif (évolution démographique interne et solde migratoire), il convient d'adjoindre l'incidence de la variation des *taux d'activité*[6]. Pour les *hommes* cette variation est toujours négative et touche assez peu la classe des adultes (25 à 54 ans). Elle est au contraire beaucoup plus ample pour les jeunes (moins de 25 ans) et pour les hommes âgés de plus de 55 ans. Dans le premier cas on est en présence de l'effet sur la population active de la rétention scolaire spontanée (opérant au-delà de l'âge limite de la scolarité obligatoire). Dans le second cas il s'agit des retraits anticipés du marché du travail. Examinons à

6. Degré de participation de la population totale (mesuré en pourcentage) à l'activité.

présent le cas des *femmes*. Pour les moins de 25 ans et les plus de 55 ans la tendance est comparable à celle observée pour les hommes. Mais à partir de 1962 la tendance est totalement opposée à celle observée pour les hommes dans la classe d'âge adulte : la participation à l'activité des femmes adultes (25 à 54 ans) est considérablement croissante sur toute la période. Et au total (voir les deux dernières lignes du tableau B) dès la période 1962-1968 la population active augmentait davantage du fait des comportements féminins que par accroissement du nombre d'hommes actifs, ce phénomène s'amplifiant considérablement par la suite.

Ainsi à une progression de l'emploi total plus ou moins perturbée ou défaillante (surtout à partir de 1974) se superposait, dès la fin de la décennie 1960, une population active en progression soutenue et régulière sous l'effet de causes démographiques et aussi de phénomènes de *comportement* — une progression jusqu'ici inconnue de la participation des femmes adultes à l'activité surcompensant largement les effets, notamment, de la rétention scolaire spontanée...

Il devait nécessairement en résulter une montée importante du chômage. Nous avons plus haut caractérisé ce que fut la progression du chômage en France depuis 1973. Le graphique n° 3 en donne la représentation.

III — ÉVOLUTION DU CHOMAGE DEPUIS 1960
(Coordonnées semi-logarithmiques)

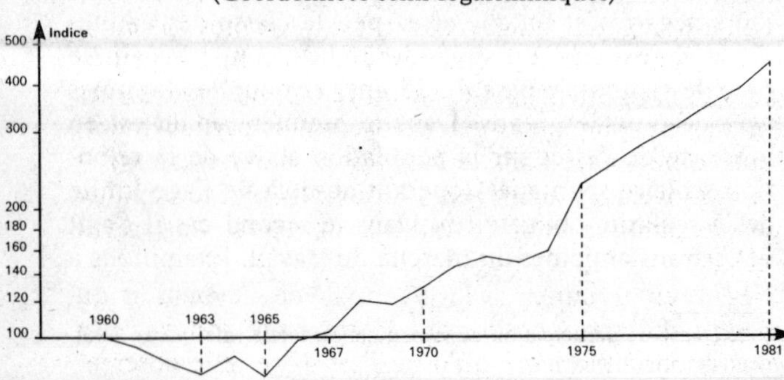

Les facteurs précédemment évoqués fournissent l'explication principale de cette progression. Il n'en reste pas moins que cette impressionnante progression intègre aussi certains aspects de la crise que le relâchement de la demande globale (stagnation relative du PIB) n'explique pas à lui seul. En particulier l'intensification de la concurrence internationale a remis en cause la compétitivité de certaines industries françaises (sur les marchés intérieur et extérieur) et exige en permanence une certaine reconversion de la structure de la production nationale en vue d'une meilleure adaptation à la demande intérieure et plus encore mondiale. Or cette nécessaire réadaptation industrielle se répercute sur le marché de l'emploi sous la forme d'une inadaptation des qualifications offertes par la population active aux exigences des emplois offerts par l'appareil de production, ce qui pose des problèmes de reconversion professionnelle généralement douloureux et *longs à résoudre* : le « stock » des chômeurs s'en ressent nécessairement.

Ce chômage, qui frappe violemment l'économie française actuelle, atteint tout particulièrement les jeunes : les « moins de 25 ans » représentaient 33 % des chômeurs en 1973 et 45 % en 1980. Il atteint aussi les femmes : 51 % des chômeurs en 1973 ; 55 % en 1980. Il frappe aussi sensiblement les étrangers (8,3 % du chômage en 1973, 10 % en 1980). À vrai dire tout cela est parfaitement logique et cohérent avec ce qui précède. Le déferlement des « classes pleines » et la pression considérable de la participation croissante des femmes à l'activité justifient les deux premières observations. La qualification relativement faible, en moyenne, des travailleurs immigrés explique par ailleurs (au moins partiellement) leur vulnérabilité dans le cadre d'un monde industriel en reconversion accélérée, d'une activité économique peu dynamique et d'un marché du travail fortement relâché.

Pour en terminer avec ce survol de l'évolution du marché du travail notons que le chômage pourrait être plus important encore qu'il ne l'est. Une telle observation pourra à première vue surprendre. Elle résulte pourtant d'un examen impartial et minutieux de l'évolution du fonctionnement du marché du travail depuis les débuts de la crise[1]. Il s'avère en effet que diverses modifications de ce fonctionnement, plus ou moins spontanées selon les cas, ont abouti, au-delà même de la montée du chômage, à une *sous-utilisation croissante du facteur travail* depuis 1973. Par exemple une croissance sans précédent du *chômage partiel*, des prises de *retraites anticipées,* du *travail à temps partiel,* les *restrictions à l'immigration* (y compris les incitations au retour des immigrés dans leurs pays d'origine), la *baisse de la durée hebdomadaire du travail* (déjà nette en France à partir de 1968 environ, et en accélération de 1973 à 1980) constituent autant de phénomènes qui ont réduit l'utilisation du facteur travail et « économisé » un nombre considérable de chômeurs : 500 000 au moins en 1980 pour ne prendre qu'un exemple. Le gouvernement de la gauche n'a sûrement pas innové en lançant le slogan du « partage du travail ». Il entend cependant systématiser et intensifier le phénomène par des mesures parfois ouvertes et brutales, de nature à traumatiser l'appareil de production (réduction accélérée de la durée hebdomadaire du travail, octroi de la cinquième semaine de congé, amplification soudaine des prises de retraites anticipées), parfois plus insidieuses ou hypocrites (incitation à un ac-

---

1. Voir sur cette question les publications suivantes :
— Centre d'Analyse économique (faculté d'Économie appliquée d'Aix-Marseille) : *Politiques de l'emploi et emploi,* t. I (polycopié), 1982.
— GRANIER (R.) : *La Sous-utilisation du facteur travail en France (1973-1980),* Rapport au colloque de l'Association française de science économique (1982), un volume polycopié.
— MADDISON (A.) : « Monitoring the Labour Market : A Proposal for a Comprehensive Approach in Official Statistics, Illustrated by Recent Developments in France, Germany and the U.K. », *The Review of Income and Wealth,* n° 2, 1980, pp. 175-217.
— GIRAN (J.-P)-GRANIER (R.) : *Travailleurs et Entreprises face aux politiques de l'emploi,* Economica, Paris, 1983 (voir notamment le premier chapitre de la seconde partie de cet ouvrage).

cueil élargi des étudiants dans l'enseignement supérieur, avancement de l'âge du service militaire, « stages » divers, dits « de formation »...). La gestion de la crise semble désormais l'emporter sur la dynamisation de la demande et du système productif, malgré les apparences du discours officiel...

Mais n'anticipons pas et soumettons à présent les décisions prises au cours de la première année de l'expérience « socialiste » à l'épreuve de l'analyse critique.

Politique économique et emploi depuis le 10 mai 1981

Il est toujours difficile de tracer la frontière séparant la politique de l'emploi des autres domaines de la politique économique. Bien entendu certaines mesures n'offrent aucune ambiguïté et relèvent bien de la politique de l'emploi : la création directe d'emplois publics, par exemple, ou encore l'indemnisation du chômage partiel qui a pour finalité de retarder, voire d'éviter, certains licenciements. Il n'en demeure pas moins que la plupart des mesures de politique économique générale ne peuvent être sans effet sur le marché des facteurs de production et donc sur le marché du travail. Une politique de relance (ou de freinage), une dévaluation réussie, la rigueur ou le laxisme budgétaire... ont toujours un effet plus ou moins perceptible, et plus ou moins direct, sur le chômage et l'emploi. En ce sens il nous paraîtrait vain d'examiner les seules mesures ayant pour finalité avouée d'améliorer l'emploi, ces mesures pouvant être accompagnées, renforcées ou au contraire freinées dans leurs effets — et parfois contrecarrées — par les décisions plus générales de politique économique. Nous commencerons par étudier ces dernières dans leurs effets sur l'emploi.

Des décisions incohérentes ou contradictoires

Dans le contexte de la crise économique mondiale qui sévit depuis dix ans bientôt, crise marquée par des phénomènes divers mais convergents dans leurs effets dépressifs — instabilité chronique du système des paiements internationaux, multiplication par douze environ du prix du pétrole débouchant non seulement sur un alourdissement considérable de la « facture pétrolière[1] » mais aussi, et surtout peut-être, sur une intensification de la concurrence internationale[2] qui remet en cause, dans la plupart des pays importateurs, la compétitivité de nombre d'industries — ; dans un tel contexte donc la situation et les perspectives de l'emploi sont inséparables de l'état général de l'activité économique et des thérapeutiques que l'on propose pour l'améliorer.

Sans nier dans l'absolu l'impact éventuellement positif de mesures ponctuelles ou sélectives visant à améliorer le fonctionnement du marché du travail, il nous paraît vain d'attendre des entreprises une reprise importante de l'embauche dans un tel contexte, ce dernier étant assorti d'une batterie de décisions de politique économique caractérisées par leur incohérence et/ou par leur contradiction avec l'objectif affiché au début du nouveau septennat : faire de l'emploi et de la lutte contre le chômage « la priorité des priorités ».

Expliquons-nous.

Envisager dans la situation actuelle une *politique de relance* n'est certes pas en soi une intention condamnable, le débat sur l'opportunité d'une relance en période stagflationniste n'étant pas sans doute ni révolu ni épuisé[3]... On peut en revanche se poser de sérieuses ques-

1. Pour s'en tenir à la France, 1,7 % du PIB en 1973, 5,5 % en 1981.

2. Intensification de la concurrence internationale s'inscrivant elle-même dans la perspective d'une « tendance lourde » d'intensification des échanges extérieurs (en 1964 nos importations étaient de l'ordre de 11 % du PIB, elles en représentaient 25 % en 1980).

3. La polémique, sur ce point, fut également présente dans la pério-

tions sur la méthode proposée : une relance par la consommation populaire. Outre qu'on ne semble guère s'être interrogé sur les raisons de l'échec historique subi en la matière, quarante-cinq ans plus tôt, par le gouvernement de Front populaire, on semble ignorer aussi les certitudes *scientifiques* acquises en ce domaine au cours des trois dernières décennies. Il est en général assez malaisé d'agir sur la demande globale par l'intermédiaire de la consommation autonome, surtout si l'on attend des résultats *rapides* d'une telle politique[1]. En particulier l'effet d'induction attendu dans les industries de biens d'équipement dépend de la quasi-inexistence de capacités de production inutilisées dans les industries de consommation, et aussi de la confiance et de l'optimisme des producteurs.

Sur le premier point il ne semble pas que des estimations sérieuses du degré d'utilisation des capacités de production aient été faites lors de la mise en œuvre de la politique de relance. En témoignent largement les diverses enquêtes de conjoncture de l'INSEE du second semestre 1981 et du premier semestre 1982.

Sur le second point il est facile de montrer que tout a, au contraire, été mis en œuvre pour décourager le dynamisme des chefs d'entreprise et alimenter leur méfiance,

---

de « giscardienne » au sein de la majorité d'alors. Nous nous bornerons pour notre part à rappeler le danger d'une relance *autonome*, alors même qu'il ne semble être question d'une telle politique chez nos principaux partenaires commerciaux.

1. Il ne saurait naturellement être question de porter ici un jugement de valeur sur l'*opportunité sociale* de mesures visant à améliorer la consommation et le niveau de vie des catégories les plus défavorisées. Nous prétendons seulement qu'il est dangereux ou illusoire, dans le contexte d'une crise durant déjà depuis de nombreuses années, d'attendre *aussi* un effet de relance de telles mesures. Dès lors leurs implications économiques prennent une tout autre dimension : détérioration de la compétitivité de nos entreprises sur les marchés internationaux (charges fiscales et parafiscales accrues), déficit public mal évalué et contrôlé alimentant l'inflation, augmentation excessive des importations et détérioration de la balance commerciale... effets inverses, en réalité, de l'objectif officiellement affiché en matière d'emploi.

les incitant de la sorte à reporter ou à modérer à l'excès leurs décisions d'investissement — ce qui ne saurait évidemment dynamiser les créations d'emplois. C'est à ce niveau que contradictions et incohérences viennent encore compromettre une relance aux modalités contestables.

La politique de liberté des prix mise en œuvre par Raymond Barre n'avait peut-être que peu d'efficacité dans une lutte de court terme contre l'inflation. Elle n'en revêtait pas moins une forte cohérence à plus long terme, tant du point de vue de l'inflation que dans l'optique de l'emploi. La chose est aisée à établir. Les entreprises françaises, dans leur immense majorité — et quelle que soit leur taille — se trouvant *surendettées*, il apparaissait vain d'attendre de leur part des *investissements de capacité* — c'est-à-dire créateurs d'emplois — financés par un endettement supplémentaire. C'est le lieu de rappeler ici que de 1974 à 1981 le taux d'autofinancement des entreprises est passé de 49 % à 39 % et que leur endettement annuel net a progressé de près de 7 % par an, alors même qu'en volume le PIB marchand ne s'accroissait que de 2,4 % pendant la même période. Par ailleurs une option claire ayant été prise quant à l'inopportunité d'une relance de la demande intérieure, une grande rigueur en matière de politique économique extérieure se trouvait mise à l'ordre du jour : incitations aux améliorations de compétitivité des entreprises exportatrices, défense du franc, etc. Dès lors une politique de prix librement fixés par les producteurs devait autoriser un maintien, voire une amélioration, des marges de profits bruts et donc des marges d'autofinancement. Dans ce contexte, les conditions d'*investissements créateurs d'emplois* et largement autofinancés pouvaient se manifester, dès les premiers signes d'une éventuelle reprise, ou dès qu'eût été jugée opportune une quelconque politique de relance. L'élargissement des capacités de production ainsi réalisé aurait en principe eu des vertus anti-inflationnistes aussi bien que favorables à l'emploi. Une telle expérience, passant par une politique d'assainissement financier préalable des entreprises, ne put être conduite à maturité.

Que nous propose pour sa part le gouvernement d'une gauche provisoirement réunie ?

Certes une intention de relance qui est en soi une innovation peu négligeable, mais qui s'assortit hélas d'autres mesures qui sont incompatibles avec elle. Dès les premiers mois du régime nouveau on a assisté à diverses mesures de blocage ou de contrôle des prix[1] accompagnées de dispositions ne faisant qu'accroître considérablement les charges des entreprises, décisions ne pouvant, pour un très grand nombre d'unités de production, que conduire à une compression des marges bénéficiaires et donc au renoncement ou à l'ajournement de bien des décisions d'investissement[2]. À cela il convient d'ajouter la mise en difficultés d'entreprises endettées jusqu'à 14 ou 17 % dans les années récentes, taux d'intérêt devenant strictement insupportables dans un contexte de blocage des prix. « La priorité des priorités » qu'est censée constituer la dynamisation de l'emploi est ainsi envisagée dans le cadre d'une *politique économique globale inductrice de faillites et de chômage...* Et en ce domaine la politique de blocage simultané des prix et des salaires décidée le 11 juin 1982 ne doit pas faire illusion.

---

1. Par exemple la décision du 7 octobre 1981 dont on ne peut dire qu'elle ait été de portée réduite : blocage des prix d'importants produits alimentaires de grande consommation pour trois mois (beurres, margarines, laits, cafés, sucres blancs) et de tous les services pour six mois, blocage de l'ensemble des marges des importations pour trois mois.

2. Augmentations « en rafales » du SMIC (+ 3,7 % au 1-9-1981, + 2,4 % au 1-11-1981), réduction de la durée du travail sans réduction de salaire, déplafonnement de 3,5 points de cotisations d'assurances maladies des employeurs (10-11-1981), etc.

D'après la dernière enquête de l'INSEE sur les investissements dans l'industrie, la proportion des entreprises qui pourront investir dans les prochains mois (premier semestre 1983) est tombée à un minimum « historique » : 36 % contre 47 % en juin 1982 (et 67 % en 1979...), en raison de l'insuffisance des marges d'autofinancement.

Certes le gouvernement de la gauche a en ce domaine habilement exploité son étonnant pouvoir anesthésiant sur les syndicats les plus combatifs. Et il convient de reconnaître qu'un blocage des prix assorti d'un blocage des rémunérations est, à tout prendre, préférable pour les entreprises à un simple blocage des prix. Il reste qu'il n'est pas très honnête de présenter ce dispositif comme étant de nature à préserver les marges bénéficiaires, les facultés d'autofinancement et donc aussi les possibilités d'investissement.

En premier lieu ce que nous avons dit de la situation difficile des entreprises, très endettées à des taux élevés, ne perd pas un pouce de sa vigueur. François Mitterrand a parlé de la nécessité d'un « moratoire global », mais cette formule apparaît d'autant plus imprudente qu'elle révèle une parfaite conscience du phénomène et qu'elle ne sera pas rapidement suivie de mesures adéquates[1]...

En second lieu tout citoyen quelque peu informé des questions économiques sait pertinemment que les charges salariales, élément important des coûts de production — dont l'importance varie d'ailleurs selon la nature des productions —, n'entrent pas seules en compte dans la fixation des coûts. Les matières premières et plus encore l'énergie importées en sont une autre composante qu'ignore totalement le dispositif de blocage des prix, des salaires et des charges sociales. Pour le dire autrement il y a là un facteur d'accroissement des coûts échappant à toute maîtrise et dont la répercussion est interdite par le blocage des prix.

En troisième lieu rien n'a, semble-t-il, été envisagé pour garantir aux entreprises une compensation de la majoration des coûts salariaux par unité produite qu'im-

1. La transformation des emprunts en cours en titres nouveaux dont le taux d'intérêt réel pourrait être de 2 ou 3 %. Ce résultat pourrait être atteint par un système d'indexation des taux protégeant les prêteurs par augmentation des taux en période d'inflation, et protégeant au contraire les emprunteurs par réduction des taux en phase de ralentissement de l'inflation.

pliquent le passage à la semaine de trente-neuf heures (pour s'en tenir aux réalités les plus immédiates) et l'octroi de la cinquième semaine de congé payé[1].

Et il faut bien dire aussi que la récente sortie du blocage des prix et des salaires ne s'accompagne pas de perspectives plus réconfortantes. Les négociations difficiles et les atermoiements variés sur les modalités de cette « sortie » en témoignent. La dérive persistante des prix français par rapport aux prix allemands, le déficit ahurissant et « exécrable » de la balance commerciale, la réalisation récente d'un emprunt international de quatre milliards de dollars assorti de conditions draconiennes sont autant d'éléments qui permettent fort de douter de l'instauration en 1983 d'un climat favorable à l'investissement et à un meilleur emploi. Sauf à voir surgir une problématique reprise de l'activité économique mondiale et se réorienter une politique de rigueur qui rapprocherait étrangement le nouveau socialisme « aux couleurs de la France » du « barrisme » d'hier.

Nous nous sommes jusqu'ici penchés sur les contradictions que tout un chacun peut observer entre les options de politique économique générale et l'intention affichée de régler, dans des délais aussi brefs que possible, la question de l'emploi et du chômage. La réalité politique actuelle est cependant plus complexe, les objectifs *sociaux* de l'actuel gouvernement étant étroitement imbriqués avec la politique économique de relance par la consommation populaire. Ainsi en va-t-il par exemple des mesures prises en faveur des salariés les moins bien rémunérés (dont l'accroissement relatif des rémunérations doit être supérieur au taux de croissance de la masse salariale totale), de l'intensification des transferts sociaux et plus précisément, pour ce qui nous intéresse ici, de l'augmentation des indemnités de chômage. En se situant dans la perspective d'une améliora-

1. Cet accroissement des coûts unitaires pourrait atteindre 5 % selon certaines estimations.

tion de la situation du marché du travail, disons qu'il ne semble pas que l'on se soit posé la moindre question sur les *effets pervers*, en matière de chômage et d'emploi, que peuvent revêtir ces mesures.

Tout accroissement, unilatéralement imposé par les pouvoirs publics, des *bas salaires*, et *notamment du SMIC*, est de nature, surtout en période de marasme économique, à accroître la part du chômage qui peut être qualifiée de « chômage structurel[1] ». La chose s'explique simplement : l'écart positif et croissant entre salaire minimum et salaire d'équilibre (qui assurerait le plein emploi) tend à réduire la demande de travail (fortement sensible au prix, c'est-à-dire au taux de salaire) des entreprises s'adressant aux jeunes et aux moins qualifiés. Il est bien certain qu'en période d'activité économique intense ou qu'en phase de reprise économique l'élévation de la demande de travail peut compenser, partiellement ou totalement, cet effet. Il reste qu'en situation plutôt stagnationniste (depuis 1979 la croissance du PIB est de l'ordre de 0,65 % par an seulement) le risque d'aggravation du chômage dû à de telles mesures est important[2].

L'accroissement des transferts au titre de l'indemnisation du chômage n'est pas moins risqué. De telles augmentations renforcent la liberté de choix des travailleurs. En effet le coût d'opportunité du chômage se trouve réduit d'autant, ou, si l'on préfère, l'attrait des revenus d'assistance (et de la « position » de chômeur indemnisé) se voit renforcé. Il peut en résulter (et il en résulte sans doute

---

1. Chômage résultant de certaines caractéristiques structurelles du marché du travail : salaire rigide pour les travailleurs jeunes et peu qualifiés, offre de travail de ces mêmes travailleurs rigide (ou très peu élastique) compte tenu de leur très forte « préférence pour l'emploi », demande de travail des entreprises au contraire élastique pour cette catégorie d'offreurs de travail. Voir sur ce point *Politiques de l'emploi et emploi*, t. II (Approche théorique), *op. cit.*, pp. 7-9. On rattache aussi au chômage structurel celui qui résulte d'une inadéquation entre offres et demandes de qualifications.

2. *Politiques de l'emploi et emploi*, *op. cit.*, pp. 10-13.

fréquemment) une augmentation du nombre de chômeurs par le biais, en particulier, de l'allongement de la période de chômage (moindre urgence et moindre incitation à la recherche d'emploi)[1]. On se trouve dès lors en présence d'une augmentation du chômage *induite par l'amélioration de certains transferts sociaux.*

On ne peut désapprouver dans l'absolu des mesures dont la portée sociale est sans doute louable. Une fois de plus on est en droit de regretter et de combattre l'incohérence interne d'une politique économique et sociale dont les composantes sont contradictoires entre elles eu égard aux grands objectifs annoncés et affichés.

Mesures sélectives de politique de l'emploi

Penchons-nous, pour terminer cette contribution, sur les options du nouveau gouvernement de la France quant à la politique spécifique de l'emploi.

Un premier constat s'impose : la « priorité des priorités » n'a fait l'objet d'aucune mesure spectaculaire nouvelle pendant quinze mois environ. Pendant de longs mois les mesures anciennes ont été perpétuées dans le fond, sinon dans leur intitulé. Cependant, à l'heure où nous écrivons ces lignes (fin 1982), les axes d'une politique rénovée de l'emploi semblent se dessiner. Ils sont essentiellement au nombre de trois : partage du travail, insertion professionnelle, créations directes d'emplois publics.

Durée et partage du travail. — Le thème de la baisse de la durée du travail apparaît de nos jours de plus en plus inséparable de la notion nouvelle de « partage du travail », si bien qu'une clarification nous paraît préliminairement s'imposer sur ce point.

Rappelons en premier lieu que la baisse de la durée

1. *Ibid.*

du travail est un phénomène qui s'inscrit spontanément dans la réalité depuis 1967-1968 environ et qui s'est accéléré assez sensiblement depuis 1973 même s'il n'a pas atteint (jusqu'en 1981 tout au moins) une ampleur à proprement parler spectaculaire pour l'instant. Les récentes mesures décidées depuis le 10 mai 1981 sont évidemment de nature à amplifier brusquement cette tendance.

Il est possible, sinon probable, que dans la *première phase* (1968-1973) la croissance économique encore soutenue, l'élévation continue des niveaux de vie et l'apparition des premières difficultés sur le marché de l'emploi (le chômage a augmenté de 22 % de 1968 à 1973) constituent les trois facteurs principaux explicatifs de la baisse de la durée du travail. Dans la *seconde phase* (1973-1981) la crise économique explique largement l'émergence de diverses formes de sous-utilisation du facteur travail, partiellement spontanées et en partie aussi volontaires — ou plus ou moins institutionnelles — dont la baisse plus rapide de la durée du travail n'est pas un élément négligeable. La *troisième phase* s'ouvre en mai 1981 et apparaît comme une diminution brutale, imposée par les autorités publiques, de cette même durée du travail. Et ici le phénomène devient plus complexe.

On présente souvent, en effet, une telle politique comme une réponse à une vieille aspiration sociale, toujours éludée par les gouvernements précédents, et qu'il revenait à un pouvoir de gauche d'octroyer. Soit. On peut à ce niveau se demander si une période de crise est correctement choisie, dans la mesure surtout où une diminution automatique et proportionnelle des salaires n'est pas concédée aux entreprises. On invoque aussi volontiers, à propos de ces mesures, l'idée plus large et plus vague de « partage du travail », ce partage étant lui-même un élément important de la « nouvelle politique de l'emploi ». C'est ici que les choses sont moins claires et méritent qu'on s'y attarde quelque peu.

Pour ce qui est tout d'abord des mesures visant à *réduire la durée hebdomadaire du travail* il faut souligner qu'on voit mal comment elles pourraient inciter les entreprises à de nouvelles embauches dans la mesure où elles ne s'accompagnent pas d'une réduction des salaires. De plus, rien n'indique qu'elles induiront des améliorations de productivité. On n'a jamais clairement prouvé qu'une baisse de 1 % de la durée du travail pourrait être compensée par des gains équivalents de productivité du fait, par exemple, d'une moindre fatigue des salariés. De même les réorganisations du travail induites par (ou accompagnant) les réductions d'horaires peuvent améliorer la compétitivité des entreprises, mais la réalisation concrète d'une telle hypothèse reste à prouver. Quoi qu'il en soit, si de nombreux gains de productivité ne permettent pas aux entreprises de compenser la surcharge salariale provenant des réductions de durée du travail, celles-ci pourront fort bien procéder à des investissements de productivité (substitution du capital au travail) et donc réduire l'emploi : effet inverse de l'effet attendu[1]...

Ajoutons à cela qu'on voit mal comment insérer l'octroi de la *cinquième semaine de congé payé annuel* dans le cadre d'un meilleur partage du travail.

Enfin l'*avancement de l'âge de la retraite* — troisième et important volet du projet de partage du travail — apparaît aussi bien comme un dispositif douteux sur le plan social (la « réponse » à l'aspiration sociale de nombreux salariés ayant enduré des conditions de travail difficiles aurait pu aussi bien être apportée par une retraite anticipée « à la carte » intelligemment aménagée, ce qui aurait eu l'avantage de n'être contraignant pour personne) et contestable sur le plan économique : tous les observateurs sérieux du marché du travail savent pertinemment que les entreprises n'opèrent pas toujours des

1. L'intensification de la concurrence internationale, sur le marché intérieur comme sur les marchés extérieurs, ne peut qu'accentuer cette réaction. Et pour les entreprises en difficultés financières, incapables de procéder à ces investissements de substitution, la seule issue risque de résider dans les licenciements ou les cessations d'activité...

remplacements « homme pour homme[1] » ; de plus il peut paraître très dangereux (et c'est clairement notre point de vue) de prendre des mesures qui seront ultérieurement — pour des raisons sociales[2] — irréversibles et qui hypothéqueront lourdement, un jour ou l'autre, le dynamisme de l'économie française[3].

Pour en terminer avec cette question du « partage du travail » nous nous livrerons à deux observations. La première est que le coût, pour les finances publiques, des dispositifs jusqu'ici mis en œuvre[4] est probablement très élevé, encore que nous n'ayons personnellement aucun moyen de le calculer. Mais surtout nous dirons que la notion même de partage du travail, dont on voit certes bien qu'elle s'inscrit dans une perspective « partagiste » et solidariste, est pour le moins curieuse sur le plan économique. Le travail disponible semble traité comme une quantité immuable, ou peu susceptible d'extension, qu'il conviendrait de répartir au mieux. Un relent de stagnationnisme se dégage d'une telle conception, par ailleurs fondamentalement pessimiste. Nul ne semble s'aviser que d'autres politiques économiques (spécifiques et générales) seraient de nature à promouvoir sérieusement l'emploi, et nul ne semble se souvenir que la répartition des butins est d'autant plus aisée que

1. Comportement qui est parfois aussi celui des administrations selon les difficultés budgétaires du moment.

2. On pourrait en dire autant de la baisse légale de la durée du travail.

3. Rappelons que l'avenir de notre pyramide des âges laisse prévoir des années sombres. De plus en cas de forte reprise conjoncturelle une population active insuffisante peut constituer un lourd handicap.

4. Qualifiés de « Contrats de solidarité ». Ces contrats sont de trois types :
— aides aux entreprises qui procèdent à des réductions de la durée du travail d'au moins deux heures entre le 15-9-1981 et le 1-9-1983 ;
— favoriser les départs en « pré-retraite-démission » progressifs ;
— permettre de substituer aux pré-retraités, en priorité des jeunes âgés de moins de 26 ans, des femmes seules, des chômeurs en cours d'indemnisation ou des chômeurs ayant épuisé leurs droits, des travailleurs handicapés.

ceux-ci sont plus grands. C'est une gestion résignée, passive et tristement égalitariste de la crise qui semble animer — si l'on peut dire — nos nouveaux décideurs de politique économique.

L'insertion professionnelle. — Il ne saurait être question de réfuter la nouvelle politique d'insertion professionnelle qui est actuellement mise en place sous la forme du Plan Avenir Jeunes (lancé le 30 juin 1982), qui succède aux Pactes pour l'Emploi des Jeunes imaginés sous le septennat giscardien, et qui constitue toujours une politique délibérément sélective en ce sens qu'elle s'adresse à des groupes cibles clairement définis.

Les diverses mesures contenues dans ce plan[1] sont destinées à faciliter la formation, la reconversion, la mise à niveau, l'insertion et la réinsertion professionnelles des jeunes sous la forme de stages spécifiques. Elles prévoient aussi diverses dispositions destinées à promouvoir ou faciliter l'apprentissage, ainsi que le maintien et le développement des contrats emploi-formation. Elles visent enfin à soutenir l'emploi (contrats de solidarité et dispositions spéciales en faveur de l'emploi dans l'artisanat et au niveau local) et à faciliter la réinsertion des chômeurs de longue durée.

Dans tout cela il est certain que le plus important concerne surtout la formation. La question ne saurait évidemment être tenue pour mineure quand on sait l'ampleur prise ces dernières années par certaines formes du chômage structurel — nous faisons allusion à la part de celui-ci qui résulte de l'inadéquation entre les structures des qualifications offertes et demandées —, et quand on sait, aussi, l'accélération de l'obsolescence des qualifications et des compétences qu'induisent le progrès technique ainsi que les restructurations de l'appa-

1. Dont on trouvera une présentation détaillée et complète in J.P. Grian et R. Granier : *Entreprises et Travailleurs face aux politiques de l'emploi*, Economica, Paris, 1983 (voir la conclusion générale de cet ouvrage).

reil productif imposées par la crise et l'intensification de la concurrence internationale. En ce sens tout dispositif institutionnel et toute politique active visant à corriger l'inadéquation de l'appareil de formation aux desiderata de l'appareil productif d'une part, et à compenser le vieillissement accéléré des qualifications d'autre part, ne peuvent être que bienvenus.

Nous procéderons cependant à quelques observations critiques.

Tout d'abord toute politique d'éducation et de formation ne saurait porter ses fruits qu'à terme. Cela ne saurait certes remettre en cause son opportunité et son urgence — bien au contraire même — mais cela signifie qu'on ne saurait confondre une batterie de « mesures d'urgence » avec une véritable politique de fond qui impliquerait sans doute une refonte générale du système d'éducation et de formation.

En second lieu, si opportunes soient-elles, les dispositions visant à améliorer la formation ne sauraient par elles-mêmes combattre l'actuel marasme de l'embauche. Elles créent les conditions d'une meilleure correspondance entre demandes et offres d'emplois mais elles ne peuvent dynamiser ces dernières. Et rien, tant s'en faut, dans l'actuelle politique économique, ne laisse prévoir une telle dynamisation...

On est finalement en présence d'un dispositif qui précise ou approfondit une politique préexistante, qui a sans doute valeur d'urgence mais qui n'imagine pas une véritable réforme de fond et qui, en tout état de cause, ne portera ses fruits que dans le cadre d'un dynamisme nouveau du monde industriel et de l'économie française en particulier.

Les créations d'emplois publics. — Déjà amorcée sous le précédent septennat[1] la politique de création d'emplois

---

1. Création directe d'emplois publics en 1977, 1978 et 1979 et aussi programme de recrutement dans la fonction publique de cadres âgés de quarante-cinq ans et plus en 1979 et 1980.

publics a été fortement relancée depuis les victoires électorales de la gauche. Dès le 10 juin 1981 était annoncé un programme de création de 54 290 emplois dans la fonction publique, premier pas vers une création plus large (dont le délai reste flou pour l'instant) de 200 000 emplois publics nouveaux au total[1].

Outre le fait qu'une telle politique contribue à alourdir le poids des prélèvements publics sur le revenu national, elle concourt aussi à attiser les tensions inflationnistes et à accroître le processus de bureaucratisation...

Mais *surtout* rien ne prouve qu'elle s'assortira d'une réduction équivalente du nombre des chômeurs.

Remarquons pour commencer que le chômage risque de ne pas diminuer dans les proportions attendues si, attirée par les nouvelles perspectives offertes, une population jusque-là en marge du marché du travail (ni employée, ni officiellement au chômage) décide de venir offrir ses services. Un tel risque n'est pas négligeable : on a déjà constaté, dans le passé, que les créations d'emplois ne « dégonflent » pas toujours d'autant le nombre de chômeurs. En particulier l'accroissement régulier des taux féminins d'activité contribue à expliquer cette « anomalie ».

D'autre part une telle politique pourra aussi produire des effets inférieurs à ceux attendus si l'*accroissement autonome* de la demande de travail que représente la création d'emplois publics survient sur un marché à taux de salaire rigide où subsiste un important chômage involontaire et structurel[2]. Mais si les travailleurs ont un pouvoir contractuel significatif rendant élastique l'offre de travail — du fait notamment d'un niveau de qualification assez élevé et de l'existence d'un système d'assis-

---

1. Par ailleurs la titularisation de 170 000 emplois contractuels est également annoncée.

2. La notion de chômage structurel ici utilisée se réfère surtout au chômage résultant de l'existence d'un salaire rigide à la baisse, d'une offre d'emploi très rigide émanant des travailleurs jeunes et peu qualifiés et d'une demande de travail au contraire fortement élastique.

tance sociale aux chômeurs relativement sécurisant — et si en outre les salaires sont flexibles à la hausse[1], la création d'emplois publics peut, en élevant la concurrence entre demandeurs de travail, contribuer à élever le niveau des rémunérations d'équilibre. Dans un tel contexte l'effet potentiel, éventuellement immédiat, des mesures prises différera de leur effet total et final. Pour le dire autrement, *à terme*, un nouveau chômage induit par ces mesures elles-mêmes viendra amoindrir leur impact initial... De façon plus explicite peut-être l'efficacité d'une telle politique nous paraît dépendre de son caractère éventuellement très sélectif : des créations d'emplois publics ne devraient être offertes qu'à des *chômeurs* et en outre à des chômeurs *faiblement qualifiés* qui, compte tenu de leur préférence absolue pour l'emploi (dans l'optique de l'arbitrage que peuvent toujours faire les gens qualifiés entre des indemnités de chômage confortables et des rémunérations publiques par nature limitées), sont beaucoup plus sensibles à la sécurité de l'emploi qu'aux rémunérations. À notre connaissance le problème n'a jamais été posé en pareils termes...

Roland GRANIER

1. Conditions réunies dans l'actuelle économie française.

VIII

L'irrésistible logique de la socialisation

> Je pense que les peuples démocratiques ont un goût naturel pour la liberté ; livrés à eux-mêmes, ils la cherchent, ils l'aiment, et ils ne voient qu'avec douleur qu'on les en écarte. Mais ils ont pour l'égalité une passion ardente, insatiable, éternelle, invincible ; ils veulent l'égalité dans la liberté et, s'ils ne peuvent l'obtenir, ils la veulent encore dans l'esclavage.
>
> A. de TOCQUEVILLE, *De la Démocratie en Amérique*, tome II

« Sauriez-vous dire la différence entre la droite et la gauche ? », demandait à ses élèves un professeur de l'enseignement secondaire. Telle qu'elle fut comprise, puis rapportée par les écoliers, la leçon donna ceci : « Les gens de gauche veulent que les riches soient moins riches et que les pauvres soient moins pauvres. Les gens de droite, eux, ne le veulent pas ; ils veulent que cela continue comme avant[1]. »

Ainsi se trouvait du même coup définie, moins sommairement qu'on ne pourrait le penser, la perception que de nombreux électeurs de gauche ont aujourd'hui

1. Cette anecdote a réellement eu lieu en avril 1981 dans une école parisienne.

d'une politique socialiste de redistribution, de transferts sociaux et de lutte contre les inégalités. Cette façon de voir, que l'on retrouve souvent aussi dans les discours politiques, présente trois caractéristiques :
1° La population française est répartie de façon simplifiée et manichéenne en deux catégories : les riches, trop riches, et les pauvres, à qui il faut donner davantage en prélevant sur les riches. On ne trouve aucun écho, dans cette conception, de nombreux travaux récents, notamment ceux du CERC (Centre d'étude des revenus et des coûts), qui, depuis plusieurs années, montrent que la dispersion des revenus des Français ressemble en fait à une toupie posée sur sa pointe et dont la tige serait très effilée[1] : c'est-à-dire, en termes clairs, que les revenus très élevés, dix ou vingt fois supérieurs à la moyenne, sont très rares, tandis que les faibles et moyens revenus sont en très grand nombre. Par conséquent, précise le CERC, « pour améliorer sensiblement, par une redistribution, la situation des moins aisés, il faudrait réduire à leur profit non seulement les très hauts revenus, *mais aussi descendre jusqu'aux tranches moyennes*[2] ».

Cependant, pour les socialistes français, il n'y a toujours que « les riches » et « les pauvres ».
2° L'objectif central de la politique sociale consiste en une réduction permanente des inégalités, obtenue essentiellement grâce à l'action redistributrice de l'État. Cet objectif va dans le sens de la justice sociale et doit être inlassablement poursuivi. Mais deux notions ne sont pas prises en compte :
— le but ultime vers lequel tend cette lutte contre les inégalités, qui apparaît ainsi comme une tâche perpétuellement inachevée... donc sans objectif précis ;
— le développement automatique, à partir d'un certain seuil d'intervention de l'État, de nombreux effets per-

1. Voir annexe 1 p. 340
2. Troisième *Rapport du CERC sur les revenus des Français*, p. 63 (souligné par nous).

vers, aussi bien dans le domaine des comportements sociaux que des mécanismes économiques.
3° Les socialistes français parlent et agissent comme si l'histoire sociale commençait le jour de leur arrivée au pouvoir. En l'occurrence, ils passent sous silence la décennie 1970-1980, qui a pourtant déjà été marquée par une volonté délibérée de réduire les inégalités, par le triple effet des politiques salariale, sociale et fiscale. Trois chiffres montrent bien que cette volonté s'est traduite dans les faits : l'écart relatif entre le revenu moyen salarial disponible[1] des cadres supérieurs et des ouvriers est passé de 3,31 en 1970 à 2,89 en 1975 et 2,59 en 1979[2].

Cependant, pour les socialistes, les gens de droite veulent toujours que « cela continue comme avant ».

Précisément, avant de se lancer dans une étude critique de la politique de redistribution mise en œuvre depuis dix-huit mois, il paraît opportun de prendre du recul et de rappeler brièvement ce qui se passait en France *avant* l'arrivée des socialistes au pouvoir, l'héritage trouvé en mai 1981, mais aussi ce qui se passait et se passe *ailleurs* dans le monde, le contexte international dans lequel leur expérience s'insère.

L'héritage du passé

Déjà, la France des années 60 et 70 voit un renforcement considérable du rôle joué par l'État providence. Toujours attachée, en théorie, aux principes de l'économie libérale, la société française évolue en fait insensiblement, mais sûrement, vers un système mixte, forte-

1. C'est-à-dire le salaire direct, net de cotisations sociales et d'impôts, auquel on ajoute les revenus de transferts.

2. *Économie et statistique,* n° 117, pp. 23-35 (décembre 1979). Ces chiffres, ainsi que quelques autres, permettant d'aboutir aux mêmes conclusions, sont rassemblés dans *Le Jardin du voisin — Les inégalités en France,* par Jean FOURASTIÉ et Béatrice BAZIL, « Pluriel », 1980.

ment teinté d'étatisme, où les pouvoirs publics prennent de plus en plus de place dans la protection des individus contre tous les risques qu'ils peuvent courir, dans la couverture de leurs besoins, définis de manière de plus en plus large, et dans la redistribution des richesses. Dénonçant plus d'une idée reçue, certains vont même jusqu'à qualifier la période 1974-1981 de « septennat travailliste[1] ».

En chiffres, le mouvement de socialisation se traduit par la progression continue du pourcentage des impôts et cotisations sociales par rapport à la production intérieure brute (PIB) : de 1970 à 1980, les « prélèvements obligatoires » sont passés en France de 35,6 à 42,6 % du PIB, soit un accroissement de 19,7 %, seulement dépassé, parmi les six grands pays de l'OCDE, par le Japon[2], qui, lui, rattrapait si l'on peut dire un « retard ».

Cette *socialisation croissante* de la vie française est moins due à la progression des impôts qu'à celle des cotisations sociales : de 12,9 % du PIB en 1970, elles sont passées à 18,3 % en 1980. Cela signifie que, malgré la crise économique, les transferts sociaux ont continué à progresser très rapidement, plus rapidement que la production intérieure brute : entre 1974 et 1980, les prestations versées par la Sécurité sociale ont augmenté en francs courants de 185 % contre 116 % pour le PIB[3].

Où est allé tout cet argent ? Les dépenses d'indemnisation du chômage ont notamment progressé, au cours de cette période, de 2,7 à 33,5 milliards de francs, et notre système d'assurance-chômage est aujourd'hui le plus avantageux d'Europe. De 1970 à 1979, la fraction des dépenses de santé restant à la charge des ménages a été réduite de 25,7 à 19 %. La couverture sociale de la population française s'est presque entièrement généralisée ; elle a été améliorée sur de nombreux points, etc.

1. Philippe ROBERT, *Le Monde,* 15-10-1982, p. 2.
2. Voir annexe 3, p. 342.
3. Ces chiffres, ainsi que d'autres, cités plus bas, sont extraits du *Rapport de la commission du Bilan,* présidée par François Bloch-Lainé, La Documentation française, décembre 1981.

Tout ceci explique que les « dépenses sociales », au sens large[1], qui représentaient déjà un quart du revenu disponible des ménages en 1960 (24,7 %), en représentent le tiers en 1980 (32,4 %).

Simultanément, une politique d'égalisation vigoureuse a été menée, par le relèvement des bas salaires, le ralentissement de la croissance des salaires élevés, ainsi que par l'accentuation de la pression fiscale, dès que le salaire dépasse le SMIC. Exprimés en « tranches » de SMIC annuel, les salaires de la troisième tranche, qui n'étaient par exemple amputés que de 18 % en 1972, devaient laisser 28 % au fisc en 1979.

En vingt ans, souligne le CERC dans son troisième *Rapport sur les revenus des Français*, les revenus directs ont ainsi été multipliés par 2,2 seulement en valeur réelle, tandis que les impôts directs étaient multipliés par 3,7, les prestations sociales par 4,2 et les cotisations par 4,4[2].

Cependant, les précédents gouvernements, surtout dans les dernières années avant l'arrivée des socialistes au pouvoir, avaient pris conscience des effets pervers et des limites d'une telle politique. Trop timidement peut-être, ils cherchaient à contenir la progression des dépenses publiques.

Les tentatives d'économies se sont manifestées notamment dans le domaine de la santé, où avaient été mis en place un certain nombre de « freins » : contrôle plus strict sur les ordonnateurs de dépenses, plafonnement des dépenses hospitalières, réduction des « excédents » de lits hospitaliers, suppression des « budgets supplémentaires » des hôpitaux, définition d'un *numerus clausus* décroissant chaque année pour les étudiants en médecine, etc. Avec un nouveau grand principe, défini en 1979 par Raymond Barre : désormais, le rythme de

1. Les « comptes de la protection sociale » englobent les prestations sociales, les allégements d'impôts et les services collectifs.

2. Voir annexe 2, p. 341.

croissance des dépenses d'assurance-maladie ne devrait pas être plus rapide que celui du PIB.

En arrivant au pouvoir, les socialistes ont donc reçu en héritage une France déjà largement socialisée, mais dans laquelle les dirigeants précédents tentaient de contrôler la progression des dépenses publiques.

Le contexte international

Qu'en est-il pendant ce temps du reste du monde, et d'abord des réflexions menées par les théoriciens de l'État providence ?

Un peu partout, depuis quelques années, les experts s'interrogent en fait sur l'avenir de *welfare state*. Depuis une cinquantaine d'années, depuis Keynes et le New Deal, le mythe de l'État providence avait inspiré les politiques sociales de la plupart des pays occidentaux. L'alternance au pouvoir des gouvernements de droite et de gauche n'entraînait que des différences de degré et non de nature dans les politiques mises en œuvre. À gauche comme à droite, le consensus était presque total : justice et efficacité sociales exigeaient toujours plus de dépenses publiques et l'État protecteur des origines se devait de devenir un État réellement redistributeur.

La décennie 70 marque un tournant décisif dans l'affaiblissement de ce consensus idéologique. Alertés d'abord par l'impasse financière vers laquelle évoluent tous les régimes de protection sociale en période de croissance ralentie et de chômage massif, les experts de tous pays en viennent peu à peu à s'interroger aussi sur l'efficacité de l'État providence, sur les effets pervers dont il s'accompagne et parfois même sur le bien-fondé des objectifs qu'il poursuit.

Le fait nouveau à signaler — les socialistes français semblent l'avoir ignoré en arrivant au pouvoir — est que cette remise en cause n'émane plus seulement des libéraux, partisans nostalgiques d'un retour au jeu intégral du marché, mais aussi de théoriciens de toute sensibilité politique, y compris socialiste. Certains socialistes autrichiens, certains travaillistes anglais, par exemple, s'interrogent publiquement sur le blocage des mécanismes d'intervention de l'État et sur les voies de réforme possibles.

Pour Jacques Chevallier, « la dénonciation de l'emprise étatique [...] est commune à l'ensemble des courants dits "nouvellistes" (nouvelle gauche et nouvelle droite, nouveaux économistes, nouveaux philosophes, nouveaux romantiques...), par ailleurs opposés sur de nombreux points ; dans les partis de gauche eux-mêmes, qui se réclament du marxisme et étaient traditionnellement favorables à la croissance du secteur public, certaines hésitations se manifestent, et une vision plus nuancée commence à apparaître[1] ».

Un peu partout dans le monde, et depuis plusieurs années maintenant, la crise de l'État providence est donc considérée comme un *fait*, sur lequel se penchent de nombreux colloques, s'écrivent de nombreux rapports, se publient de nombreux ouvrages[2].

Le consensus sur l'existence d'une crise laisse place à de larges divergences dans l'analyse :

— Certains placent au premier plan les déficits financiers accumulés dans tous les pays occidentaux par les mécanismes de sécurité sociale. En période de croissance ralentie et de fort chômage, la Sécurité sociale aboutit

1. Jacques CHEVALLIER, « La fin de l'État providence », *Projet*, mars 1980, p. 267.

2. Pour ne parler que de la France :

— « L'État protecteur en crise », OCDE, 1981 (rapport d'une conférence sur les politiques sociales dans les années 80) ;

— « Les fonctions futures de l'État protecteur », Colloque de la Fondation internationale des Sciences humaines, octobre 1981 à Salon-de-Provence ;

— Pierre ROSANVALLON, *La Crise de l'État providence,* Le Seuil, 1981 ;

— Jacques LESOURNE, *Les Mille Sentiers de l'avenir,* Seghers, 1981 ; « Pluriel », 1983, chapitre : La crise de l'État protecteur.

— Philippe BÉNÉTON, *Le Fléau du bien, essai sur les politiques sociales occidentales 1960-1980,* Laffont, 1983. Etc.

à une impasse financière car ses actions de redistribution sont de plus en plus nécessaires, alors que ses ressources sont laminées par la crise.

— Pour d'autres, l'effort de solidarité nationale qui sous-tend toute politique d'État providence devient de plus en plus douloureux avec l'arrêt de la croissance. Chaque nouvelle intervention de la puissance publique s'effectue au détriment d'une catégorie de la population, alors que par le passé, les transferts s'opéraient de façon presque indolore, puisque la somme à redistribuer était en progression constante. Les démocraties occidentales sont hélas devenues des sociétés à somme nulle[1].

— Pour d'autres encore, l'État providence est, paradoxalement, « victime de ses succès et non de ses échecs[2] ». Au-delà d'un certain seuil de redistribution et de protection sociale, chaque nouveau pas n'a plus qu'une utilité marginale limitée, contestée par le nombre de plus en plus élevé de ceux qui ont bénéficié des pas précédents. L'efficacité d'une redistribution dépend en effet, aussi, de sa sélectivité...

— Quand on parle d'efficacité, beaucoup d'experts portent un jugement très pessimiste sur le rapport coût-efficacité des actions menées au nom de l'État providence : en matière d'éducation, de santé, et même de redistribution financière, la plupart des politiques mises en œuvre n'atteignent que très partiellement leurs buts, quand elles n'ont pas des effets inverses au but recherché. En poussant le raisonnement à l'extrême, ou sans doute à l'excès, certains soutiennent ainsi qu'une campagne anti-tabac peut renforcer l'inégalité devant la mort, dans la mesure où ce sont les classes les plus favorisées qui l'auront le mieux perçue et suivie.

— Inefficaces, les interventions de l'État providence s'accompagnent en outre d'un certain nombre d'effets pervers, dont les pays les plus socialisés donnent l'exem-

1. Voir à ce sujet *The Zero Growth Society* par Lester THUROW.

2. *The Welfare State : Victim of its Success* par John LOGUE, *Daedalus*, 1979.

ple : désincitation au travail, fuite de capitaux, bureaucratisation excessive, évasion fiscale, développement d'une mentalité d'assistés...

— Enfin, à tout cela s'ajoute un doute de plus en plus fréquent sur les finalités mêmes de l'action redistributrice de l'État et sur ses limites. « Toutes les analyses mécaniques ou quantitatives, fondées sur la recherche de seuils physiques ou organisationnels, peuvent être partiellement justifiées, mais elles ne pénètrent pas véritablement au cœur du problème qui émerge de façon diffuse et encore confuse : la montée d'une question radicale sur le sens de la dynamique égalitaire de cet État providence », estime Pierre Rosanvallon[1], pour qui les sociétés modernes sont surtout confrontées à une « crise des représentations de l'avenir », à une « panne de l'imagination sociale ».

On verra plus loin que les socialistes français, eux, ne se sont pas posé un excès de questions sur les bienfaits et les nuisances de l'État providence et qu'ils semblent, curieusement, avoir totalement ignoré ces interrogations pourtant universelles.

Quelques expériences étrangères

Le mouvement de contestation n'est d'ailleurs pas resté cantonné au domaine des idées. Dans plusieurs pays, les gouvernements au pouvoir, par conviction ou par nécessité, se sont livrés depuis quelques années à des tentatives de désengagement de l'État, de baisse d'impôts, de révision des programmes sociaux ainsi que de freinage des salaires et des prestations sociales. Si l'histoire a un sens, on peut dire que le vent des années 80, contrairement à celui des deux décennies précédentes, ne souffle pas dans le sens d'un accroissement mais bien d'un freinage rigoureux des dépenses publiques.

Aux États-Unis, tout commence en 1978, avec la révolte des contribuables californiens contre l'impôt, et

1. *Op. cit.*, p. 35.

la fameuse « proposition 13 », visant à faire diminuer de 13 % l'impôt immobilier. Dès son arrivée à la tête du pays, le président Reagan annoncera de larges allègements d'impôts sur le revenu et tout un programme de réduction des dépenses sociales. Au terme de la « réforme Reagan », le taux marginal d'impôt sur le revenu devait être ramené de 70 à 50 % et cet impôt devait être réduit de 25 %. Même si cette réforme se heurte depuis lors à de grandes difficultés, en raison de la profondeur de la crise américaine, de l'importance du déficit budgétaire et de l'opposition de nombreux parlementaires, il n'en reste pas moins que la première puissance mondiale aura délibérément tenté de revenir sur le développement continu d'un État providence que la plupart des pays du monde jugeaient jusque-là irréversible.

Dans trois autres pays, Grande-Bretagne, Canada, Portugal, les élections sont remportées en 1979 par des partis dont la campagne a largement dénoncé les excès de l'étatisme et des dépenses publiques. En Grande-Bretagne, le gouvernement de Mme Thatcher met en œuvre sans tarder une série de réformes de la Sécurité sociale tendant toutes à réduire les dépenses sociales de protection, à faire reprendre dans ce domaine des responsabilités plus larges par le secteur privé, etc.

En Allemagne, aux Pays-Bas, au Danemark, les dirigeants entreprennent tous depuis des mois de freiner les dépenses sociales. Enfin, au Japon, où l'État est également accusé de « boulimie financière », et où le déficit budgétaire reste encore très important, un « comité des Sages » — qui a reçu l'approbation publique du Premier ministre — préconise depuis l'automne 1982 une politique d'austérité visant à comprimer les « dépenses inutiles » de l'État et en premier lieu, par exemple... à réduire le nombre de fonctionnaires ! Ces fonctionnaires ont déjà été priés d'accepter le gel de leurs salaires pendant un an et des coupes sévères sont annoncées dans les budgets de l'Éducation et de la Santé[1].

---

1. *Le Nouvel Économiste*, 4-10-1982.

Hormis la France, la vraie voie socialiste ne tente plus aujourd'hui qu'un petit nombre de pays voisins : l'Espagne, qui n'avait pas goûté à cette drogue depuis plus de quarante ans, de nouveau la Suède, où cependant le modèle d'une société socialiste parfaite subit de rudes attaques depuis quelques années, la Grèce... Presque partout ailleurs, on ne cherche plus à développer mais à limiter, voire à réduire le rôle joué par l'État providence.

Sur cette toile de fond rapidement brossée, tentons maintenant d'analyser ce qui s'est passé en France depuis une vingtaine de mois, dans le domaine de la politique sociale de transferts et de redistribution. Un ordre chronologique souple permettra de prendre en compte le (relatif) changement de cap opéré par les socialistes un an environ après leur arrivée au pouvoir. On distinguera, avec tout l'arbitraire que comporte ce genre de découpage, deux moments dans leur action, en montrant à chaque fois les contradictions et les impasses des politiques mises en œuvre.

Première phase : le socialisme généreux et redistributeur

Sur la lancée d'une campagne électorale qui, conformément à la tradition du genre, ne péchait pas par un excès de modération dans ses promesses, les socialistes français, dès leur arrivée au pouvoir en mai 1981, pratiquent une politique de dépenses sociales débridée. Pour répondre à l'image stéréotypée du « socialisme-généreux-et-redistributeur » qu'ils véhiculent depuis toujours et en particulier depuis le Front populaire, ils doivent tourner résolument le dos au mouvement universel de remise en cause du *Welfare State* décrit plus haut. Ils reproduisent tous les rouages de l'État providence et renforcent même très largement son rôle en accentuant sa pénétration sociale et sa fonction de redistribution.

La lutte contre les inégalités — que les dirigeants précédents, comme on vient de le voir, avaient pourtant déjà largement menée — devient le leitmotiv obligé de tous les discours officiels. Avant même de savoir comment elles pourront être financées, des prestations sociales nouvelles ou accrues sont annoncées et immédiatement distribuées.

Reprenons tous ces faits, leurs conséquences et tentons, chemin faisant, de juger les uns et les autres en allant au-delà des apparences et de la présentation officielle des choses.

Les faits

— Symbole criant d'un interventionnisme étatique renforcé, l'annonce du recrutement de 210 000 *nouveaux fonctionnaires* donne immédiatement le ton. Recrutements purs et simples ou titularisations des auxiliaires et des contractuels (250 000 non-titulaires environ sont concernés), le résultat est le même : un alourdissement du budget de la fonction publique. L'embauche de nouveaux personnels, destinée à réduire le chômage, doit se faire selon un plan échelonné mais très rapide en fait. Pour 1982, l'État a prévu la création de 90 000 postes dans le secteur public.

Les socialistes créent ainsi de façon massive des emplois, mais des emplois non productifs, dont la charge porte forcément, de manière directe ou indirecte, sur les emplois productifs, ce qui risque de détériorer à terme la compétitivité de l'économie française... donc d'aggraver encore le chômage.

— Parmi les premières *libéralités* de cet État providence toujours plus présent figure bien sûr le relèvement du SMIC et de toutes les prestations sociales, qui resserre encore l'éventail des revenus. Alors que, depuis plusieurs années, le SMIC progressait de façon régulière mais contrôlée par le double jeu des relèvements automatiques et des coups de pouce politiques, en un an, le nouveau gouvernement le revalorise de 25 %, soit environ 10 % en pouvoir d'achat, sans se soucier des conséquences de cette mesure sur le bilan des PME (petites et moyennes entreprises) donc sur l'emploi[1].

En un an encore, le minimum vieillesse est revalorisé de plus de 40 %, les prestations familiales d'environ 50 %. Parallèlement, les cotisations sociales sont allégées pour le SMIC, les très bas salaires et dans le textile. Les chômeurs non indemnisés accèdent au droit à l'assurance-maladie. On annonce que les pensions de réversion seront portées de 50 à 52 %, avec l'objectif d'atteindre progressivement 60 %. Les allocations familiales sont étendues... En bref, des fonds sont distribués tous azimuts, prestations et bas salaires sont relevés et des droits sociaux nouveaux sont octroyés.

Que le lecteur ne s'y trompe pas : il n'est pas question de contester ici que chacune de ces mesures, considérée individuellement, puisse constituer un progrès appréciable et peut-être justifié pour les catégories sociales qui en bénéficient. Un salaire « minimum » est bien sûr toujours insuffisant et l'on voudrait pouvoir distribuer toujours plus d'allocations familiales aux familles chargées d'enfants. Notre propos est seulement de montrer la simultanéité de toutes ces décisions, leur importance en chiffres et de faire ressortir ainsi que les dirigeants socialistes ont sans doute eu tendance à accroître « par principe » la socialisation des revenus et donc à distribuer sans compter, ce qui a vite abouti à faire vivre la France au-dessus de ses moyens.

— Pour accentuer cette politique sociale aux effets redistributifs, le gouvernement utilise également *l'arme fiscale*. En premier lieu, il s'attaque au quotient familial : les réductions d'impôts sont désormais plafonnées, elles

1. Les revalorisations du SMIC ont par ailleurs eu comme effet de multiplier par trois le nombre de smicards, ce qui donne bien la mesure du resserrement de l'éventail des revenus... et des problèmes qu'il peut poser dans les entreprises.

ne doivent plus dépasser (en 1982) 7 500 francs par enfant à charge (une demi-part). Mesure juste ou injuste, on peut en discuter : depuis plusieurs années, de nombreuses voix, notamment celles des fonctionnaires du conseil des Impôts s'élevaient pour protester contre la trop grande générosité du quotient familial, un mécanisme qui « rapportait » plus par enfant de « riche » que par enfant de « pauvre », puisqu'il atténuait la progressivité de l'impôt. Il faut simplement faire remarquer qu'il en a toujours été ainsi et que, dans l'esprit de ses créateurs, le quotient familial n'avait pas été instauré comme moyen d'une politique des revenus mais en tant qu'élément d'une politique familiale : il s'agissait de ne pas trop déclasser le ménage chargé d'enfants par rapport aux autres ménages du même niveau de revenu. Une solidarité horizontale, si l'on veut, et non verticale. Dans l'optique socialiste, tout doit concourir à la redistribution, même la politique familiale.

D'autres mesures sont également prises, qui ont toutes pour effet de renforcer la progressivité de l'impôt sur le revenu, donc de réduire encore l'éventail des revenus disponibles : le relèvement de l'exonération pour les revenus les plus faibles[1] ; la création d'une décote et d'un barème atténué pour les personnes seules de condition modeste ; à l'autre extrémité de l'échelle, la création d'une surtaxe de solidarité dite « exceptionnelle » sur les gros revenus[2], théoriquement destinée à financer le déficit de l'assurance-chômage. Vu l'évolution de l'activité économique, donc du chômage, il n'était pas très difficile de deviner dès sa création que cet impôt « exceptionnel » serait automatiquement reconduit dans le budget de 1983[3].

Toujours au chapitre de la politique fiscale, les patrimoines aussi doivent être rendus « plus égaux » et

---

1. 24 000 francs en 1982, ou 26 200 francs pour les plus de soixante-cinq ans.
2. À partir de 25 000 francs d'impôt dû en 1982.
3. À partir de 28 000 francs d'impôt dû en 1983.

concourir à la vaste entreprise de redistribution : on supprime la réduction de 20 % des droits de mutation applicables aux donations-partages ; en sens inverse, on relève de 43 % l'abattement à la base sur les successions et donations modestes. Enfin et surtout, on crée un impôt nouveau sur les fortunes supérieures à 3,2 millions de francs[1].

Institué officiellement dans un but de justice fiscale (taxer davantage les fortunes dans un pays où ce sont surtout la consommation et, à un moindre titre, les revenus qui sont frappés), cet impôt nouveau nous semble tout de même présenter quelques anomalies : est-il équitable d'en exonérer les objets d'art et les forêts, s'il s'agit vraiment de justice sociale ?... D'autre part on peut se demander si cet impôt, qui rapportera très peu au fisc (6 milliards de francs environ, soit moins de 1 % du budget 1983), est vraiment opportun[2].

Quoi qu'il en soit, l'ensemble du dispositif fiscal mis en place par les socialistes accentue la progressivité des impôts et resserre encore l'échelle des revenus et des patrimoines...

— Allant toujours dans le sens d'une socialisation accrue de la vie économique, une *politique sociale nouvelle* est progressivement mise en place, qui, si on veut la résumer en termes clairs, consiste à réduire de multiples façons la durée réelle du travail et à permettre aux travailleurs de travailler moins en continuant à gagner autant. Les mesures sont connues, elles ont fait l'objet d'un nombre important de lois et surtout d'ordonnances dans les premiers mois de 1982 : institution d'une cinquième semaine de congés payés ; abaissement à trente-neuf heures de la durée légale du travail hebdomadaire ;

1. 5,4 millions lorsque ces fortunes comprennent des biens professionnels.

2. Voir sur ce point le *Rapport de la Commission d'étude d'un prélèvement sur les fortunes* 1979, dit rapport Blot-Mérand-Ventejol, qui suggérait plutôt de réformer largement et peut-être de renforcer les droits de succession.

mise au point de « contrats de solidarité » permettant de créer, toujours avec l'aide des deniers publics bien sûr, de nouveaux emplois, grâce à des pré-retraites à cinquante-cinq ans ou à des réductions d'horaires ; abaissement à soixante ans de l'âge de la retraite à partir du 1er avril 1983...

Tout cela, en termes officiels, s'appelle « un nouveau partage du travail ». Au départ, il s'agissait peut-être, en effet, d'inciter le monde du travail à un réel partage, supposant à la fois partage du travail et partage des ressources, dans le but de réduire le chômage ; les socialistes ont sans doute eu l'intention d'agir dans ce sens. Mais très vite, dans notre pays où les avantages acquis sont âprement défendus par les différentes catégories sociales, on a pu se rendre compte que les intentions généreuses du départ étaient irréalistes.

L'histoire de la trente-neuvième heure en est la meilleure illustration : après avoir laissé entendre que les travailleurs devraient supporter le coût de cet horaire de travail diminué, afin de permettre aux entreprises d'offrir de nouveaux postes, le chef de l'Etat, sous la pression de la CGT, a dû bel et bien reculer et accepter que le pouvoir d'achat des salaires soit maintenu. La charge financière supplémentaire devait donc être supportée une fois de plus par les entreprises... qui dès lors ne pouvaient guère créer de nouveaux emplois en contrepartie.

Quant aux « contrats de solidarité », s'ils ont permis de dégager quelques dizaines de milliers d'emplois, ce sont une fois de plus les deniers collectifs qui en font les frais, puisque les entreprises sont assez largement exonérées des charges sociales sur leurs nouveaux embauchés et que les nouveaux retraités sont, bien sûr, à la charge de la collectivité. En outre, les postes dégagés dans le cadre de ces contrats, contrairement à ce qu'auraient souhaité les dirigeants socialistes, sont beaucoup plus le fait de départs en pré-retraite (totale ou partielle) que de réductions accélérées d'horaires, pourtant seules créatrices de nouveaux emplois réels. Sans parler de la difficulté que rencontrent les entreprises à trouver sur un marché du travail pourtant surchargé de chômeurs les travailleurs qualifiés susceptibles de remplir les postes dégagés. Donc un bilan global décevant et onéreux.

— Il est encore un autre domaine où la nouvelle politique socialiste a commencé par accélérer dangereusement les dépenses publiques, c'est celui de *la santé* : après les timides tentatives d'économies inaugurées par le précédent gouvernement, l'arrivée au ministère de la Santé de M. Jack Ralite a fait sauter tous les verrous. Les freins mis au développement des dépenses de santé ont été desserrés et l'on s'est allègrement lancé, en pleine crise économique, dans une politique d'irresponsabilité que l'on pourrait qualifier d'« anti-contraintes » : rétablissement des « budgets supplémentaires » des hôpitaux en fin d'exercice, création de 12 500 nouveaux emplois hospitaliers, accélération des dépenses d'équipements (+ 34 % en 1982), coup d'arrêt donné à la baisse régulière et programmée du nombre d'étudiants en médecine, par un blocage du numerus clausus au niveau de 1981[1], etc. Or, le VIIIe Plan prévoyait que, si l'on ne réduisait pas ce numerus clausus, et que le « boom » des médecins continuait donc au même rythme que dans la décennie 1970-1980, la France pourrait compter en 1985 un médecin pour 375 habitants, contre une moyenne de un pour 600 dans les autres pays industrialisés. M. Ralite, cependant, a préféré revenir à la politique anti-contraintes...

Les conséquences

Très rapidement, les effets de cette politique socialiste se traduisent dans les chiffres.

Pour ne parler que du domaine de la santé, que l'on vient d'aborder, la croissance des dépenses de l'assuran-

1. *Le Nouvel Economiste,* 15-3-1982 : « Santé : le compte à rebours », par Philippe SIMONNOT.

ce-maladie, qui représentent les quatre cinquièmes du total, s'accélère à nouveau : alors que les prédédents dirigeants avaient péniblement réussi à ramener leur rythme d'accroissement annuel de 19,4 % en 1978 à 16,2 % en 1979 et 16 % en 1980, on retrouve dès 1981 un taux de 17,7 %. Et les premiers chiffres connus pour 1982 semblent montrer que le rythme s'est encore dangereusement accéléré (+ 18 % ?...).

En fait, c'est dans tous les domaines que l'on a assisté, en 1981-1982, à un accroissement massif des dépenses publiques. Dans le budget de 1982, le premier que les socialistes ont pu remanier tout à leur aise, les dépenses étaient en progression de 27,5 %... Chaque ministre « dépensier[1] » s'était contenté d'additionner toutes les promesses électorales qu'il souhaitait voir réalisées, de faire la liste des nouvelles actions à engager et de présenter sa note globale au gouvernement. Dans l'euphorie de la victoire, le gouvernement avait beaucoup entériné et l'on était arrivé à ce chiffre impressionnant.

Simultanément, le déficit budgétaire faisait un bond considérable en avant. Dès 1981, après sept mois de gestion socialiste, il s'élevait à 81 milliards de francs (contre 30,3 milliards en 1980). Et surtout, dans le projet de loi de Finances pour 1982, c'est un déficit de 95,4 milliards de francs qui était ouvertement programmé. Le déficit effectivement réalisé sera même plus élevé (98,9 milliards de francs).

Le graphique donné en annexe[2] fait clairement ressortir le changement de doctrine et de pratique intervenu en 1981. Changement classique, dira-t-on, et que l'on retrouve chaque fois que la gauche vient au pouvoir en France. Mais ce n'est pas une excuse et la suite, avec ses conséquences financières et la nécessité de retomber sur ses pieds par une brutale déflation a, hélas, été classique aussi dans le passé...

1. Selon la dénomination donnée aux ministres autres que celui du Budget, chargé lui de prévoir les recettes et de contrôler les dépenses.

2. Voir annexe 4, p. 342.

En même temps que le déficit du budget, celui des différents mécanismes de redistribution sociale se creuse également : fin 1983, si aucune mesure d'économie n'avait été mise en œuvre, le « trou » de la Sécurité sociale aurait atteint environ 30 à 35 milliards de francs (30 selon le ministre des Affaires sociales, 35 selon des observateurs plus sévères) et celui de l'Unedic (financement de l'assurance-chômage) également une bonne trentaine de milliards de francs.

Certes dans ce domaine, les déficits ne datent pas d'hier et la plupart des grands pays occidentaux sont confrontés aux mêmes difficultés. Mais le fait singulier, dans la France socialiste, c'est que les hommes au pouvoir ont commencé par ignorer totalement l'impasse financière vers laquelle marchaient à grands pas les organismes sociaux et ont continué pendant plusieurs mois d'annoncer le relèvement des prestations, la création de nouveaux droits etc.

Côté prélèvements obligatoires enfin, les impôts et cotisations sociales progressent encore en pourcentage du PIB : 42,6 % en 1980, 42,9 % en 1981, 43,9 % en 1982.

Essai de jugement

Il est reconnu aujourd'hui — les socialistes eux-mêmes, comme on va le voir, en ont pris conscience, sans vouloir toujours le dire ouvertement — que ces quelques mois de socialisme redistributeur et dépensier ont conduit à une fausse route complète et que la France, un an après le changement de président de la République, était menacée d'une faillite grave si l'on continuait à dépenser sans compter les deniers publics.

Toute l'action des socialistes avait été fondée sur le pari suivant : en redistribuant les revenus et en relançant vigoureusement la consommation, notamment la consommation populaire, la France devait anticiper sur une reprise de l'économie mondiale qui permettrait de résoudre le problème du chômage. C'est le vieux remède keynésien de la relance par la demande : 35 milliards de francs, c'est-à-dire environ 1 % du produit national ont ainsi été distribués aux ménages.

Hélas, la reprise mondiale n'était pas au rendez-vous. Et le seul résultat tangible auquel les socialistes ont abouti, c'est la relance de l'inflation, fortement stimulée par le développement des déficits de tous ordres, sans parvenir à enrayer la progression du chômage.

Dans le même temps, les autres pays industriels voyaient également leur taux de chômage progresser, mais du moins parvenaient-ils pour beaucoup d'entre eux à faire baisser l'inflation, par une politique plus sensée de contrôle des dépenses publiques et de freins mis au développement de l'Etat providence.

En fait, c'est un remède démodé qu'ont voulu appliquer les socialistes. Keynes ne « marche » plus dans nos économies modernes, depuis l'avènement paradoxal de la « stagflation ». La croissance des dépenses publiques et des impôts ne contribue plus comme par le passé à augmenter la production et le taux d'emploi. Voici près de dix ans maintenant que les économistes ont pris acte de ce phénomène.

Cependant, même en voulant faire abstraction de ces problèmes d'équilibre économique global, même si la reprise mondiale avait été au rendez-vous, l'orientation donnée par les socialistes nous aurait semblé conduire la France à une triple impasse :

— Les entreprises françaises, qui ont supporté, par des charges accrues, une grande partie des « cadeaux » généreusement faits par les socialistes[1], ne sont plus en mesure de créer de nouveaux emplois. Déjà la nature et le poids des charges sociales et fiscales en France obligent nos entreprises à supporter une part du total des prélèvements obligatoires très supérieure à celle de leurs

1. Ces charges supplémentaires ont été évaluées à 93 milliards de francs en année pleine par le CNPF et à 40 milliards par le gouvernement.

concurrentes étrangères : 39,6 % des prélèvements obligatoires de la France, contre 30,5 au Japon, 25,5 aux Etats-Unis, 24,5 en Allemagne fédérale et 19 en Grande-Bretagne[1]. Depuis mai 1981, les capacités d'autofinancement de nos entreprises se sont tragiquement réduites...

— Sur un tout autre plan, la généralisation de l'assistance n'était sans doute pas ce dont la France avait le plus besoin en mai 1981. Si l'évolution de la société française laissait déjà à désirer, ce n'est pas en raison d'un manque de développement de la protection sociale et de la pression fiscale, mais plutôt de leurs excès dans de nombreux domaines. Qu'on ne s'y trompe pas : il n'est pas question ici de remettre en cause les acquis et les bienfaits passés de l'Etat providence français, qui a joué un rôle certain dans le développement du bien-être général, mais de souligner que le gigantisme qu'il atteint aujourd'hui génère de nombreux effets pervers.

On peut gloser longtemps sur l'existence plus ou moins répandue des « faux chômeurs » ou des « faux pauvres[2] », mais on ne peut nier que le développement de l'assistance facilite certains abus : chômeurs qui, grâce aux allocations dont ils bénéficient, refusent des emplois pourtant à leur niveau mais ne correspondant pas exactement à leurs désirs ; « faux malades », qui multiplient les examens médicaux coûteux et les cures plus ou moins nécessaires, sous prétexte qu'ils leur sont presque entièrement remboursés par la Sécurité sociale ; congés de maladie que certains praticiens prolongent de manière un peu trop complaisante pour ne pas contrarier leur clientèle...

Tenir ce langage peut sembler scandaleux à ceux qui abordent la collectivisation de tous les risques dans une perspective idéologique. Pourtant, il ne s'agit pas de

1. *Notes et Documents du CNPF*, février 1982.

2. L'expression « faux pauvres » a été employée par les experts du CERC dans leur premier *Rapport sur les revenus des Français*, en 1977.

contester la nécessité d'une solidarité à l'égard des risques réellement courus par les individus ; seulement de mettre en garde contre les conséquences d'une généralisation à l'extrême de cette tendance : les faits montrent que la multiplication des prises en charge et des aides financières conduit à une « déresponsabilisation » certaine et au développement d'une mentalité d'« assistés »
ne et au développement d'une mentalité d'« assistés »
néfaste au dynamisme de la société[1]. Plus on développe a tendance à s'en remettre à l'Etat, donc à mettre en sommeil son imagination et ses facultés de réaction.

— Enfin, la voie suivie par les socialistes pendant les premiers mois de leur gouvernement nous semblait condamnée à l'échec pour une troisième raison, d'ordre plus universel. La crise économique développe en ce moment, de façon brutale, les occasions d'intervention de la puissance publique, qui, en sus des fonctions qu'elle assume traditionnellement, doit aussi se substituer aux employeurs défaillants et contribuer à l'indemnisation des familles de chômeurs. Mais la tendance au développement des interventions de l'Etat providence n'est pas seulement conjoncturelle. Les nouvelles conditions *structurelles* de toutes les sociétés modernes accroissent de façon illimitée les risques nouveaux et les exigences nouvelles.

La présence en France d'une population importante de travailleurs immigrés, la « précarisation » du travail, la robotisation dans l'industrie multiplient les occasions d'intervention. L'évolution démographique, la volonté de réduire le temps de travail, l'accroissement continu de l'espérance de vie font supporter à une population

---

1. En témoigne par exemple, parmi d'autres, cette anecdote rapportée par Georges Suffert, en janvier 1982, au cours d'un colloque organisé par le Club 89 : « Un jour de rentrée de vacances scolaires, sur l'autoroute du Sud, une jeune femme revenant des sports d'hiver tombe en panne d'essence dans une longue file de voiture au ralenti. Sortant de sa voiture et voyant le manteau de neige qui recouvre la campagne française, elle s'écrie : "Nous sommes abandonnés par les pouvoirs publics"... »

d'actifs de plus en plus réduite la charge d'inactifs de plus en plus nombreux. Enfin, l'aspiration des femmes à retourner au travail, le désir de tous de bénéficier de soins de santé de plus en plus chers et sophistiqués, le développement des besoins culturels, sportifs, éducatifs, etc., sollicitent de manière croissante les pouvoirs publics.

Face à ces exigences nouvelles, les socialistes français ne se sont apparemment pas interrogés au départ sur l'opportunité de faire toujours intervenir l'État, sur les limites des prélèvements et de la redistribution, sur les effets pervers d'une trop grande socialisation de l'économie, ni sur la manière de financer de nouvelles excroissances de l'État providence : tournant le dos au mouvement universel de remise en cause et d'économies, ils ont au contraire accéléré la cadence, dès leur arrivée au pouvoir, distribuant généreusement promesses et fonds, allant parfois même au-devant de certains désirs, bref pratiquant pendant les premiers mois de leur gouvernement une politique totalement anachronique de *fuite en avant*.

Seconde phase : le socialisme à l'épreuve des faits

Cependant, la réalité des faits économiques allait rapidement se rappeler à la mémoire des dirigeants socialistes.

Après quelques mois de dépenses insouciantes, de transferts accrus et de redistribution accélérée, on commence, vers l'automne 1981, à entendre parler dans les rangs gouvernementaux de la nécessité d'une politique de « rigueur ». Ou du moins de ce que les socialistes mettent alors sous le mot de « rigueur », qui signifie encore pour eux... un renforcement des impôts et des cotisations sociales dans le but de rééquilibrer les budgets nationaux et sociaux ! Autrement dit, un nouvel accroissement des prélèvements obligatoires, donc de l'effort redistributif. Le plan d'économies pour la Sécurité sociale, présenté en novembre 1981 par Mme Nicole Questiaux, alors ministre de la Solidarité, porte encore la marque de cette conception : il prévoit notamment, par souci de « rigueur » financière, un nouveau relèvement des cotisations d'assurance-maladie.

Mais, le 4 octobre 1981, le gouvernement français est obligé de dévaluer le franc. C'est le signal patent que la politique choisie ne suscite pas la confiance des milieux financiers internationaux. Certains membres du gouvernement commencent à prendre conscience des dangers d'une politique de fortes dépenses et de réformes sociales incessantes et coûteuses.

C'est alors que Jacques Delors, le ministre de l'Économie, se hasarde à réclamer publiquement et clairement, au nom d'une nouvelle conception de la rigueur économique, une « pause » dans le rythme des réformes. Officiellement, il est immédiatement contredit par le Premier ministre, Pierre Mauroy.

Cependant, comme le rappelle Alain Vernholes[1], dès l'automne 1981 « s'engage au sein du gouvernement un débat essentiel sur le point de savoir si la voie choisie par l'équipe socialiste pour prouver sa rigueur (l'augmentation des prélèvements fiscaux et sociaux) n'est pas très dangereuse [...]. Le débat est si aigu qu'il frise la crise gouvernementale, les partisans d'une politique de fortes dépenses (se réclamant du keynésianisme) se heurtant à ceux qui, comme MM. Delors, Chevènement et Rocard, insistent sur la nécessité de faire des économies [...]. Les trois séminaires qui se tiennent à l'Élysée à la fin de l'année 1981 sont d'une importance capitale ».

La suite est connue : d'abord contestés par les plus hautes autorités de l'Etat, les appels à la rigueur lancés par Jacques Delors seront peu à peu entendus. Les nouvelles « attaques » contre le franc au début de 1982, les déficits croissants des régimes sociaux et l'avertissement cinglant des élections cantonales font prendre conscien-

1. *Le Monde*, 11-5-1982.

ce au gouvernement des dangers de sa politique dépensière. Au printemps 1982, c'est chose faite : la rigueur — pour ne pas parler d'austérité — fait son apparition dans tous les discours officiels. Et le 11 mai 1982, pour le premier anniversaire socialiste, le supplément économique du *Monde* pourra s'ouvrir sur un article de six colonnes de Paul Fabra intitulé « Où l'on change le "changement" ».

Avant de retracer cette « NEP » mise en œuvre par le gouvernement, de décrire les changements de cap significatifs et de juger leur portée, on peut simplement faire remarquer qu'il aura fallu un an aux socialistes pour se rendre compte de la fausse route sur laquelle ils s'étaient aveuglément lancés en matière de redistribution et de transferts sociaux.

Quelques changements de cap

Deux événements, de nature très différente, ont symbolisé en 1982, chacun à sa façon, l'orientation nouvelle que les socialistes ont bien été obligés de donner à leur politique :

— Le remplacement au début de l'été de Mme Nicole Questiaux, ministre de la Solidarité, par M. Pierre Bérégovoy et la création pour ce dernier d'un ministère élargi des Affaires sociales. Le départ de Mme Questiaux du gouvernement a été assez généralement interprété comme le constat d'échec d'un certain type de socialisme « généreux » et trop dépensier. Celle qui, dès le départ, se refusait à être considérée comme un « ministre des comptes », sous prétexte qu'un souci exagéré du financement de la Sécurité sociale était un réflexe « de droite », et qui se préoccupait davantage de l'amélioration des prestations que de l'équilibre financier, ne pouvait plus rester au gouvernement dès lors qu'il s'agissait de reprendre en main l'ensemble de la politique de protection sociale dans un souci d'économie.

— Deuxième événement d'importance, le blocage des

prix et des salaires, avec ses conséquences sur le pouvoir d'achat.

En quoi a-t-on donc « changé le changement » ?...

En premier lieu, il faut remarquer qu'un certain nombre de grands projets, de généreuses réformes, annoncés tambour battant dans l'enthousiasme des premiers mois, ont progressivement été *mis en sourdine,* pour ne pas dire enterrés. Le plus visible a été l'abandon de l'objectif des trente-cinq heures hebdomadaires pour 1985. Devant le peu d'effet sur l'emploi de la semaine de trente-neuf heures, devant le coût de cette mesure, le gouvernement a admis qu'il n'y aurait pas de nouvel abaissement autoritaire de la durée du travail en 1982 et 1983 et l'horizon 1985 n'a plus été évoqué.

De même, le grand projet de réforme fiscale, que le président de la République avait laissé entrevoir au début de 1982, est... tombé aux oubliettes. Le ministre du Budget, Laurent Fabius, a même clairement précisé à l'automne 1982, au cours d'un colloque réuni à Paris sur le thème « Fiscalité et Développement » que les inégalités étaient aujourd'hui beaucoup plus flagrantes dans le domaine des cotisations et des prestations sociales que dans celui de la fiscalité[1]. Autre manière de dire que, si l'on envisage de réduire encore ces inégalités, on prévoit en revanche une pause dans le domaine fiscal.

—Autre évolution, de portée plus réduite, mais allant toujours dans le même sens : un certain nombre de prestations sociales nouvelles, pourtant déjà annoncées, sont « différées » et l'amélioration d'autres prestations est également reportée à plus tard. Dans le plan Bérégovoy d'économies pour la Sécurité sociale, adopté en juillet 1982, près de la moitié des 10 milliards d'économies prévues résultaient d'un report pur et simple des améliorations de prestations annoncées... le 10 novembre 1981 dans le plan de Mme Questiaux !...

A côté de la mise en sourdine de projets, les socialistes commencent aussi à affirmer un certain nombre d'*inten-*

---

1. *Le Nouvel Economiste*, 4-10-1982.

tions nouvelles, à prendre des *engagements* qui vont tous dans le sens des économies et de la rigueur à instaurer, aussi bien dans le budget de l'Etat que dans les comptes de la protection sociale. Evidemment, on ne pourra évaluer qu'*a posteriori* si les intentions se sont traduites en actes et si les engagements ont été tenus. Cependant, à l'heure où nous écrivons, il serait malhonnête de ne pas reconnaître que le nouveau leitmotiv des discours officiels va relativement dans la « bonne » direction.

C'est ainsi qu'après avoir pendant plusieurs mois entendu parler uniquement de réduction des inégalités, d'augmentation des prestations et de l'impérieuse nécessité de prendre l'argent là où il se trouve, c'est-à-dire chez les « riches », on a vu fleurir plus récemment, dans les discours des dirigeants socialistes un langage au ton très nouveau.

« L'important est de faire comprendre à tous les responsables que le rythme actuel des dépenses compromet à terme la protection sanitaire des Français » (Pierre Bérégovoy, 6-9-1982).

« Il s'agit, dans le domaine de la Sécurité sociale, d'adapter les dépenses aux recettes » (Pierre Mauroy, 12-9-1982).

« On ne peut pas répartir plus qu'on ne produit » (Jacques Delors, 24-10-1982), etc...

Les engagements nouveaux s'articulent notamment autour des cinq thèmes suivants :

— *« Il faut »* limiter la progression des dépenses publiques et l'ampleur du déficit budgétaire. Après avoir augmenté de 27,5 % dans le budget de 1982, les dépenses publiques, officiellement, ne croissent plus que de 11,8 % dans le projet de loi de Finances pour 1983, soit « seulement » 3,8 % en volume, si l'on tient compte des 8 % d'inflation que le gouvernement se fixe comme objectif pour 1983. Parallèlement, le déficit budgétaire est « limité » à 117,8 milliards de francs. Cette « rigueur » peut sembler très insuffisante, mais elle traduit tout de même un effort de compression des dépenses sans lequel le déficit aurait sans doute grimpé jusqu'à 200 milliards de francs en 1983. Elle traduit aussi une méthode tout à fait nouvelle dans la procédure budgétaire mise en œuvre par les socialistes. En 1982, le déficit budgétaire était voulu, il constituait un instrument de la politique de relance et son montant n'avait pas été limité : il résultait, comme on l'a expliqué plus haut, de la somme des « notes » présentées par les différents ministres. En 1983, c'est l'inverse : le déficit n'est plus une résultante, il est limité au départ — le président de la République s'est engagé à ce qu'il ne dépasse pas 3 % du PIB. Et les différents chapitres budgétaires ont dû être composés en fonction de cette limite.

— « *Il faut* » stabiliser les charges des entreprises. Le plan 1982-1983, préparé par Michel Rocard, proposait déjà que l'on cesse d'augmenter la pression fiscale et sociale pesant sur l'appareil productif. En avril 1982, le gouvernement décide de faire quelques concessions aux entreprises, dont la plus importante est la promesse que les cotisations au régime général de la Sécurité sociale seront stabilisées jusqu'au 1er juillet 1983, ce à quoi le Premier ministre s'est engagé personnellement auprès du président du CNPF. Le délai de grâce sera par la suite prolongé jusqu'à la fin de 1983.

— « *Il faut* » réformer le système des allocations-chômage. Face au « trou » sans cesse agrandi de l'Unedic (une trentaine de milliards de francs d'ici à la fin de 1983), le gouvernement affirme la nécessité de modifier son fonctionnement. Un changement de cap notoire, par rapport à la mythologie et à la méthode socialistes, est à signaler sur ce point : le gouvernement évoque désormais la possibilité d'une révision à la baisse du montant et de la durée de certaines allocations.

— « *Il faut* » parvenir à contrôler les dépenses hospitalières et ramener leur rythme de progression de 22 à 12 %, objectif officiel... et bien ambitieux. Le gouvernement, par la bouche notamment de Pierre Bérégovoy, ministre des Affaires sociales et de la Solidarité nationale, affirme très haut son intention de rechercher une meilleure gestion du système hospitalier et de revoir à plus long terme tout le financement des hôpitaux.

— Enfin et surtout, « *il faut* » rééquilibrer le budget général de la Sécurité sociale et mettre en chantier une vaste réforme de l'ensemble des régimes de protection. Ce thème est devenu omniprésent à partir de l'été 1982 dans tous les discours officiels. Et le ministre des Affaires sociales a annoncé, sans doute pour le début de 1984, la mise en chantier de cette réforme, qui aura été précédée, tout au long de l'année 1983, de multiples consultations et d'un grand débat public.

Ces cinq grands principes une fois affirmés, quelles sont *les premières réalisations* ? Concrètement, le gouvernement commence effectivement, dès l'été 1982, à changer de cap dans un certain nombre de domaines et à mettre en œuvre quelques économies. Jacques Delors, précurseur une fois de plus, commence par désindexer les salaires du secteur public : à partir du quatrième trimestre 1982, les négociations de salaires dans la fonction publique doivent se faire non plus sur la base de l'inflation des mois passés, mais sur celle de l'inflation prévisible de l'année à venir — inutile de préciser que l'optimisme des prévisions officielles, en période de désinflation, doit faire faire des économies à l'Etat. Pierre Bérégovoy suit peu après le chemin ouvert par Jacques Delors en proposant la même formule de réajustement pour les indemnités-maladie, les pensions de vieillesse et les allocations familiales : leur pouvoir d'achat à l'avenir sera seulement maintenu et non amélioré — contrairement, notons-le, à ce qu'avaient promis les socialistes.

Le nouveau ministre de la Solidarité a par ailleurs dû imaginer un certain nombre de mesures d'économies, destinées à renflouer immédiatement les comptes de la Sécurité sociale, sans attendre la vaste réforme annoncée et sans recourir au remède habituellement employé depuis dix ans, à chaque fois que le déficit se creuse : à savoir le relèvement des cotisations des salariés ou des entreprises. En deux fois, d'abord en juillet puis en septembre 1982, le ministre a donc « proposé » la suppression du remboursement de certains médicaments dits

« de confort » et le moindre remboursement d'autres ; la création d'une taxe sur les dépenses de publicité pharmaceutique ; le blocage des honoraires médicaux ; la généralisation au 1er janvier 1984 de la « dotation globale » des hôpitaux, pour remplacer le système coûteux du « prix de journée » ; l'institution d'un « forfait hôtelier » payé par les malades à l'hôpital ; la création d'une taxe sur les alcools et les tabacs ; la suppression pour 1982 des « budgets supplémentaires » des hôpitaux (préalablement rétablis par M. Ralite...), etc.

Après le socialisme « généreux », c'est donc la phase du socialisme « courageux », faisant appel au sens civique et à la responsabilité des administrés. La solidarité nationale, notons-le au passage, est toujours aussi souvent invoquée que dans les premiers mois, mais dans un sens et un but un peu différents : il ne s'agit plus seulement de « prendre aux riches pour donner aux pauvres », bien que cet objectif simpliste reste encore présent de façon diffuse et implicite, mais de faire comprendre à chacun que la rigueur est désormais de mise et que l'on ne se sauvera tous ensemble que si chacun y met du sien et se montre plus économe des deniers publics.

Pourquoi ce n'est pas un vrai changement

S'il faut avoir la franchise de reconnaître que les socialistes, depuis le printemps ou l'été 1982, ont sans doute eu l'intention d'aller dans la bonne direction, force est de constater que ces quelques changements de cap que l'on vient de décrire ne modifient pas réellement la direction générale et que la logique socialiste n'a pas vraiment changé depuis le 10 mai 1981. Il ne s'agit pas de faire un procès d'intention au gouvernement socialiste mais de montrer les difficultés, les faux-semblants, les contradictions et les incohérences de sa politique.

Même si quelques économies sont réalisées, il faut d'abord noter que de nombreuses décisions de dépenses prises par les socialistes dans les premiers mois de leur arrivée au pouvoir continueront de peser sur les finances publiques pendant longtemps, en dépit de tous les efforts de rigueur.

« Les fonctionnaires recrutés en 1981 seront payés jusqu'à la fin de leur existence administrative », faisait notamment remarquer Raymond Aron en mars 1982 dans *L'Express*. Une politique de rigueur ne succède pas facilement ni du jour au lendemain à une politique dépensière : il existe, en raison notamment des « services votés », une inertie des finances publiques, bien connue des spécialistes du budget, qui fait qu'il ne suffit pas de décréter une série d'économies pour les voir immédiatement réalisées.

Cependant, ce sont des raisons plus précises et plus graves qui nous font penser que la « NEP » mise en œuvre par les socialistes ne constitue pas un vrai changement et que la France va toujours au-devant d'immenses difficultés en matière de transferts sociaux et de redistribution.

D'abord, le changement n'est souvent qu'*une apparence*. Officiellement, le budget 1983 devait être un budget de rigueur, dans lequel les dépenses publiques ne devaient progresser qu'au rythme de 11,8 %. En fait, un examen plus attentif du projet de loi de Finances a permis de constater que sa présentation avait été très largement modifiée par rapport à celle du budget précédent, que le budget 1983 était difficilement comparable au budget 1982 et qu'au-delà des apparences, les dépenses publiques et la pression fiscale continuaient à augmenter plus rapidement qu'il n'était annoncé.

Un violent débat politique s'est élevé à l'automne 1982 autour de cette question, les dirigeants socialistes soutenant qu'ils avaient agi seulement dans le souci de simplifier, de rationaliser la présentation budgétaire — ainsi que cela s'était déjà fait plusieurs fois dans le passé — l'opposition fustigeant au contraire sévèrement les « multiples artifices de présentation » et le « trucage scandaleux » du budget socialiste. Au-delà de cette polémique aux visées politiques, on doit constater trois choses :

— C'est un fait que le gouvernement socialiste, en préparant le budget 1983, a eu le souci — louable — de limiter les dépenses, le déficit et la pression fiscale. Mais, à côté de réelles mesures d'économies, il s'est aussi livré à une grande entreprise de « débudgétisation », ou, selon un terme préféré des socialistes, de « non-budgétisation ». Créer par exemple, hors budget, un fonds spécial pour les grands travaux permet peut-être de présenter les dépenses publiques sous un jour plus favorable au gouvernement, mais n'améliore en rien l'effort contributif, lorsqu'on sait que ce fonds nouveau doit être financé en partie par une taxe spéciale sur les produits pétroliers, dont le plus grand mérite est... de n'être pas comptabilisée dans le calcul de la pression fiscale de l'Etat.

— Le budget de 1983 est bâti sur un certain nombre d'hypothèses exagérément optimistes qui minorent — honnêtement peut-être mais fragilement — les sommes totales mises en jeu et le pourcentage des prélèvements obligatoires. Il en est ainsi de la progression brutalement freinée des intérêts de la dette publique, basée notamment sur une prévision « optimiste » de baisse des taux d'intérêt. De même, si l'hypothèse officielle de 2 % de croissance en 1983 devait être révisée à la baisse — ce qui est très probable — le pourcentage des prélèvements obligatoires par rapport au PIB en sortirait mécaniquement augmenté, alors que le gouvernement a promis de le stabiliser ; en cas de croissance très ralentie (0 ou 1 %), les prélèvements obligatoires pourraient s'élever en 1983 à près de 45 % du PIB[1]... Autre hypothèse « optimiste », bien sûr, celle d'une inflation à 8 %, sur laquelle sont fragilement fondées les économies réalisées sur les salaires de la fonction publique, etc.

— Enfin, si l'on compare point par point à structure égale le budget de 1983 à celui de 1982, il apparaît que

1. Contre, rappelons-le, 42,6 % en 1980, 42,9 % en 1981, 43,9 % en 1982.

les dépenses de l'Etat sont plutôt en progression de 14 ou 15 % (et non de 11,8 % comme annoncé). L'effort de « rigueur » semble nettement plus modeste, eu égard aux 8 % d'inflation prévus par le gouvernement !... De même, en chiffres « réels », le déficit budgétaire ne serait plus égal à 3 % mais à 3,8 % du PIB.

Tout effort de rigueur suscite immédiatement parmi l'électorat de gauche et jusqu'au sein du gouvernement une *contestation interne* qui en rend la réalisation difficile. Chaque volonté d'économie, dès qu'elle est rendue publique, se heurte à une contre-volonté des groupes de pression, pour lesquels le grand mot est la « défense des avantages acquis ». Le plan Bérégovoy de redressement de la Sécurité sociale, présenté en septembre 1982 par le ministre des Affaires sociales, en est la meilleure illustration. Sitôt connues, ses dispositions ont été critiquées et contestées de toutes parts :
— le système du « forfait hôtelier » à payer par les malades hospitalisés est violemment dénoncé par les communistes et par certains socialistes — y compris par des ministres ;
— l'augmentation des cotisations des préretraités et bénéficiaires de la « garantie de ressources » (alignées sur celles des actifs) est contestée par les syndicats ;
— la révision en hausse des cotisations des artisans et commerçants suscite de vives protestations des caisses maladie et vieillesse ;
— l'annonce de la création éventuelle d'une vignette sur l'alcool et le tabac est dénoncée par la CGT comme une cause supplémentaire de réduction d'emplois par baisse de la consommation. Enfin, selon certaines informations il n'est pas jusqu'au ministre de l'Environnement, qui se serait élevé contre cette taxe en Conseil des ministres et qui aurait pris la défense... des producteurs de cognac !

M. Bérégovoy avait peut-être un souci réel de rééquilibrer les comptes de la Sécurité sociale. Mais, même dans une France socialiste, ou plutôt *surtout* dans une France socialiste, la volonté de rigueur ne peut pas grand-chose contre la défense des « intérêts catégoriels ». Les hommes qui nous gouvernent en font tous les jours l'apprentissage à leurs dépens.

Les exemples sont innombrables qui montrent qu'après toutes les promesses faites depuis plus de vingt ans, le langage de la rigueur ne « passe » pas dans l'électorat de gauche. Loin d'être à l'abri de la grogne sociale — la question du pouvoir d'achat n'a pas fini de susciter des remous — les socialistes risquent même de voir menacé l'équilibre politique et social sur lequel ils ont fondé leur accès au pouvoir. Beaucoup de Français, qui avaient vu avec enthousiasme l'arrivée des socialistes lorsqu'il s'agissait de distribuer toujours davantage, risquent de ne plus se montrer aussi complaisants à l'égard d'une politique d'austérité. Les faits montreront que les socialistes, contrairement à ce que l'on dit parfois, ne sont pas les mieux placés pour faire accepter la rigueur.

Le plus grave, et ce qui nous fait penser que le changement d'orientation n'est pas profond et ne ramènera pas la France dans la bonne direction, c'est que les socialistes, comme le passé l'a montré, ont tendance à renoncer un peu facilement à leurs intentions, dès que leur clientèle électorale conteste trop vivement. On a déjà évoqué plus haut « l'histoire » des trente-neuf heures. A l'automne 1982, les négociations de salaires dans la fonction publique ont montré que le ministre communiste, M. Anicet Le Pors, cédait pareillement devant les pressions syndicales, acceptant que le pouvoir d'achat des fonctionnaires soit finalement garanti en 1982 et 1983, grâce à une « clause de sauvegarde » prévue dès le départ, et qui risque de mettre à mal tout l'édifice judicieusement monté par M. Delors.

Il n'est pas besoin d'être devin pour prédire que, dans la perspective des élections municipales de mars 1983, on assistera sûrement à quelques nouvelles « reculades » du même ordre, destinées à conserver et raffermir des voix chancelantes...[1].

---

1. Au moment où nous donnons ce texte à composer vient juste de

Enfin, nous pensons que, malgré quelques changements de cap réellement effectués, *la logique socialiste*, elle, n'a pas vraiment changé depuis le 10 mai 1981. Elle reste dépensière, étatiste, redistributrice et égalitariste.

Depuis que le gouvernement socialiste a commencé de parler de rigueur, l'un des phénomènes qui nous frappent le plus, et que l'on relève rarement, c'est que, tout en opérant effectivement un certain nombre d'économies sur les dépenses, les ministres continuent pourtant d'annoncer de temps à autre l'amélioration de certaines prestations.

En septembre 1982, par exemple, au sein même du plan Bérégovoy de redressement de la Sécurité sociale, à côté des mesures d'économies figurait aussi un chapitre « Amélioration des prestations », qui concernait notamment les pensions de réversion, le remboursement des lunettes et prothèses dentaires... Les cotisations maladie et vieillesse des non-salariés étaient augmentées pour couvrir les besoins de financement de leurs caisses... mais aussi pour améliorer leurs prestations. Et quelques jours après la présentation de ce plan d'économies, le ministre des Affaires sociales annonçait encore un meilleur remboursement des frais d'hébergement en long séjour pour les personnes âgées[1].

« Autre illustration — moins connue — de cette incohérence relevée par J. Boissonnat dans *L'Expansion* (du 21 janvier).

---

se produire une nouvelle « reculade » gouvernementale, qui confirme tristement, à quelques semaines des élections municipales, nos prévisions pessimistes : il s'agit de l'affaire des taux d'intérêt. M. Delors, après avoir annoncé officiellement une baisse des taux d'intérêt sur les livrets A de la Caisse d'Epargne, a été finalement « lâché » par le Premier ministre, qui a cédé à la pression de la base socialiste.

1. Il doit être clair, de nouveau, que nous ne contestons pas ici l'opportunité de telle ou telle mesure sociale précise : chacune prise isolément se justifie certainement dans un souci de bien-être social et l'on voudrait évidemment pouvoir donner toujours plus aux plus démunis. Nous cherchons seulement à faire ressortir la contradiction qu'il y a à parler d'économie et à créer tout en même temps de nouvelles occasions de dépenses...

Depuis juin, le pouvoir prône la rigueur. Il serre la vis aux hôpitaux. Il rabote les retraites et les préretraites. Il rogne sur les allocations de chômage. Tout cela pour essayer d'équilibrer les comptes sociaux. Mais tandis qu'on éponge les fuites d'un côtés, on ouvre des voies d'eau ailleurs. Sans même parler de la retraite à 60 ans, dont personne ne sait comment on la financera dans dix ans, voilà qu'on institue le tiers payant chez les pharmaciens. Moyen infaillible d'accroître la consommation de médicaments, dont la France détient déjà le record mondial ! »

Simultanément, les socialistes continuent comme par le passé d'afficher des intentions redistributrices. A l'heure actuelle, on peut même dire que c'est sur ce chapitre de la poursuite de la réduction des inégalités qu'ils restent le plus fidèles à eux-mêmes. Ils continuent d'affirmer, contrairement à ce que de nombreux rapports et de nombreux ouvrages ont maintenant établi de manière scientifique, que la France reste l'un des pays les plus inégalitaires d'Europe[1].

Pour les socialistes, l'austérité ne doit pas faire perdre de vue l'objectif premier de « justice » sociale, le mot « justice » étant toujours employé comme synonyme d'égalité. On a dit plus haut que le ministre du Budget s'en était pris publiquement, lors d'un colloque, à l'effet inégalitaire des cotisations et des prestations sociales. On peut donc s'attendre à ce que soient adoptées un jour ou l'autre par les socialistes de nouvelles mesures conduisant à une nouvelle réduction de l'échelle des revenus disponibles : par exemple une suppression de certaines allocations sans condition de ressources, la taxation des allocations familiales, etc.

D'autres faits montrent encore qu'au-delà des apparences, la logique socialiste n'a pas vraiment changé : contrairement à ce qu'affirment les discours officiels,

1. Voir Jean Fourastié et Béatrice Bazil, *Le Jardin du Voisin — Les inégalités en France*, « Pluriel » : dans cet ouvrage, écrit en 1980, nous avons montré à l'aide de nombreux chiffres que ces affirmations ne résistent pas à un examen rigoureux.

contrairement aux promesses de stabiliser les prélèvements obligatoires, les hommes qui nous gouvernent finissent toujours, lorsque se pose à eux un problème de financement, par recourir aux majorations d'impôts et de cotisations sociales. En matière fiscale, il faut citer la création dans le budget de 1983 d'une nouvelle tranche d'impôt sur le revenu à 65 % ; le maintien de la surtaxe dite « exceptionnelle » pour financer l'assurance-chômage... En ce qui concerne les cotisations sociales, le meilleur exemple est fourni par les négociations de l'automne 1982 sur la réforme de cette assurance-chômage. Après avoir, pendant plusieurs mois, affirmé la nécessité de stabiliser les charges sociales des entreprises, le gouvernement, devant la mésentente persistante entre partenaires sociaux à propos de l'Unedic, a contraint les entreprises à une augmentation des cotisations en novembre 1982. En échange, il leur promettait pour les mois à venir une réduction de certaines de leurs charges. La promesse était pour demain mais l'augmentation immédiate...

Même si les socialistes tiennent effectivement cette promesse d'alléger les charges sociales de l'appareil productif, comment s'y prendront-ils ? En déchargeant les entreprises pour charger davantage le budget de l'Etat, c'est-à-dire en « budgétisant » certaines allocations. Cette procédure a déjà été employée en septembre 1982 quand les « allocations aux adultes handicapés », jusque-là financées par la caisse d'allocations familiales, ont été prises en charge par l'Etat. De même la fiscalisation des allocations familiales devrait se faire progressivement d'ici à 1988.

La fiscalisation de tout ou partie de la Sécurité sociale française, prônée depuis longtemps par de nombreux socialistes[1], a sans doute le mérite de ne plus asseoir le financement de la solidarité sur les seuls salaires, donc d'améliorer la situation des entreprises françaises par

1. Voir notamment : Francis Leenhardt, *S.O.S. On coule. Comptes et mécomptes de la Sécurité sociale,* Fayard, 1979.

rapport à leurs concurrentes étrangères. C'est, en soi, une décision bénéfique. Cependant, elle ne change strictement rien à l'enveloppe globale des prélèvements obligatoires. On peut, pour des raisons techniques ou économiques, être pour ou contre la fiscalisation, mais il faut bien comprendre qu'une telle réforme ne constitue en rien un remède à l'omniprésence de l'Etat providence.

En fait, le discours socialiste est plein d'ambiguïtés. Officiellement, le cap a changé. Des économies doivent être réalisées, les charges doivent être stabilisées et la France ne doit plus « partager plus qu'elle ne produit », selon l'expression de Jacques Delors. Cependant, dans la réalité des intentions politiques, la logique reste rigoureusement la même : pour les socialistes, les risques individuels, sociaux ou économiques doivent tous être socialisés, la « justice » exige toujours plus d'égalité entre individus et l'Etat doit continuer de jouer un rôle directeur dans les mécanismes de redistribution.

On ne peut vouloir tout à la fois. S'il s'agit vraiment de résorber les déficits de la Sécurité sociale et de l'assurance-chômage, pour ne considérer que ce problème, sur lequel se cristallisent bon nombre des appels à la rigueur, il faut soit augmenter les impôts et les cotisations sociales, soit imposer des économies sévères sur les prestations. Les socialistes qui ont enfin pris conscience du poids considérable de la pression fiscale et sociale, prétendent vouloir stabiliser les prélèvements obligatoires. Mais, *en même temps,* ils saisissent chaque occasion pour réaffirmer très haut qu'ils continueront de « réduire les inégalités » et que les économies nécessaires ne doivent pas se faire au détriment de la protection sociale. Des économies, ils en prévoient quelques-unes, certes, mais bien modestes au regard des « trous » des régimes sociaux et bien vite oubliées dès que le consensus politique menace de s'effriter.

Quelques jours après son premier « plan d'économie de la Sécurité sociale pour 1982 », Pierre Bérégovoy donnait de celui-ci un commentaire qui fait bien ressortir l'ambiguïté de la politique socialiste : « Au total, affirmait-il, ce plan d'économies ne remet pas en question le niveau actuel de la protection sociale. Loin d'aggraver les inégalités, il s'est efforcé de maintenir le cap des décisions déjà prises et qui restent acquises[1]. »

Comme dans plusieurs autres domaines, les socialistes français, dans leur politique de redistribution et de transferts sociaux, sont en retard d'un bon demi-siècle. Leur logique étatiste, redistributrice et égalitariste fait qu'ils n'ont pas cru à la crise pourtant universelle de l'Etat providence et qu'ils auront même contribué à l'aggraver. Sauront-ils s'y adapter ? Les quelques mois que nous venons de traverser ne peuvent que nous inciter au plus grand pessimisme quant à la cohérence de la politique mise en œuvre, aux intentions réelles des dirigeants et à leur courage politique dès que la « rigueur » risque de compromettre leur avenir.

Béatrice BAZIL

---

1. Dans une lettre publiée le 26-7-1982 dans *Le Matin*.

Annexes

I. « LES RICHES » ET « LES PAUVRES »

Lorsqu'on répartit les ménages français d'actifs et d'inactifs selon le montant de leur revenu disponible (de 1980), on s'aperçoit que les revenus très élevés sont aussi très rares, tandis que les faibles et moyens revenus sont les plus nombreux. Ce graphique, notamment dans sa face droite, donne les limites de la redistribution des revenus et montre qu'on ne peut plus parler de manière simpliste des « riches » et des « pauvres ».

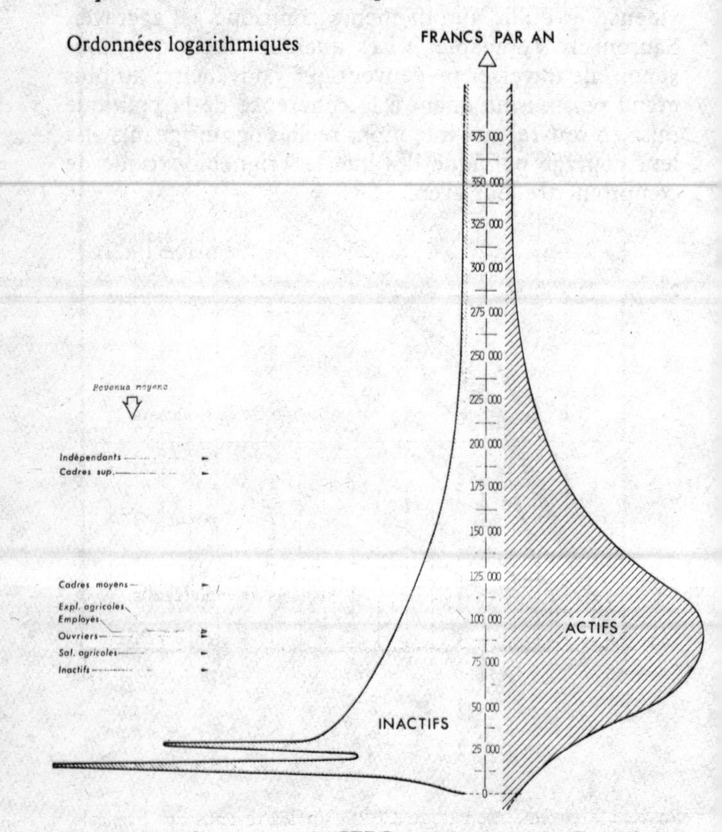

Source : Troisième rapport du CERC sur les revenus des Français.

II. LES COMPOSANTES DU REVENU DES MÉNAGES 1960-1980

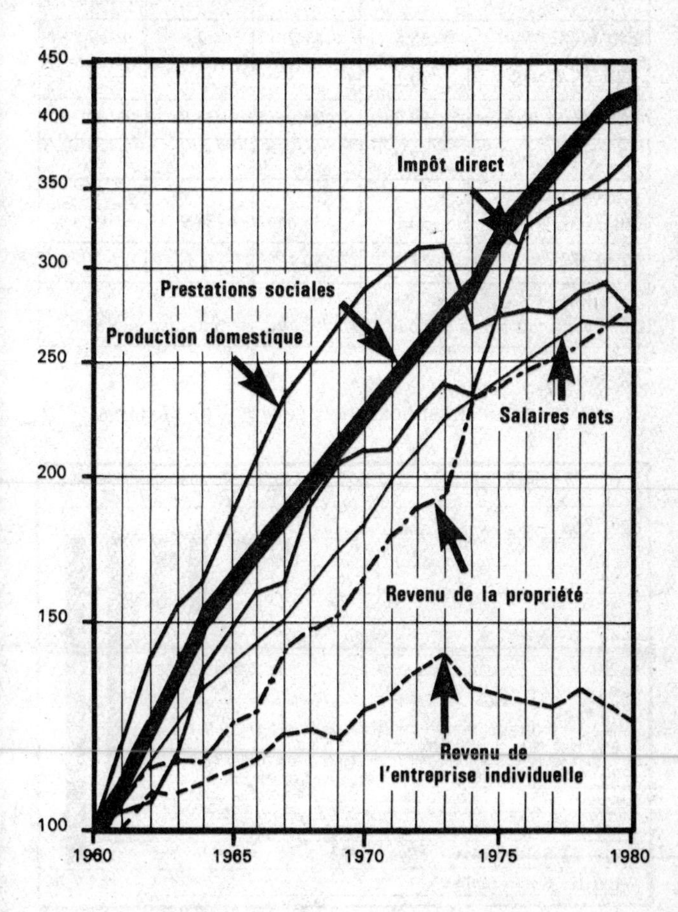

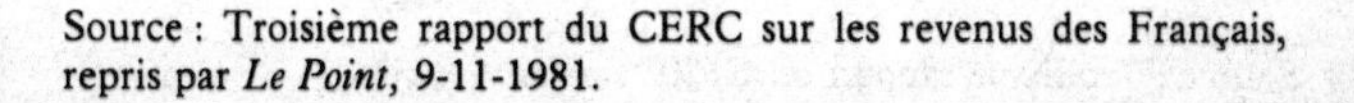
Source : Troisième rapport du CERC sur les revenus des Français, repris par *Le Point*, 9-11-1981.

III. PRÉLÈVEMENTS OBLIGATOIRES EN POURCENTAGE DU PIB

		1979	1980[1]	Variation 1980/1970
FRANCE	35,6	41,2	42,6	+ 19,7 %
ÉTATS-UNIS	30,1	31,3	30,7	+ 2 %
JAPON	19,7	24,8	25,8	+ 30 %
ALLEMAGNE	32,8	37,3	37,2	+ 13,7 %
GRANDE-BRETAGNE	30,1	34,0	35,9	+ 19,3 %
ITALIE	27,9	30,1	n.d.	+ 7,9 %[2]

1. Chiffres provisoires
2. Calcul fait sur la période 1970-79. N.d. = non disponible

IV. LES DÉFICITS BUDGÉTAIRES PRÉVUS... ET RÉALISÉS

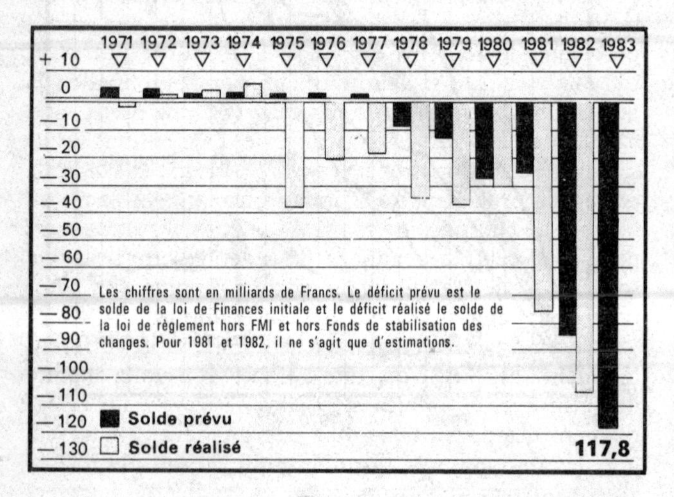

Source : Le Nouvel Économiste, 6-9-82

IX

Vers un renforcement du corporatisme syndical

Sur le plan social comme sur le plan politique, les événements qui se sont produits en France depuis le 10 mai peuvent faire l'objet d'une double lecture. En effet, il convient tout d'abord d'observer que les rapports sociaux dans l'entreprise d'une part, les relations entre patronat et syndicats d'autre part, n'ont pas été directement affectés par le changement de majorité politique ; les grands problèmes demeurent : emploi, salaires, durée du travail, retraites, sécurité sociale, formation professionnelle ; la façon dont ils sont résolus dépend en grande partie, non d'une intervention de l'État, mais des conventions résultant de négociations engagées entre patronat et syndicats au niveau professionnel et interprofessionnel ; quant au nombre de conflits, il se maintient à un niveau très comparable à celui des années précédentes. Ainsi la vie sociale a-t-elle manifesté, en partie au moins, son autonomie par rapport au changement politique.

Et pourtant, ce changement se manifeste de différentes manières : à travers une volonté politique, mainte fois affirmée, de réformes sociales ; à travers un remaniement des dispositions du Code du travail ; à travers une déstabilisation de l'équilibre qui existait jusqu'alors entre pouvoirs publics, patronat et syndicats ; à travers enfin une modification dans le statut de ces derniers, tel qu'ils le reconnaissent et tel que le conçoivent les représentants de la majorité nouvelle. Et c'est ainsi que le gouvernement entend promouvoir le concept — intellectuellement douteux — de « démocratie dans l'entreprise », que cette intention s'inscrit d'ores et déjà dans des textes qui viendront modifier plus ou moins sensiblement les rapports de travail ; qu'un jeu diplomatique complexe oppose désormais le gouvernement d'une part, le patronat de l'autre, vis-à-vis des différentes tendances d'un mouvement syndical, et que celui-ci, enfin, entre opposition et participation, paraît parfois hésiter sur le rôle qu'il devra jouer.

De cette continuité en même temps que de cette discontinuité, il serait vain de chercher maintenant à tirer un bilan. Le système social se trouve actuellement en mouvement entre un certain équilibre, celui auquel la victoire de la gauche a mis fin, et un autre équilibre, celui qui résultera de la mise en œuvre de sa politique ; reste à savoir ce que sera celle-ci, non dans l'intention de ses promoteurs, mais telle qu'ils seront finalement parvenus à la mettre en œuvre. L'incertitude qui pèse ainsi sur le devenir des relations sociales est donc l'exact reflet de l'incertitude qui pèse sur le devenir politique de la France.

Les illusions dissipées

Selon le « guide du nouvel adhérent » publié voici quelques années par le parti socialiste, la conquête du pouvoir d'État avait pour raison d'être la mise en œuvre d'une « stratégie de rupture » avec le « système capitaliste ». Or, précisait-il, « la mise en œuvre de cette stratégie de rupture atteindra trop profondément les intérêts des classes dirigeantes pour ne pas rencontrer de leur part une opposition croissante. Aussi le gouvernement de la gauche devra-t-il s'appuyer sur une mobilisation forte et consciente de ceux qui l'auront porté au pouvoir ».

Il ne faut pas accorder trop d'importance aux perspectives exprimées dans une brochure destinée aux militants de base ; mais justement pour cette raison, ces propos résument assez bien ce que semblent avoir été les illusions d'un grand nombre de militants socialistes. D'une part, la victoire électorale de M. François Mitterrand serait suivie d'une vague, bien entendu immense, d'enthousiasme populaire ; la victoire de l'Union de la gauche, en quelque sorte, allait reproduire la victoire du Front populaire.

D'autre part, portée par cette vague, une collaboration harmonieuse allait pouvoir s'instaurer entre les partis de gauche et les organisations syndicales, ceci afin de « liquider les privilèges de la bourgeoisie », de « mettre fin à l'exploitation des travailleurs » et d'« entreprendre la construction d'une société nouvelle » ; encadré par les uns et par les autres, le « peuple de gauche » irait d'un même pas au son d'une même musique. Or, moins de deux ans plus tard, qu'en est-il ?

L'absence d'un véritable enthousiasme populaire

« L'effet 36 », que certains espéraient, que d'autres redoutaient, ne s'est pas produit ; une fête nocturne, le soir de l'élection, à la Bastille, quelques « pots de la victoire », le lendemain, dans les entreprises — et ce fut tout. Nul mouvement social comparable à celui qui avait suivi la victoire du Front populaire n'aura été enregistré en mai et juin 1981. À la rupture politique que représente la victoire de la gauche s'est ainsi opposée une continuité très remarquable de la vie sociale ; le nombre des conflits, au cours des mois suivants, n'allait pas être très supérieur à ce qu'il avait été l'année précédente ; les thèmes de revendications n'allaient guère varier ; et la politique contractuelle allait se poursuivre, avec des hauts et des bas, comme si rien n'avait changé au ministère du Travail.

Cette continuité mérite d'être notée. Elle confirme l'autonomie du climat social par rapport à la conjoncture politique. Les tensions sociales naissent des difficultés inhérentes à la vie de travail et aux relations entre syndi-

« ... Un formidable élan national... »

« [..] Voyez-vous, quand je serai élu, le 10 mai au soir, dans le premier moment, ce sera une surprise pour beaucoup, mais aussi une immense joie pour le plus grand nombre, et ce sera le plus grand nombre puisqu'il m'aura élu. Cette joie, cet enthousiasme suscitera très vite, à mon avis en quelques heures, un formidable élan national, cet élan national que j'appelle déjà, je dirai presque, qui est, le thème fondamental de ma campagne. Il faut bien que la France se réveille, il faut que les Français sortent de la léthargie dans laquelle les a placés M. Giscard d'Estaing, il ne faut pas qu'ils continuent de dire : « il n'y a rien à faire », il ne faut pas qu'ils pensent qu'il n'y a qu'une seule politique, celle qui a raté, celle qui les a mis là où ils sont. Donc, quel soupir de soulagement : « Eh bien ! il y en a une autre, et non seulement il y en avait une autre, mais elle vient de gagner. »

« Vous savez, mes électeurs et mes électrices, ce sont des gens qu'on rencontre, ce sont les gens qu'on rencontre sur les chantiers, quand il y a des chantiers, ce sont les gens qu'on rencontre dans la rue, les jeunes, ce sont les gens qui sortent, agissent, qui produisent, ou bien qui enragent de ne pas pouvoir produire parce que ce sont des chômeurs, mais ce sont les forces vives du pays, et ces forces vives, à peine serai-je élu, je ne leur donne que quelques heures pour qu'elles trouvent le concours de nombreux citoyens et citoyennes, qui auront voté contre moi dans la nuit et qui diront : « Puisque c'est ainsi, maintenant on va l'aider. » Moi, je crois à la force de l'élan national, je ne négligerai rien pour le susciter, et quand on me fait des pronostics pessimistes, naturellement d'une façon intéressée, sur la suite des choses, je me contente de sourire avant de prendre les choses tout à fait au sérieux. [...] »

François Mitterrand, « Club de la presse », *Europe* 1, 5 avril 1981.

cats et employeurs, non des intentions des hommes politiques ; l'évolution de la conjoncture économique n'est donc pas sans influence sur la façon dont s'expriment d'éventuels mécontentements ; lorsque se remplissent les carnets de commande et que les stocks diminuent, c'est alors que le moment est bien choisi pour exprimer ses récriminations et faire pression sur le patron ; à l'évidence, ce n'était pas le cas.

Tout au contraire, lorsque l'on craint pour son emploi, l'on se tient coi ; or, dans leur majorité, les salariés, après comme avant le 10 mai, se sont montrés inquiets devant l'évolution de la situation économique ; les sondages le confirment. Un slogan tel que celui de Marceau Pivert en 1936 — « tout est possible tout de suite » — aurait paru ridicule.

En outre, les relations entre employeurs et salariés ne se trouvent pas aujourd'hui dans la situation de blocage où les surprit 1936. Dans un certain nombre de grandes entreprises jouant un rôle pilote en matière de réalisations sociales comme en matière de conflits, le facteur humain se trouve aujourd'hui bien plus qu'hier intégré dans les prises de décision et dans l'organisation de la vie du travail. Par ailleurs, le nombre des accords conclus entre syndicats et chambres patronales est sans commune mesure avec ce qu'il était dans les années qui précédèrent le Front populaire ; selon Georges Lefranc[1], qui cite les chiffres officiels, 24 conventions collectives seulement avaient été enregistrées en 1934, à peine plus en 1935. La crise de 1929, s'ajoutant aux préventions réciproques, avait ainsi balayé l'effort accompli au lendemain de la première guerre mondiale pour passer — selon le mot d'Albert Thomas — « de rapports de force à des rapports de droit » ; et l'on était loin, très loin, des 537 conventions conclues par les organisations professionnelles affiliées au CNPF pour la seule année 1980. La victoire du Front populaire fut donc suivie du plus large mouvement social que la France ait connu. Le ministère du Travail crut alors avoir dénombré 12 142 mouvements de grève représentant un total de quelque

1. *Le Mouvement syndical en France sous la IIIe République,* Payot, 1936.

deux millions de grévistes. Rien de tel en 1981 ; le nombre des journées perdues, au mois de juin, n'aura été que de 103 000, soit deux fois moins que l'année précédente.

De même, le recrutement syndical est-il resté des plus médiocres. En 1936, la CGT, tout juste réunifiée au congrès de Toulouse, allait passer, en l'espace de quelques mois, de moins d'un million à presque cinq millions d'adhérents. Rien de tel à la suite de la récente victoire de la gauche. Les effectifs de Force ouvrière et de la CFTC, après des années d'une lente progression, paraissent plafonner. Ceux de la CFDT se seraient accrus, selon les premières indications publiées par la centrale, de 1 à 2 % au cours de 1981. Ces résultats, s'ils sont confirmés, témoignent d'un certain redressement après une série d'années noires puisque la CFDT, en effet, a perdu à peu près 10 % de ses adhérents au cours des trois années précédentes[1]. Qu'il s'agisse d'un afflux passager d'adhérents à la suite de l'élection présidentielle ou d'un retournement de tendance à proprement parler, les résultats de 1981 ne témoignent nullement, en tout cas, de cette « mobilisation consciente » que les dirigeants confédéraux espéraient susciter.

Ceci vaut également pour la CGT. Celle-ci apparaissait, depuis quelques années, comme étant la plus menacée par le courant de désyndicalisation qui affecte également la CFDT. Selon les chiffres régulièrement publiés par *Le Courrier confédéral,* le nombre des cartes placées auprès de travailleurs actifs serait passé de 1 790 000 environ en 1975 à moins de 1 400 000 en 1981. Ce recul était difficile à dissimuler ; aussi la Confédération elle-même s'est-elle trouvée obligée de l'admettre ; selon *Le Peuple,* le nombre des adhérents serait passé de 2 074 072 en 1975 à 1 634 375 en 1980 (chiffres auxquels il convient d'ajouter un peu moins de 300 000 retraités), soit un recul de plus de 20 % en cinq années

1. Voir Hubert LANDIER, *Demain quels syndicats ?,* « Pluriel », 1981.

seulement. Une constatation s'impose ainsi : la victoire de la gauche n'a pas eu d'effet sur le recrutement ; et si les dirigeants de la CGT présentent officiellement l'année 1982 comme moins mauvaise que la précédente ; il n'est pas pour autant certain que les adhésions nouvelles viendront compenser les défections. Les réactions internes, à la suite de l'approbation par la Confédération de la « normalisation » en cours en Pologne, laisseraient même supposer le contraire.

Cette évolution des effectifs est assez cohérente avec les résultats des élections prud'homales du 8 décembre dernier. Par rapport aux élections précédentes, qui avaient eu lieu le 12 décembre 1979, la CGT est passée de 42,9 % à 36,81 % des suffrages exprimés, la CFDT de 23,3 % à 23,5 %, FO de 17,38 % à 17,78 %, la CFTC de 7,15 % à 8,46 %, la CGC de 5,24 % à 9,64 %... et l'abstention de39 % à 43,6 %. On est bien loin de la « mobilisation sociale » tant espérée par Edmond Maire. La CGT perd du terrain dans une proportion inquiétante pour ses dirigeants ; seules progressent de façon sensible la CFTC, dont on sait l'attachement à la liberté de l'enseignement et la CGC qui ne dissimule pas son attitude critique à l'égard du gouvernement.

Quant à l'opinion publique en général, dont rendent compte les sondages, on ne saurait non plus parler d'enthousiasme. La popularité du président de la République comme celle du Premier ministre sont en décrue régulière. Le degré de confiance accordé à François Mitterrand est ainsi passé, selon la SOFRES, de + 54 en juin 1981 à + 3 seulement en janvier 1983[1]. Plus forte encore a été la dégradation de l'image de Pierre Mauroy. Enfin, la dernière enquête de conjoncture réalisée par l'INSEE auprès des ménages, fait apparaître un pessimisme inquiétant concernant l'évolution de la situation économique.

1. Voir l'analyse des sondages présentée par Jérôme Jaffré dans *Le Monde* des 16 et 17 janvier 1983 sous le titre : « M. Mitterrand est-il en voie de "cartérisation" ? »

Une conclusion s'impose ainsi : ou bien la croyance en une « mobilisation » des Français derrière le gouvernement de gauche relevait de la mythologie politique — et il n'est jamais bon de fonder une politique sur des illusions — ; ou bien, elle était de l'ordre du possible et le gouvernement, en se révélant incapable de la susciter, a manifesté ainsi son échec. L'expérience historique atteste que les grands mouvements de masse vont rarement dans le sens prévu par les théoriciens de tribune — et c'est bien pourquoi le PCF se méfie tout autant des uns que des autres. Les vues du PS sur cette réconciliation nationale que devait représenter sa victoire relevaient de l'idéalisme le plus banal ; et ceci avec deux aboutissements possibles : un cheminement vers plus de réalisme ou, tout au contraire, la mise en branle d'un processus de radicalisation du régime.

La difficile collaboration entre gouvernement et syndicats

Les rapports entre parti et syndicats, et désormais entre gouvernement et syndicats, constituent un problème historique auquel les socialistes français, depuis qu'ils existent, n'ont pas été en mesure de répondre de façon satisfaisante ni définitive. Dès 1906, après que le guédiste Victor Renard, secrétaire de la fédération du textile, eut tenté d'obtenir la reconnaissance d'un lien de subordination entre le mouvement syndical et le parti socialiste SFIO, constitué l'année précédente, le congrès de la CGT, réuni à Amiens, proclama au contraire l'indépendance des syndicats à l'égard des partis, « les organismes confédérés n'ayant pas [...] à se préoccuper des partis et des sectes qui, en dehors et à côté, peuvent poursuivre en toute liberté la transformation sociale ». Jean Jaurès, dans les années qui précédèrent la première guerre mondiale, allait être lui-même contraint de prendre acte de cette indépendance. Plus tard, en 1936, Léon Jouhaux, secrétaire général de la CGT, refusait le portefeuille ministériel que lui proposait Léon Blum ; quoique faisant partie, avec René Belin, du comité directeur du Front populaire constitué en juillet 1935, il allait se comporter, vis-à-vis du président du Conseil, en interlocuteur souvent peu commode.

À cette tradition d'indépendance, qui remonte à l'anarcho-syndicalisme, s'ajoutent les problèmes suscités par l'extrême division du mouvement syndical en France. Le parti socialiste doit compter sur la présence de cinq centrales syndicales et non pas sur une seule, comme c'est le cas, notamment, pour les socialistes britanniques ou allemands. Par conséquent, il leur faut prendre en considération des options contradictoires qui animent ces cinq grandes tendances ; il est difficile, par exemple, de donner raison à la CFDT sans indisposer Force ouvrière, ou de s'inspirer des solutions préconisées par la CGC sans s'attirer les foudres de M. Edmond Maire.

Or, face à cette pluralité, le parti socialiste oppose lui-même une diversité qui tourne parfois à la cacophonie. Certains de ses représentants paraissent espérer pouvoir exercer, au moins à terme, une influence sur l'évolution de la CGT. M. Pierre Joxe, président du groupe socialiste à l'Assemblée nationale, semble avoir tenté à plusieurs reprises de négocier un élargissement de la représentation des socialistes au sein des organes de direction de la centrale. Mme Nicole Questiaux, en tant que ministre de la Solidarité, à plusieurs reprises également a montré sa bienveillance à l'égard de la CGT, dont deux anciens dirigeants — Jacqueline Lambert et Jean-Louis Moynot — entrèrent à son cabinet ; René Buhl, qui venait lui aussi de quitter le bureau confédéral, devenant de son côté conseiller du groupe socialiste à l'Assemblée nationale ; tous trois venaient de se signaler, il est vrai, par leur opposition à la ligne confédérale. Les marques d'intérêt dont ils ont bénéficié, venant de M. Joxe et de Mme Questiaux, ne sauraient donc s'interpréter comme de la complaisance à l'égard de celle-ci. Reste la conviction selon laquelle il faut renforcer l'opposition interne dans l'espoir qu'elle sera un jour en mesure de peser réellement sur les orientations confédérales.

Les dirigeants socialistes sont toutefois plus nombreux à manifester leur sympathie à l'égard de la CFDT, mettant celle-ci en mesure de peser sur certaines orientations gouvernementales. Michel Rocard et Edmond Maire entretiennent de bonnes relations ; Jacques Delors naguère militant au syndicat CFTC de la Banque de France, est également honorablement connu de la centrale de la rue Cadet. En juin 1981, deux membres de sa commission exécutive, sur les dix qu'elle compte, ont abandonné leurs fonctions syndicales pour des fonctions officielles. C'est ainsi que Mme Jeannette Laot était nommée chargée de mission à la présidence de la république tandis qu'Hubert Lesire-Ogrel entrait au cabinet de Mme Nicole Questiaux avant de rejoindre celui de M. Berégovoy ; l'économiste de la CFDT, Hubert Prevost, allait de son côté être désigné comme commissaire au Plan, après avoir « transité » par le cabinet de Michel Rocard.

La CFDT s'est ainsi trouvée en mesure d'exercer une influence non négligeable. Nombre de ses amis figurent dans les cabinets ministériels, ceux notamment du Premier ministre et du ministre du Travail. Il n'y a donc rien d'étonnant à ce que telles solutions qu'elle préconise se soient retrouvées dans certaines déclarations officielles et dans certaines décisions gouvernementales. Un exemple parmi d'autres : dans son discours à l'Assemblée nationale, le 8 juillet 1981, M. Pierre Mauroy exprimait ainsi les grandes orientations sociales de son gouvernement :

« [...] Il nous faut sortir d'une situation dans laquelle la négociation est encore l'exception. Les salaires, la politique de l'emploi, la formation, la durée du travail ou son organisation doivent faire l'objet de négociations entre les dirigeants et les sections syndicales de l'entreprise.

Propos significatifs : ils reprenaient presque mot pour mot un « dossier revendicatif » adopté par le bureau national de la CFDT le 12 mai précédent, et dans lequel on pouvait lire :

« [...] Trois points paraissent urgents : a) rendre la négociation obligatoire dans les entreprises privées et le secteur public et nationalisé sur la structure et l'évolution des salaires réels (ce qui suppose leur connaissance), la formation professionnelle [...], l'organisation du temps de travail, le droit d'expression sur les conditions de travail.

« Le gouvernement doit en décider le principe et patronat et syndicats doivent négocier sur ce sujet. [...] Il s'agit de donner un contenu à l'action de la section syndicale d'entreprise. »

Sur la forme comme sur le fond, la similitude entre le discours du Premier ministre et le document préparé par la CFDT à l'intention du gouvernement apparaît comme particulièrement frappante. Indiscutablement, celui-ci a abondamment puisé dans les dossiers de celle-là ; les textes relatifs aux « droits nouveaux des travailleurs » s'inspirent ainsi largement des propositions de la CFDT.

Beaucoup plus réduite paraît être l'influence de la CGT-FO. Le bureau confédéral, on l'a su, a décliné l'offre qui lui était faite, comme à la CFDT, de désigner un chargé de mission à l'Élysée ; pour FO, il s'agissait d'éviter le risque d'une confusion entre action syndicale et action politique[1]. Cette réserve n'empêche pas l'existence de relations empreintes de courtoisie entre MM. François Mitterrand et André Bergeron, lequel, de longue date, cotise au parti socialiste. Les dirigeants de Force ouvrière, cependant, se montrent réservés à l'égard du parti, tel qu'il est issu du congrès d'Epinay. Étant de tradition laïque, ils regrettent l'influence des socialistes d'origine chrétienne, favorables à l'autogestion ; fidèles à leurs opinions, ils condamnent par ailleurs toute collabo-

1. Il n'empêche que deux anciens du bureau confédéral de la CGT-FO exercent un mandat politique, Roger Louet aux communautés européennes et Gabriel Ventegol en la qualité de président du Conseil économique et social. Deux membres de l'entourage de Pierre Mauroy, Roger Metais et Michel Pélissier, viennent par ailleurs de Force ouvrière.

ration avec le parti communiste. Après l'annonce de la désignation de ministres communistes, André Bergeron dénonça solennellement le risque qu'ils représentaient pour l'avenir des libertés. Tout ceci contribue à créer une certaine distance par rapport au gouvernement, quelles que soient par ailleurs les convictions socialistes qui animent nombre de dirigeants de la CGT-FO.

A l'absence d'une doctrine claire, venant des socialistes à l'égard du mouvement syndical, répond ainsi une grande diversité d'attitudes, de la part des syndicats, à l'égard du gouvernement socialiste. Tandis que FO reste sur la réserve, la CFDT, tout au contraire, se signale par son empressement. Pour ses dirigeants, la victoire de la gauche se présente comme une chance historique unique de s'acheminer vers le socialisme autogestionnaire. Pour eux, la « construction du socialisme autogestionnaire », sans préjuger de sa définition, nécessitait que soient réunies deux conditions : d'une part, l'exercice du pouvoir par un gouvernement de gauche, ce qui supposait préalablement un rééquilibrage de celle-ci au détriment du parti communiste, et d'autre part une mobilisation du mouvement syndical sans laquelle le gouvernement se révélerait incapable de créer le rapport de forces nécessaire à un véritable changement. Dès 1968, dans un rapport présenté au congrès de la fédération des industries chimiques, dont il était alors le secrétaire général, Edmond Maire écrivait ainsi :

> « Notre stratégie commune suppose [...] dans tous les cas une branche ouvrière non communiste du mouvement ouvrier, solide, qui soit en position de briguer la succession du gaullisme, formée d'hommes compétents et unis, acceptant de s'engager sur un programme cohérent de transformations socialiste, équilibrant largement le PC Alors une mobilisation commune de cette grande politique et syndicale non communiste peut créer dans le pays [...] un courant, un rapport de force qui oblige le PC et la CGT à rallier la stratégie commune ou plus exactement à accepter le contre-plan commun. »

Cette stratégie commune suppose cependant, dans

l'esprit du secrétaire général de la CFDT, que soit respectée l'autonomie de l'action syndicale par rapport à l'action politique. Tout en soutenant, globalement, l'action du gouvernement, la centrale se réserve ainsi la possibilité de critiquer tel ou tel aspect de sa politique. Cette possibilité, Edmond Maire allait en user une première fois le 14 octobre 1981, au micro de France Inter, suscitant l'embarras du Premier ministre qui allait en réponse, accuser le secrétaire général de la CFDT de vouloir marcher plus vite que la musique.

Le gouvernement paraît ainsi, dans ses relations avec le mouvement syndical, avoir rencontré des difficultés que ne soupçonnaient pas nécessairement certains futurs ministres. N'ayant pu obtenir de FO une quelconque manifestation de soutien politique, il allait se heurter, venant de la CFDT, à des critiques d'autant plus malvenues qu'elles étaient formulées par une organisation qui, au départ, apparaissait comme la plus chaleureuse. Venant d'un autre bord et pour d'autres raisons, la CGC et la CFTC n'allaient pas non plus ménager leurs critiques. Pour l'une, il s'agissait de défendre le principe de la liberté de l'enseignement contre les projets d'intégration de l'enseignement libre au sein de l'enseignement public. Pour l'autre, il s'agissait d'obtenir que soient respectés les intérêts particuliers au personnel d'encadrement face au projet relatif aux « droits nouveaux des travailleurs », aux retraites et à la fiscalité accrue imposée aux plus hauts salaires. A la limite, la CGT allait ainsi se présenter comme la plus conciliante des centrales syndicales.

Les tensions entre le gouvernement et les organisations syndicales ne pouvaient que s'accroître avec les difficultés économiques et la nécessité, pour le premier, d'en venir à des solutions impopulaires. Vis-à-vis de leur clientèle, et quelles qu'aient été leurs convictions quant à leur opportunité, les dirigeants syndicaux ne pouvaient cautionner le blocage des salaires et la suspension, pour une durée de quatre mois, de la loi du 11 février 1950 sur les conventions collectives et les accords salariaux ;

tout en évitant de provoquer des réactions de mécontentement qui eussent été préjudiciables au succès du plan gouvernemental de lutte contre l'inflation, la condamnation du gel autoritaire des salaires était une condition de leur crédibilité auprès de leur base. Cette condamnation débouchait toutefois sur une conséquence grave pour l'autorité du pouvoir socialiste : le « peuple de gauche », que prétendent également représenter le gouvernement et les syndicats, avait désormais à choisir entre les justifications de l'un et les critiques des autres. C'en était fini de la belle unanimité que symbolisait « l'état de grâce » ; le débat se trouvait désormais ouvert au sein même des « forces de gauche ».

Les incertitudes provoquées

Que les illusions nourries par vingt-trois années d'opposition aient été ou non dissipées, le gouvernement, par sa politique, est devenu un facteur majeur d'incertitude. Incertitude politique : la France se dirige-t-elle vers plus de modération ou, tout au contraire, vers une radicalisation de son régime politique ? Incertitude économique : les principes de l'économie de marché seront-ils respectés ou s'achemine-t-on, au contraire, vers un système d'économie administrative ? Incertitude sociale, enfin, qui résulte notamment de la situation ambiguë où se trouve actuellement le mouvement syndical et des conséquences difficiles à prévoir de l'application des textes de la loi relatifs aux « droits nouveaux des travailleurs dans l'entreprise ».

Les syndicats dans une situation ambiguë

Dans une chronique publiée par la revue *Esprit* (juillet-août 1982), Daniel Mothé notait avec humour :

« Le reproche que faisaient les syndicats français à la social-démocratie et au travaillisme était de vendre leur âme pour ne recevoir que les miettes du capitalisme. L'ennui est que ces syndicats sont maintenant poussés à vendre leur âme en collaborant avec un système capitaliste qui doit considérablement réduire la distribution de miettes. »

La droite se trouvant au pouvoir, il était somme toute confortable de se cantonner dans une attitude d'opposition globale au « système capitaliste » ; cette opposition de principe n'empêchait d'ailleurs pas de militer activement afin d'obtenir un maximum d'avantages ; quant aux syndicats qui se refusaient à entrer dans le jeu d'un tel manichéisme, ils se trouvaient accusés de pratiquer une honteuse « collaboration de classes ». Or donc, la gauche se trouve désormais au pouvoir ; dans la mesure où elle est censée représenter « l'intérêt des travailleurs », il est tout aussi tentant de collaborer avec elle qu'il l'était hier de condamner globalement l'action du gouvernement. Daniel Mothé relève ainsi que « les militants syndicaux, qui n'ont souvent reçu qu'une formation idéologique, vont être contraints de faire et de dire tout autre chose que ce à quoi on les a préparés. A quoi sert d'avoir appris à organiser les salariés pour se défendre quand il faut surtout inciter à l'économie, à l'innovation technique, à la solidarité dans le partage du temps de travail, de l'emploi et du salaire ? »

Rien d'étonnant, dans ces conditions, si les centrales syndicales ont répliqué à cette situation nouvelle par des attitudes profondément divergentes.

Pour les dirigeants de FO, il s'agit d'abord et avant tout de maintenir l'indépendance du syndicalisme. Cette volonté d'indépendance se manifeste de deux façons. D'une part la condamnation de toute forme d'organisation du travail dont l'effet serait de court-circuiter le syndicat ou de l'intégrer dans les structures de l'entreprise. Dans son rapport au congrès de Bordeaux, en juin 1980, André Bergeron s'en était pris très vivement à « l'individualisation des politiques sociales » préconisée par le président du CNPF ; ce sont les mêmes arguments qui conduisent aujourd'hui le secrétaire général de la CGT-

FO à rejeter certaines dispositions de la loi du 4 août sur les libertés des travailleurs, celles qui portent notamment sur la création d'un « droit d'expression directe » propre, selon lui, à faire le jeu de la CGT.

Le souci de l'indépendance syndicale conduit d'autre part les dirigeants de FO à refuser toute forme de participation aux responsabilités du pouvoir politique. Dans une « carte blanche » publiée par l'hebdomadaire *L'Economie* (6.9.1982), André Bergeron déclarait ainsi que, selon lui, « il n'est pas dans la vocation du mouvement syndical de participer à l'élaboration de la politique économique du pays. [...] Il n'est pas inutile de rappeler, ajoutait-il, que d'autres, autrefois, avaient imaginé, non seulement d'associer le mouvement syndical à l'élaboration de la politique générale, mais l'avaient finalement totalement intégré à l'Etat. C'est ainsi, par exemple, qu'est né le corporatisme dans l'Italie de Mussolini et l'Espagne de Franco ».

Le secrétaire général de FO refuse ainsi de se laisser entraîner dans la voie d'un corporatisme de mauvais aloi. Or, il est piquant de constater que M. Edmond Maire, lui aussi, condamne le corporatisme ; mais ceci d'une tout autre manière. Le corporatisme, pour les dirigeants de la CFDT, consiste en la recherche, par les représentants d'un groupe de travailleurs, d'avantages hors de proportion et sans considération aucune pour « la solidarité » qui devrait amener les plus favorisés à modérer leurs exigences en faveur des moins favorisés. A quoi les dirigeants de la CFDT opposent une démarche fondée sur la volonté de réduire les inégalités et d'accroître les possibilités d'expression directe des travailleurs — en tant que premier pas vers l'autogestion — tout en ayant le souci de contribuer à une consolidation des fondements économiques du progrès social : « Comment ne pas voir, observait Edmond Maire dans *Le Monde* (19.8.1982), combien la possibilité pour chacun de s'exprimer, d'intervenir sur le contenu de son travail, est un atout précieux pour l'enrichissement et l'efficacité de la pratique syndicale comme pour l'efficacité économique et sociale de l'entreprise. » Ainsi la CFDT se montre-t-elle soucieuse, tout au contraire de Force ouvrière, d'apporter sa contribution à l'élaboration de la politique économique du pays sans pour autant aliéner son indépendance par rapport au pouvoir politique. L'avenir dira si elle ne prend pas ainsi le risque de passer pour trop proche d'un gouvernement dont la popularité tend à diminuer et de se trouver ainsi dans une situation où il lui faudrait soit « trahir » ses amis politiques, soit accepter de voir son rôle réduit à celui d'un « syndicat-godillot ».

Aujourd'hui peut-être encore plus qu'hier FO et la CFDT se situent ainsi aux deux extrêmes de l'échiquier syndical. Où, sur cet échiquier, placer la CGT ? La réponse n'est guère commode, les dirigeants confédéraux jouant allégrement un double jeu pour le plus grand profit du parti communiste. Le 12 mai 1981, Georges Séguy déclarait au journal de TF1 :

« Nous entendons ne rien faire qui puisse être de nature à compromettre un changement durable [...]. Nous pensons qu'il est possible de promouvoir ce changement en faisant preuve de réalisme et d'esprit de responsabilité. »

La CGT, depuis lors, n'a pas changé de ligne ; à la tribune du 41e congrès, qui se tenait à Lille du 13 au 18 juin, Henri Krasucki déclarait à son tour :

« ... Ce gouvernement n'est pas notre adversaire, nous avons contribué à son avènement. Son programme, s'il n'est pas le notre, va dans une direction de réformes importantes que nous estimons nécessaires [...]. Nous sommes et nous entendons être des interlocuteurs, des partenaires constructifs, indépendants et critiques. »

Accueillant Pierre Mauroy le jour même de la décision, prise en Conseil des ministres, de procéder au blocage des salaires, Georges Séguy allait manifester de son côté une rare bienveillance : « Je pense que tu n'attendais pas de moi que je t'apporte ce soir l'adhésion enthousiaste de la CGT... » Au cours des semaines suivantes, la Confédération, tout en critiquant le principe de ce blocage, allait s'employer à détourner l'ardeur revendicative des militants en les invitant à apporter leur contribution au contrôle des prix. Et début septembre, Henri Krasucki, tout en défendant le principe d'un maintien du pouvoir d'achat, allait proposer le concours de la CGT en vue d'assurer un contrôle des prix à la production, les comités d'entreprise ayant ainsi à faire preuve de vigilance quant à l'application de la politique économique du gouvernement.

Il ne faut pas se fier, bien entendu, à cette bonhomie apparente. La CGT a ses raisons pour soutenir ainsi le gouvernement — « comme la corde soutient le pendu ». D'une part, cette attitude correspond à la politique du parti communiste français ; or, cette politique s'est trouvée confirmée avec vigueur, le 8 septembre, par une déclaration du bureau politique invitant les militants à « gagner la bataille de la production et de l'emploi » et proposant comme objectif la « reconquête du marché intérieur ». D'autre part, la CGT se donne ainsi les moyens de conquérir peu à peu les lieux où s'exerce le pouvoir, et ceci dans la plus grande discrétion. L'affaire Lucet, en dehors de toute considération de personne, a révélé quelle pouvait être l'influence conjointe du PCF et de la CGT sur un ministère — en l'occurrence le ministère de la Solidarité. Les opérations menées dans les usines Citroën et Talbot ont abouti, à Poissy, à un quadrillage serré des ateliers par des « délégués de chaîne » qui tendent à se substituer par la violence des agents de maîtrise. Les stages Rigout[1] représentent pour les

---

1. L'ordonnance du 26 mars 1982 prévoit la mise en place, par les municipalités, de commissions et de permanences chargées d'accueillir les jeunes de seize à dix-huit ans et de les aiguiller sur des stages agréés et financés par le minsitère de la formation professionnelle. Des périodes d'activité en entreprise sont prévues, où les jeunes sont personnellement suivis par un « tuteur ». Un premier stage agréé à Aubervilliers a ainsi permis aux jeunes qui le suivaient de découvrir l'URSS grâce à un voyage à Moscou.

municipalités communistes la possibilité d'« orienter » les jeunes en alternance avec des stages en entreprise où la CGT organise leur parrainage. Et ce ne sont là que quelques exemples.

Le gouvernement, en laissant ainsi se renforcer certains pouvoirs syndicaux, encourt deux risques. Le premier serait celui d'une multiplication des manifestations d'un corporatisme syndical jusqu'alors limité à un petit nombre de professions.

Les militants utiliseront en effet les pouvoirs nouveaux qui leur sont confiés, au mieux dans l'intérêt de leurs mandants et avec le souci de prendre en compte les contraintes économiques, mais certainement pas en vue de l'intérêt général. Dans cette perspective, les appels d'Edmond Maire à un effort de solidarité sont sympathiques, mais risquent fort d'être sans effet, y compris dans les rangs de la CFDT., comme en a témoigné récemment le conflit chez Renault-Flins.

Le second risque est celui d'une exploitation de ces pouvoirs nouveaux à des fins politiques. Les « droits nouveaux des travailleurs dans l'entreprise », s'ils répondent bien au souci de moderniser les rapports sociaux au bénéfice des salariés, risquent ainsi en même temps de constituer pour les militants communistes et cégétistes, un fantastique moyen de « lutte contre le système capitaliste » et d'avancée vers le socialisme — tel qu'ils l'entendent.

Droits nouveaux des travailleurs ou droits nouveaux des syndicats ?

Moins de quatre mois après son installation, le ministre du Travail, Jean Auroux, remettait au président de la République et au Premier ministre un rapport sur « Les droits des travailleurs ». Remis aux partenaires sociaux le 6 octobre, rendu public deux jours plus tard, ce rapport, qui se présentait comme un « document de travail » en vue d'un « large débat » allait être définitivement adopté par le Conseil des ministres dès le 6 novembre. Des projets de loi allaient suivre, le premier ayant été adopté le 4 août 1982.

La précipitation apportée à la rédaction et à la publication du « rapport Auroux » atteste l'importance accordée par le gouvernement aux questions qui s'y trouvent traitées. Or, la philosophie qui anime les mesures ensuite adoptées sous forme de texte de loi appelle toute une série d'observations.

En premier lieu, le titre du rapport ne correspond nullement à l'essentiel de son contenu : les droits des représentants des travailleurs s'y trouvent en effet évoqués beaucoup plus longuement que les droits des travailleurs eux-mêmes. D'un côté — c'est la conclusion de son rapport — le ministre affirme souhaiter « que tous les travailleurs ressentent rapidement dans leur vie quotidienne le changement profond imprimé par ces réformes » ; de l'autre, les réformes qu'il propose se fondent sur l'intercession exclusive des représentants du personnel, hors de l'encadrement des entreprises. Il est permis de se demander, si cette confusion entretenue entre « droits des représentants des travailleurs » et « droits des travailleurs » eux-mêmes représente une illusion ou un alibi. Il s'agirait d'une illusion si les auteurs du rapport étaient réellement convaincus qu'il suffirait d'accorder des droits nouveaux aux militants pour que les préoccupations des salariés soient mieux représentées. Il conviendrait, en effet, pour que ce soit effectivement le cas, que les militants se montrent effectivement soucieux de prendre en charge les intérêts de leurs mandants et de s'en tenir là, — ce que l'on ne saurait attendre de ceux d'entre eux qui inscrivent leur action dans les cadres du marxisme-léninisme sous ses différentes variantes. Il s'agirait au contraire d'un alibi si l'objectif était en réalité de répondre aux préoccupations de certaines organisations auxquelles la gauche doit en partie d'être aujourd'hui au pouvoir et qui n'ont pas manqué de se manifester afin d'obtenir, en vue de leur renforcement, que leurs représentants puissent jouir désormais de prérogatives renforcées ; le titre du rapport ne ferait alors que dissimuler des concessions faites à des appareils, concessions visant aux yeux de leurs dirigeants à accroître l'influence qu'ils exercent, et sur l'entreprise, et sur les salariés.

En second lieu, il convient d'observer que le rapport revient à de nombreuses reprises sur l'idée d'une « citoyenneté dans l'entreprise » qu'il s'agirait de garantir aux travailleurs : « Citoyens dans la cité, les travailleurs doivent l'être aussi dans leurs entreprises. » On devine bien ce que les auteurs du rapport entendent par cette expression : faire en sorte que les travailleurs puissent davantage s'exprimer, davantage participer — terme qu'ils évitent par ailleurs soigneusement — à la vie de leur entreprise, qu'ils y soient plus efficacement représentés par leurs élus et par les organisations syndicales auxquelles ils accordent éventuellement leur confiance. Ainsi l'intention est-elle louable ; elle comporte toutefois un corollaire : en se proposant d'instituer une citoyenneté dans l'entreprise, le ministre du Travail sous-entend d'une part que les travailleurs y subissent une manière d'esclavage, d'autre part que l'entreprise doit être placée sur un même plan que les collectivités publiques que sont par exemple les municipalités. Il n'est pas besoin d'insister sur la gravité de cette confusion : quelles que soient par ailleurs les intentions de ses auteurs, le rapport Auroux, par l'image répétée d'une formule qui en constitue en quelque sorte l'ossature, tend à assimiler l'entreprise à une collectivité publique.

En troisième lieu, le rapport Auroux pose une question de fond sur ce que doit être l'étendue des interventions du législateur. En effet, il ne s'agit pas seulement, pour les auteurs du rapport, de modifier dans un souci d'équité les règles du jeu que doivent respecter les employeurs d'une part, les représentants du personnel d'autre part, mais de transformer le tissu social des entreprises conformément à un certain modèle de société. Certes, cette prétention — qui n'est d'ailleurs pas le propre de l'actuelle majorité et qui se retrouvait dans nombre d'interventions de la précédente — se trouve modérée par le souci de se montrer « incitatif » beaucoup plus qu'« impératif ». Une telle position, cependant, n'est guère tenable ; une loi « incitative » risque fort de rester inappliquée si elle ne comporte pas un minimum d'obligations et de sanctions présentant un caractère impératif.

Ces réserves étant faites, il convient enfin d'ajouter que le rapport Auroux se présente comme un bricolage hâtivement rédigé sans beaucoup de souffle ; une comparaison avec le rapport Sudreau, rendu public dans les débuts du précédent septennat, ne plaide guère en sa faveur. Les auteurs, d'une part, connaissent manifestement assez mal la réalité des entreprises ; le rôle de l'encadrement est pratiquement ignoré ; il n'apparaît pas que le développement des possibilités d'expression directe des salariés dans les ateliers et les bureaux nécessitera, pour s'inscrire effectivement dans les réalités de la vie du travail, une remise en cause des procès de production qui exigera souvent des investissements considérables. Et, d'autre part, il est permis de se demander s'ils ne prêtent pas leurs intentions, en ce qu'elles ont de généreux, aux organisations syndicales qui seront au premier chef concernées. Que les intentions de la CFDT soient proches de celles des auteurs du rapport, c'est évident ; on ne saurait en dire autant de celles qui animent les dirigeants de la CGT. L'interprétation qu'ils donneront des lois issues du rapport Auroux et l'usage qu'ils en feront risquent fort ainsi de n'avoir pas grand-chose de commun avec les intentions qui les motivaient. Là réside très certainement le principal danger des lois Auroux.

La présence des militants communistes pose en effet un problème politique qui se trouve à l'origine de deux thèses contradictoires. La première — c'est celle du gouvernement — consiste à affirmer que la modification du statut des militants syndicaux dans le sens de plus larges possibilités d'action les conduira à modifier leur comportement dans le sens d'un plus grand réalisme et d'un souci plus conséquent de ce qui est possible et de ce qui ne l'est pas. La seconde consiste au contraire à affirmer que tout transfert de pouvoir en faveur de militants sous contrôle du parti communiste tend à renforcer ce dernier et à réduire les « espaces de liberté ». Que certains militants soient incités, par suite de la mise en œuvre des lois Auroux, à modifier leur comportement, c'est probable ; l'intervention du législateur tend ainsi à conforter le « recentrage » entrepris depuis 1978 par la CFDT. Mais il est non moins probable que le PCF et la CGT se serviront de certaines de leurs dispositions comme d'une opportunité qui leur permettra d'accroître leur pouvoir à la fois sur les entreprises et sur les salariés.

Les lois récentes prévoient ainsi un renforcement des comités d'entreprise, notamment en matière d'information économique. La CGT n'a pas attendu. Dès le début de septembre 1982, la Confédération recommandait aux militants de se procurer la comptabilité analytique de leurs entreprises ainsi que toutes les informations relatives aux plans financiers, aux plans de production, aux conditions d'importation et aux frais généraux. Ceci dans un but bien précis. Au même moment, en effet, Henri Krasucki suggérait « l'organisation d'une coopération entre services des prix et comités d'entreprises en vue d'une plus grande efficacité du contrôle des prix à la production ». De plus, à peu près à la même époque, l'association des élus communistes et républicains recommandait aux élus locaux et municipaux de s'intéresser à l'état de l'outil de production et de dresser des plans d'investissements après avoir établi « de nouvelles relations » entre les conseils municipaux et les comités d'entreprises.

Toujours à la même époque, par une lettre circulaire adressée à tous les secrétaires de syndicats, René Lomet, secrétaire de la CGT, leur recommandait de s'intéresser aux possibilités ouvertes par les « stages Rigout » s'adressant aux jeunes sans qualification de seize à dix-huit ans. Les municipalités étant invitées à créer des « commissions d'accueil, d'information et d'orientation », les comités d'entreprises étaient conviés à presser leur direction d'accueillir de jeunes stagiaires, la CGT étant là pour fournir à ceux-ci les « tuteurs » prévus par l'ordonnance du ministre. Ainsi se dessinait une vaste manœuvre visant à placer les entreprises sous tutelle et à les dessaisir autant que possible du pouvoir économique. Et Henri Krasucki, dans son discours de rentrée, prononcé le 5 septembre, pouvait affirmer sans complexe : « L'esprit d'entreprise, c'est nous, avec les travailleurs. »

De même, l'institution, par la loi du 4 août, d'un droit d'expression directe des salariés sur les lieux de travail représente-t-elle pour la CGT une opportunité tout à fait intéressante. La centrale — faut-il le rappeler ? — ne fait nullement confiance au point de vue spontané des travailleurs. A défaut d'être animés par les principes du « socialisme scientifique » dont l'organisation syndicale dans son ensemble garantit une interprétation correcte, les points de vue spontanés ne font que refléter l'état d'aliénation de leurs auteurs ; il convient donc de les orienter dans le sens indiqué par l'organisation. Les « délégués d'ateliers » et les « délégués de chaîne » que la CGT se propose de créer dans les entreprises ne représentent ainsi légitimement les salariés que pour autant qu'ils respectent les orientations syndicales. L'expression directe des salariés fait ainsi l'objet d'une récupération conforme à la plus pure tradition léniniste : il faut multiplier les conseils de façon à anéantir l'autorité des « petits chefs » et asseoir celle des militants investis, au-delà de la courroie de transmission syndicale, de la confiance du parti communiste.

Pour les entreprises, en revanche, le danger est tout à fait réel : le pouvoir dans l'atelier ou le bureau passera-t-il des mains de la hiérarchie désignée par l'employeur à celles de la hiérarchie mise en place par le parti ? C'est ainsi qu'Henri Krasucki, dans le discours cité un peu plus haut, désignait le cas de l'usine Talbot à Poissy, où la CGT est parvenue à faire la loi, comme l'exemple à suivre « partout ». On comprend donc le souci des employeurs et de la CGC d'éviter tout risque de débordement, en réservant l'organisation et l'animation des

« réunions d'expression » aux seuls représentants de la hiérarchie de l'entreprise et de poursuivre ainsi l'effort accompli depuis plusieurs années pour transformer les rapports de travail et revaloriser le rôle humain de l'encadrement.

L'avenir compromis ?

Le président de la République, quelques mois après son installation à l'Elysée, devait déclarer que les premiers craquements qui se faisaient entendre dans les membrures du vaisseau France témoignaient seulement de ce qu'il avait gagné la haute mer. Il faudrait ajouter à cette image dont usait M. François Mitterrand que le vaisseau France, au fur et à mesure qu'il gagne la haute mer — celle du socialisme, sans doute —, se trouve plus profondément environné d'un épais brouillard. Ira-t-il pour autant se fracasser sur les écueils ? On ne saurait le prédire avec certitude ; certains pronostics venant de personnalités de l'opposition sentent trop le dépit pour être significatifs d'autre chose que des états d'âme de leurs auteurs. Après tout, pourquoi le socialisme français, une fois surmontée l'ivresse du pouvoir, n'évoluerait-il pas vers un socialisme sage comme en connaissent l'Autriche ou la Suède ? Ainsi deux thèmes contradictoires se dessinent-ils : celui d'une part de l'apaisement, le souci de faire face aux réalités l'emportant, parmi les préoccupations du pouvoir, sur la volonté de rupture avec le système économique existant ; celui d'autre part de la radicalisation, la logique d'une situation tendant à lui échapper conduisant le pouvoir à faire preuve d'une rudesse accrue dans ses interventions.

Venant de certains ministres, le souci de faire face aux réalités — et à des réalités inconfortables — est indéniable. On ne saurait toutefois fonder l'analyse sur les seules intentions manifestées par les acteurs du jeu politique. Jacques Delors ne souhaitait probablement pas, lors de sa nomination comme ministre de l'Economie et des

Finances, porter atteinte au principe de la politique contractuelle ; et pourtant il allait se trouver obligé de cautionner, au lendemain de la deuxième dévaluation, un dispositif de blocage des salaires. La volonté du capitaine d'arriver à bon port ne saurait présumer de son habileté ou de son expérience. Dans ces conditions, tout ce que peut faire l'observateur est de désigner les écueils en se gardant de tout jugement définitif et, *a fortiori,* de souhaiter la catastrophe. S'agissant de la capacité du gouvernement à faire face à l'évolution de la situation sociale, trois grands dangers paraissent se profiler.

Le danger d'un interventionnisme accru

L'instauration d'une période de blocage des prix et des salaires préfigure ce que pourrait être le processus d'une radicalisation du régime : dans un premier temps, la situation tend à échapper de plus en plus au contrôle du gouvernement, compte tenu des objectifs de transformation sociale qu'il s'est fixés et des mesures qu'il a été amené à prendre afin de s'y conformer ; dans un deuxième temps, le gouvernement, afin de « rattraper les choses », accroît ses interventions, manifestant un volontarisme accru (lois d'exception) et agissant dans des domaines qui échappaient jusqu'alors à son influence ; cet interventionnisme accru suscite lui-même des tensions, et même un risque d'affrontement entre l'Etat et certaines parties du corps social.

Une situation économique désastreuse, loin de conduire à l'apaisement, constituerait ainsi un facteur de radicalisation en incitant le gouvernement — quelles que soient par ailleurs les intentions personnelles de ses représentants — à accroître les moyens de contrôle dont il dispose. Le blocage des prix et des salaires pourrait ainsi préfigurer des mesures allant dans le sens d'une plus grande « rigueur » — pour reprendre un mot à la mode. Pour les entreprises, cela signifierait une réduction de leur marge d'autonomie par rapport aux réglementations appliquées par « l'appareil d'État » ; pour les syndicats, cela signifierait une régression des possibilités de négociation des conditions d'emploi par rapport au domaine relevant de la loi et des règlements.

André Bergeron n'avait donc pas tort de dénoncer par avance, dès juin 1981, la mise en œuvre d'une « politique des revenus », c'est-à-dire d'une « police des salaires » ; pour le secrétaire général de FO, c'était la raison d'être même du syndicalisme qui se trouvait ainsi mise en cause. D'autres organisations, toutefois, seront tentées de compenser ce rétrécissement de leur domaine d'intervention directe par des possibilités accrues d'influence sur les organes de l'État où se décident les mesures légales et réglementaires. Ainsi le volontarisme gouvernemental débouche-t-il sur la perspective d'un *lobbying* syndical accru. En ce qui concerne la CFDT, il s'agit d'infléchir l'action de l'État dans le sens du « socialisme autogestionnaire » qui constitue sa raison d'être ; en ce qui concerne la CGT, un tel *lobbying* représente des possibilités d'influence accrues au bénéfice du parti communiste.

Simultanément, l'intervention élargie de l'État dans des domaines de la vie en société qui lui échappaient jusqu'alors, ainsi que sa volonté de remettre en cause un certain ordre social dénoncé par les socialistes de tribune comme étant celui de la société capitaliste, risquent de se heurter aux vives réactions de celles des familles socio-professionnelles qui se sentiront le plus fortement agressées.

Agriculteurs, PMI et professions libérales sont d'ores et déjà descendus dans la rue. Ce mécontentement pourrait s'étendre aux cadres et aux techniciens, qui forment cette nouvelle classe moyenne issue de trois décennies de croissance économique. Placé devant les perspectives d'affrontement avec une nouvelle Vendée, le gouvernement risque de n'avoir le choix qu'entre réduire toute opposition et composer avec elle. Réduire toute opposition ? Ce serait faire un pas de plus dans le sens d'une « radicalisation » du régime.

Ces mécontentements, cependant, risquent de se manifester au sein même de la clientèle sur laquelle s'exerce l'influence des organisations syndicales. Celles d'entre elles qui apparaissent comme les plus compromises avec le gouvernement pourraient bien ainsi se trouver devant un choix une situation extrêmement inconfortable. Soit maintenir le principe d'un front commun associant le gouvernement et les syndicats — mais encourir alors le risque d'être débordés par leur base — ; soit prendre en charge les mécontentements, au risque alors de faire éclater leurs relations privilégiées avec les organes de l'État. Un échec du socialisme français, en outre, n'irait pas sans conséquences extrêmement graves pour la CFDT, dont la raison d'être même — le socialisme autogestionnaire — pourrait se trouver définitivement ruinée, comme toute utopie dès lors qu'elle cesse de se situer à un horizon lointain.

Le danger d'un renforcement du corporatisme syndical

« Le capitalisme moderne se meurt ; cependant, ce qui se profile à l'horizon n'a rien à voir avec le socialisme ; il s'agit plutôt d'un régime corporatiste. » Tel était le diagnostic qu'en 1976 formulaient deux universitaires britanniques de tendance travailliste, R.E. Pahl et J.T. Winkler[1]. Un tel régime, observaient-ils, se fonde sur l'association de la propriété privée et du contrôle étatique ; il se distingue aussi bien du collectivisme, fondé sur la propriété d'État, que du capitalisme libéral, fondé sur un contrôle privé de l'usage qui est fait des biens privés. Le corporatisme se distingue également de la politique économique keynésienne, de « l'économie mixte » et de la planification indicative telle qu'elle avait été conçue par Jean Monet. Il vise en effet à instaurer le contrôle effectif de l'État sur les décisions prises par les entreprises

1. « Vers le corporatisme », *Contrepoint,* n° 20, 1976.

elles-mêmes. Ce contrôle se fonde sur la conclusion « d'accords annuels globaux visant à aligner les plans de l'entreprise sur les besoins nationaux », et sur la maîtrise par l'État des organismes de crédit, et donc du volume et de l'orientation des investissements.

Le corporatisme, observaient encore les deux auteurs, se fonde sur des valeurs qui lui sont spécifiques : l'ordre, en tant que remède à l'anarchie du marché et à ses conséquences sur l'emploi ; la coopération entre partenaires sociaux, opposée à la concurrence ; le nationalisme, l'intérêt général devant l'emporter sur tout autre critère de réussite économique ; la réalisation, enfin, d'objectifs nationaux définis par l'État et tendant à mobiliser toutes les ressources disponibles. Le patronat, notaient-ils, est loin d'être fondamentalement hostile à un tel système dans la mesure où le contrôle étatique représente une contrainte mais également une sécurité que n'offre pas un régime économique fondé sur la concurrence.

Si l'on accepte la définition que les deux auteurs donnent du corporatisme, il est clair que les orientations de la politique française y tendent au moins autant qu'y tendait le travaillisme anglais. L'analyse de R.E. Pahl et J.T. Winkler, qui se situe sur le terrain économique, mérite même d'être complétée sur le plan social. Dans un régime corporatiste, pourrait-on faire observer, les syndicats acceptent de renoncer à leur rôle de contrepoids indépendant par rapport au patronat et aux pouvoirs publics dans la mesure où ils tendent à s'intégrer tant aux structures de l'entreprise qu'aux organes de l'État. La logique économique qui, en régime capitaliste, inspire les plans de production et les décisions d'investissements, laisse place ainsi peu à peu à un concept de « rentabilité sociale », intégrant les objectifs définis par les pouvoirs publics et les préoccupations propres aux syndicats agissant en tant que groupes de pression aux différents niveaux de décision. Ce corporatisme syndical, contre lequel lutte aujourd'hui le gouvernement de Mme Thatcher, s'est trouvé récemment renforcé en

France par les lois issues du rapport Auroux. Loin de déboucher sur un renouvellement des comportements et sur une plus équitable représentation des intérêts des salariés, celles-ci risquent en effet de renforcer une *nomenklatura* syndicale tendant à se perpétuer dans ses prérogatives et mettant en avant des objectifs décalés par rapport aux préoccupations des salariés eux-mêmes. Bien entendu, les militants sauront toujours dissimuler derrière de nobles intentions — la défense des travailleurs — les intérêts de l'organisation elle-même ; dans la mesure où celle-ci constitue l'appareil d'une entreprise révolutionnaire, comme c'est le cas de la CGT, les ennemis d'une « société ouverte » se trouvent ainsi renforcés dans leurs moyens d'action.

Le danger d'une colonisation communiste

Le régime politique de François Mitterrand repose sur une double ambiguïté volontairement entretenue : ayant à compter, parmi les socialistes, à la fois sur ceux qui entendent réaliser une « rupture avec le système capitaliste » et ceux pour lesquels il s'agit de faire évoluer la société dans le sens d'une plus grande équité, il lui faut donner aux uns comme aux autres des raisons de penser que la politique qu'il mène va dans le sens de leurs raisons de croire et de militer. Ayant en outre à compter d'une part sur ceux pour lesquels l'union de la gauche reste un devoir absolu et d'autre part sur ceux pour lesquels le parti communiste représente un adversaire nécessitant une vigilance de tous les instants, il lui faut à la fois se montrer unitaire et laisser entendre qu'il « tient » le parti communiste. D'où il résulte que les uns comme les autres — partisans de la rupture et socialistes modérés, unitaires convaincus et anticommunistes notoires — peuvent, au moins provisoirement, se montrer satisfaits. M. Mitterrand, autrement dit, gagne du temps ; c'est très habile, mais c'est aussi très dangereux. Le parti communiste, en effet, met à profit ce temps pour renforcer ses positions dans toute la mesure du possible : il place ses hommes, il se donne de l'influence, il paralyse ceux des socialistes qui se montrent d'abord soucieux de ne pas compromettre la « solidarité gouvernementale », il « monte des coups » pour le plus grand profit de la CGT, il se saisit des droits nouveaux comme d'autant d'opportunités, sans compter que vis-à-vis de l'opinion il se donne la meilleure part — la « volonté de changement » —, tout en laissant les socialistes se dépêtrer comme ils le peuvent avec les décisions les plus impopulaires, le blocage des salaires par exemple.

La rupture, cependant, ne paraît guère pouvoir être évitée, au moins à terme. Non que le PC la souhaite ; il risque, plus probablement, d'y être conduit malgré lui. Dans le cas où la faillite économique déboucherait sur l'apparition de réels mécontentements, dans le cas où la CGT en viendrait ainsi à être débordée sur sa gauche, dans le cas également où les sympathisants communistes cesseraient d'être une majorité à se montrer favorables au gouvernement, les dirigeants du parti pourraient être contraints de changer leur fusil d'épaule selon une manœuvre déjà rodée en 1977. Cette manœuvre pourrait consister, devant l'échec, à proposer un plan de rigueur comportant une liste de nationalisations nouvelles ainsi qu'une série de mesures allant dans le sens d'une intervention accrue des pouvoirs publics sur la vie économique et d'une participation accrue « des travailleurs et de leurs organisations » dans les organes de la machine étatique. Les socialistes se trouveraient alors devant le choix où ils se trouvèrent déjà en 1977 : s'incliner et donner des gages supplémentaires au parti communiste, ou refuser et encourir ainsi le risque d'avoir à endosser auprès de l'opinion publique les responsabilités de la rupture.

Dans quelles circonstances pourrait se situer une telle crise ? Le désarroi économique et la pression des mécontentements risquent de la précipiter. Mais il se peut aussi que l'attelage socialo-communiste tienne jusqu'aux élections législatives, voire présidentielles. Reste à savoir, alors, quel sera l'état de la France.

Hubert LANDIER

X

L’Etat socialiste

> « Cette frontière que nous avons franchie le 10 mai et qui sépare la nuit de la lumière. »
>
> Jack Lang, Assemblée Nationale, 7 novembre 1981.

Le moule et l’empreinte

Soir du 14 juillet 1982. Dans un *command-car*, aux côtés du général commandant la place de Paris, le président de la République descend les Champs-Elysées. La foule est dense. Il fait chaud. Sous les projecteurs qui éclairent le macadam fusent quelques huées et des sifflements. Pas beaucoup plus que le 22 juin, lorsque le Président s’est installé dans la tribune officielle du parc des Princes pour un match mémorable de la finale de la Coupe de France de Football qui opposait le Paris-Saint-Germain à Saint-Etienne. Pas plus que pour Raymond Barre, sifflé copieusement par une salle élégante et frondeuse au cours d’une soirée de gala du festival d’Aix-en-Provence en juillet 1980.

L’événement du 14 juillet — ou plutôt le non-événement pour employer une expression chère aux socialistes — aurait dû passer inaperçu. Très peu de journalistes s’en étaient rendu compte. Il fallut que MM. Mermaz, Quilès et Poperen, le lendemain, stigmatisent très durement cette atteinte « à l’honneur de la République » pour que la presse se fasse enfin l’écho des lazzis dont

François Mitterrand avait été la victime. Ces propos déplacés qualifiant les badauds de « factieux » seront d'ailleurs relevés sans indulgence par le chef du service politique du *Monde* qui renverra le chef de l'État à la lecture de son pamphlet antigaulliste, *Le Coup d'État permanent*, où il se montrait fort sensible à la dérive monarchique du « pouvoir personnel » :

« Le droit de majesté s'édifie [...]. Toute offense qui vise le général de Gaulle vise donc l'État. Une subtile mutation des rapports entre celui qui gouverne et ceux qui sont gouvernés s'opère sous nos yeux [...]. L'opposition devient subversion, le citoyen sujet. Et le chef d'État monarque. »

Au petit jeu cruel des citations, le régime issu du 10 mai 1981 bat tous les records de contradiction entre ce qui a naguère été écrit et ce qui se fait aujourd'hui. Cette contradiction est d'ailleurs dans la nature des choses ; il serait malhonnête de l'imputer aux seuls socialistes. Toutefois, l'ampleur du *corpus* écrit, confectionné avec ostentation pendant vingt-trois ans d'opposition, constitue une incomparable aubaine pour tous ceux qui se plaisent à relever la distance — pour ne pas dire le gouffre — qui sépare le grain des choses de la paille des mots (une distinction chère, on le sait, au président de la République).

L'épaisseur de la bible des dogmes caractérise en effet le socialisme à la française, ce curieux animal mi-caméléon mi-licorne dont les contradictions internes — pudiquement qualifiées de « courants » — ont été non seulement tolérées mais bien encouragées par les chefs du parti qui y voyaient un moyen de ratisser large tout en évitant au maximum les conflits. Plus d'un observateur se doutait donc bien que l'exercice du pouvoir aurait, sur ce minerai composite, l'effet d'un catalyseur. Qu'en sortirait-il ? L'or ou le plomb ? Le socialisme ou un libéralisme redistributeur abâtardi ? Le recentrage ou la fuite en avant ? Les épithètes les plus manichéennes ont été appliquées à l'évolution du régime. Il est vrai que les propos imprudents de tel ou tel ministre, voire des gaffes monumentales, commises de préférence quand le Président est à l'étranger, sont le pain bénit hebdomadaire des quelques commentateurs qui donnent encore dans l'insoumission.

Toute pratique étatique ou gouvernementale inflige les démentis les plus cinglants aux théories dogmatiques. Comment résister à la tentation de citer une phrase ô combien éloquente extraite de *La Paille et le Grain*[1] :

« À cet égard, le débat qui oppose la droite et la gauche repose sur un malentendu : les uns parlent de structure quand les autres parlent conjoncture. La gauche, dont le premier devoir sera de briser le carcan des inégalités sociales et donc d'apporter aux masses la part que subtilise la classe dominante, intégrera, par fonction et par nécessité, sa politique économique aux objectifs qu'elle s'est fixés et qu'elle a soumis, noir sur blanc, à l'appréciation des Français. »

Appliquée au programme déflationniste que la RFA a imposé au gouvernement Mauroy en juin 1982 à l'occasion de la deuxième dévaluation du franc, la pensée du président de la République apparaît pour le moins incongrue. La gauche, c'est évident, éprouve d'énormes difficultés à passer de l'opposition à la gestion.

L'affaire du statut de Paris déclenchée le 30 juin 1982 par le président de la République lui-même serait également à placer en exergue des lignes consacrées aux libertés locales dans la profession de foi du candidat de la FGDS à l'élection présidentielle de 1965 :

« Les communes, comme l'école, sont les cellules-mères de la démocratie [...]. Et on veut aboutir, du côté du gouvernement par des mesures autoritaires, à prendre en main l'évolution des communes [...]. Eh bien, il faut que l'État, au lieu d'écraser les communes pour asseoir son pouvoir, leur facilite la vie. »

1. Flammarion, 1975, p. 250.

Peut-être Paris ne fait-il pas partie des 33 000 communes de France. Ou alors ce qui était vrai en 1965 a prématurément vieilli.

Si l'on devait retenir le trait saillant qui oppose les centaines de pages du *Coup d'État permanent*, de *Ma part de vérité*, de *La Paille et le Grain* ou des recueils *Politique* (I et II) à la pratique gouvernementale telle qu'elle est mise en œuvre par François Mitterrand depuis son accession à l'Élysée, c'est bien l'acceptation par ce dernier du dispositif constitutionnel, ce moule forgé par d'autres et qu'il combattait naguère avec tant de constance. Les multiples engagements que le premier secrétaire du parti socialiste avait pris d'amender la Constitution de 1958 « chaque fois qu'elle fournit au Président des prétextes légaux aux abus qu'il commet[1] » se sont brusquement évanouis entre le 9 et le 10 mai 1981. Ce legs du gaullisme est donc entré dans l'histoire et personne ne s'aviserait aujourd'hui de le remettre en cause. La machinerie du pouvoir était d'ailleurs trop bien rodée pour que la gauche se privât de l'utiliser à son avantage. Ce réalisme demeure toutefois ambigu. Car la coalition au pouvoir n'entend pas se contenter de gérer, elle veut transformer. Entre la gestion et la révolution on refusera donc de choisir. On se coulera dans le moule mais on voudra y marquer son empreinte.

De nombreux commentateurs ont relevé les attitudes « gaulliennes » du chef de l'État dans l'exercice quotidien de ses fonctions. Le choix du bureau occupé par le général de Gaulle à l'Élysée paraît significatif, de même que l'attention portée aux cérémonies laïques qui ponctuent la vie de la République (la cérémonie du Panthéon était à cet égard un morceau d'anthologie où l'on put voir le candidat élu remercier pompeusement les mânes pour un succès qualifié d'historique). Pourtant la similitude s'arrête là. Dès son discours d'intronisation à l'Élysée, le chef de l'État employait la moins gaullienne des formules pour qualifier sa victoire — « La majorité poli-

1. *Politique I*, Fayard, 1977, p. 264.

tique des Français, démocratiquement exprimée, vient de s'identifier à sa majorité sociale[1] » — laissant clairement entendre par là qu'il existerait un peuple de droite et un peuple de gauche, thèse que le général de Gaulle a toujours combattue car il récusait cette fracture de la société en deux blocs antagonistes.

En réalité, ce que les socialistes apprécient dans le dispositif constitutionnel de 1958 c'est la continuité et la durée qu'il apporte au régime en place. Les difficultés auxquelles s'est heurté le gouvernement Mauroy après moins d'un an d'exercice ont mis en évidence l'intérêt du verrouillage qui s'opère dans nos institutions dès lors que la majorité présidentielle et la majorité parlementaire sont en parfaite concordance de phase. François Mitterrand en faisait d'ailleurs la confidence à ses proches en juin 1982 : sans la Constitution, les socialistes seraient privés de leur plus grand atout, le temps. Leur échec pourra donc se prolonger plus longtemps qu'il n'est d'usage depuis plus d'un demi-siècle.

Un large profit tiré des textes constitutionnels ; une grande dignité conférée à la fonction présidentielle (le tutoiement, de rigueur au parti socialiste, est proscrit autour de la table du Conseil des ministres), une présence quasi permanente de l'Élysée sur toutes les affaires publiques : voilà pour le moule.

Quant à l'empreinte, il faut la chercher dans la nature même du parti socialiste, constitué en sections, animé d'une idéologie hybride où les concepts marxistes affadis et vulgarisés font bon ménage avec un colbertisme plus typiquement français ; un parti à qui le Président doit sa victoire ; qui doit au Président d'exister ; qui renâcle devant les mesures impopulaires prises au fil des mois par son gouvernement. Un parti au pouvoir mais qui ne gouverne pas, et qui, depuis des mois, la rose au poing, broie du noir.

La consultation des partis pour les décisions gouvernementales n'est pas prévue par la Constitution. L'esprit

1. *Politique II*, Fayard, 1981, p. 300.

du texte, d'ailleurs, la bannit. Aussi est-ce une entorse notable qu'a accomplie l'exécutif lorsqu'il a tenté d'associer tant bien que mal le parti socialiste au travail gouvernemental. Les textes sur les nationalisations et la décentralisation ont donc été soumis aux instances dirigeantes de la rue de Solférino. Certains mauvais esprits vont même jusqu'à prétendre que de très hauts fonctionnaires se prêtent de bonne grâce à des conférences de travail exclusivement composées de membres du PS. En juillet 1982 un séminaire parti-gouvernement s'est tenu au château de Rambouillet. Il s'agissait de se rassurer mutuellement après le blocage des prix et des salaires. On vit donc les ministres expliquer aux dirigeants du parti ce que ces derniers savaient déjà : l'été serait chaud et la rentrée brûlante. La coutume du petit déjeuner hebdomadaire du mercredi entre les chefs du parti, quelques ministres triés sur le volet et le président de la République est également une innovation par rapport aux septennats précédents.

Mais ces passerelles plus ou moins organisées entre le PS et l'exécutif socialiste ne paraissent guère avoir réussi à assurer une bonne coordination entre deux acteurs qui, par essence, ne peuvent jouer le même jeu. Tel est en effet la clé de notre système constitutionnel : il permet la durée moyennant l'allégeance des partis majoritaires. Le vaisseau est insubmersible mais on ne peut en changer le pilote. À défaut d'instaurer une impossible coordination entre leur parti et le pouvoir, les membres du gouvernement Mauroy ont donc calqué leurs méthodes de travail sur celles des commissions du parti socialiste.

Dans un article qu'il regretta sans doute d'avoir fait écrire, le Premier ministre a expliqué comment il entendait « gouverner autrement[1] ». En gros, il préconisait le compromis, le pluralisme gouvernemental (ah, ces fameux courants du PS !) et revendiquait hautement le droit à l'erreur et à l'incertitude. Tournant le dos aux préceptes établis par Mendès France (« gouverner c'est

1. *Le Monde*, 7 février 1982.

choisir »), M. Mauroy prévenait l'opinion qu'elle devrait désormais s'habituer (si ce n'était déjà fait) à un gouvernement qui ne tranche pas et qui tâtonne. Certes les propos du maire de Lille n'ont pas été appréciés par bon nombre de socialistes qui pensaient qu'une fois de plus Matignon était allé à la fois trop vite et trop loin. Il est néanmoins certains faits qui sont beaucoup plus révélateurs du nouveau style gouvernemental que les propos imprudents de M. Mauroy, et qui traduisent — car ce sont des actes — une profonde évolution de l'exercice du pouvoir.

Tout d'abord les Conseils des ministres. Contrairement à la pratique antérieure qui voulait qu'on prît des décisions en conseil (ce qui suppose que lesdites décisions soient déjà virtuellement arrêtées et aient été instruites au préalable), les socialistes, eux, y discutent. L'instance de décision, le Conseil, est peu à peu devenue une instance de délibération. Le phénomène est d'autant plus curieux à observer que François Mitterrand a conservé auprès de lui le même secrétaire général du gouvernement qui avait déjà travaillé aux côtés de Valéry Giscard d'Estaing, le conseiller d'Etat Marceau Long. Alors que les Conseils des ministres d'avant le 10 mai 1981 comportaient un ordre du jour impératif, les Conseils des ministres d'aujourd'hui sont des réunions où l'on débat au fond, où l'on hésite, bavarde, atermoie, recule. De nombreux projets de lois ont ainsi été *in extremis* retirés de l'ordre du jour, voire reportés à une séance ultérieure — la réforme des hôpitaux proposée par le ministre Jack Ralite notamment, et des mesures accompagnant les ordonnances de janvier 1982. On vit même le président de la République refuser de signer le décret portant réforme du ministère de la Coopération alors même que les directeurs de cette administration avaient déjà été nommés et que la presse avait déjà été saisie de cette réforme dans laquelle Jean-Pierre Cot avait engagé tout son crédit. Au cours de sa tournée africaine du printemps 1982, le Président avait pu mesurer l'hostilité de tous les pays africains francophones à toute réforme qui aurait remis en cause leurs liens privilégiés avec la France. La démission de Jean-Pierre Cot, en décembre 1982, sera la conclusion de la divergence de conceptions entre le réalisme de l'Élysée et l'idéalisme du rocardien député de la Savoie, contraint de jouer la pure figuration sur la scène africaine tandis que Guy Penne, conseiller élyséen chargé de l'Afrique, et son adjoint — qui n'est autre que le fils du président de la République — détenaient la réalité du pouvoir et traitaient directement avec les chefs d'État africains, ôtant ainsi toute crédibilité au ministre de la Coopération.

Mais l'affaire du statut de Paris (sur laquelle nous reviendrons plus en détail) constitue sans nul doute l'exemple le plus criant du changement de fonction du Conseil des ministres sous l'actuel septennat. C'est par le communiqué officiel du Conseil des ministres du 30 juin 1982 que les Français apprirent sans préparation que Paris serait scindé en vingt municipalités de plein exercice. Le ministre de l'Intérieur et de la Décentralisation Gaston Defferre devait cependant opérer par la suite un repli stratégique en indiquant qu'il ne s'agissait que d'une « simple communication devant le Conseil des ministres », laquelle, précisait-il, ne constituait en aucun cas un engagement formel du gouvernement...

De tels épisodes contredisent tout à fait les jugements selon lesquels la pratique gouvernementale actuelle s'apparente de près ou de loin à celle du général de Gaulle. Un changement de nature s'est opéré. Le moule est dur ; l'empreinte est très forte. On gouverne « autrement ».

Le parti socialiste dans les rouages de l'État

Comme tout grand parti politique aspirant un jour à gouverner, le PS avait à sa disposition des experts — en général des hauts fonctionnaires — prêts à traiter les dossiers les plus brûlants qui devraient être ouverts dès l'accession au pouvoir d'un gouvernement socialiste, tout en suivant pour lui les secteurs les plus importants de la vie culturelle, sociale et économique. Un comité d'experts avait été constitué dès 1974 où l'on trouvait une forte proportion d'énarques et de polytechniciens que François Mitterrand réunissait à intervalles réguliers. Certains d'entre eux quittèrent le parti ou s'en éloignèrent après l'échec aux législatives de 1978. Beaucoup y revinrent après le 10 mai 1981.

Les viviers socialistes

La plupart de ces hauts fonctionnaires socialistes travaillaient dans des secteurs particuliers de l'administration où le pouvoir précédent les avait plus ou moins cantonnés dans l'intention, plus ou moins ferme, de les neutraliser.

Le plus important d'entre eux était le commissariat au Plan où Michel Albert, commissaire général de 1978 à 1981, s'était entouré d'une équipe brillante qu'on retrouverait à des postes clés après le 10 mai. C'est ainsi que François-Xavier Stassë, directeur du cabinet du commissaire au Plan et expert économique du PS rocardien, Alain Boublil, chargé de mission au service industriel du Commissariat et expert industriel du PS, sont entrés au cabinet du président de la République. De même, Bernard Brunhes, polytechnicien de l'INSEE et chef du service social au Plan, est devenu conseiller pour les affaires sociales de Pierre Mauroy emmenant avec lui à Matignon deux de ses collaborateurs du Plan, Dominique Alduy et Patrice Corbin, nommés chargés de mission au cabinet du Premier ministre. Christian Sautter, secrétaire général adjoint de l'Élysée (aux côtés de Jean-Louis Bianco, du Conseil d'État, secrétaire général de la présidence) était, avant mai 1981, directeur d'un centre de recherches économiques internationales dépendant directement du commissariat au Plan. Tous ces experts avaient accès aux documents économiques et sociaux préparés par les services de Raymond Barre, dont ils étaient d'ailleurs le bureau d'études puisque telle est la fonction de l'administration de la rue de Martignac.

La présence de socialistes engagés dans les services du Plan s'est révélée d'une grande utilité pour François Mitterrand qui s'appuya sur les dossiers que lui avaient préparés ces experts pour mettre au point les thèmes économiques de sa campagne présidentielle. La plupart des chiffres et des raisonnements économiques du candidat socialiste provenaient de notes confectionnées rue de Martignac par des auteurs qui s'informaient aux meilleures sources.

Certaines actions du gouvernement Mauroy (notamment en matière de réduction du temps de travail, dans le but de créer des emplois) ont résulté de l'exploitation des résultats d'une grande étude macro-économique commandée en septembre 1979 par Michel Albert à l'INSEE et à la direction de la prévision et dont Raymond Barre avait, en juillet 1980, récusé les résultats. Le modèle économique qui a pour nom DMS (dynamique multisectoriel) avait en effet établi qu'on pouvait attendre une amélioration sensible de la situation de l'emploi d'une réduction de la durée du travail sans compensation salariale et avec augmentation de la productivité des machines. Présentée avec solennité pendant l'été 1980 aux partenaires sociaux, cette étude avait fait grand bruit, surtout après la publication par *Le Canard enchaîné* d'une lettre de Michel Albert au Premier ministre appelant l'attention de ce dernier sur les risques d'une forte augmentation du chômage d'ici à 1985, au cas où le gouvernement refuserait de tirer les conséquences des enseignements de DMS.

Contrairement à leurs prédécesseurs, les socialistes se sont bien gardés de placer des opposants au régime à l'intérieur de l'administration du Plan — même si celle-ci relève d'un ministre qui joue, pour le moment, un rôle négligeable dans la configuration actuelle, puisqu'il s'agit de Michel Rocard. Le nouveau commissaire, nommé dès l'été 1981, est un ancien de la direction de la prévision où il s'était lié d'amitié avec Michel Rocard avant de passer à la CFDT pour devenir expert économique de cette centrale syndicale. C'est Marie-Thérèse Join-Lambert, épouse d'un expert du PS pour les questions éducatives et membre du cabinet du ministre de l'Éducation, qui a pris la tête du service des affaires sociales tandis qu'un autre expert du PS, l'économiste Dominique Strauss-Khan, devenait le chef du service économique.

Un secteur où les socialistes ont également toujours été fortement implantés est la direction de la prévision au ministère de l'Économie et des Finances. On se souvient que l'inspecteur des Finances Rocard, alors secrétaire général du PSU, y avait été le rapporteur général de la commission des Comptes économiques de la nation. Cette direction est en effet la moins « active » du ministère pour ce qui concerne l'influence économique. On y mène des études, on y recense des statistiques. Mais pour un parti d'opposition, elle est un poste d'observation privilégié au même titre que le commissariat au Plan. Michel Mousel, qui succéda à Rocard à la tête du PSU, venait lui aussi de cette administration, de même qu'Hubert Prévot, Pierre-Yves Cossé, inspecteur des Finances devenu conseiller de Jacques Delors, et Denis Piet qui gagnera le cabinet de Michel Rocard.

Qui ne se souvient du club Jean Moulin, cette docte assemblée de hauts fonctionnaires marqués par Mendès France, dont les travaux eurent un retentissement certain aux alentours de 1968 ? Quelques-uns de ses anciens membres excipèrent de leur appartenance à ce cercle social-démocrate bon chic bon genre pour obtenir des postes après le 10 mai 1981. Mais c'est le club Échanges et Projets, animé par Jacques Delors, qui eut le vent en poupe. Plus d'un haut fonctionnaire giscardien avait, dans la journée, pris sa carte « Échanges et Projets », à titre de caution, sachant qu'il pourrait un jour la montrer à qui de droit. Philippe Lagayette, inspecteur des Finances et directeur du cabinet de Delors, était précisément l'un des piliers de ce cercle auquel on doit des études remarquées sur de nombreux sujets économiques et sociaux. Le président actuel de cette association est José Bidegain, « patron de gauche » devenu directeur du personnel d'un groupe industriel nationalisé. François Bloch-Lainé, qui accepta de présider la commission dite « du bilan », figure aussi parmi les membres du comité directeur, avec l'inspecteur des Finances Patrick Bréaud, Michel Rousselot, ingénieur des Ponts nommé directeur de l'urbanisme et des paysages, et Jean-Marc Quazan, chargé de mission au cabinet de Jacques Delors[1].

Le président de la République n'avait pourtant pas une très haute opinion de ces deux clubs si l'on en croit ce qu'il écrit dans *La Paille et le Grain* : « Jean Moulin et Échanges et Projets dont on sait la triste fin dans les cabinets ministériels et les conseils des banques... » Faut-il voir dans cette phrase une prémonition ?

L'appartenance à l'UNEF et au PSU sont également des lettres de noblesse permettant d'accéder à d'importantes fonctions. Ainsi Jean-Claude Roure, président de l'UNEF de 1962 à 1963 avant de diriger des sociétés d'équipement, a été nommé délégué à la qualité de la vie au ministère de l'Environnement ; Dominique Wallon, inspecteur des Finances et membre du PSU, est devenu directeur du développement culturel au ministère de la Culture ; Richard Dartigues, administrateur civil, ancien membre du bureau national du PSU, a été promu conseiller maître à la Cour des comptes au tour extérieur.

Il n'en reste pas moins que c'est encore la carte du parti socialiste qui constitue le passeport privilégié pour le pouvoir. Si l'on devait citer les membres du parti récompensés par l'obtention d'un poste de directeur d'administration centrale ou équivalent, dix pages serrées ne suffiraient pas. On notera d'ailleurs, à cet égard, une évolution très sensible du régime. Alors que les premières nominations ont été faites exclusivement sur cri-

1. Cette liste n'est évidemment pas exhaustive car elle supposerait une consultation du fichier de l'association.

tères politiques, on en est venu assez vite à prendre en compte les critères de compétence, les uns et les autres n'étant pas toujours, tant s'en faut, superposables.

Parmi les grands commis qui n'avaient jamais caché leur appartenance au PS ou en étaient très proches on peut en effet citer : Jean Choussat, inspecteur des Finances devenu directeur du Budget après avoir occupé le poste de directeur de la Santé sous le ministère Jacques Barrot ; Pierre Maillard, ambassadeur au Canada depuis 1979, élevé à la dignité d'ambassadeur de France ; Gabriel Mignot, de la Cour des comptes, nommé délégué à l'Emploi[1] ; Jean Duport, administrateur civil, nommé directeur de la Construction au ministère de l'Urbanisme et du Logement ; Michel May, ancien membre des cabinets Guy Mollet, nommé en avril 1981 conseiller maître à la Cour des comptes au tour extérieur et appelé par Pierre Mauroy à la tête de la direction de la Fonction publique pour contrebalancer l'influence du ministre communiste Anicet Le Pors ; Laurent Denis, administrateur civil aux Finances, remplacera Pierre Fauchon à la tête de l'Institut national de la consommation ; Henri Baquiast, directeur adjoint du Trésor et ancien candidat PS aux élections municipales de Meudon en 1971, prendra la tête de la direction des Relations économiques extérieures ; Christian Maurin, de la Cour des comptes, membre du comité des experts du parti, devient directeur à la DATAR ; le docteur Jacques Dangoumau, professeur de pharmacologie à l'université de Bordeaux, maire adjoint PS du Bouscat, succédera à Jean Weber comme directeur de la Pharmacie et du Médicament au ministère de la Santé ; Yves Dauge, directeur à l'Union des HLM[2], conseiller général socialiste de Chinon et

1. Dans des conditions assez désagréables pour son prédécesseur, Pierre Cabanes, du Conseil d'État qui, depuis, est devenu directeur du personnel d'un groupe nationalisé.

2. Cet organisme, totalement contrôlé par les socialistes, présidé par Roger Quillot, avait à sa tête Robert Lion qui allait devenir le directeur de cabinet de Pierre Mauroy avant d'être nommé directeur de la Caisse des dépôts et consignations en mai 1982.

chargé de mission au cabinet de Pierre Mauroy, sera nommé directeur de l'Urbanisme et des Paysages au ministère de l'Urbanisme et du Logement.

De même, quatre membres du PS seront choisis par le gouvernement pour siéger dans les conseils d'administration des groupes nationalisés : Alain Busnel, ingénieur, membre du bureau exécutif du parti, à la CGE ; Luc Soubre, proviseur de lycée, membre du bureau exécutif, chez Saint-Gobain[1] ; Antoine Tillié, responsable des PME-PMI du parti, chez Pechiney-Ugine-Kuhlmann, et Dinan Caudron, conseiller de François Mitterrand pendant la campagne présidentielle et membre de la commission exécutive de la CGT, chez Thomson-Brandt.

Les syndicats au pouvoir ?

L'arrivée des socialistes aux affaires s'est accompagnée d'une entrée en force de responsables de la CFDT dans l'appareil d'État. Le phénomène mérite d'être souligné. Paradoxalement, c'est le syndicat apparemment le plus soucieux d'éviter toute confusion entre la politique et le syndicalisme qui s'est ainsi précipité dans les bras du pouvoir, faisant même dire à certains observateurs que la CFDT était un « PS *bis* »[2].

---

1. Fait significatif, c'est le président de la République lui-même, dit-on, qui l'a désigné pour remplacer rien moins que le président de la Deutsche Bank, initialement proposé par la direction de Saint-Gobain en raison des activités importantes que cette société exerce en Allemagne. Fidèle en amitié, François Mitterrand récompensait ainsi une vieille complicité datant sans doute de la Convention des institutions républicaines, tout en marquant avec éclat, par cette surprenante élévation, sa volonté d'« indépendance nationale » : il ne serait pas dit qu'un « étranger », même compétent, siégerait au bureau exécutif d'une grande entreprise devenue, comme chacun sait, la propriété de la nation tout entière ! Comme l'avait confié le président de la République lors de sa conférence du 24 septembre 1981 : « Le danger qui guettait nos entreprises n'était pas la nationalisation, c'était l'internationalisation »...

2. HAMON et ROTMAN, *La Deuxième gauche*, Ramsay, 1982.

Trois anciens membres de la commission exécutive, acceptaient en effet des fonctions dans les cabinets : Jeannette Laot à l'Élysée, où elle s'occupe des problèmes du travail ; Hubert Lesire-Ogrel, à la Solidarité, où il suit l'action sociale ; René Demillon est le conseiller international de Jean Auroux. Jean-Pierre Bouquet, autre cédétiste, a aussi rejoint le ministère du Travail tandis que Christian Rampht, responsable de la protection sociale au sein de la confédération, a été nommé chargé de mission à la Caisse nationale d'assurance maladie. Quant à Michel Rolant, le pétulant bras droit d'Edmond Maire, il a été nommé président de l'Agence pour la maîtrise de l'énergie après avoir, dit-on, refusé une banque et un groupe industriel. Mais, pour reprendre un jugement de *Libération*[1], « coincés entre les énarques, vrais habitués de l'appareil d'État, et les camarillas socialistes, les syndicalistes "de service" ont bien du mal à faire entendre un discours spécifique ».

Les amis du Président

Certains esprits chagrins déplorent que l'entourage immédiat de François Mitterrand soit davantage fondé sur l'amitié que sur l'appartenance au PS. De fait, l'un des hommes clés de l'Élysée devenu le patron de l'agence Havas, André Rousselet, n'a jamais professé d'idées socialistes, si ce n'est qu'il fut un éphémère député de la FGDS entre 1967 et 1968. De même, Paul Guimard, chargé des Affaires culturelles, ou François de Grossouvre qui suit les dossiers du renseignement au cabinet présidentiel, doivent leur poste uniquement au fait qu'ils sont des amis de longue date du président de la République. Directeur de cabinet du ministre de l'Intérieur Mitterrand, le conseiller d'État Pierre Nicolaÿ devait être nommé président de l'agence Havas avant d'accéder à la vice-présidence du Conseil d'État.

1. Numéro daté du 25 mai 1982.

Le cercle des amis est donc distinct de celui du parti. Il s'est élargi à celui des amis d'amis. C'est ainsi que Michel Jobert a pu faire entrer les siens dans quelques places intéressantes à prendre : Michel Caste, nommé président de la Sofirad, est de ceux-là, ainsi que Francis Grangette placé à la tête de la COFACE. Certains gaullistes de gauche pour qui la traversée du désert était décidément trop longue bénéficièrent également du souci de rééquilibrage dans les nominations exprimé par l'Élysée dès la fin de 1981. Jacques Thibau, ancien collaborateur d'Alain Peyrefitte et auteur d'ouvrages furibonds sur la francophonie et l'impérialisme américain, a donc fini par obtenir la direction générale des relations culturelles scientifiques et techniques du Quai d'Orsay.

Pour avoir été « remarqués » par François Mitterrand au moment où celui-ci était le chef de l'opposition certains fidèles se sont vu proposer des postes très importants. Citons en vrac : Gérard Bonnot, premier directeur général du Crédit Agricole qui ne soit pas issu de l'inspection des Finances ; Paul Clayeux, collectionneur, devenu président de la commission interministérielle de dation en paiement des droits de succession sur les œuvres d'art (un poste important, surtout depuis que l'impôt sur la fortune peut être payé en œuvres d'art) ; Jacques Boutet, conseiller d'État ayant affiché des idées de gauche, nommé président de TF 1 pour son rôle en tant que rapporteur général de la commission nationale de contrôle de l'élection présidentielle ; Michèle Cotta, nommée PDG de Radio France (avant de gagner la Haute Autorité) pour avoir su arbitrer avec tact le duel entre Mitterrand et Giscard à la télévision.

C'est au ministère des Relations extérieures que ces nominations « tribales » firent le plus de bruit. Le nombre des amis ayant eu accès à de grandes ambassades dépassa ce que pouvait tolérer l'administration diplomatique et provoqua des remous dans cette maison très susceptible. Francis Guttman, industriel et ancien candidat jobertiste lors d'élections municipales, devint secrétaire général du ministère, poste généralement pourvu par un diplomate de carrière chevronné. Gilles Martinet réussit à faire oublier ses penchants rocardiens pour s'installer au palais Farnèse, contraignant, malgré sa discrétion, son prédécesseur à quitter un poste où il n'avait été nommé que quelques mois auparavant. Après une longue et cruelle incertitude l'ambassade de France à Copenhague s'ouvrait à François-Régis Bastide tandis que Claude de Kémoularia, banquier et vieil ami du président, gagnait La Haye. Georges Vinson, maire socialiste de Tarare, eut droit au poste plus modeste mais paradisiaque des Seychelles, tandis que Pierre Dabezies, ancien colonel parachutiste à l'itinéraire politique sinueux, se consola de la perte de son siège de député apparenté socialiste de la capitale par une nomination comme représentant de la France au Gabon.

Cette politique suscita la méfiance, sinon même l'hostilité du personnel diplomatique, qui se traduisit, notamment, par une fuite dans *Le Figaro Magazine* où parut une note rédigée par un diplomate de carrière aux expressions assez crues[1] sur le conflit anglo-argentin des Malouines. Cette fuite intervint au moment précis où le chef du gouvernement se rendait en visite officielle à Londres... Inutile d'allonger la liste des hommes du Président. Que le chef de l'État nomme à des postes de responsabilité des hommes et des femmes en qui il a confiance n'a, en soi, rien de surprenant. Les prédécesseurs de François Mitterrand l'ont fait eux aussi — à un degré moindre il est vrai. Mais dans ces affaires tout est question de degré...

Les cabinets ministériels socialistes

Bien qu'ils n'aient pas encore deux ans d'existence, on pourrait déjà écrire une saga des cabinets ministériels socialistes tant les polémiques se sont déchaînées sur

1. La note était assortie d'un commentaire non moins cru du ministre des Relations extérieures.

leur rôle, leur compétence, leur sérieux et leur capacité à faire face aux situations difficiles. Les attaques les plus vives viennent d'ailleurs des socialistes eux-mêmes et visent essentiellement le cabinet du Premier ministre souvent qualifié d'incompétent et de pléthorique. Il n'est certes pas facile de faire travailler harmonieusement et efficacement une équipe qui avoisine la centaine de collaborateurs, où des énarques côtoient des militants souvent aussi incultes que pleins de bonne volonté.

Le sommet de la confusion fut atteint au cours de l'été 1981. Dans la haute administration le bruit courut alors que les comités interministériels étaient devenus une foire d'empoigne où des militants pour la plupart inconnus coupaient la parole aux ministres, où les décisions se prenaient par des votes auxquels participaient non seulement les ministres (ce qui paraît concevable) mais également des fonctionnaires et des membres du parti (ce qui est inadmissible). Le gouvernement planchait alors sur le problème épineux des nationalisations. Inévitables dans ces conditions, des fuites se produisirent. On lut dans les journaux la liste des nationalisables : les cours de la Bourse s'effondrèrent et la spéculation fit des heureux.

Autre exemple de cafouillage d'un cabinet qui faillit d'ailleurs coûter sa place au ministre : l'Agriculture. Edith Cresson s'était vu imposer son cabinet par l'Élysée. L'incompétence de son équipe et les règlements de compte entre personnes furent tels qu'elle dut — fait sans précédent — le remanier de fond en comble en appelant à sa tête, en mars 1982, le conseiller à la Cour des comptes Jean-François Larger, imposé à nouveau par l'Élysée, et en se séparant de Francis Ranc, chargé de mission auprès du ministre, nommé directeur du FORMA (Fonds d'orientation des marchés agricoles).

On ne s'improvise pas conseiller d'un ministre. Il faut à la fois du flair politique et des compétences techniques, le tout doublé d'une forte capacité de travail. C'est pourquoi le profil type du conseiller de cabinet reste encore l'énarque, si possible membre d'un grand corps.

L'analyse sociologique des cabinets est d'autant plus difficile à mener que le nombre des « clandestins » est élevé. Ceux-ci n'apparaissent pas sur les listes officielles et leur nombre exact est inconnu ; le moins qu'on puisse dire est qu'ils sont particulièrement nombreux au sein des équipes socialistes.

François Mitterrand se serait plaint, en privé, de la similitude des profils des membres des cabinets avant et après le 10 mai — à commencer par les transfuges qui se sont perpétués aux affaires, venant de cabinets anciens. L'une des personnalités les plus notables est, à cet égard, André Chadeau, préfet de la région du Nord avant d'avoir dirigé la Délégation à l'aménagement du territoire. Le Premier ministre l'appela comme conseiller personnel, au grand dam du parti socialiste qui voyait d'un mauvais œil l'ancien directeur de la campagne présidentielle de Chaban-Delmas accéder à un poste politique de ce niveau. Après un passage de quelques mois à Matignon, où il prépara la décentralisation, André Chadeau obtint la présidence de la SNCF. Avec le secrétaire général du gouvernement, il fait partie de ceux dont on dira donc qu'ils « assurèrent la continuité des affaires de l'État ». Certains itinéraires sont encore plus sinueux, tel celui qui mena un conseiller du cabinet de Jean Foyer à celui de Jack Ralite, ou encore du cabinet du président Pompidou au ministère du Commerce extérieur[1].

Mais la vraie question n'est pas là. Il s'agit plutôt de se demander si, à la faveur de la « rupture » du 10 mai, un groupe social en a remplacé un autre au sommet de l'État. Rien n'est moins sûr, les statistiques en témoignent. Le changement n'a pas affecté la moyenne d'âge, qui se situe toujours autour de quarante ans, et l'origine socio-professionnelle des équipes actuellement en place ne diffère pas fondamentalement de celle des cabinets précédents : 20 % sont fils de hauts fonctionnaires, 12 % sont issus de professions libérales ou du corps ensei-

1. *Le Point*, n° 468 du 7 septembre 1981, évaluait à 17 le nombre total de ces transfuges.

gnant ; 11 % sont fils de cadres du privé dans le gouvernement Mauroy alors qu'ils étaient 17 % dans les cabinets de Raymond Barre. La majorité haute-administrative ne semble guère coïncider avec la « majorité sociale » de la nation...

Rien d'étonnant donc si l'« énarchie » a conservé toutes ses prérogatives[1] : on compte une bonne centaine d'énarques dans l'ensemble des cabinets, chiffre tout à fait comparable à la situation antérieure au 10 mai. Quant aux corps d'origine, on trouve 5 % de membres du Conseil d'État (contre 3 % auparavant), 2,5 % d'inspecteurs des Finances (contre 5 % auparavant) et 6 % d'universitaires (contre 2 %). Les membres de l'enseignement secondaire sont beaucoup plus nombreux et l'on note une féminisation du personnel ministériel. Mais, hormis l'entrée de quelques syndicalistes, force est donc de constater que la « technostructure » socialiste est très peu différente, dans sa composition sociologique, de la précédente. La continuité prime donc le changement. Et ce n'est pas l'arrivée d'écrivains (Paul Guimard, Claude Manceron et Pascal Sevran), de la comédienne Marthe Mercadier et du sportif de haut niveau Jean-Michel Bellot qui constitue un bouleversement. Ni même l'entrée à Matignon, derrière Pierre Mauroy, du clan des Lillois dont les faits et gestes sont périodiquement la cible des critiques et des sarcasmes de leurs collègues des autres cabinets, aux yeux desquels « ils ne font pas le poids[2] ».

Ces tensions entre cabinets sont traditionnelles. Avec les socialistes toutefois, elles ont pris une ampleur inégalée, renforcée par les multiples difficultés auxquelles l'exécutif doit faire face, et par la concurrence entre les

1. Je me permets de renvoyer le lecteur à mon livre *L'ENA, voyage au centre de l'État*, Conti-Fayolle, Paris, 1981.

2. Le directeur de cabinet de Pierre Mauroy, Michel Delebarre, secrétaire général de la ville de Lille, et Raymond Vaillant, adjoint au maire, jouent un rôle non négligeable. À ce clan des Lillois il faut ajouter deux journalistes : Thierry Pfister et Gilles Veyret.

« courants » qui divisent le PS. Chaque ministre a en effet tendance à s'entourer de militants issus de son courant ; c'est ainsi que Jean-Paul Huchon, directeur du cabinet de Michel Rocard, est aussi son adjoint à la mairie de Conflans-Sainte-Honorine et que la plupart des membres de l'entourage de Jean-Pierre Chevènement appartiennent au CERES (le cabinet de celui-ci ne compte d'ailleurs pas moins d'une trentaine de membres, ce qui constitue une manière de record).

La dérive élyséenne

Le cabinet du président de la République présente, lui, une structure hybride. La reconstitution d'un cabinet proprement dit, à côté du secrétariat général, comme du temps du général de Gaulle, a abouti à opérer une scission assez nette entre l'équipe technique (celle du secrétaire général de l'Élysée) et l'équipe des « amis », regroupée autour du directeur de cabinet. Jacques Attali, qui porte le titre ronflant de « conseiller spécial du Président », a eu la bonne idée de réclamer le bureau jouxtant celui du Président, ce qui fait de lui un point de passage obligé pour tous ceux qui ont accès au chef de l'État.

Avant de s'illustrer comme historien hâtif du Temps, c'est lui, on s'en souvient, qui fut le maître d'œuvre peu chanceux de ce camp du Drap d'or que fut le sommet de Versailles (juin 1982) dont certains naïfs attendaient tout. Le départ de Pierre Bérégovoy au ministère des Affaires sociales et son remplacement par le conseiller d'État Bianco au secrétariat général de la présidence a constitué un retour en force des technocrates dans l'équipe présidentielle. Celle-ci manque cependant de financiers bien au fait des mécanismes monétaires et bancaires. S'il avait disposé d'un bon expert financier, le président de la République n'aurait pas prononcé une conférence de presse au ton rassurant deux jours avant une dévaluation opérée à chaud dans les pires conditions psychologiques et techniques venant après une hémorragie de devises aussi coûteuse qu'inutile.

Le poids des « politiques » est également très important à l'Élysée. C'est ainsi que Michel Charasse, sénateur socialiste du Puy-de-Dôme après avoir été pendant des années la cheville ouvrière du groupe socialiste à l'Assemblée nationale dont il était le secrétaire permanent, a la haute main sur la décentralisation et les relations avec les préfets, et que Jean-Claude Colliard, directeur adjoint du cabinet, est professeur de droit public, expert du PS et collaborateur de longue date du président de la République. Le profil politique très affirmé des membres les plus influents du cabinet de François Mitterrand est une innovation par rapport à la situation précédente, même si une évolution dans ce sens était déjà perceptible sous le septennat de Valéry Giscard d'Estaing. C'est pourquoi, de nombreux conseillers de l'Élysée se voient déjà ministres, ce qui n'arrange pas les rapports entre le « château », le siège du parti socialiste et l'hôtel Matignon.

L'efficacité du cabinet de l'Élysée s'est souvent trouvée en défaut. On a déjà parlé de l'affaire — dérisoire — des sifflets du 14 juillet 1982. Il y a eu des bévues beaucoup plus graves allant de déclarations maladroites à l'étranger tendant à comparer l'action israélienne au Liban à Oradour, ou encore de fâcheuses mises au point au sujet d'une émission programmée un beau soir de juillet par le diligent président de TF1, où deux sémillants comédiens prononçaient d'un ton grave des extraits d'écrits du président de la République. De même, les révélations de Philippe Alexandre, chroniqueur vedette de RTL, sur les pressions qu'André Rousselet aurait exercées sur Jacques Rigaud, administrateur de RTL, pour que celui-ci l'évince de sa tribune quotidienne, ont laissé une fâcheuse impression. Une grande partie de la presse, y compris de la presse de gauche, commence à trouver que l'Élysée s'occupe décidément beaucoup trop de l'audiovisuel. Et, dans ce domaine, plus que dans tout autre, les excès se retournent contre ceux qui les provoquent. En témoignent les réactions qu'ont provoquées les attaques de l'ancien guérillero Régis Debray contre la « dictature » qu'exercerait Bernard Pivot sur la vie littéraire et l'édition...

Mais l'audiovisuel n'est pas seul en cause : c'est dans toutes les affaires de l'État que l'activité du cabinet présidentiel se manifeste de plus en plus souvent, au risque d'entraîner des frictions avec les ministères compétents. On a ainsi noté qu'une rivalité très nette commençait à s'exercer entre Pierre Mauroy et Pierre Bérégovoy avant que celui-ci ne devînt ministre de celui-là. De même, la nomination du « super-gendarme » Prouteau comme conseiller du Président pour la sécurité, n'a pas été du goût des services du ministère de l'Intérieur, qui ont vu là une atteinte à leurs prérogatives et à leurs compétences. En d'autres termes, la dérive élyséenne, syndrome classique mais redoutable de nos institutions, a commencé à faire des ravages dans la gestion gouvernementale. Le danger le plus grave réside en effet dans la coupure progressive entre le chef de l'État et le peuple qui l'a élu. Planant sur des hauteurs, le président de la République semble perdre de vue les difficultés ô combien sordides mais quotidiennes qui sont le lot commun de ses mandants. L'Élysée est un lieu redoutable qui produit le pouvoir tout en contribuant à le miner.

La valse des têtes

> « Pas de chasse aux sorcières, pas de petite ou de grande revanche. Chacun aura sa place, notamment dans le service public auquel j'entends redonner toute sa noblesse, et dont je souhaite renouvellé la déontologie. Chacun à sa place, selon ses mérites, ses apports, son dévouement, sa compétence ».
>
> F. Mitterrand, *Le Monde,* 25 avril 1981.

Le 10 mai au matin, la technostructure se réveilla la bouche pâteuse. Elle avait peu dormi. Tous ceux qui avaient été nommés à leur poste par le pouvoir précédent s'attendaient à être remplacés à brève échéance, surtout ceux qui exerçaient des responsabilités dans ces « secteurs sensibles » que sont le corps préfectoral et l'audiovisuel.

Certains furent pris d'une véritable panique. D'autres adoptèrent une conduite loyale, tel ce très haut fonctionnaire du ministère des Finances qui demanda à ses collaborateurs, le 11 mai au matin, de lui établir des notes sur le chiffrage des mesures préconisées par le programme électoral du président de la République. Le secrétaire général du gouvernement, l'un des postes administratifs les plus politiques (son titulaire assiste au Conseil des ministres et en établit le compte rendu), conserva son poste, a-t-on écrit[1], pour avoir présenté à Pierre Mauroy un dossier qui contenait les décrets nécessaires à la convocation du corps électoral pour les élections législatives de juin. Renaud de la Genière, gouverneur de la Banque de France, fut le premier grand commis de l'État à être consulté pour la défense de notre monnaie. D'une façon générale, et une fois le traumatisme passé, la plupart des hauts fonctionnaires estimèrent qu'il était urgent d'attendre. Les cabinets socialistes se mettaient peu à peu en place. On enregistra très peu de démissions, si ce n'est le geste quelque peu romantique — et plein de panache — du jeune sous-préfet de Vendôme, Philippe Le Villiers, qui préféra quitter le corps préfectoral pour aller s'occuper de l'animation du spectacle du Puy-du-Fou en Vendée qu'il a créé et fonder une radio libre dans sa ville d'origine.

La plupart des responsables en place avant le 10 mai étaient donc plutôt inquiets. L'avenir allait leur donner raison.

Peut-on, doit-on parler d'épuration ? La France est-elle entrée dans un mouvement de balancier qui va provoquer l'instauration d'un *spoil system* à l'américaine ? La question mérite d'être posée. Avant d'y répondre, il convient néanmoins de faire trois remarques.

---

1. *L'Express*, n° 1593 du 15-21 janvier 1982.

Tout d'abord, et contrairement à ce qui a cours aux États-Unis, il existe, en France, une haute fonction publique composée de professionnels dont la vocation est le service de l'Etat quel que soit le régime en place. Ce système a des inconvénients. Il uniformise le profil des grands commis ; mais il a également des avantages en ce qu'il assure la neutralité de la haute fonction publique. Celle-ci est au service de l'État et non d'un parti ou d'une coalition.

En second lieu, le droit public français l'atteste, la neutralité du service public constitue l'un des fondements essentiels du cadre juridique de la Ve République. Si l'on touche à cet édifice, on risque de déstabiliser durablement la vie publique de notre pays. La structure gouvernementale française, très sophistiquée, très rodée (de nombreux pays nous l'envient) mais aussi très centralisée (c'est la rançon de l'efficacité) ne peut s'accommoder d'une politique partisane sacrifiant l'intérêt général. Il s'agit simplement de se conformer à l'esprit des institutions telles qu'elles ont été voulues par le général de Gaulle, dans une perspective hégélienne (et non marxiste) du rôle de l'État dans la société. Une logique différente appliquée à notre système institutionnel signifierait la fin de la neutralité de l'État, c'est-à-dire — n'ayons pas peur des mots — une grave régression de la démocratie.

Enfin, le principal danger d'une telle évolution résulte du mouvement de balancier qu'elle risque d'entraîner. Sera-t-on condamné à une épuration toutes les décennies, sous prétexte que les majorités changent ? Ce serait, en tout cas, fort néfaste pour la France qui ne prend pas modèle — qu'on sache — sur le *spoil system* américain en matière de fonction publique.

C'est à la radio et à la télévision que la « valse des têtes » commença.

Il existe plusieurs façons de se débarrasser d'un indésirable : on peut lui accorder une promotion ; on peut le révoquer sans les honneurs ; on peut enfin essayer de le reclasser dans des conditions honorables. C'est vers cette troisième voie que s'est orienté François Mitterrand en prévoyant l'institution d'un « congé spécial » pour tous les grands commis renvoyés à leurs chères études. Dans cette position, originellement prévue pour le corps préfectoral, on continue d'être payé, on peut avoir une activité annexe et surtout on n'en exerce aucune d'ordre administratif. C'est un bagne doré, avec exil en prime. Cette position a déjà profité à d'importants directeurs d'administration centrale comme Jean-Pierre Souviron, directeur général de l'industrie.

Plus la personne à remplacer occupe un rang élevé et plus les conditions de sortie sont difficiles. C'est ainsi qu'on a envoyé au Conseil d'État Maurice Ulrich, président d'Antenne 2, tandis que Claude Contamine, le brillant et efficace président de la troisième chaîne, se voyait nommé conseiller maître à la Cour des comptes. Jacqueline Baudrier, présidente de Radio France, devint ambassadeur à l'UNESCO, poste envié et prestigieux. Pour quitter la première chaîne Jean-Louis Guillaud préféra, lui, toucher de confortables indemnités de licenciement.

Les changements dans le secteur audiovisuel s'accompagnèrent d'une cascade de mutations-démissions, mises au placard et promotions intempestives dont la première conséquence fut une inflation des équipes de journalistes (presque tous les pigistes ont obtenu d'être titularisés). Ce coup de balai rose eut de fâcheuses conséquences : outre une exécrable ambiance aggravée par des interventions maladroites des présidents de la première et de la troisième chaîne, il provoqua un mécontentement croissant du public ainsi qu'en a témoigné la création d'associations de défense des téléspectateurs.

Pour tenter de maîtriser le processus, le gouvernement mit en place une commission de réforme de l'audiovisuel, présidée par Pierre Moinot, grand commis et écrivain, élu à l'Académie française, un homme dont l'indépendance et la hauteur de vues sont unanimement reconnues. La commission travailla sans relâche pendant tout l'été 1981, dans les locaux austères de la Cour des comptes. Mais deux membres de cette instance se virent proposer des postes de responsabilité alors même que les travaux de la commission n'étaient pas achevés. C'est ainsi qu'André Harris prit la direction des programmes de TF1 tandis que Jean-Claude Héberlé devenait président de Radio Monte-Carlo. Maurice Seveno, plus militant socialiste que journaliste, prit en main l'information de la troisième chaîne.

À la télévision, la valse des têtes se transforma peu à peu en sarabande morbide, ponctuée de polémiques, le tout sur fond d'information édulcorée et de propagande assidue (sauf panne de grue...). Jamais sans doute les rancœurs et les aigreurs de toutes sortes n'auront été à ce point accumulées par un pouvoir qui n'était pas le dernier, dans l'opposition, à se plaindre de la mainmise du gouvernement sur l'audiovisuel.

Si l'on devait établir la carte du changement dans la haute administration, en allant du blanc au rouge selon le degré ou la vitesse de rotation des responsables, on passerait de la Défense, qui demeure une zone blanche, au ministère de l'Intérieur et au secteur éducation-culture où tous les responsables ou presque ont été mutés. Entre ces extrêmes, des situations variables (colorées en rose, sans jeu de mots) où les anciens sont remplacés par des modernes, généralement proches du parti socialiste ou du parti communiste ; d'autres, assez nombreux, convertis de la vingt-cinquième heure, ayant eu maille à partir (généralement pour incompétence) avec le régime précédent — ont transformé leur disgrâce passée en certificat de fidélité à la gauche. À ce jeu de l'escarpolette, les virtuoses peuvent tenter leur chance : du train où vont les choses, tous les grands commis de l'État auront changé d'ici à la fin de l'année 1983.

Aucun ministre n'aime renvoyer un de ses directeurs, même si celui-ci a été nommé par un autre que lui ; cette basse besogne est d'ailleurs généralement laissée à l'initiative du directeur de cabinet. Tout l'art consiste

Un journal d'État

« ... La télévision n'est pas plus libre, en ce qui concerne le bulletin des nouvelles, qu'elle ne l'était sous les septennats précédents. En un sens elle l'est peut-être moins. Techniquement ce n'est pas tant le président de la République qui intervient massivement — il le fait assez peu — que ses ministres ou les militants socialistes et communistes. De temps en temps, on aperçoit les membres de l'opposition, mais en règle générale et pendant plusieurs mois, il s'est agi d'un véritable défilé de ministres. À cela s'ajoute une présence fréquente du parti communiste par l'intermédiaire de la CGT...

« De ce point de vue, on a assisté à une sorte de viol de l'opinion publique. Même sur les chaînes les moins colonisées, indépendamment des efforts louables accomplis par certaines personnalités journalistiques pour offrir — au sujet de la Pologne par exemple — une information sérieuse (je pense à Christine Ockrent et à Poivre d'Arvor), on infligeait par moments à l'immense majorité des Français une mixture d'*Humanité* et de *Populaire du centre.* Or, la CGT obligatoire qui a régné très souvent à la télévision actuelle, surtout lors des reportages sur les grèves, correspond aux opinions d'à peu près 15 % des citoyens.

« À mes yeux, la situation présente est pire qu'autrefois. Au temps de Giscard, c'était plus ouvert. Les représentants de l'opposition s'exprimaient régulièrement devant les caméras... Le dénominateur commun à l'union socialo-communiste correspond à une forme de marxisme quelque peu léninisé. Il arrive à celui-ci d'exercer, dans le domaine des moyens de communications, un puissant verrouillage idéologique.

« Une part de responsabilités incombe aux autorités d'avant le 10 mai 1981 qui n'avaient pas su libéraliser les médias. Les auraient-elles libéralisées, d'ailleurs, que cette conquête n'aurait pas été forcément maintenue par les autorités de « gauche »... L'ensemble que constituent la télévision, les postes d'État et même les stations périphériques étatiquement influencées, créent une situation scandaleuse pour un libéral du XIXe siècle, voire un libéral tout court : l'existence d'un journal d'État... »

Emmanuel Le Roy Ladurie, *Le Figaro* du 7-1-1983.

donc à faire comprendre au ci-devant qu'on veut se passer de ses services pour le contraindre à démissionner. Son courrier, peu à peu, se raréfie ; l'accès au bureau du ministre lui est interdit ; des structures parallèles se mettent en place. Parfois, l'intéressé apprend par la presse qu'il a quitté son poste, comme Jean-Philippe Lachenaud, président du musée d'Orsay, qui eut la surprise de lire dans un quotidien qu'il avait déserté son emploi. Le directeur de l'administration générale du ministère de l'Industrie ne vit son ministre que trois fois avant de se voir signifier son congé au printemps dernier. De même Jean Musy, directeur de l'école nationale des Beaux-Arts, n'eut jamais l'honneur d'être reçu par le ministre de la Culture ; il fut limogé en mai 1982. Parfois le renvoi se fait dans des conditions encore plus détestables. Le président de la BNP apprit qu'il devait quitter son bureau sur-le-champ, par simple appel téléphonique d'un attaché de cabinet du ministre des Finances. L'élégance a rarement rendez-vous avec l'épuration.

Revenons à notre carte, en partant de la zone blanche. À l'exception du directeur du SDECE, aucun responsable de la Défense n'a été muté depuis le 10 mai 1981. Les changements intervenus dans les états-majors ont toujours eu pour unique cause la limite d'âge et la plupart des « candidats naturels » ont été promus. Manifestement le chef de l'Etat a tenu à s'assurer ainsi la neutralité absolue de l'armée en prenant soin de ne pas faire intervenir les considérations partisanes dans les nominations aux grades les plus élevés. La seule exception concerne le directeur des affaires internationales de l'armement (le « marchand de canons » officiel du ministère), le diplomate Gérard Hibon qui a été remplacé dans ces fonctions par un ingénieur de l'armement. Remplacement essentiellement symbolique, puisque la politique de vente d'armes de la France, hormis (et encore...) la zone latino-américaine, a en fait peu changé depuis dix-huit mois, en raison de l'impératif « réaliste » de rééquilibrage de notre commerce extérieur.

Passé cette zone fort pacifique quelques gros points rouges se détachent : il s'agit des directions ministérielles stratégiques en raison à la fois de leur poids budgétaire et du secteur dont elles assurent la tutelle.

Et tout d'abord la direction du Budget, un État dans l'État qui a déjà fait couler beaucoup d'encre. Son directeur, Guy Vidal, était un ancien membre des cabinets giscardiens. Il était donc impossible qu'il demeurât en place. Faute de lui trouver immédiatement un successeur, on lui demanda de fabriquer le collectif pour 1981 et de mettre en chantier la préparation du budget 1982. Entre-temps, l'inspecteur des Finances, Louis Schweitzer, sous-directeur de la direction du Budget, était devenu directeur de cabinet du ministre du Budget, Laurent Fabius. Guy Vidal fut remplacé par Jean Choussat, de l'inspection des Finances, proche du pouvoir, qui avait fait ses classes au sein même de la direction du Budget dont il était chef de service (numéro deux) avant d'être nommé directeur général de la Santé par Valéry Giscard d'Estaing. Aux échelons inférieurs, rien ne bougea et les promotions au grade de sous-directeur se déroulèrent normalement. Un seul accroc vint ternir la sérénité de la direction lorsqu'un administrateur civil fut nommé chargé de mission au RPR pour les affaires budgétaires, ce qui lui valut d'être muté d'office au bureau des Anciens Combattants. Un incident qui révèle bien la différence de traitement des opposants au régime actuel par rapport à ceux du régime précédent. Avec le remplacement de J.Y. Haberer, à la direction du Trésor par Michel Camdessus, puis celui de Philippe Rouvillois par Jean-Michel Bloch-Lainé à la direction des Impôts et enfin celui de René Lenoir par Lucien Meadel à la direction des Relations avec le public, ce sont toutes les grandes directions du ministère des Finances qui auront changé de titulaire.

Autre direction stratégique : les Télécommunications au ministère des PTT. Gérard Théry était trop marqué par ses sympathies giscardiennes (il était l'homme de confiance de F. Polge de Combret, secrétaire adjoint de la présidence de la République avant le 10 mai 1981) pour pouvoir conserver un poste de cette importance. Jacques Dondoux, ingénieur général des Télécom. issu du sérail, avait eu quelques mailles à partir avec l'Élysée avant le 10 mai ; cette semi-disgrâce valait titre de noblesse. On lui donna donc le téléphone et la télématique.

Au ministère de l'Intérieur, la direction générale de l'Administration joue un rôle fondamental. C'est elle qui nomme les préfets, qui donne au ministre la température politique du pays. Son titulaire d'avant le 10 mai, Robert Pandraud, l'un des hommes qui connaît le mieux le ministère de l'Intérieur et la police (dont il fut le directeur général pendant trois ans) ne pouvait que quitter son poste. Il devint donc inspecteur général de l'Administration avant de se faire détacher auprès du maire de Paris comme directeur général des services administratifs du département de Paris et secrétaire général adjoint de la mairie. Ce fut la première victime de l'arrivée de Gaston Defferre place Beauvau. D'autres allaient suivre puisque tous les directeurs du ministère de l'Intérieur ont changé.

Le ministre d'État décida en effet de procéder à des mutations de « postes symboles ». Le premier muté fut Pierre Somveille, préfet de police de Paris, remplacé par Jean Perier, préfet de la région Bretagne (Pierre Somveille dirigeait le cabinet de Raymond Marcellin ministre de l'Intérieur à l'époque où Maurice Grimaud, actuel directeur du cabinet de Gaston Defferre, était préfet de police). Paul Roux, chef de la police de l'air et des frontières, devint directeur des Renseignements généraux à la place de Raymond Cham, tandis que Clément Bouhin, préfet de Saint-Pierre-et-Miquelon, prenait la tête de la direction des Polices urbaines à la place de Roger Chaix. Michel Guyot devenait directeur central de la Police judiciaire en remplacement de Maurice Bouvier. Le directeur général de la Police nationale, Maurice Lambert, était remplacé par Bernard Couzier, préfet de la région Loire. Si l'on ajoute à ces noms celui du directeur central des CRS, du directeur de la Surveillance du territoire, et ceux des principaux responsables de la Préfecture de police de Paris, on arrive aux « dix postes clefs » dont les syndicats avaient demandé le changement de titulaires.

Les relations entre la police et le gouvernement socialiste n'ont jamais été d'une extrême limpidité. Depuis la mutation du commissaire de la brigade criminelle, Marcel Leclerc, qui provoqua une série de démissions en cascade, frictions et polémiques n'ont cessé d'opposer Gaston Defferre aux autorités de la police. Tout commença en fait en mai 1981 lorsqu'on apprit que l'ancien secrétaire général de la FASP Gérard Monate entrait au cabinet du ministre d'État. Les autres syndicats de police virent là une espèce de provocation. La déclaration du ministre du 26 juin 1981 n'était pas faite pour calmer les esprits :

> « Les syndicats m'ont demandé des têtes. Je n'en couperai pas. [...] Ceux que l'on blâme aujourd'hui n'ont fait qu'obéir, mais il est évident que certains d'entre eux sont allés au-delà de ce qui aurait dû être fait. Il est normal qu'il en soit tenu compte[1]. »

Pris en tenaille entre ses engagements et une demande de sécurité de plus en plus forte de la part de la population, le gouvernement mit en place deux commissions : la commission de réforme du code pénal pour la justice et la commission Belorgey[2] pour la police. Le rapport établi par cette dernière, particulièrement typique de la manière dont les socialistes traitent les problèmes de sécurité, mérite d'être analysé même s'il est peu probable que les recommandations qu'il formule soient appliquées. Ce texte d'une cinquantaine de pages réussit en effet le tour de force d'occulter la fonction répressive

1. *Le Matin* du 13 novembre 1981.
2. (Jean-Michel) jeune maître des requêtes au Conseil d'État, député socialiste de l'Allier.

(et préventive) de la police au profit de vagues considérations sociologiques sur les rapports entre citoyens et policiers. Sans aller jusqu'à reconnaître le droit de grève à ces derniers, le rapport Belorgey préconise néanmoins que les dispositions du statut des personnels de police dérogatoires au droit commun de la fonction publique, soient abrogées. De même un droit de contestation des ordres des supérieurs hiérarchiques serait institué par la mise en œuvre d'un « droit de récupération des ordres illégaux » par les policiers, voire des ordres jugés « de nature à compromettre gravement un intérêt public ». Enfin, les signataires du rapport proposent la création d'un « juge d'enquête », nouvelle catégorie de magistrats qui aurait pour tâche de « surveiller le déroulement des enquêtes policières »... Intéressantes à bien des égards, ces réflexions n'en sont pas moins utopiques, au moment où l'opinion publique s'inquiète d'une remontée de la violence et de la délinquance. On aura donc écrit un rapport administratif de plus pour régler un problème de société...

Ce qu'on a appelé la querelle entre MM. Badinter et Defferre (l'« idéaliste » et le « réaliste ») connut un rebondissement notable lors de l'affaire dite de la « rue Rossini », au cours de laquelle une voiture conduite par trois jeunes délinquants fut mitraillée par une brigade de police. Soucieux de reprendre en main sa police, Gaston Defferre eut des propos que de nombreux socialistes n'hésitèrent pas à qualifier d'outrance caractérisée. Dans une interview accordée à *Libération* (le 14 septembre 1982) Jean-Michel Belorgey condamna sans équivoque le comportement du ministre de l'Intérieur, relayé par le secrétaire général du syndicat de la magistrature Daniel Lecruvier qui, dans le même journal, constatait : le « revirement de Defferre est d'abord un facteur d'insécurité tel que les gens ne savent plus à quoi s'en tenir ». De plus, Roland Kessous, conseiller juridique au cabinet du ministre de l'Intérieur, magistrat et fondateur du syndicat de la magistrature, remettait sa démission. Ce qui avait commencé par une simple escarmouche entre le

« J'écris ton nom, Liberté... »

« ... À mon avis, l'une des premières choses que nous devrons faire dès notre arrivée au pouvoir sera de changer de fond en comble l'esprit et les attributions des deux ministères sacro-saints de la république de droite : le ministère de l'Intérieur et le ministère des Finances.

« Parlons du ministère de l'Intérieur. Pour bien marquer notre volonté de restaurer, dans tous les domaines, le règne de la liberté, je suggérerai qu'on commence par changer jusqu'à son nom. Je préférerais l'appeler le ministère de la Décentralisation et des Libertés. Cela peut sembler un peu puéril à première vue. Mais j'ai constaté à maintes reprises que les mots sont souvent aussi importants que les choses. Si l'on change les unes, il faut aussi changer les autres. Le ministre de l'Intérieur d'un gouvernement authentiquement de gauche devra s'employer à faire exactement l'inverse de ce qui a été fait jusqu'à présent.

« Jusqu'à présent il était, aux yeux de tous, le "premier flic de France". Non seulement parce qu'il était effectivement chargé de diriger la police, c'est-à-dire d'avoir une action, à la fois, de sécurité et de répression mais aussi — et c'est dans la même ligne — parce qu'il était le tuteur attitré, à la fois des individus et des collectivités locales, municipalités et départements. Son rôle essentiel était un rôle de surveillance et de contrôle, comme si le peuple français devait en permanence être tenu en laisse. Tout cela est à changer. Devenu "ministre de la Décentralisation et des Libertés", son rôle sera de protéger les libertés de toute nature — conformément à l'idée qu'exprime son titre ; c'est dans le même esprit qu'il sera, par ailleurs, chargé de mener à bien une réforme à laquelle nous, socialistes, attachons une importance particulière : la décentralisation...

« ... L'une des tâches les plus nobles de la gauche sera... de réapprendre aux Français, comme pendant l'occupation allemande, à écrire chaque jour ce nom : LIBERTÉ ».

Gaston DEFFERRE, *Si demain la gauche...*, réponses à Pierre Desgraupes, préface de François Mitterrand, Robert Laffont, 1977.

ministre de l'Intérieur et celui de la Justice s'achevait (provisoirement au moins) par la défaite de celui-là, avec la bénédiction du parti socialiste.

Le moins qu'on puisse donc dire est qu'après plus de dix-huit mois d'exercice du pouvoir, les socialistes n'ont pas encore réussi à instaurer un climat de confiance avec la police.

Les événements tragiques de la rue Marbœuf et de la rue des Rosiers, et le développement sans précédent du terrorisme à Paris et en Corse (où se déroule comme on sait une expérience « exemplaire » de décentralisation...[1]) n'ont fait qu'accentuer ce malaise. Il suffisait enfin que, de maladresses en communiqués intempestifs, l'Élysée donnât l'impression de s'être fait manipuler par la direction de la Surveillance du territoire dans le simulacre d'enlèvement de l'écrivain roumain Virgil Tanase ou dans l'arrestation tonitruante de terroristes irlandais déjà fichés par la police (et dédaignés par Scotland Yard...), annoncée avec grand fracas à la télévision, pour que l'opinion comprît enfin à quel point les problèmes de sécurité demeurent étrangers aux équipes dirigeantes socialistes. Il s'agit moins en l'occurrence de bonne ou de mauvaise volonté gouvernementale mais plutôt de la conséquence de gestes maladroits, pris dans la foulée de la victoire du 10 mai 1981, et qui ont suffi à distendre les liens existant entre l'État et son système de sécurité.

---

1. « Je veux rappeler à quel point la situation était devenue explosive avant l'élection de François Mitterrand à la présidence de la République. Cela ne date que de quelques mois et pourtant cette tragédie et ses conséquences dans la vie de la nation semblent déjà oubliées... Depuis mai 81, la Corse a retrouvé le calme parce que les Corses ont maintenant l'espoir d'être compris et d'être entendus. »

« ... La vérité, c'est que vous me reprochez aujourd'hui de m'engager dans une voie qui peut ramener la paix en Corse et pour longtemps... Regardez où, en vingt-trois ans de pouvoir, vous avez conduit la Corse. Or depuis que François Mitterrand a été élu président de la République, les attentats ont heureusement pris fin... Nous sommes sortis et j'espère pour longtemps du cycle violence-répression dans lequel la politique des gouvernements que vous souteniez avait engagé la Corse. » Gaston Defferre (Assemblée nationale, 18 janvier 1982.)

Avec l'enseignement, la justice constitue un secteur où le PS avait gagné le plus de militants. Plusieurs causes expliquent ce phénomène : changement du profil des candidats à l'entrée de l'École nationale de la magistrature ; baisse du prestige de la carrière judiciaire ; importance du syndicat de la magistrature, véritable courroie de transmission entre le PS et notre système judiciaire, confusion mentale chez tous ceux qui croient que pour être un juge juste il faut être « de gauche », sans s'apercevoir qu'ils sont censés juger *au nom du peuple français...*

Très logiquement Pierre Mauroy appela auprès de lui Louis Joinet, ancien président du syndicat de la magistrature, comme conseiller technique chargé des affaires judiciaires et correspondant naturel de Robert Badinter pour toute la politique judiciaire du gouvernement.

Les magistrats du siège étant inamovibles[1], les mutations furent limitées à celles qui sont permises par la loi. Le procureur général du parquet de Paris, Paul-André Sadon, fut nommé conseiller à la Cour de cassation et remplacé par Pierre Arpaillange curieusement repêché par le gouvernement, malgré (?) sa participation active à la campagne présidentielle de Marie-France Garaud. Raoul Béteille, directeur des Affaires criminelles et des Grâces (poste clé du ministère) retourna à la Cour de cassation et fut remplacé par Michel Jéol, membre du syndicat de la magistrature, tandis que Marco Darmon, du cabinet de Robert Badinter, prenait la direction des Affaires civiles et du Sceau. Enfin, une amie du président de la République, Danièle Burguburu, devint secrétaire générale du Conseil supérieur de la magistrature.

---

1. Yves AGNÈS, du journal *Le Monde,* paraît ignorer ce détail puisqu'il indique dans son article « L'administration dans le changement » (29.6.82) que les premiers présidents de la Cour de cassation, de la Cour des comptes et de la cour d'appel de Paris ont été maintenus à leur poste par le gouvernement socialiste : ces magistrats sont inamovibles.

Mais c'est l'affaire de la commission de la transparence qui révéla, en décembre 1981, l'emprise déterminante du syndicat de la magistrature sur l'appareil judiciaire français.

Le syndicat de la magistrature avait critiqué ce qu'il appelait une « politique du secret » dans la préparation des nominations, regrettant que l'existence des postes vacants ne fût pas portée à la connaissance de tous ceux qui pourraient être intéressés. À partir de cet objectif louable, Robert Badinter mit sur pied un mécanisme qui aboutit à donner un droit de regard au syndicat sur les nominations des magistrats du siège. Les « commissions de la transparence » (tel est leur nom) ont commencé à fonctionner le 18 septembre 1981. Le professeur François Terré a brillamment démontré les dangers de cette procédure[1]. Elle porte en effet atteinte au droit commun des nominations aux emplois publics car on communique à la commission non seulement la liste des postes vacants et les noms des magistrats nommés, mais également celui des candidats écartés ; surtout, on a admis que cette commission, qui ne devrait avoir qu'un rôle d'information, pourrait discuter des mérites des candidats. Tel compte rendu syndical est, à cet égard, édifiant :

> « D... membre du cabinet est proposé comme vice-président à Paris. Les syndicats judiciaires déclarent qu'il aurait été proposé même s'il n'était pas membre du cabinet. Ce serait donc une injustice de ne pas le proposer maintenant (déjà que ça n'aide pas d'être au cabinet, mais alors si ça devait nuire... !). L'union syndicale de la magistrature remarque qu'il existe 17 personnes d'ancienneté supérieure à la sienne : cette nomination (*sic*) "politique" va créer un malaise... »

La politisation de la magistrature est sans doute l'un des faits les plus graves qui puissent être reprochés à l'État-parti socialiste. La France est un État de droit.

1. F. TERRÉ, « La justice mise au pas », *Le Figaro,* 12 nov. 1981.

Toute atteinte à celui-ci constitue une régression de la démocratie. C'est l'honneur de la justice que d'être impartiale, au nom de la séparation des pouvoirs. En droit français, le juge a de très larges responsabilités : c'est lui qui, seul, peut interpréter la loi. Que deviendrait le corps social si notre appareil judiciaire, déjà passablement malmené par l'énorme accroissement des procédures, ne pouvait exercer sa tâche avec rigueur et indépendance ? La question est très grave, car elle met en cause le fonctionnement même de la justice pour de très longues années.

Va-t-on vers une politisation accrue de la haute fonction publique ?

« Si le gouvernement n'a pas obéi aux injonctions maximalistes du parti socialiste, il a néanmoins procédé à des changements, à des mutations et à des évictions », a remarqué André Passeron[1]. Oublieux sans doute de son propre itinéraire politico-administratif, le ministre du Commerce extérieur Michel Jobert n'hésitait pas, lui, à déclarer à RTL le 15 novembre 1981 :

« Je vois aujourd'hui en place des gens dont je me demande pourquoi ils bénéficient encore de l'indulgence de ce gouvernement. Il fait preuve d'une certaine mansuétude, ou, pour être plus aimable, il sait utiliser les compétences. »

Tout est là ; les socialistes oscillent entre la politique et la compétence, autant dire entre deux philosophies de l'État. De Gaulle cherchait exclusivement la compétence, Giscard usa des deux, avec plus ou moins de bonheur. Mitterrand, lui, hésite, pris entre son parti qui exerce une pression quotidienne sur les rouages de l'État, et les modérés qui préféreraient s'appuyer sur de bons experts. Là, comme ailleurs, il refuse de choisir.

Depuis l'été 1982 certains éléments paraissent pour-

---

1. A. Passeron, « L'administration dans le changement », *Le Monde* daté du 30 juin 1982.

tant traduire un retour à des critères politiques. La démission de Jean Gandois de son poste de président-directeur général de Rhône-Poulenc et son remplacement par un « haut fonctionnaire militant » (l'expression est de Matignon) dénué de la moindre expérience industrielle en constituent l'illustration et laissent augurer certains raidissements face à l'échec. S'il a du caractère, un professionnel ne peut demeurer en place lorsqu'on ne lui donne pas les moyens d'atteindre ses objectifs (pour Rhône-Poulenc, il s'agissait des dotations en capital et de la restructuration de la chimie). L'appel aux compétences a donc des limites car elle oblige le gouvernement à se montrer lui-même compétent. L'énorme risque que courent les socialistes, c'est de transformer les grands groupes industriels nationalisés en simples annexes du ministère des Finances et de placer à leur tête des fonctionnaires.

L'annonce par Michel Charzat (secrétaire national du parti socialiste au secteur public) d'un dépôt de projet de loi sur la fonction publique fait également peser des menaces sur la neutralité du service public et sa capacité à attirer des éléments brillants et dynamiques. Sous couvert de « transformation radicale de l'administration », une entreprise de contrôle politique de la fonction publique peut en effet s'opérer, portant un préjudice grave et sans précédent à notre État de droit. Souhaitons que la sagesse prévale, il y va de l'intérêt de tous les Français.

Colbert socialiste : la décentralisation et les nationalisations

Colbert passe pour avoir inventé l'économie dirigée, en attribuant à l'État des prérogatives très importantes en matière commerciale et industrielle. De Colbert au colbertisme il y a tout ce qui sépare une recette ponctuelle d'une philosophie globale. Le colbertisme s'est constitué après Colbert, au fur et à mesure que l'État moderne prenait corps, et d'autant plus facilement que la centralisation est au cœur de la France[1].

Le général de Gaulle appliquait un colbertisme libéral. En 1958 il fallait doter la France d'institutions stables, ouvrir son économie sur l'extérieur et développer l'outil industriel. Si l'on ajoute à cela la montée du *welfare state* on comprend que l'État ait été un instrument privilégié d'action économique et sociale sous la Vᵉ République. François Mitterrand applique un colbertisme socialiste. Plus qu'un changement de degré, c'est un changement de nature qui s'est opéré. L'alliance d'un concept (le socialisme) et d'une pratique (le colbertisme) a produit un effet détonant. Les rêveurs autogestionnaires ont été balayés pour faire place au « tout à l'État ».

À vrai dire, une telle évolution était inscrite dans les pages du programme socialiste, consacrées à l'État et à l'industrie. On pouvait y percevoir la vision utopique d'une France socialiste fonctionnant comme une administration géante, un immense phalanstère géré par l'État où la redistribution opérerait quotidiennement le miracle de l'épanouissement et du bonheur individuel. Ce crédo a été appliqué aux deux premières grandes réformes structurelles du septennat : la décentralisation et les nationalisations.

Colbert en province

La loi de décentralisation a été votée en mars 1982. Après des épisodes à rebondissements multiples, le parlement a fini par adopter le texte dit des « droits et libertés », dont les innovations essentielles sont la fin des tutelles administratives et financières prévues par l'État sur les collectivités locales et le transfert de l'exécutif

---

1. Dans *La France* (Robert Laffont, 1982), Pierre Chaunu montre bien que seule la centralisation pouvait contrebalancer la diversité géographique et historique de notre pays.

départemental du préfet vers le président du conseil général.

La fin des tutelles part d'un bon sentiment ; les contrôles *a priori* n'ont en effet jamais empêché un maire de décider d'un mauvais investissement. En revanche, un contrôle financier et de gestion *a posteriori*, comme celui qu'exerceront les chambres des comptes régionales, créées par la loi de décentralisation et qui devront se substituer aux contrôles de la Cour des comptes, peut se révéler efficace, à condition qu'on leur donne des moyens réels d'investigation. Voudrait-on d'ailleurs, le moment venu, rétablir ces tutelles que cela se révélerait impossible, car, lorsqu'un pouvoir a été donné, surtout à un élu, il est très difficile de le lui reprendre. La décentralisation socialiste a donc un caractère largement irréversible.

Ces certitudes mises à part, tout le reste ou presque relève de l'inconnu, car la loi de décentralisation ne dit rien des compétences nouvelles qui seront données aux collectivités locales et encore moins des ressources dont elles disposeront pour remplir leurs nouvelles fonctions. Il avait été prévu, à l'automne de 1981, que la loi sur les compétences suivrait de très près la loi de décentralisation. L'échec de la gauche aux cantonales de mars 1982 a modéré l'ardeur du ministre de l'Intérieur et de la décentralisation. Une loi définit très largement les compétences globales des collectivités locales mais renvoie les modalités d'application à d'autres textes, qui s'échelonneront sur plusieurs années. Le processus de décentralisation s'est donc trouvé ralenti.

Une lecture attentive de la loi de décentralisation permet de mettre en évidence un fait majeur : dorénavant, les collectivités locales auront toute latitude pour intervenir dans la vie économique régionale ; il leur est possible d'apporter des fonds aux entreprises en difficulté. Colbert se régionalise et, la crise économique aidant, c'est là un appel implicite aux collectivités locales pour qu'elles prennent le relais de l'État. On voit bien le danger, à terme, d'une telle évolution : régionalisation progressive de l'économie, et surtout, accroissement de la fiscalité locale dès lors qu'il n'existe plus de frein à l'intervention économique des villes et des départements. Le syndrome du tonneau des Danaïdes n'est, hélas ! pas loin.

Il n'en demeure pas moins qu'on vient ainsi de faire subir à l'appareil administratif français l'un des plus grands électrochocs qu'il ait connus depuis 1945. Tout notre système était basé sur la prééminence de l'État. Ses agents étaient plus prestigieux que ceux des collectivités locales qu'ils tenaient en liberté surveillée. Cette subordination a disparu pour laisser place à une situation où l'on mettra de longues années avant d'atteindre le point d'équilibre.

Or, tout le problème est là : peut-on, en période de crise, prendre le risque d'un rodage aussi long et aussi délicat ? Les socialistes se complaisent dans les réformes structurelles la crise, est aussi — et surtout —, par ses effets, conjoncturelle. Oublier cette évidence revient à compromettre le succès des réformes les plus ambitieuses.

La décentralisation va coûter cher — toute réforme, excepté les suppressions d'impôts, coûte cher. Malgré la volonté affichée du gouvernement de faire en sorte que l'opération revienne à un coût nul, on peut d'ores et déjà affirmer qu'elle s'est traduite par des recrutements importants de personnel par les départements. Les présidents de conseils généraux se sont dotés d'équipes de collaborateurs de haut niveau, en particulier d'un « directeur des services départementaux »[1], afin d'être en mesure d'exercer pleinement leurs compétences, mais inversement, l'équipe préfectorale est restée en place (préfet, secrétaire général, directeur de cabinet), alors

1. De nombreux préfets sont ainsi devenus les collaborateurs directs de présidents de conseils généraux (surtout d'opposition), passant ainsi au service des collectivités locales.

que ses compétences ont fondu comme neige au soleil. Seule une politique très stricte de redéploiement du personnel et des moyens aurait contribué à atténuer le coût de la réforme, mais pour éviter de heurter de front le corps préfectoral, il fut convenu que celui-ci garderait ses moyens et son train de vie (appartements de fonction, voiture et chauffeur, frais de réception payés par le conseil général : autant d'éléments indispensables, a-t-on pensé, au prestige des préfets).

L'acte premier de la décentralisation consista donc à élaborer, dans chaque département, une convention entre l'État et le conseil général, où l'on établissait les conditions du transfert des biens du département, hier gérés par le préfet, au président du conseil général. Le gouvernement craignait, à juste titre, que des départements d'opposition ne profitent des nouveaux textes pour chasser les préfets de leurs beaux logis de l'hôtel départemental (nouvelle appellation de la préfecture), et réduire les commissaires de la République (nouvelle appellation des préfets) à la mendicité. Les conventions étonneront le non-spécialiste. On y trouve des éléments aussi disparates que le nombre des machines à écrire à partager entre l'État et le département, mais aussi les conditions d'utilisation de la salle à manger lorsque celle-ci est commune au préfet et au conseil général, sans oublier la délimitation stricte des appartements réservés aux représentants de l'État. Ce luxe de détails n'est pas inutile même s'il paraît superflu au néophyte. En effet, faute d'avoir dégagé les crédits nécessaires au maintien du train de vie des préfets, l'État a prévu que l'entretien des commissaires de la République resterait à la charge du département. C'est là une carence particulièrement grave du dispositif de décentralisation, puisqu'il place le commissaire de la République en situation d'infériorité par rapport à une collectivité locale. D'innombrables difficultés risquent de surgir de cette ambiguïté fondamentale.

Dans certains départements, en effet, les conseils généraux n'ont pas attendu pour signifier au préfet que son train de vie lui serait plus chichement compté. De janvier à juin 1982, le plus clair du temps de certains préfets s'est passé à négocier, pied à pied, le maintien de leur « standing ». Parallèlement se livrait la guerre des prééminences. Le préfet accepterait-il d'aller inaugurer des chrysanthèmes où le président du conseil général aurait la vedette ? Qui serait assis au milieu des tribunes ? Quelle voiture officielle passerait la première[1] ? Avant même qu'on en mesure vraiment les effets, la décentralisation a déjà déchaîné de nombreuses tempêtes dans les landernaus administratifs.

Feu les préfets

Quoi qu'on en dise, et malgré une avalanche assez impressionnante de décrets qui renforcent ses attributions pour tout ce qui relève de l'administration d'État, le corps préfectoral restera la victime principale de la loi de décentralisation.

Les socialistes, on le sait, n'ont jamais aimé les préfets. Aucun parti d'opposition n'a d'ailleurs de sympathie pour des fonctionnaires auxquels le gouvernement, c'est normal, demande plus que de la fidélité et de la loyauté. Le préfet était l'identification locale du Pouvoir. Il en appliquait les ordres ; courroie de transmission entre le pouvoir central et le pouvoir local, il pesait de tout son poids lors des consultations électorales ; moyennant quoi, le corps préfectoral était l'une des ossatures principales de la République ; il pouvait disposer de pouvoirs exceptionnellement étendus en matière de maintien de l'ordre ; par l'intermédiaire du réseau « Régis » (ou interministériel), il avait le contact direct avec les plus hautes sphères du pouvoir.

1. Ce phénomène assez dérisoire est d'autant plus important que le gouvernement, depuis les élections cantonales de mars 1982, semble avoir donné aux préfets des directives très fermes de nature à assurer, partout où c'est possible, leur prééminence protocolaire.

Même si les textes de décentralisation n'ont pas retiré aux commissaires de la République l'ombre d'une compétence dans le domaine du maintien de l'ordre, le corps préfectoral n'est plus la structure très forte sur laquelle la République pouvait s'appuyer, car le prestige et l'autorité sont un tout et, pour le préfet, ils résidaient précisément dans cet interface État-collectivité locale, qui lui conférait la double casquette de représentant de l'État et d'exécutif du département. On a fait disparaître l'une des casquettes, et précisément la plus symbolique du pouvoir (le préfet était surtout le « patron » de son département). Le titre, aussi, a changé et, quand une fonction change de titre, c'est aussi une loi du genre, cela signifie qu'elle a perdu en prestige.

Les préfets les plus lucides ne se faisaient aucune illusion : en 1977 Gaston Defferre dans *Si demain la gauche* préconisait purement et simplement leur suppression. En juin 1981, au cours de la traditionnelle assemblée générale annuelle de la puissante association du corps préfectoral, un vent de panique souffla. Certains préfets pensaient que le ministre de l'Intérieur et de la Décentralisation appliquerait à la lettre ses principes. Gaston Defferre fit savoir aux préfets qu'il comptait sur leur loyauté et morigéna ceux qui avaient manifestement trop servi — à son goût — le régime précédent. Le ministre savait user du bâton et de la carotte. Après l'assemblée générale on pouvait deviner un certain apaisement, tempéré par la perspective d'un très vaste mouvement préfectoral prévu pour juillet par le gouvernement socialiste.

Ce mouvement intervint au Conseil des ministres du mercredi 8 juillet 1981. Il portait — record absolu — sur cinquante-deux noms. Certains furent admis au bénéfice d'un congé spécial tels Lucien Lanier, préfet de la région Ile-de-France, remplacé par Lucien Vochel, précédemment préfet de la région provençale. Plusieurs préfets choisirent le congé spécial ou la retraite anticipée : Charles-Noël Hardy, le giscardien préfet du Loir-et-Cher, Claude Vieillescazes, préfet de la région Corse,

Philippe Kessler, préfet du Gers, Henri Bernard de Pelagey, préfet de la Drôme, Jean Busnel, préfet de Franche-Comté, Paul Brechignac, préfet du Lot.

Parmi les promotions, on nota celle de Maxime Gonzalvo, qui accéda au rang de préfet après avoir été sous-préfet de Château-Chinon. Cet énorme mouvement vit également la nomination de la première femme, en la personne d'Yvette Chassagne, conseiller maître à la Cour des comptes, que le ministre de l'Intérieur réussit à convaincre d'accepter le poste de préfet du Loir-et-Cher la veille du Conseil des ministres où sa nomination fut prononcée[1]. Les mouvements intervenus depuis juillet 1981 ont été de moindre importance, mais ils ont permis de remplacer la quasi-totalité des préfets (soit par mutation, soit par promotion de sous-préfets, soit par appel à des personnalités extérieures).

Vue de l'extérieur, la « valse des préfets » s'apparente à une opération essentiellement interne au corps préfectoral. En gros, on retrouve les mêmes, mais à d'autres postes ; ceux qui n'avaient pas l'échine assez souple ayant quitté la carrière soit par congé spécial soit par position « hors cadre »[2]. Quelques nominations éminemment politiques doivent néanmoins retenir l'attention. C'est ainsi que le socialiste Gérard Cureau, candidat malheureux du parti socialiste à Nancy en 1977, a été nommé préfet du Territoire de Belfort. De même le conseiller général socialiste de Seine-et-Marne, Michel Lhuillier, sous-préfet d'origine, promu préfet de l'Essonne. Pour la première fois depuis 1958, un gouvernement a ainsi désigné pour être préfets deux personnes ouvertement engagées (l'une élue) dans un mouvement politique. Mais plus étonnante a été la nomination —

---

1. Elle a été nommée depuis à la tête de l'Union des assurances de Paris (UAP), le premier groupe d'assurances français, en même temps que Jean Boyer, de « sensibilité communiste » prenait la direction de La Séquanaise, et Maurice Montel, ancien député socialiste, celle de l'Urbaine-Vie...

2. Le caractère, sinon l'honnêteté intellectuelle des préfets qui ont choisi ce chemin courageux, mérite d'être souligné.

passée à peu près inaperçue — du premier préfet communiste en la personne de Maurice Siégel, administrateur au ministère des Finances, nommé préfet de la Meuse, lors du Conseil des ministres du 8 janvier 1982[1]. Le risque a-t-il été soigneusement calculé par le gouvernement ?

La conséquence de ces multiples mutations s'est traduite par un abaissement sensible de l'âge auquel on peut être nommé préfet (certains commissaires de la République désignés en 1982 sont sortis de l'ENA en 1966 voire en 1968), preuve éminente de la baisse de prestige du corps préfectoral, déserté, on l'aura remarqué, par ses éléments les plus brillants.

Sans exagérer, on peut donc dire que les préfets commissaires de la République deviendront peu à peu des hauts fonctionnaires comme les autres, à qui on apporte chaque soir des dizaines de parapheurs à signer, mais qu'ils auront perdu à la fois le prestige et le pouvoir que Napoléon leur avait confiés : celui qui permet à une personne nommée de passer avant une personne élue, privilège extrêmement rare dans les démocraties occidentales.

Le coup de Paris

François Mitterrand n'imaginait pas qu'il allait commettre sa première grande erreur en laissant figurer au communiqué du Conseil des ministres du 30 juin 1982 la phrase sibylline : « Les arrondissements de Paris seront érigés en vingt municipalités de plein exercice. »

Lorsqu'il s'en aperçut et décida promptement de faire machine arrière, il était trop tard. Personne ne s'était trompé sur le caractère éminemment politique de ce « coup de Paris » présenté comme une conquête de la démocratie alors qu'il s'agissait en réalité de punir Jacques Chirac coupable d'être trop combatif et d'incarner

1. Un sous-préfet communiste a également été nommé à l'automne 1982.

trop bien la pugnacité de l'opposition[1]. Le ministre de l'Intérieur s'est très clairement exprimé sur ce point dans une interview au *Matin de Paris* (19 juillet 1982).

La tempête déclenchée par ce que le gouvernement s'efforça de présenter aussitôt comme un ballon d'essai surprit au plus haut point l'Élysée. La reculade consista à ranger dans un tiroir le projet de découpage de Paris en vingt municipalités et à proposer un texte de loi visant à appliquer aux grandes villes les principes de la décentralisation. Autrement dit, le pouvoir avait mis là le doigt dans un engrenage dont il ne soupçonnait pas l'existence. Partis pour affaiblir le maire de Paris, les socialistes se voyaient eux-mêmes contraints d'appliquer à Marseille ce qu'ils destinaient à la seule capitale. Nul doute que si le président de la République avait su prévoir cette cascade d'« effets pervers » le 29 juin au soir, il n'aurait jamais accepté de lâcher, le lendemain, une grenade qui a bien failli lui exploser entre les doigts.

Car le coup de Paris est bien l'œuvre du président de la République et de lui seul. Qu'il l'ait préparé lui-même, ou qu'il ait « laissé passer » une mesure élaborée par un groupe de travail interne au PS (comme la presse de gauche a essayé de le faire croire), c'est lui qui en est totalement responsable. Ainsi le veulent les institutions de la Ve République. D'ailleurs, quand on y regarde de près, ni le Premier ministre et encore moins le ministre de l'Intérieur et de la Décentralisation n'avaient intérêt à déclencher une telle opération politique qui rallia au maire de Paris des sympathies très nombreuses.

L'opinion comprit d'autant plus mal le coup de Paris que François Mitterrand et Gaston Defferre s'étaient largement et publiquement engagés à ne pas remettre en cause l'unité du statut de la capitale. Par ailleurs, les implications financières et administratives de la partition

---

1. Le maire de Paris avait prononcé un réquisitoire très dur contre l'action gouvernementale lors du débat sur la motion de censure du 25 juin et au cours de l'émission politique d'Antenne 2 « Le Grand Débat ».

de Paris n'avaient manifestement pas été étudiées. Découper la ville en vingt communes autonomes aurait abouti à pénaliser lourdement les arrondissements les plus pauvres en taxe professionnelle et à avantager les secteurs les moins peuplés, ceux-là même où l'on trouve le plus grand nombre de sièges de sociétés. Les arrondissements votant le plus à gauche auraient été les premiers touchés par la réforme primitivement prévue. La hâte fébrile avait remplacé, pour la circonstance, la force tranquille.

Dans une des seules et besogneuses explications du gouvernement, Pierre Mauroy finit par suggérer l'idée d'une « communauté urbaine à l'envers » pour Paris, expression qui est en soi une monstruosité juridique et qui donna lieu à de nombreuses exégèses. Puis une « concertation » fut organisée entre le ministère de l'Intérieur, les experts de la Ville de Paris et ceux de Marseille, à la fin du mois de juillet. La première manche de l'affaire de Paris s'achevait. Elle avait bel et bien été perdue par ses instigateurs.

La seconde phase d'élaboration du statut de la municipalité parisienne témoigna de la même volonté, non avouée, d'affaiblir le maire mais également de l'incertitude persistante du gouvernement, en porte à faux entre ses objectifs politiques ou économiques et les difficultés de leur mise en œuvre. Préparée dans le secret et en l'absence complète de négociations avec les municipalités de Paris et de Lyon, la loi dite de « démocratisation des grandes villes » n'a donc vu le jour que quatre mois avant l'échéance électorale.

On ne pourra évaluer vraiment ses conséquences qu'après sa mise en vigueur. Il est toutefois d'ores et déjà évident que les conseils d'arrondissements prévus — qui doivent permettre à la gauche, dans le cas où elle se serait minoritaire au plan municipal, d'obtenir quelque pouvoir au niveau local — vont entraîner la constitution d'un échelon intermédiaire supplémentaire entre le contribuable parisien, lyonnais ou marseillais et son maire (le nombre des élus parisiens va passer de 109 à

513...). De plus, la mise en place de ces structures directement élues au suffrage universel et concurrentes des assemblées municipales de droit commun constitue en fait une atteinte à l'autonomie de gestion des collectivités locales consacrée par la Constitution de la Ve République (article 42). La contradiction apparaît donc ici flagrante entre les objectifs affichés — « décentraliser » — et la volonté réelle du gouvernement.

Le ministre de l'Intérieur, Gaston Defferre, a tout fait pour essayer de limiter au strict minimum les compétences de ces conseils d'arrondissements. On conçoit, en effet, qu'il ait quelque peu hésité à offrir à ses opposants politiques des pouvoirs réels dans certains arrondissements de Marseille. Aussi, la loi finale votée par le parlement est-elle en retrait par rapport au texte primitif. Il n'en demeure pas moins que le nouveau statut des trois grandes villes de France introduit dans leur gestion des germes de bureaucratie supplémentaire. Le texte prévoit enfin que dans certains cas de désaccord entre le conseil municipal et le conseil d'arrondissement, le gouvernement devra trancher par décret. C'est là un arbitrage pour le moins curieux dans une loi de « démocratisation » qui prétend participer de la décentralisation.

La France socialiste devait être une France décentralisée. Or, quelques mois après l'entrée en vigueur des premiers textes sur la décentralisation, force est de constater que la France socialiste sera un peu plus bureaucratisée. Cette « grande œuvre du septennat », annoncée à grands renforts de discours sur la liberté des collectivités locales, se sera donc progressivement transformée, tout simplement parce que le pouvoir local échappe peu à peu à la coalition au pouvoir, en une entreprise timide et frileuse, où, loin d'accroître la liberté des collectivités décentralisées, on aura mis en place les instruments de leur bureaucratisation.

On voit bien, certes, se dessiner l'esquisse d'une stratégie. L'État se révélant incapable de faire face à ses échéances financières (la France socialiste, c'est aussi la

France des déficits !), voilà qu'on incite les collectivités locales à se substituer à lui, mais sans leur en donner la possibilité matérielle. Comment ne pas souligner, en effet, la carence essentielle du dispositif de la décentralisation tel qu'il a été conçu et mis en place : accorder quelques compétences, certes, mais refuser les moyens financiers nécessaires ? En fait, tant qu'il n'y aura pas de réforme de la fiscalité locale, accompagnée d'un substantiel transfert des ressources de l'État, la décentralisation demeurera plus un vœu pieux qu'une réalité administrative et financière.

Les nationalisations ou l'utopie de l'économie dirigée

> « Il existe des règles économiques pour les capitalistes et des règles économiques pour les socialistes, qui sont en complet antagonisme. »
>
> Louis MERMAZ, *Europe 1*, 5 juillet 1981.

Rarement on aura davantage perçu le caractère quasiment schizoïde de la vie politique française qu'à travers les nationalisations. Voilà, en effet, une mesure qui a déchaîné toutes les passions possibles, avant le vote de la loi en décembre 1981 — et dont on ne parle presque plus depuis le début de l'année 1982.

Deux raisons expliquent ce phénomène.

Tout d'abord, et c'est heureux, le Français reste profondément légaliste. Il croit en la loi ; une fois celle-ci votée, il en prend acte et la respecte. Ceci témoigne à l'évidence d'un État de droit très avancé. Ce « consensus législatif » est un atout décisif pour le gouvernement.

La seconde raison paraît plus fondamentale. Alors que les nationalisations se situent essentiellement sur le terrain économique, l'opinion les apprécie surtout en fonction de critères politiques. Le fait qu'elles aient résulté d'une loi et non d'achats en Bourse par l'État ou directement aux propriétaires des entreprises, y est sans doute pour quelque chose. Mais c'est surtout parce qu'on les a présentées comme un acte politique que les nationalisa-

Des concessions aux communistes

... Chargé avec Pierre Bérégovoy de négocier la partie du Programme commun consacrée aux affaires sociales, j'ai pu constater que nos camarades communistes étaient de bonne composition. Nous le fûmes aussi, je crois. Nous nous sentions comptables devant l'Histoire et devant les Français.

... Il est clair qu'en signant le Programme commun, le parti communiste a reconnu le principe de l'alternance, qu'il a accepté le Marché commun et l'Europe, et qu'enfin il s'est résigné à un nombre réduit de nationalisations, alors qu'il en proposait deux pages, pas moins, au début des discussions !.

Mais il est manifeste que les socialistes ont fait aussi des concessions. Nous ne sommes pas des maniaques de la nationalisation. Pour nous, elle ne résout pas tout. Ce qui compte, pour le PS, c'est de mettre fin à l'exploitation de l'homme par l'homme. Il n'entend pas remplacer le capitalisme de la technostructure et des banques d'affaires par le capitalisme de la techno-bureaucratie et des petits chefs. Est-il libéré, le travailleur, simplement parce que son patron devient l'Etat, le « plus froid des monstres froids », comme dit Nietzsche ? Est-il libéré si, après la nationalisation, il est toujours un matricule qui n'a pas son mot à dire ? Evidemment non.

Ce n'est pas trahir un secret de dire que le parti socialiste a accepté, dans le Programme commun, davantage de nationalisations qu'il n'en aurait souhaité à l'époque. Les craintes tournaient toujours autour du risque bureaucratique. Elles furent vite apaisées : une lecture attentive de la charte de l'union au niveau des prinicpes et de leur appréciation. L'autogestion ou le contrôle démocratique des travailleurs sera un antidote à la nationalisation qui n'est pas synonnyme d'étatisation. »

Pierre MAUROY, *Héritiers de l'avenir,* nouvelle édition. Le Livre de poche, 1981 pp. 212-213.

tions ont été jugées comme telles par l'opinion publique. N'oublions pas, en effet, qu'elles figuraient en très bonne place dans la corbeille de mariage du PS et du PC, et que c'est précisément sur le nombre des entreprises à nationaliser que l'Union de la gauche se rompit en octobre 1977. La nationalisation de six grands groupes industriels et de la quasi-totalité du système bancaire constituait donc une condition essentielle de la victoire de François Mitterrand[1]. Faute de les avoir jugées sur le plan économique (Quel était l'état des groupes nationalisables ? Qui paierait l'indemnisation ? Que faire de ces groupes une fois nationalisés ? Quelle serait l'autonomie du secteur public par rapport à l'État ?), les Français se sont laissés aller, pour une bonne part d'entre eux, aux délices du colbertisme pimentées du sentiment obscur que c'était également une façon astucieuse de faire payer « les riches »...[2] Comme Pierre Mauroy le déclara au Sénat le 20 novembre 1982 : « La nationalisation est une des formes du génie français ».

Le raisonnement était d'une limpide simplicité. Nationaliser six grands groupes industriels, cela revenait à transférer à la nation des richesses considérables. Nationaliser les grandes banques, c'était assurer à la collectivité du crédit abondant et peu cher.

---

1. Voir le livre de Branko LAZITCH : *L'Échec permanent, l'alliance communiste socialiste,* Robert Laffont, 1978 ; et, en particulier, le sixième chapitre : « Le Programme commun : idée communiste, concession socialiste ».

Comme l'a souligné J.-F. Revel, « les nationalisations sont bien plus qu'un symbole ou une allégorie, contrairement à ce que l'on a parfois voulu faire croire. Tout au moins, si l'on veut déchiffrer l'allégorie, si l'on veut acquérir la notion exacte de la fonction véritable des nationalisations, il faut écouter ceux qui en ont la paternité et qui nous exposent avec franchise non seulement en quoi elles consistent, mais à quoi elles conduisent : à l'absorption du pouvoir économique par le pouvoir politique » (*La Grâce de l'État,* Grasset, 1981, p. 114).

2. Les nationalisations étaient populaires — tous les sondages le prouvent — et le demeuraient encore il y a un an. L'ampleur croissante des pertes devrait entraîner un changement dans l'opinion.

Au départ, le rêve absurde du « meccano-industriel ». À en croire Jacques Attali et Alain Boublil, conseillers du Président, on allait restructurer les pôles industriels, ôter aux uns telle filière pour la donner à un autre, spécialiser les firmes, restructurer leurs états-majors. Dans le domaine bancaire, les experts du PS préconisaient, dès 1970, la création d'une banque nationale de l'investissement, sur le modèle de ce qui se pratique dans les pays du socialisme « réel ».

Ces chimères extrêmement dangereuses par leur totalitarisme n'ont pas (encore) vu le jour. En revanche le secteur nouvellement nationalisé a souffert très vite de deux maux très graves, non prévus dans le programme commun.

En premier lieu la nationalisation elle-même provoqua un attentisme — pour ne pas dire une déstabilisation — dans les entreprises à nationaliser. Pour tous, actionnaires, cadres, dirigeants, il devenait urgent d'attendre. C'est ainsi que les programmes d'investissement ont été gelés dès l'été de 1981 et, faute de directives des pouvoirs publics, on laissa faire. Un an perdu, c'est énorme dans le monde industriel où nos partenaires se livrent à une concurrence acharnée. Car une chose était de nationaliser Renault en 1945, autre chose est de nationaliser Thomson-Brandt, firme qui lutte pied à pied contre de redoutables concurrents japonais et pour laquelle trois mois d'incertitude représentent des marchés irrémédiablement perdus. Cette perte de temps paraît d'autant plus grave que dans les mois qui suivirent la promulgation de la loi, on attendit en vain une déclaration gouvernementale précise en matière de politique industrielle. Le pourquoi des nationalisations se pose toujours avec la même acuité plus d'un an après leur traduction concrète, c'est-à-dire leur indemnisation par la collectivité tout entière.

En second lieu, et ceci concerne surtout les groupes industriels, les firmes nationalisées, à l'exception de la CGE, se sont trouvées confrontées, dès 1982, à des besoins de financement très importants. Dans leur naïveté anticapitaliste, les socialistes ne se sont pas aperçus qu'ils nationalisaient des passifs. Faute de pouvoir faire appel à de nouveaux actionnaires, le premier acte des administrateurs nommés par le pouvoir consista à demander de l'argent à l'État. Cruel paradoxe que cette situation où l'on croyait priver quelques capitalistes de leurs dividendes et qui contraignait les contribuables à éponger leurs dettes.

L'économie, c'est son habitude, se venge de la politique ; les précédents chapitres de ce livre le démontrent amplement, et avec une précision accablante. Mais en matière de nationalisation, la vraie question est ailleurs. Elle concerne les relations qui s'instaureront entre l'État et les entreprises publiques. Étatisation ou nationalisation ?

La démission fracassante de Jean Gandois en juillet 1982 de son poste de président de Rhône-Poulenc et son remplacement par un fonctionnaire ayant fait l'essentiel de sa carrière au sein de la délégation à la recherche scientifique et technique ne laisse guère présager une grande autonomie pour les entreprises nationalisées[1]. Leur mauvaise situation financière les place d'ailleurs tout naturellement dans la main du ministère des Finances. Celui-ci monnaye chèrement les aides de l'État. Tout comme le banquier fait la loi dans une entreprise en difficulté, l'État dictera la sienne à Rhône-Poulenc, à

1. Un naufrage de la chimie française, du même ordre que celui de la sidérurgie, se profile à l'horizon. C'est parce qu'il considérait qu'on ne lui donnait pas les moyens de sortir son groupe de l'ornière que Jean Gandois a donné sa démission. Il s'est longuement expliqué à ce sujet dans *Le Monde* (7 août 1982). On relève notamment dans cet entretien que c'est par la presse que Jean Gandois avait appris sa nomination à la tête de Rhône-Poulenc après la nationalisation du groupe, — ce qui en dit long sur les méthodes de gestion des pouvoirs publics socialistes. Quant à leur duplicité, un épisode suffit à l'illustrer : pendant que le patron de Rhône-Poulenc textile était séquestré, une délégation du piquet de grève qui le séquestrait était reçue officiellement par des représentants du ministère de l'Industrie... « Les nationalisations mettront fin à la bureaucratisation et à l'étatisation des entreprises » déclarait Jacques Attali, à *Europe 1*, le 15 janvier 1982...

Vers une nomenklatura à la française ?

« ... Notre nouvelle classe d'État est fort éloignée encore de pouvoir se cristalliser en *nomenklatura.* Car la nomenklatura soviétique suppose achevée la destruction socialiste de l'économie [...] et la politisation de *toutes* les responsabilités économiques, stade ultime de perfection que la France n'est bien évidemment pas encore près d'atteindre.

« Et pourtant, l'octroi des postes de commande au sein des futures sociétés nationalisées et des banques ou organismes de crédit permettra d'accomplir un grand pas dans cette direction. Malgré l'intention, sincère au début, qu'auront certains socialistes de n'attribuer ces places qu'à raison des compétences, il n'est pas sérieux d'imaginer que les principes moraux et le réalisme économique puissent prévaloir longtemps contre le déterminisme interne d'un système politique. Au nom de la morale supérieure qui enjoint de se prémunir contre la subversion capitaliste, il est inconcevable que le pouvoir socialiste nomme, sans prendre en considération *d'abord* leur loyauté, des commandants économiques, dont la plupart disposeront d'une puissance immense, bien supérieure à celle des trois quarts des ministres. Et comme, face à ce réseau des grands patrons d'État, se trouveront des administrateurs officiellement ou non désignés par le gouvernement, des syndicats grâce auxquels, de plus en plus, les "pouvoirs des salariés" dans l'entreprise se confondront avec ceux de leurs représentants, bureaucrates syndicaux réélus à vie, on est en droit d'estimer, sans optimisme effréné, que l'armature d'une nomenklatura occidentale pourrait s'échafauder en France. »

J.-F. REVEL, *La Grâce de l'État,* Grasset, 1981

Saint-Gobain, à Thomson-Brandt et à Pechiney (mais en fonction de critères qui, bien entendu, ne seront pas nécessairement économiques ou financiers...). La logique de l'économie dirigée est inscrite dans le processus nationalisateur. Ce qui paraissait incongru, c'était plutôt le communiqué du Conseil des ministres indiquant que le secteur industriel disposerait d'une autonomie complète. Car, dans ce cas, pourquoi l'avoir nationalisé ?

Mais les risques les plus grands que court notre économie proviennent, sans nul doute, de la nationalisation du crédit. Outre les dangers proprement politiques qu'elle présente — attention, par exemple, aux organes de presse mal pensants que la part de la publicité dans leurs ressources rend déjà très vulnérables, voire, qui sait, aux maisons d'édition, souvent fragiles et dont les programmes pourraient donc s'alléger de titres inutilement polémiques... —, cette mainmise presque complète de l'État sur le système financier permet en effet au gouvernement de contraindre les banquiers à prêter de l'argent sur des critères autres qu'économiques : pour éviter des licenciements, par exemple, ou pour maintenir artificiellement en vie des entreprises condamnées mais électoralement rentables. Pour gagner du temps, tout en affaiblissant un peu plus l'économie française. Car Colbert socialiste sait retarder la pendule du déclin, mais il est incapable de créer des emplois, de restaurer la confiance indispensable à la relance de l'investissement. La croissance, c'est bien dommage mais c'est ainsi, ne se décrète pas.

Vers la fin du pluralisme culturel ?

« Le septennat commença culturellement. C'est une affaire désormais classée monument historique. Plus tard, on visitera dans les livres d'histoire. Tout fut fait — avec quel bonheur — pour que cette histoire justement s'actualise avec les acteurs mêmes de l'instant qui passait et s'inscrivait sous nos yeux. Nous écrivions avec nos pas, nos bousculades et nos larmes à l'œil, une page des livres du futur ; rien n'était laissé au hasard, nous ne pouvions pas l'ignorer.

« ... Nul ne pouvait échapper à la sensation physique du symbole en marche, en chair et en os. Ce président devant nous, que déjà nous ne pouvions plus apercevoir, incarnait notre passé à tous, et maintenant, notre présent. Les symboles envahissaient un espace qui retrouvait soudain sa vocation de scène : le Panthéon, la place, les bâtiments, les colonnes, comme un décor de film. Tout devenait patrimoine : les drapeaux aux mains des enfants, la *Neuvième* et le chanteur espagnol Placido Domingo, les caméras de Moati, la rose du Président, les invités de tous pays, la pluie même. Ce que j'admire le plus c'est que, dans cette parfaite mise en scène, l'imprévu même avait sa place. Le grand cortège des intellos et des forains qui trottaient gaillardement derrière le président marchait dans la confusion des vraies liesses. Et le service d'ordre fut débordé ; nous connaissions bien cette chanson, elle faisait partie de notre histoire. Les cordons de police qui cèdent, c'était l'ordre de notre culture à nous, un ordre troué de désordre.

... Une autre culture passait sur le devant de la scène ; les flics étaient nos flics ; ce qu'on a appelé "le peuple de gauche", comme s'il n'existait de peuple qu'à gauche, c'était bien plutôt la culture de la gauche. Elle était là tout entière[1]. »

Les militants culturels au pouvoir

La majorité politique ayant, enfin, rejoint la culture — « la nouvelle culture, celle de la gauche[2] » — le parti socialiste s'est donc arrogé dans ce domaine la quasi-totalité des places et des sinécures. La vague rose s'est traduite par un raz de marée — une véritable ruée sur le moindre poste de conseiller culturel, d'ambassade ou d'animateur culturel officiel. Les services ministériels ont été submergés d'innombrables demandes parvenant d'enseignants désireux de ne plus enseigner ou de théoriciens brûlant de mettre leurs idées en pratique pour participer à la nouvelle ère de créativité dont la « panthéonade » du 21 mai 1981 a frappé les trois coups.

---

1. Catherine CLÉMENT, *Rêver chacun pour l'autre,* Fayard, 1982, pp. 21-22.

Voir le compte rendu de ce livre par Marc Fumaroli dans le n° 19 de *Commentaire* : « Au royaume d'Ubu, Catherine Clément régente la culture ».

2. Catherine CLÉMENT, *op. cit.*, p. 15.

Contrairement à la situation antérieure où l'on savait souvent gré à des personnalités de gauche de ne pas dissimuler leurs opinions, en leur confiant des missions importantes, le conformisme idéologique est désormais requis pour accéder au moindre emploi culturel. Si l'on excepte quelques directions (musées, archives, patrimoine et affaires générales), tous les responsables du ministère ont changé. Robert Abirached est devenu directeur du Théâtre ; Jean Gattegno, syndicaliste de la CFDT, directeur du Livre ; Maurice Fleuret, chroniqueur au *Nouvel Observateur* et responsable du festival de Lille, directeur de la Musique ; Dominique Wallon (PSU), directeur du Développement culturel ; Claude Mollard délégué à la création artistique. En même temps, Paul Blanquart passait de l'écologie à la direction du Centre de création industrielle de Beaubourg ; Paul Puaux montait du festival d'Avignon à la présidence du conseil d'administration de l'Opéra de Paris et Alain Gourdon (alias Julien Cheverny), membre du comité des experts du parti socialiste, entrait comme administrateur général à la Bibliothèque nationale. Le conseiller d'État Max Querrien succédait à son collègue Michel Massenet à la Caisse des Monuments historiques dont Françoise Sabatier, amie personnelle du ministre, devenait la directrice en remplacement de Jean-Pierre Bady. Autre remplacement, brutal on l'a vu, et qui ne passa pas inaperçu (même *Le Monde*, discrètement, s'en émut) : celui de Jean Musy par François Wehrlin à la tête de l'école des Beaux-Arts.

La nomination des conseillers culturels à l'étranger donna lieu à de sourdes querelles tant on se pressait pour ces postes à la fois prestigieux et bien rémunérés. On ne pouvait y prétendre sans être membre ou proche du parti socialiste, avoir la faveur de Jack Lang (ou de son épouse, très influente rue de Valois), et recevoir l'appui, essentiel, de Régis Debray. Journalistes et écrivains étaient nombreux à postuler. Citons, parmi les heureux élus : Jean-Marie Drot, nommé à Athènes, Jean-Claude Barreau à Alger, Conrad Detrez au Nicaragua (cher à

Jack Lang et à Régis Debray), Alain Jouffroy au Japon[1]. Mais, dira-t-on, si tant de militants culturels aussi talentueux gagnent des rivages lointains, que restera-t-il pour animer la capitale ? La Cour : celle, fort bariolée, de Jack Lang, en qui Catherine Clément voit un nouveau ministre de Louis XIV[2] ; celle, également composite, du Président, le cercle de ses amis où Roger Hanin côtoie Paul Guimard, Paul Clayeux, Claude Manceron (le futur historiographe du règne, peut-être, à moins que ce ne soit Georgette Elgey...), et à titre d'oracles, quelques journalistes du *Matin* et du *Nouvel Observateur*... Pour la plupart festivaliers et habitués aux premières, ces militants culturels de haut niveau disposent rarement de programmes précis. En revanche on pousse ses amis. Tel directeur littéraire du Seuil obtient une émission de télévision ; tel autre se voit chargé de la rédaction d'un opuscule sur la France (« Forces et faiblesses »), destiné à servir de livre de chevet aux participants de ce fameux sommet de Versailles dont on parla tant en juin 1982 et déjà si loin dans nos mémoires... On suit religieusement les pèlerinages du chef de l'État ; on signale à son attention tel livre ou telle exposition qui sera, par la grâce élyséenne, sorti du marasme ambiant...

Cette vague de changements dont on s'est borné à citer les plus importants est, en réalité, descendue très loin dans la vie nationale et locale. Avec l'arrivée du parti socialiste, les militants culturels ont pris le pouvoir, forts d'une légitimité qu'ils considèrent comme intangible, persuadés de détenir à eux seuls le monopole de la

---

1. Signalons qu'en revanche, Michel Foucault a refusé la proposition qui lui était faite d'aller à New York.

2. Comme Catherine Clément voit également des ailes à la Vénus de Milo, mais pas de tête (*Rêver chacun pour l'autre*, pp. 237-238) tous les espoirs sont permis.

Sur Jack Lang et son entourage voir le livre savoureux de Patrice de PLUNKETT, *La Culture en veston rose*, La Table Ronde, 1982.

culture ; ils ont peu à peu colonisé les rares institutions qui ne leur appartenaient pas encore.

« ... Nous n'avions pas eu les grandes institutions de l'État, les palais n'étaient pas pour nous. Mais nous nous étions cultivés.

« ... Nous les rêveurs. Nous les militants... Nous qui avons tant projeté, si fort projeté que les traces de nos interminables projets nous faisaient mal aux yeux. Nous qui nous sommes battus, par nos moyens, avec des pavés, ou des textes, contre la culture d'en face, aujourd'hui nous sommes à pied d'œuvre[1]. »

Comme le disait avec plus de franchise et de saveur — la franchise et la saveur de la vraie « culture de gauche » — la femme d'un député républicain en 1848 : « C'est nous, maintenant, qui sont les princesses ! »

« Du fait original à l'autre fait ultime »

> « Petit à petit, le tissu culturel du pays s'irriguera d'un sang neuf, et là où la caillaisse et la broussaille avaient stérilisé les terres cultivées, la sève de la vie circulera à nouveau ».
>
> Jack LANG, Assemblée Nationale, 17 novembre 1981.

Faute d'un projet culturel précis — on attend toujours, en 1983, l'esquisse d'un grand dessein maintes fois annoncé — c'est aux déclarations fracassantes de Jack

1. Catherine Clément — qui est la sœur de Jérôme Clément, conseiller technique pour la culture à Matignon — a été nommée à la tête des échanges culturels au Quai d'Orsay — une nomination qui a provoqué quelques remous.

L'arrivée du « gaulliste de gauche » Jacques Thibau aux relations culturelles avait déjà été assez mal acceptée ; elle n'a d'ailleurs pas peu contribué à rendre le climat de cette direction exécrable, au point que la plupart de ses responsables l'ont quittée, remplacés par des syndicalistes.

Lang (tous les six mois environ) qu'il faut se référer pour tenter d'apprécier la politique culturelle socialiste.

Celle-ci combine le colbertisme et le nationalisme.

Depuis toujours l'État est intervenu dans la culture. Mais cette intervention a beaucoup évolué, l'État gérant de plus en plus les moyens de la culture et de moins en moins le contenu. Sous l'Ancien Régime, l'institution du dépôt légal visait au contrôle idéologique et le roi était aussi — quand il s'en révélait capable — l'arbitre du goût. De nos jours, à l'exception des États totalitaires, la puissance publique n'est plus l'arbitre de rien, pour la bonne raison qu'il n'y a plus rien à arbitrer, et l'internationalisation de la création culturelle — caractéristique essentielle du XXe siècle — constitue une dissuasion des plus sérieuses pour ceux qui voudraient réhabiliter une esthétique nationale dont le prolongement logique serait un art officiel[1].

Le colbertisme culturel repose sur deux caractéristiques :

— Un mode d'intervention de la puissance publique banalisé, l'État intervenant dans la culture comme il le fait dans la santé ou dans l'enseignement. D'où la constitution d'une administration culturelle, le recrutement de fonctionnaires — culturels —, le financement de fonds

1. Rappelons que c'est là une évolution « bourgeoise » que Marx et Engels avaient prévue et saluée avec enthousiasme, dès 1848 : « Par l'exploitation du marché mondial, la bourgeoisie donne un caractère cosmopolite à la production et à la consommation de tous les pays, écrivaient-ils dans *Le Manifeste communiste.* Au grand regret des réactionnaires, elle a enlevé à l'industrie sa base nationale. Les vieilles industries nationales ont été détruites et le sont encore chaque jour... À la place de l'isolement d'autrefois des régions et des nations se suffisant à elles-mêmes, se développent des relations universelles, une interdépendance universelle des nations. Et il en va des productions de l'esprit comme de la production matérielle. Les œuvres intellectuelles d'une nation deviennent la propriété commune de toutes. L'étroitesse et l'exclusivisme nationaux deviennent de jour en jour impossibles ; et de la multiplicité des littératures nationales et locales naît une littérature universelle » (*op. cit.*,Éditions sociales, pp. 35-36).

— culturels — et la croyance qu'il existe une corrélation étroite entre le budget culturel de l'État et les « pratiques culturelles » des Français.
— Une méfiance parfois pathologique à l'égard des initiatives privées et, plus fondamentalement, de la notion de profit appliquée au domaine culturel. D'où des dogmes comme l'incompatibilité entre la culture et la rentabilité, ou encore le pouvoir destructeur de l'argent sur la création, qui sont devenus des leitmotive du pouvoir socialiste.

Le colbertisme culturel n'a certes pas que des inconvénients — il permet notamment la réalisation de grands équipements comme le Centre Beaubourg, et demain le musée d'Orsay et l'opéra de la Bastille. Mais son revers, c'est qu'il suppose une croissance soutenue et continue du budget du ministère de la Culture ; qu'il habitue à la subvention les individus les plus dynamiques ; enfin et surtout qu'il ne répond pas toujours, tant s'en faut, aux attentes réelles des intéressés.

En 1982 le budget de la Culture (6 milliards de francs) a pratiquement doublé. En 1983 son augmentation est beaucoup plus modérée. N'eût-il pas mieux valu programmer une croissance moins forte mais pluri-annuelle, plutôt qu'un doublement qui risque de n'être que passager ? Pourquoi ne pas prendre exemple non plus sur nos voisins britanniques et allemands qui ont su mettre en place des fondations drainant d'autres ressources que les seuls fonds publics et associant la collectivité à la conservation du patrimoine, à la protection de l'environnement ou au développement des cultures locales ?

L'écueil auquel risque de se heurter notre structure étatique hypertrophiée, c'est sa propre existence. Un jour pourrait venir où le budget culturel de l'État suffirait à peine à faire tourner l'administration culturelle. Ce jour-là, une technoculture inutile stériliserait peu à peu le champ de la culture.

En assumant l'héritage colbertiste, les socialistes lui ont injecté une forte dose de nationalisme — un natio-

... Un vaste bloc latin...

« Comme nous sommes faits pour nous entendre ! Ne parlons pas de sang latin, la race est quelque chose de bien vague ; il y a eu tant de mélanges en cours des siècles. Mais la civilisation, la culture, quel patrimoine commun admirable !

« Avec un Français, nous sommes immédiatement en confiance, sur un plan identique. Nous voyons en lui un frère, quelqu'un de chez nous. Avec un Anglais, nous devons déjà faire un effort pour le comprendre et pour être compris de lui ; avec un Allemand la différence s'accentue encore et c'est un abîme qui nous sépare d'un Russe.

« Voilà pourquoi, notre ménage France et Italie pourra par moments baigner dans une atmosphère orageuse, connaître des heures de bourrasque, jamais nous n'irons jusqu'à la brouille, parce que nous sommes des frères qui se disputent parfois, mais qui s'aiment bien malgré tout.

« Certes nous avons le droit de souhaiter qu'en France on fasse un sérieux effort pour nous mieux connaître. À lire une certaine presse de chez vous, il semble qu'à chaque instant l'Italie soit sur le point de sombrer, victime du plus effroyable cataclysme.

« Reconnaître loyalement ce qui est ne peut que faciliter la solution des questions pendantes entre nous et permettra de travailler à la constitution d'un vaste bloc latin.

« Non seulement les nations ibériques, mais les républiques de l'Amérique latine, ont les regards tournés vers Rome et vers Paris. Fédérer ces forces multiples et ces peuples qu'anime une même foi, pour qui la même civilisation est un héritage commun, c'est assurer le sort du monde et se prémunir contre la menace de la barbarie.

« Ce que je vous dis là, je le répète à tous les Français qui viennent me voir. Tout ce qui sera tenté dans le sens d'une plus étroite entente entre nous, entre les nations latines en général, mérite d'être encouragé et loué. Nous y arriverons, c'est la nature même des choses qui l'exige. »

Benito Mussolini, interview à la *Dépêche* de Tunisie en 1927, cité par Charles Maurras dans *Promenade italienne*, Flammarion, 1929, pp. 63-65.

nalisme à composantes anti-américaine et tiers-mondiste. En témoignent notamment les déclarations de Jack Lang contre le cinéma américain, et surtout son intervention à la conférence de l'UNESCO à Mexico en juillet 1982 : encore ébloui par l'« accueil exceptionnel » que Fidel Castro venait de lui réserver — et auquel il avait avoué la « sympathie naturelle » qui le portait vers son régime — il saluait en Cuba « un pays courageux, qui construit une nouvelle société. Son socialisme n'est pas le nôtre, mais nous le respectons ». Puis, sans avoir eu, bien entendu, un mot pour la situation des pays d'Europe de l'Est, c'est « à une véritable résistance culturelle, à une véritable croisade contre... l'impérialisme financier et culturel » des États-Unis qu'appelait ensuite le ministre socialiste, avant de préciser que la proposition d'organiser à Paris des états généraux de la culture du monde en 1984 serait « aussi présentée par le gouvernement de Cuba »...

Curieusement, c'est vers un rêve d'inspiration mussolinienne que reviennent sans cesse les socialistes : celui d'une grande Latinité s'étendant à l'Amérique du Sud et regroupant les « nations prolétaires » en lutte contre la « ploutocratie anglo-saxonne » (ce sont les expressions mêmes du Duce). À Venise, à Béziers, en Grèce, Jack Lang ne cesse d'exalter la culture méditerranéenne dont la France, grâce au socialisme, devient de nouveau un foyer rayonnant. Au cours de soirées étoilées, en compagnie de Mélina Mercouri, en charge de la culture hellénique depuis l'arrivée des socialistes au pouvoir en Grèce, on refait le monde sur un air de sirtaki en buvant du rosé. On feint de ne pas entendre les suggestions grecques de rendre à Athènes *La Victoire de Samothrace* et les frises du Parthénon mais on projette d'organiser de grandioses manifestations sur ce Sud dont les socialistes veulent faire de la France le champion[1].

---

1. « L'identification de la France à un pays « latin » c'est-à-dire à une société quelque peu brouillonne et improvisatrice est un phénomène récent, produit du traumatisme historique de 1940 a remarqué Emmanuel Todd. Gaullistes et intellectuels de gauche ont effectué un

Pour l'instant les réalisations n'ont pas encore dépassé le stade du discours, en dehors du projet de Biennale Nord-Sud qu'organisera en 1984 le centre Georges Pompidou. Qu'y trouvera-t-on ? Sera-ce une grande exposition historique évoquant Picasso et l'art nègre, Paul Klee et l'Égypte, ou bien une grande foire noyée dans un tiers-mondisme de pacotille, une sorte d'expo coloniale à rebours ?

La complaisance dans le discours culturel est à son comble dans les nombreux rapports qu'à peine arrivé rue de Valois, le ministre, obéissant à un vieux réflexe bureaucratique, s'est empressé de commander à des intellectuels proches du parti socialiste et du parti communiste : Rapport Pingaud sur le livre, Rapport Troche sur les arts plastiques, Rapport Sevran sur la chanson, Rapport Giordan sur les cultures locales, etc. Mais la palme revient sans aucun doute au rapport présentant le programme d'aménagement du parc de la Villette :

« Entre nature et ville, le jardin est un entremonde qui parle de Dieu et des hommes, du pouvoir et de la société [...]. Un grand mouvement de recentrage s'amorce. À une mentalité de conquête et d'autonomie succède peu à peu une recherche de considération, d'altérité et d'hétéronomie [...]. On pourra retenir un salon de verdure pour y pique-niquer [...]. De la diététique à la gastronomie des cultures immigrées ou à la cuisine bourgeoise, on rencontrera une graduation d'espaces et de suggestions mais on évitera, malgré la proximité du boulevard Macdonald, les affres du *fast-food*, pour leur préférer les manières françaises et méditerranéennes du repas sur le pouce. »

---

intéressant transfert nationaliste sur le tiers monde, l'Italie et l'Espagne où il est plus facile de briller à peu de frais que dans l'Europe du Nord, culturellement plus blasée. La politique arabe du général de Gaulle et les fixations tiers-mondistes des groupuscules ont une source commune, le refus de se penser en concurrence avec l'Allemagne et les Anglo-Saxons. La politique méditerranéenne de Pompidou et la diffusion des éditions Maspero dans un pays comme l'Algérie ont convergé dans un même effort du chauvinisme culturel français pour continuer d'exister. » (Emmanuel TODD, *Le Fou et le Prolétaire*, Robert Laffont, 1979 ; nouvelle édition revue et augmentée « Pluriel »).

Enfin, dans une zone du parc « on pourrait trouver une suite de jardins qui déclinerait la relation nature/culture et mènerait imperceptiblement du fait original à l'autre fait ultime ».

L'éducation socialiste

Lorsque, peu après les élections législatives de juin 1981, la presse publia des statistiques sur les origines socio-professionnelles des députés socialistes, ce fut sans grande surprise qu'on constata qu'instituteurs et professeurs (souvent « barbus »), formaient une part très importante des effectifs. Être enseignant et de gauche, cela va de soi, comme l'a dit un jour André Henry (l'ancien secrétaire général de la FEN promu à l'administration du Temps libre)[1].

Rien d'étonnant donc si la « valse des têtes » a pris une ampleur particulière à l'Éducation nationale — d'autant que la politique salariale du gouvernement étant de moins en moins appréciée des fonctionnaires, on tente, là comme ailleurs, de compenser l'insatisfaction économique par un accroissement du pouvoir des syndicats et des militants politiques.

Dès le 7 juillet 1981, la CFDT dénonçait les coups de freins donnés à l'application de la nouvelle politique « par l'inertie de la haute administration et par la mauvaise volonté évidente d'une autre partie » :

« Ceux qui ont accepté sans rien dire, pendant des années, que Mme Saunier-Seité fasse nommer par le gouvernement

1. S'appuyant sur les résultats d'une enquête par sondage effectuée dans le fichier des adhérents (Patrick Hardouin, « Les caractéristiques sociologiques du parti socialiste », *Revue française de science politique,* avril 1978), Pierre Mauroy soulignait au début de 1981 : « ... une caractéristique essentielle, écrasante, du parti socialiste, est l'extraordinaire sur-représentation des enseignants : 3 % de la population active française, mais 13 % des adhérents du parti ! Toutefois — c'est un changement par rapport à la SFIO — le parti d'instituteurs est devenu plutôt un parti de professeurs ». (*Héritiers de l'avenir*, nouvelle édition, Le Livre de Poche, 1981, p. 250).

des recteurs sur critères idéologiques et politiques, ne devraient pas s'étonner que nous demandions aujourd'hui avec sérénité et solennité leur départ. »

Le 30 juillet suivant un mouvement touchait près de la moitié des recteurs d'académie ; et faisant allusion à deux ou trois recteurs d'obédience ouvertement giscardienne, Alain Savary déclarait non moins solennellement : « Un recteur dans l'exercice de ses fonctions ne doit pas faire de politique. Il applique la politique du gouvernement. »

Quelques courageuses démissions avaient devancé cet énergique rappel à la neutralité du service public dont ont profité plusieurs militants du parti socialiste et du parti communiste : René Couanau, de la direction des écoles ; Gilbert Léoutre du Centre national de documentation pédagogique ; Jacques Béguin, de la direction des Enseignements supérieurs ; Jean-François Denisse de la Mission de la recherche.

Après les recteurs, ce fut le tour des inspecteurs d'académie. Le 20 avril 1982 un mouvement touchait une cinquantaine d'entre eux, destiné, selon le cabinet du ministre, à « gérer les moyens dans un esprit différent ».

Mais c'est l'administration centrale qui a connu l'« épuration » la plus profonde, avec le remplacement de tous les directeurs, à l'exception de Marcel Pinet (direction des Affaires générales), et la constitution d'un nouvel organigramme, prenant en compte l'absorption de l'ancien ministère des Universités.

Quant aux changements de personnel « sur le terrain », il est encore trop tôt pour en juger. Dans l'enseignement supérieur, la mise en place, après plus d'un an d'attente, des organes de recrutement des professeurs, a eu jusqu'à présent pour principal effet de provoquer, en novembre 1982, la première grève de l'Université socialiste[1]. Dans l'enseignement primaire et secondaire,

1. Une autre, de trois jours, a suivi fin janvier 1983.

toute la politique gouvernementale est commandée par la lutte implacable que se livrent le Syndicat national des instituteurs (d'obédience communiste) et le Syndicat national de l'enseignement secondaire (d'obédience socialiste). Elle n'a, en tout cas, pas empêché la rentrée scolaire de 1982 de se dérouler dans des conditions souvent difficiles, parfois même désastreuses — en dépit de la baisse à peu près générale des effectifs et de « recrutements exceptionnels d'instituteurs employés avant d'avoir été formés[1]. »

Cette rentrée, qui s'est « accompagnée de bien des désillusions[2] », a fait de nouveau la preuve — mais, cette fois, sous un gouvernement de gauche — de l'inefficacité grandissante de cet énorme *lobby* syndicalo-politique que constitue aujourd'hui l'Éducation nationale. Il suffisait d'ailleurs pour achever de s'en convaincre de consulter, au même moment, quelques-uns des innombrables rapports qu'Alain Savary avait commandés à des spécialistes de l'enseignement sur les réformes à apporter au fonctionnement de l'école. Le ministre espérait ainsi noyer les critiques de ceux qui lui reprochaient son inaction sous un flot de propositions théoriques et de divagations utopiques. Mais certains de ces spécialistes, pourtant bien choisis, ayant pris leur tâche plus à cœur qu'on ne s'y attendait, leurs conclusions provoquèrent des réactions parfois violentes de la part des syndicats. Car utopiques, fantaisistes ou réalistes, c'est d'abord aux enseignants que ces rapports imputent la responsabilité de la dégradation du système éducatif[3]. On comprend que, dans ces conditions, le ministre ait cherché à

1. *Le Monde* du 9 septembre 1982, p. 11.

2. Jean-Marc Schleret, président de la Fédération des parents d'élèves de l'enseignement public, cité par *Le Quotidien de Paris* du 9 septembre 1982.

3. Voir, notamment, les rapports de Luc Soubré, Louis Legrand, André de Peretti et surtout celui de Laurent Schwartz, commandé, lui, par le Premier ministre dans le cadre de la commission du bilan, et que le SNI a qualifié de « règlement de comptes », d'« agression spécifique » et d'« imposture »... On ne se méfie jamais assez de ses amis.

détourner l'agressivité des syndicats sur le front de la laïcité, en relançant le projet de nationalisation de l'enseignement privé.

Les péripéties qui ont, depuis juin 1981, marqué l'élaboration de cette réforme, sont tout à fait typiques de la démarche à la fois obstinée et titubante du gouvernement socialiste.

Pendant sa campagne électorale, François Mitterrand avait annoncé la création d'un « grand service public, unifié et laïque de l'Éducation nationale » — mais fort prudemment, et avec toute l'ambiguïté et les battements de cils qui ont, jusqu'à présent, fait son succès ; sans prendre du tout à son compte les projets de nationalisation inscrits dans le Programme commun de 1973 et le rapport Mexandeau de 1976. À peine la gauche victorieuse, le gouvernement annonçait, à la surprise de bon nombre d'électeurs, que le « grand service public unifié et laïque » — intégrant l'enseignement privé — serait constitué avant la fin de la présente législature. Des négociations allaient s'ouvrir... qu'il apparut rapidement nécessaire de faire précéder de « discussions exploratoires »... à partir desquelles le ministre de l'Éducation nationale présenta des propositions... au gouvernement. Une fois que celui-ci eut enfin arrêté sa position, le ministre rendit publiques — le 20 décembre 1982 — ses « propositions pour l'ouverture de négociations » à la mi-janvier. Le Comité national de l'enseignement catholique les ayant refusées, Alain Savary annonça que les négociations ne pourraient donc commencer, « dans le climat de commune sérénité qu'elles requièrent »... qu'au lendemain des élections municipales...

Dans ce domaine comme dans tant d'autres (la baisse du taux d'intérêt des livrets de caisse d'épargne, par exemple), la conduite des affaires publiques s'apparente à un pilotage à vue entre objectifs idéologiques, souci de ménager des clientèles et considérations électorales. De la dérive inquiétante de l'Éducation nationale tout peut donc sortir : une nouvelle guerre scolaire tout à fait anachronique et qui aurait sans doute les conséquences politiques et sociales les plus graves ; une gigantesque faillite de notre système éducatif paralysé par le corporatisme à l'heure même où les besoins de formation des jeunes connaissent une profonde mutation[1].

Le contrôle de la recherche

> « Si la droite peut se passer de la connaissance, la gauche ne le peut pas ; la liberté et la science sont sœurs ».
> J.-P. Chevènement, *Le Monde,* 8 septembre 1981.

Particulièrement significative de la tentative de mainmise socialiste sur le monde des idées, a été ce qu'on a appelé « l'affaire du CNRS » qui éclata à l'automne de 1981. Le CNRS, rappelons-le, est le centre d'État par où transite l'essentiel de notre recherche fondamentale ; presque toute la recherche en sciences humaines relève de cet organisme cogéré par les chercheurs et le gouvernement. Or, le secteur des sciences sociales avait été confié, par le gouvernement précédent, à Christian Morrisson, économiste libéral proche de l'ancien président de la République. À plusieurs reprises Jean-Pierre Chevènement avait exprimé sa volonté de voir l'intéressé déchargé de ses fonctions. L'enjeu, expressément reconnu par les socialistes : obtenir une garantie de conformité idéologique dans le secteur des sciences sociales en proposant, notamment, la nomination à ce poste de l'an-

---

1. Comme l'a fait justement remarqué Louis-René Deschamps, dans le n° 19 de la revue *Commentaire* : « Le rôle de garde-fou de l'enseignement public que joue le secteur privé est, non moins que la défense du caractère propre de ce dernier, un enjeu politique et social de première grandeur : s'il était remis en cause, disparaîtrait avec lui le recours le plus efficace contre les déviations bureaucratiques et corporatistes de l'Éducation nationale. Ce ne serait pas le moindre paradoxe du gouvernement de la gauche que d'aboutir à l'intégration autoritaire, dans un service public au centralisme intact, du seul ensemble authentiquement décentralisé et fondé sur l'association que compte le système social français. »

thropologue marxisant, Maurice Godelier[1]. L'initiative du ministre de la Recherche eut pour effet de provoquer — était-ce attendu ? — la démission du directeur général du CNRS Jacques Ducuing, physicien réputé, mais également d'une partie du conseil d'administration[2]. Recevant les directeurs scientifiques du CNRS, le ministre de la Recherche n'avait pas fait mystère de ses intentions, en déclarant qu'il y avait une certaine hypocrisie à s'abriter derrière l'indépendance de la « science », incarnée par M. Morrisson, pour s'opposer à la volonté démocratique du peuple français. Les choses étaient claires : pour les socialistes, l'indépendance de la science n'est qu'un leurre.

Cette crise permit au gouvernement de procéder aux changements d'hommes à la tête du CNRS. Nommé à la place de Jacques Ducuing, Jean-Jacques Payant[3] universitaire grenoblois, proche du parti socialiste, accéda à la volonté du ministre de voir le secteur des sciences sociales étroitement contrôlé par un homme de confiance : Armand Frémont, géographe à l'université de Caen et candidat sur la liste de gauche aux municipales de 1977 au côté de Louis Mexandeau, actuel ministre des PTT. Le conseil du CNRS fut également profondément renouvelé. Mais la nouveauté importante, ce fut la nomination, en tant qu'observateurs des travaux du conseil, de huit personnalités du monde syndical (trois représentants de la FEN, de la CGT et de la CFDT ainsi que cinq représentants du personnel du CNRS). Cette intru-

1. Ce n'est pas un hasard si les sciences sociales ont servi de détonateur. Dans la conception marxiste ou marxisante qui anime Jean-Pierre Chevènement et la plupart de ses — nombreux — collaborateurs, c'est dans les laboratoires de sciences sociales que doivent se concocter les préparations théoriques et doctrinales qui seront ensuite administrées au corps social en mal de changement...

2. Les professeurs Dagron et Thibault.

3. Jean-Jacques Payant a quitté ce poste en septembre 1982 pour être nommé directeur des Enseignements supérieurs. Il a été remplacé par Pierre Papon, physicien, membre du cabinet de Jean-Pierre Chevènement et de la commission recherche du PS.

sion du monde syndical au sein d'une instance scientifique de délibération pose évidemment le problème des rapports entre la politique et la recherche. La manière brutale et expéditive avec laquelle a été traitée l'affaire Morrisson illustre en tout cas très bien l'importance du contrôle idéologique que le gouvernement veut instaurer sur un secteur où les « gens de gauche » sont pourtant déjà légion. On ne saurait à cet égard citer un meilleur témoignage que celui d'Emmanuel Le Roy Ladurie :

« Jean-Pierre Chevènement a manifesté une volonté très nette de soumettre la recherche scientifique à l'autorité exécutive de son ministère, y compris (grâce à l'influence qu'il peut exercer par personne interposée) en ce qui concerne la nomination des directeurs de laboratoires, même quand ceux-ci dépendent de grandes institutions extérieures au CNRS comme l'École des hautes études. Le secrétaire d'État à la Recherche dans le gouvernement Barre, M. Pierre Aigrain, était un remarquable physicien. Tel n'est pas le cas du ministre actuel, homme politique, estimable au demeurant. Jamais Pierre Aigrain ne se serait permis d'exercer pareil contrôle à l'égard du personnel scientifique. [...] Jean-Pierre Chevènement impose une organisation qui semble échapper de plus en plus à l'initiative des savants ; une telle organisation reflète les exigences de la politique qui, dans ce cas, devient inévitablement politicienne. [...] Tout se passe aujourd'hui comme si les considérations de pouvoir importaient désormais autant que les données intellectuelles et scientifiques. Qui plus est, le syndicat des chercheurs, à direction communiste, prend de plus en plus d'importance au CNRS, au détriment des chercheurs purs et des professeurs qui ne se sentent pas une vocation d'apparatchik[1]. »

---

1. « La France bloquée par le stalinisme élargi ? », entretien avec Bernard Bonilauri, *Le Figaro* du 7 janvier 1983.

Si l'on ajoute que le directeur de l'INSERM, Philippe Laudat, a été remplacé par le polytechnicien Jean-Pierre Lazar (proche du ministre), et qu'à l'automne dernier, a été adopté un règlement (qui a provoqué un tollé dans le milieu de la recherche médicale), prévoyant le remplacement d'une grande partie des directeurs de recherche de cet Institut, au motif qu'ils étaient en place depuis longtemps, on constate que la mainmise du gouvernement s'étend à tous les centres stratégiques de la recherche fondamentale française.

Le PCF dans l'État

Fallait-il dans un livre sur la France socialiste, parler du rôle du parti communiste ? Celui-ci n'est-il pas en « déclin historique » ainsi qu'en témoignent toutes les consultations électorales récentes ? N'est-il pas l'alouette du pâté de cheval ?

Le poids d'un parti, et particulièrement d'un parti communiste, ne se mesure pas exclusivement à son implantation électorale. Même s'il devait devenir une force d'appoint du parti socialiste, le PCF demeurerait tel qu'en lui-même, structuré par le centralisme démocratique, disposant de la CGT, propriétaire d'organes d'information dont on aurait tort de négliger l'impact. Si l'électorat communiste décroît, rien ne laisse présager un affaiblissement décisif du parti lui-même.

D'ailleurs, en attendant de jouer éventuellement la force d'appoint, le PCF est le partenaire à part entière des socialistes, dans le duo qui a permis l'élection de François Mitterrand le 10 mai 1981. La présence de ministres communistes au gouvernement a eu le mérite de dissiper tout malentendu. Pris au piège (jusqu'à présent fort peu douloureux) de la solidarité gouvernementale les communistes ont en même temps accès au pouvoir — ce qui leur avait été interdit depuis 1947 et dont ils entendent profiter au maximum. Cette situation de dépendance mutuelle fait que les deux partenaires ont intérêt à demeurer alliés le plus longtemps possible. Impossible donc de décrire l'État socialiste sans évoquer à grands traits la pénétration croissante des communistes.

Les ministres communistes et leur entourage

Ils sont quatre, tous placés à des secteurs stratégiques.

Charles Fiterman aux Transports, ce qui lui confère

la tutelle de la RATP et de la SNCF ; Anicet Le Pors, à la tête de la Fonction publique, une responsabilité délicate en période de baisse du pouvoir d'achat, mais qui pèse lourd sur les rouages de l'État ; Jack Ralite à la Santé et Marcel Rigout à la Formation professionnelle, un portefeuille plus discret où l'on manie une énorme masse de crédits budgétaires que l'on peut confier à des associations de son choix.

Un homme a joué un rôle déterminant dans la constitution de l'équipe ministérielle communiste : le conseiller d'état Guy Braibant, l'un des meilleurs spécialistes européens du contentieux administratif ; c'était l'un des rares hauts fonctionnaires, avec Anicet Le Pors, à ne pas faire mystère de son appartenance au Parti. Il est d'ailleurs resté chargé de mission auprès de Charles Fiterman, mais son influence déborde largement le cadre du ministère des Transports.

Il serait d'ailleurs naïf de croire que les communistes se cantonnent aux « citadelles » que les socialistes leur ont concédées avec plus ou moins de bonne grâce. Les choses sont plus complexes : le PCF a, par exemple, réussi à imposer le communiste Claude Quin à la tête de la RATP[1] et celle de Georges Valbon à la présidence des Charbonnages, mais il n'a pu éviter la nomination d'André Chadeau (ex-chabaniste) à la tête de la SNCF.

---

1. « Ce qui fait vraiment plaisir au PC c'est qu'on lui attribue, à lui et à lui seul, telle ou telle place pour qu'il y installe qui bon lui semble. C'est ainsi qu'entre toutes les présidences disponibles de sociétés nationales, celle de la RATP lui a été adjugée : après quoi, c'est le bureau politique qui, sur proposition de l'un de ses membres, Charles Fiterman, par ailleurs ministre des Transports, a retenu le nom de Claude Quin. Pour que la chose soit bien claire, il a pris soin de choisir un vieux permanent de l'appareil du Parti que rien, mais vraiment rien, ne désignait pour diriger d'emblée une entreprise de près de 40 000 personnes : tout ce que Quin avait dirigé jusque-là, c'est une revue théorique d'économie marxiste — théorique, c'est bien le terme quand on observe l'état pratique des économies qui se réclament du marxisme. » (Annie KRIEGEL, « Trois mois de pouvoir socialiste : réalités, électoralisme et carriérisme », *Le Figaro,* 18 août 1981.)

Les socialistes, dans la mesure du possible, tentent toujours de « marquer » les communistes qu'ils nomment par des hommes de confiance. C'est ainsi que Pierre Mauroy a imposé la nomination de Michel May[1] à la direction générale de la Fonction publique qui dépend d'Anicet Le Pors, et celle de Jean de Kervasdoué à la direction des hôpitaux, pour contrebalancer l'influence du directeur de la Santé, l'universitaire communiste Jacques Roux. De même, et quoique des bruits aient couru longtemps à ce sujet, on a, jusqu'à présent, évité de placer un communiste à la tête d'une banque nationalisée[2]. Cette méfiance, qui est réelle, n'empêche pas le PCF de jouer un rôle déterminant dans les affaires gouvernementales[3].

Totalement monocolores, à l'exception de quelques alibis qualifiés « gaullistes de gauche », les cabinets communistes comprennent des conseillers officiels et officieux, comme c'est le cas pour les ministres ordinaires, mais également des conseillers « en chambre » travaillant chez eux sur des dossiers ponctuels à la demande des ministres. De nombreux permanents du Parti figurent parmi ces équipes : Jean-Paul Jouary, ancien chef des services culturels de *L'Humanité*, et Antoine Porcu, ex-député de Longwy, auprès de Charles Fiterman, de même qu'Amélie Dreyfus, collaboratrice du comité central du PCF. Le cabinet de Jack Ralite présente un

1. Nommé, depuis, président de TF1, Michel May a été remplacé par le conseiller d'État Marcel Pinet.

2. Le nom de l'économiste du PCF, Philippe Herzog, a été fréquemment cité pour la direction d'une grande banque.

3. Cette question demanderait à elle seule tout un chapitre qui sort du cadre de cette étude. Une péripétie suffira ici à l'illustrer. Interviewé par un hebdomadaire chilien, Léon Bouvier, notre ambassadeur au Chili, avait notamment remarqué qu'à l'évidence, le pays le moins libre d'Amérique latine était Cuba, et qu'il ne pouvait pas affirmer si en cas d'attaque soviétique en Europe, les communistes français choisiraient la France. Ces propos ayant été jugés scandaleux par *L'Humanité*, Claude Cheysson rappela l'ambassadeur pour quelques jours à Paris, afin de lui faire comprendre qu'on ne badinait pas avec certaines choses depuis le 10 mai 1981.

caractère très politique : le directeur de cabinet, Jacques Latrille, est professeur de bactériologie à Bordeaux et militant communiste ; le directeur adjoint, Gilbert Millet, était député communiste du Gard jusqu'en 1981 ; Yves Talhouarn, chargé de la santé au comité central, est conseiller technique, avec Alain Léger, ancien député des Ardennes. Auprès de Marcel Rigout, on trouve Maurice Perche, directeur de *L'École et la Nation*, une ancienne parlementaire battue, Colette Privat, et deux collaborateurs du comité central, Patrick Le Mahec et Jean-Paul Duparc. Au cabinet d'Anicet Le Pors outre Jacqueline Uzan, chef de cabinet, René Bidouze est militant communiste, secrétaire général de l'Union des fédérations de fonctionnaires et membre de la commission exécutive de la CGT, et Jean-Jacques Philippe, membre du PC et administrateur aux Finances. Comme on a pu le relever, les cabinets « officiels » communistes ont souvent servi à « recaser » dans des conditions plus qu'honorables des parlementaires communistes battus en juin 1981. La réglementation empêchant les ministres de recruter trop de conseillers techniques, et les cabinets ne disposant pas de postes budgétaires, il serait intéressant de savoir par quels subterfuges (contrats d'études, subventions à des associations, etc.) ces anciens parlementaires sont rémunérés. (À moins que leurs traitements ne soient pris en charge par le Parti lui-même ?)

Quels sont les rapports entre le Parti et ses quatre ministres ? Sont-ils des otages ou des « *missi dominici* » à des postes avancés ? L'épisode rocambolesque qui a permis à un cibiste de capter une conversation téléphonique entre Jack Ralite et Henri Krasucki tend à prouver que, comme on s'en doutait, toutes les prises de position et décisions des ministres communistes sont subordonnées à un agrément des plus hautes autorités du Parti. La participation gouvernementale met sûrement à rude épreuve les militants. Mais à l'évidence les dirigeants n'ont vu que des avantages à entrer dans l'État, en attendant de meilleurs jours électoraux. Non, bien entendu, que le

PC ait intérêt à ce que l'expérience socialiste soit une réussite à long terme. Mais dans l'immédiat, et en l'absence de toute stratégie de rechange, il profite au maximum de sa position de soutien actif à la coalition gouvernementale. Deux cibles essentielles font en priorité l'objet de son attention et de son action : la fonction publique et le secteur public.

Les communistes à l'assaut de la fonction publique

Le 15 janvier 1982, André Bergeron, le secrétaire général de FO — le syndicat majoritaire dans la fonction publique — présentait à son comité confédéral un document qui établissait clairement que les ministres communistes favorisaient leurs militants et ceux de la CGT dans les administrations dont ils avaient la charge[1]. Force ouvrière dénonçait par exemple l'attribution par Jack Ralite de 2 000 postes supplémentaires aux hôpitaux au titre de la lutte contre le chômage, postes qui auraient été affectés aux municipalités « bien pensantes ». De même, sur les 8 000 postes créés en 1982, 2 400 ont été placés en réserve du ministère, à la discrétion du ministre, ce qui ne s'était encore jamais vu.

Ministre de la Fonction publique, Anicet Le Pors dispose d'une place forte privilégiée pour favoriser la pénétration de militants communistes au sein de l'appareil d'État. Ayant fait nommer Didier Bargas, militant communiste de longue date et ancien directeur de cabinet du président du conseil général du Val-de-Marne, au poste stratégique de sous-directeur des statuts au sein de la direction générale de la Fonction publique, il peut à son tour contrôler les agissements du directeur général (Michel May, puis Marcel Pinet) chargé par Pierre Mauroy

1. Commentant la publication de ce document, le journal *Le Matin* titrait que Force ouvrière n'avait d'autre raison d'être que l'anticommunisme, réaction typique de l'aveuglement d'une certaine gauche face aux entreprises de noyautage du PCF.

de le « marquer ». En même temps, l'adoption d'une réglementation extrêmement favorable en matière de droit de grève (abrogation de la loi sur le « service fait », non-décompte des heures de grève lorsqu'elles ne dépassent pas un certain seuil, encouragement à tenir des réunions syndicales sur les lieux mêmes du service public) a créé les conditions d'une forte implantation de la CGT au sein de la fonction publique, où ce syndicat n'a jamais été majoritaire. En réservant aux seules organisations syndicales la possibilité de siéger aux commissions administratives paritaires, le ministre a porté un coup très sévère aux associations professionnelles de fonctionnaires non politisés. Tout se passe comme si, dans l'incapacité d'accorder aux fonctionnaires le maintien de leur pouvoir d'achat, le gouvernement échangeait l'austérité contre un pouvoir accru à la CGT. La contradiction reste néanmoins flagrante entre la liberté syndicale et l'impossibilité pour les syndicats de négocier les salaires des fonctionnaires.

Autre cible d'Anicet Le Pors : l'École nationale d'administration. Inaugurant les nouveaux locaux de l'école, rue de l'Université en novembre 1981, le ministre affirmait que la haute fonction publique devait être le reflet de la réalité sociale de la nation et préconisait une réforme de l'ENA, afin de la « démocratiser ». La rumeur courut que Guy Braibant allait être nommé directeur de cet établissement. L'affaire fit un certain bruit dans la presse. D'autres noms de hauts fonctionnaires communistes furent avancés. C'est alors que le Premier ministre demanda au sociologue socialiste Robert Fossaert de rédiger un rapport sur l'avenir du recrutement de la haute fonction publique. Ce document d'une centaine de pages, qui ne fut jamais rendu public, préconisait une refonte totale du système de sélection des hauts fonctionnaires. L'Élysée trouva que Robert Fossaert allait trop loin et on le nomma administrateur général d'un établissement bancaire nouvellement nationalisé.

Pour contrer l'entreprise lancée par Matignon, le ministre de la Fonction publique constitua alors une commission chargée elle aussi d'élaborer un rapport sur l'École nationale d'administration. Faisaient partie de cette instance : Anne-Marie Boutin, conseiller à la Cour des comptes, Jean-François Kessler, administrateur civil, élu socialiste de la Nièvre, auteur d'ouvrages sur les origines sociales des énarques ainsi que Jean Magniadas, militant CGT. Le document élaboré par cette commission proposait la suppression de la notion de « corps » et une réorganisation complète de la haute administration. La commission avait également repris à son compte la proposition du ministre relative à la création d'un concours spécial réservé à des syndicalistes et à des membres du mouvement associatif.

La création de cette « troisième voie » d'entrée provoqua de nombreuses polémiques. Elle fut néanmoins officialisée par un Conseil des ministres en juin 1982. Le texte vint ensuite devant le parlement. Il s'agissait d'une première. L'ouverture de la haute fonction publique est une nécessité ; fallait-il pour autant la réserver à des syndicalistes ou à des permanents d'associations ? Sur quels critères ces futurs énarques seront-ils choisis ? L'avenir dira si, sous couvert de démocratiser l'ENA, on n'a pas préparé l'entrée en force dans la haute fonction publique d'éléments dont la neutralité n'est pas la qualité première. Lorsqu'à l'automne de 1981, Anicet Le Pors invita la cellule communiste du ministère des Finances à fêter la victoire de la gauche à la cafétéria du ministère, il portait un coup à la neutralité du service public, mais c'était, si l'on ose dire, un coup d'épingle. Tandis que s'il réussissait à faire entrer bon an mal an, ne serait-ce que dix nouveaux élèves à l'ENA, pour lesquels l'État serait l'un des enjeux principaux de la lutte des classes, alors, les socialistes porteraient la responsabilité historique du dépérissement du service public tel que l'a conçu la République depuis bientôt deux siècles.

Quoi qu'il en soit la nomination de Simon Nora à la tête de l'ENA, en mai 1982, semble avoir mis un terme à la manière d'OPA qu'Anicet Le Pors voulait lancer sur cet établissement[1]. Inspecteur général des Finances, incarnant une certaine revanche des grands corps de l'État, Simon Nora jouit d'un prestige et d'une autorité qui paraissent mettre l'ENA à l'abri d'entreprises qui n'auraient eu pour effet que de l'affaiblir ou de la dénaturer. Outre la création de la « troisième voie », la réforme de l'ENA, fin 1982, s'est traduite par la fusion des concours juridiques et économiques et l'égalité du nombre des places offertes aux concours interne et externe. Par ailleurs, l'arrêté concernant les programmes du concours d'entrée a été refondu, et des syndicalistes — de gauche — siègent au jury d'entrée, avec quelques enseignants inscrits dans des partis — également de gauche...

Un terrain fertile : les entreprises publiques

Le 9 novembre 1981, on pouvait lire dans *L'Humanité* cet entrefilet :

« Cinquante et un postes sont à pourvoir aux ateliers de la SNCF du Landy à Saint-Denis — cinquante et un jeunes de dix-huit à trente ans, pourvus d'un CAP ou d'un BEP peuvent se présenter au 8 rue Suger à Saint-Denis. Le syndicat CGT les aidera dans leur démarche auprès de la SNCF. »

Ce petit exemple suffit à montrer l'importance stratégique de la CGT dans le processus de contrôle du secteur public par le PCF.

La puissance de la CGT à la SNCF, à EDF et à la RATP, pour ne citer qu'elles, ne date pas d'hier. Mais ces bastions se trouvaient, si l'on peut dire, sous double commande. Le gouvernement et la CGT avaient établi

1. Anicet Le Pors a pris sa revanche en obtenant la nomination de Gaston Olive, membre du parti communiste, à la tête de l'Institut international d'administration publique, organisme chargé de la coopération avec les pays du tiers monde et qui reçoit chaque année un millier de stagiaires.

un *modus vivendi* certes profondément ambigu, mais qui avait au moins le mérite de maintenir un certain équilibre entre les forces en présence. Depuis le 10 mai 1981 tout se passe souvent comme si le poids du gouvernement s'était soudain comme annulé, face à celui de la CGT. Le déséquilibre est manifeste, entre une tutelle gouvernementale des plus floues, pour ne pas dire inexistante, et la puissante machine de la CGT disposant de son organisation pyramidale et agissant en accord avec la direction du PCF.

Des militants CGT révoqués entre 1947 et 1953, à une époque où le parti communiste n'avait pas bonne presse[2], ont d'ailleurs obtenu leur réintégration à la SNCF (le Parti fêta à Vitry le 19 novembre 1981 le retour d'Elie Colin, ancien secrétaire du syndicat des cheminots CGT, radié des cadres en 1953), ou aux PTT (Louis Mexandeau a réintégré Georges Frischmann et René Duhamel, révoqués en 1951 alors qu'ils étaient respectivement secrétaire général et secrétaire général adjoint de la fédération CGT des Postes). On prend des revanches. Des règlements de comptes interviennent et il n'est pas rare d'entendre réclamer officiellement au gouvernement le départ de tel ou tel dirigeant. C'est ainsi que la démission de Jean Gandois a été saluée comme une victoire par la CGT (qui, effectivement, n'y a pas été étrangère).

Le mercredi 7 avril 1982 le parti communiste décida de manifester à l'opinion sa présence active dans les entreprises nouvellement nationalisées. La cellule communiste de la banque Rothschild organisa une « assemblée populaire » sous la présidence de Philippe Herzog, tête économique du PCF et membre de son bureau politique. Quel symbole plus éclatant ? Une réunion communiste au sein même de ce qui avait été un sanctuaire du capitalisme ! Curieusement Michel de Boissieu, ad-

2. C'est-à-dire : où il était à peine plus pro-soviétique qu'aujourd'hui ; mais on était plus chatouilleux sur ce chapitre sous la IVe République...

ministrateur général de la banque, avait donné son accord, indiquant que la petite cellule CGT-PC de l'établissement avait déjà tenu une réunion en présence d'un sénateur et d'un conseiller municipal communiste de Paris. Cet épisode mineur, mais très significatif, illustre à la fois la volonté du PC de prendre pied dans les entreprises récemment nationalisées et le comportement assez particulier de certains « patrons » de ces groupes, parfois fort accueillants à l'intrusion de la politique au sein même de l'entreprise.

Il est encore trop tôt pour juger vraiment de l'implantation communiste dans le secteur public. Celle-ci, c'est évident, s'est considérablement renforcée depuis le 10 mai. La mise en place des nouveaux conseils d'administration qui font une large place aux organisations syndicales a souvent été l'occasion pour la CGT de confirmer le rapport de force en sa faveur.

Un secteur toutefois permet déjà de prendre la mesure de l'influence communiste : l'audiovisuel. Loin de le libérer, les socialistes l'ont asservi un peu plus au Pouvoir. Mettant en pratique la fameuse théorie du « reflet » chère à Anicet Le Pors, ils ont voulu que s'expriment prioritairement sur les ondes toutes les tendances représentatives de la gauche y compris, bien entendu, les communistes. Ce qui est choquant, ce n'est pas qu'on ait recruté des journalistes possesseurs de la carte du PCF, mais qu'on les ait recrutés *parce qu'*ils étaient communistes. Et ceci alors même qu'à l'image du Parti, la presse communiste décline. En dépit des thérapeutiques les plus dures (les licenciements ne se comptent plus et s'effectuent dans des conditions bien moins avantageuses que dans la presse non communiste), les lecteurs se font en effet de plus en plus rares et les tirages baissent. On a donc assisté à des reconversions de journalistes de *L'Humanité* recrutés par les chaînes de télévision ou France Inter. Comme les cabinets ministériels communistes sont le refuge des battus aux élections, l'audiovisuel d'État est en passe de devenir celui des journalistes communistes sans travail. En octobre 1981, une opération de ce type, au profit de Roland Passavant et de François Salvainez a même été conclue directement entre Pierre Juquin et Robert West, directeur du cabinet du président de TF1. Le même Pierre Juquin a fait entrer Michel Cardoze à France Inter, pour y tenir une chronique quotidienne moralisante, après avoir vainement tenté d'obtenir la nomination du producteur communiste Francis Crémieux à la tête de Radio France[1].

Un tract émanant de la CGT intitulé « Quelques idées pour l'action[2] » révèle assez clairement la manière dont elle entend « imposer le changement » dans les médias par une sorte de police de l'information :

— « Utilisation journalière des panneaux d'affichage où l'on épinglera "le mensonge du jour" (ou de la veille) ;

— « Périodiquement, soit à propos d'un aspect de la désinformation particulièrement évidente ou choquante ou pour montrer la logique des médias sur une plus longue période, par exemple sur la Pologne, utilisation de panneaux simples d'exposition...

— « De temps à autre, il sera bien de diffuser un court journal sonore répété plusieurs fois dans la journée. La prise de parole, courte, rapide, permettra aussi de relever "à chaud" le ensonge, la falsification ou l'omission grossière et d'appeler à la réplique. »

Parti en déclin, le PCF peut néanmoins trouver en lui-même assez de ressources pour profiter au mieux du cadeau que lui ont fait les socialistes : l'entrée officielle dans l'appareil d'État. Les bénéfices qu'ils en tireront permettront aux communistes de faire face à bien des vicissitudes. La preuve éclatante en a été donnée lors de la désignation des membres de la Haute Autorité, char-

1. Un jeune rédacteur communiste d'un journal des Alpes-Maritimes *Le Patriote* est entré à RMC. A FR3, que des esprits malicieux qualifient de chaîne officielle, le magazine pour les jeunes, « Laser », a été attribué à deux communistes.

2. Publié dans les *Notes de conjoncture sociale* du 22 février 1982.

gés d'assurer la tutelle de l'audiovisuel. La nomination d'un membre du Parti, le réalisateur Daniel Karlin, et d'un syndicaliste qui en est proche, Marcel Huart, montre à l'évidence que les socialistes sont contraints à un dosage qui renforce la position des communistes dans les secteurs les plus sensibles. Comment ne pas voir là une stratégie de l'irréversibilité, où l'on met patiemment en place des mécanismes et des habitudes sur lesquels il sera très difficile de revenir ?

Quand les socialistes se targuent de contribuer à l'affaiblissement des communistes, ils oublient de constater qu'ils en sont aussi, dans une large mesure, les prisonniers. Comme l'a remarqué justement Louis Mermaz le président de l'Assemblée nationale : « Les communistes collent aux socialistes. » Cette confidence n'est-elle pas aussi un aveu ? Mais après tout, comme l'écrivait naguère François Mauriac, rien ne sépare les communistes des socialistes, sinon quelques abîmes...

Parvenu au terme de cette évocation de l'Etat socialiste, on ne doit pas perdre de vue que les rouages du Pouvoir sont à ce point complexes qu'il faut en réalité plus de dix-huit mois pour les contrôler sérieusement. Le parti socialiste, d'une façon générale, et le parti communiste, dans les secteurs où on lui a laissé en quelque sorte carte blanche, ont d'abord entrepris de substituer aux responsables en place leurs propres exécutants. Ce fut l'époque triomphale de « l'état de grâce » et du Congrès de Valence où l'on réclamait des têtes. Ceux qui avaient été nommés par le pouvoir précédent n'eurent souvent d'autre choix que de se soumettre ou de se démettre. Simultanément, un peu partout, dans un esprit proche de celui de mai 1968, des hiérarchies parallèles prenaient la place des circuits officiels. Au ministère des Finances, par exemple, les directions mirent un certain temps avant de savoir qui, au juste, faisait partie du cabinet des ministres. A la direction des Affaires culturelles du ministère des Relations extérieures, la mainmise syndicale fut telle qu'elle entraîna une grève des agents administratifs. Cette sourde lutte entre les pouvoirs officiels, qui avaient perdu leur légitimité, et les pouvoirs occultes qui se prévalaient du 10 mai, n'a pas été sans conséquences très fâcheuses pour l'État. L'application même des directives gouvernementales en souffrit. De nombreux socialistes déplorèrent l'incapacité de l'administration à faire passer dans les faits les décisions du pouvoir politique. Mais, cette incapacité, que certains ont qualifiée de mauvaise volonté, résultait de la déstabilisation provoquée par la cassure de l'après-10 mai 1981.

Car le mot « alternance » rend mal compte de la formidable politisation de l'État à laquelle on assiste depuis 1981. Une image, banale mais exacte s'impose : celle de la toile d'araignée. Les fils, en effet, sont peu perceptibles. Le monde du Pouvoir est ainsi fait que le peuple en connaît mal les rouages. De ces luttes sourdes, de ces affrontements parfois déchirants, de ces portes qui claquent, rien ne filtre à l'extérieur, si ce n'est un léger bruissement que seuls perçoivent quelques spectateurs particulièrement attentifs. De temps en temps, quelques drames éclatent au grand jour. Du sang, parfois, peut couler ; un suicide défraye la chronique... Des mesures apparemment anodines sont prises çà et là, qui toujours favorisent des appareils politiques et syndicaux. Peu à peu, un autre pouvoir s'organise, distinct de celui qui s'inscrit dans les lois de la République. On ne s'aperçoit vraiment de l'existence de ce pouvoir occulte que lorsqu'il est trop tard, lorsque le pouvoir légal se dérègle ou se paralyse.

José FRÈCHES.

XI

Le socialisme est derrière nous

Le 1er janvier 1983, le président de la République avait fait le projet de parler, de sa bergerie landaise, avec les Français pour les entretenir à bâtons rompus sur la chaîne Antenne 2 des affaires de la France et du monde. On retrouvait là l'un des éléments qui, par-delà les particularités individuelles, devait distinguer à ses yeux un homme d'État socialiste de ses prédécesseurs libéraux : une confusion volontaire, fût-elle éphémère, du privé et du public, l'effacement de la ligne de séparation qui a fait que le général de Gaulle n'a jamais imaginé, même dans l'urgence, de s'adresser à ses concitoyens depuis Colombey-les-deux-Églises, ni Georges Pompidou de Cajarc et s'il est arrivé à Valéry Giscard d'Estaing d'apparaître de Chamalières, c'est de la maison commune, de la mairie de la ville qu'il l'a fait et non de sa propriété personnelle.

Or cette idée si typiquement socialiste — s'élever du quotidien, d'un quotidien sans pompes ni sacre, enraciné dans les choses communes de la vie, à une discussion et une méditation qui montent jusqu'aux sommets où le regard et le projet embrassent l'univers — on sait qu'elle se trouva entravée par un incident technique : la disparition d'une grue gigantesque qui, égarée en chemin, était indispensable à la retransmission de l'image. L'incident causa un tel émoi que des deux dirigeants de l'administration ainsi coupable de négligences, l'un démissionna et l'autre fut limogé. C'est que la charge exemplaire, la parabole étaient d'une prodigieuse loquacité. Ce n'est pas seulement qu'elle révélait ironiquement comment le plus banal « changement » socialiste se laissait envelopper et traverser par une bureaucratie dont le flot, loin de mourir au pied du magistère politique, débordait paresseusement de son lit pour le submerger.

Mais surtout l'apologue rendait compte de ce qui était alors le sentiment dominant des téléspectateurs déçus : comme cette grue immense, nouvelle échelle de Jacob, le socialisme voulait monter de la terre jusqu'au ciel mais comme cette grue qui n'était qu'un projet de grue, qu'un rêve de grue, qu'une absence de grue, le socialisme n'avait pas d'existence ni de réalité, il n'avait ni présence, ni consistance. Or ces héritiers de la Grande Révolution que sont indéfectiblement les socialistes français avaient été bercés des rythmes épiques de la célébration hugolienne :

La tristesse et la peur leur étaient inconnues.
Ils eussent, sans nul doute, escaladé les nues
Si ces audacieux,
En retournant les yeux dans leur course olympique
Avaient vu derrière eux la grande République
Montrant du doigt les cieux.

L'an dernier à la même époque on avait encore le loisir de dresser le bilan de six mois d'expérience socialiste. Cette licence ne nous est plus accordée cette année : il n'y a plus d'expérience socialiste.

Qu'on me comprenne bien : je ne veux pas dire du tout que le pouvoir socialiste est sur le point d'abandonner la partie. L'échiquier de l'histoire tient prisonnier le joueur qui s'est aventuré à s'en approcher : quoi qu'il lui en coûte, il doit subir cette interminable fin de partie d'où tout mystère a disparu et qui n'est plus que grise occupation des lieux jusqu'à la venue programmée du successeur.

L'expérience socialiste ? Il faut déjà faire un effort de

mémoire pour se souvenir de ce qu'elle se promettait d'être. Quelques bribes de slogans pendouillent encore dans les recoins de nos têtes comme des cotillons tachés au lendemain des nuits de fête. À quoi bon comparer ces promesses avec ce qu'elles ont donné ?

Le temps qui les donna, le temps qui les reprit
Ne nous les rendra plus.

Ces vers qui me sont venus spontanément sous la plume, ces vers du plus élégiaque de nos poètes romantiques — Lamartine — mais aussi du plus politique d'entre eux au sens, hélas, où les quarante-huitards comprenaient la politique, sont bien en situation. La constitution de la Ve République, imaginée pour renforcer encore un Président-fondateur qui ne manquait pas de force, se révèle indulgente au faible et permet à celui-ci, non de se racheter, mais de durer assez pour que son échec se dilue, devienne cet échec banal, quotidien, médiocre, morne, qui n'a plus rien de déshonorant ni d'excessif puisqu'il est le lot de l'homme quelconque. Un échec en somme si délavé que délavés aussi, déteints en sont les espoirs et les rêves antérieurs.

Si, comme ç'avait été, sous la IIIe République, le cas de Léon Blum, François Mitterrand avait dû rendre son tablier quand il fallut en toute hâte l'été dernier dissocier la gestion courante des affaires du pays de la politique de réformes structurelles inaugurée après mai 1981, on aurait pu dresser constat et, comme les historiens le font de 1936, distinguer ce qui avait été bien vu et, à terme, original et neuf, de ce qui avait été mal pensé et de ce fait condamné. Un constat qui explique par exemple qu'aujourd'hui encore le Front populaire, aussi dur que soit le réquisitoire des gens de métier à son encontre, ne fait toujours pas absolument mauvaise figure : ayant conservé de bout en bout sa cohérence interne, sa courte carrière demeure digne d'intérêt et même d'estime.

L'expérience socialiste de François Mitterrand aura

moins de chance : car tout ce qui en elle aurait pu plaider la « logique différente » va se trouver disqualifié du fait qu'au cours de l'année 1982 la « logique différente » qui était censée soutenir l'année précédente tout à la fois les réformes de structures à long terme et la gestion circonstancielle à court terme s'est trouvée, dans le compartiment de la gestion circonstancielle, théoriquement abandonnée, tandis que rien ne pouvait faire qu'elle ne continuât à fonder et informer les suites ou les retombées des réformes de structures. Divergence mortelle : tout en est dérangé, bousculé, déséquilibré, sens dessus dessous.

Peut-être la casse aurait-elle pu être limitée si le train des réformes structurelles, lancé à toute vitesse dès l'été 1981 (le conducteur avait-il eu le sentiment que son retard était irrattrapable mais qu'il fallait néanmoins « sauver l'honneur » ?) avait pu être — après une brève sortie de gala — totalement stoppé et placé sur une voie de garage sous la garde d'un feu rouge de position. Mais cela fut doublement impossible.

Il était d'abord impossible que François Mitterrand, qui avait cru bon de proclamer à tous vents qu'il serait fidèle à ses promesses, fît entendre raison à ses partisans et plus encore à lui-même et déclarât désormais inopportunes et renvoyées *sine die* toutes les réformes qui, annoncées, étudiées, programmées, n'avaient pas eu la bonne fortune de franchir le seuil législatif en 1981 ou dans la première moitié de 1982. On le vit bien quand le ministre de la Solidarité nationale eut modestement proposé de ne pas accorder sur-le-champ la gratuité de l'IVG (Interruption volontaire de grossesse) : ce fut la tempête chez les dames qui font métier de rendre à leur image les femmes stériles ou, à défaut, honteuses de leur maternité à moins que ce soit une maternité ultra compliquée ou ultra tardive, une performance de la science et de la technique plus qu'un acte d'amour et de foi. On le vit bien encore quand, contre tout bon sens et en dépit d'une évidente hiérarchie des urgences, le ministre de la Santé publique, plutôt que d'assurer la maîtrise des dépenses de santé dans le cadre de l'excellent et perfectible système médicalo-hospitalier existant, choisit d'entreprendre une soviétisation accélérée de l'organisation publique des soins, de façon à ce que la lamentable médecine des pays socialistes puisse espérer n'avoir bientôt plus rien à envier à la française. On le voit encore mieux à observer comment ne peut être évitée cette relance de la guerre scolaire, totalement absurde en elle-même et à l'évidence désastreuse pour le pouvoir socialiste tant sera terrible la colère des familles attachées au libre choix de l'école pour leurs enfants, tandis que les familles qui envoient, faute de mieux, leurs enfants à l'école publique ne sont pas prêtes à faire de cet usage une obligation exclusive et sacrée. La laïcité a jadis mérité d'être une cause qui bénéficiât de tous les dévouements : c'est qu'alors, l'école laïque était en effet tout à la fois intégratrice et libératrice. On est aujourd'hui loin de compte : l'impuissance de l'école publique à transmettre les valeurs et obligations fondamentales de la vie personnelle et collective dans une société libre, l'ensauvagement des enfants qui en résulte constituent l'un des facteurs majeurs de la mini-violence généralisée et de la chaotisation sociale dont notamment les agglomérations urbaines — leurs pourtours que sont les banlieues mais aussi leurs centres — sont la proie.

Plus impossible encore que d'arrêter le train de réformes qui n'avaient pas franchi le seuil législatif avant l'été 1982, fut de stopper et de laisser en l'état le train des réformes qui, elles, avaient atteint le stade où de projets elles s'étaient transformées en lois dûment votées. Une fois les lois votées, il faut bien en effet que les bureaux s'affairent aux décrets d'application et que les fonctionnaires du quotidien réussissent à moudre, vaille que vaille, et à réduire en consignes actives et pratiques ce qui n'est encore que de l'ordre formel du Droit.

Certes, en toutes circonstances, il y a déperdition de sens et d'efficacité dans ce passage de la loi à l'être. Certes encore, dans le cas des réformes de structures qui nous occupent — nationalisations, décentralisation, lois

Auroux —, il est probable que cette déperdition sera encore plus importante que de coutume. Il se peut par exemple que les groupes nationalisés — en vérité étatisés — ne soient pas intégralement chamboulés bien que la logique affichée de la nationalisation industrielle et bancaire ait été de les déconstruire et reconstruire en fonction d'une « politique industrielle » et d'une « politique bancaire » à finalité modifiée. Il se peut encore davantage que l'application des réformes sur la décentralisation de l'appareil d'État aille l'amble au point que celles-ci atteindront sans effort le moment où les successeurs du pouvoir socialiste les abrogeront ou les oublieront sans qu'il en coûte rien en pratique. Seules peut-être les lois Auroux, parce qu'elles sont susceptibles d'être une composante concrète de la « lutte de classes » dans les entreprises telle que les communistes la comprennent, sont en position de faire l'objet d'une application discontinue, inégale mais relativement substantielle.

Mais qu'ils le veuillent ou non, les socialistes ne sont pas en mesure de complètement parvenir ni à appliquer ni à ne pas appliquer les réformes structurelles dont ils ont pris l'initiative et qui devaient être leurs titres de gloire, leur héritage aux yeux de la postérité. Ils auront dès lors réussi ce triple tour de force : ils auront eu le tort de faire des réformes, hâtives et inopportunes ; et ils auront eu le tort à la fois de les appliquer et de ne pas les appliquer. C'est dire qu'aucune de ces réformes n'est destinée à atteindre le seuil à partir duquel elle entrerait dans l'irréversible. Ce que l'opposition a déjà justement pressenti et ressenti : le socialisme à la française, même et surtout quand il s'éloigne de l'ordre du quotidien, continue à flotter dans la sphère de l'éphémère, du réversible, de l'entre-deux. Sa fusée, trop poussive, a éclaté et s'est désintégrée avant de déboucher dans les vastes espaces que l'homme, dans son incomplétude, tient pour l'éternité.

Ce qui explique un trait du style mitterrandien qui ne laisse pas maintenant à la fois d'inquiéter et d'irriter : le flou qu'on pouvait lui pardonner en le mettant au compte des habiletés indispensables pour réussir une improbable conquête du pouvoir s'est mué en quelque chose qu'on pourrait tenir pour relevant de la sournoiserie alors que le socialisme, puisque populaire, devrait être école de franchise et de clarté. Une sournoiserie qui fait qu'en aucun domaine on ne sait exactement sur quel pied danser et quelle est la nature exacte des projets du gouvernement : on vient encore de le voir à propos des écoles libres — la manière lénifiante du président de la République d'aborder la question peut être aussi bien vue comme une confirmation qu'une récusation de la politique annoncée par son ministre de l'Education nationale. A moins qu'il s'agisse — et c'est plus sérieux encore qu'un goût banal pour la dissimulation — de l'une des modalités de l'incohérence socialiste qui tient à ce que, d'un compartiment à l'autre de l'action des pouvoirs publics, on ne vérifie pas soigneusement et à temps la compatibilité des exigences et des pratiques résultant d'ordres différents. D'où des effets constants de résonance et de dissonance qui se propagent à travers la machine gouvernementale et produisent « l'état de grince ».

Quoi qu'il en soit, éclatée et désintégrée, la fusée socialiste n'en a pas moins troublé, au cours de sa mise à feu, les obligations triviales de la gestion et, comme il en est quand il y a faillite d'une ambitieuse entreprise, la liquidation n'en est pas gratuite. Le retour à la rigueur dans la pratique gestionnaire, décidé en juin 1982 et depuis prôné avec ostentation par le ministre de l'Economie et des Finances, s'en trouve affecté d'un double surcoût. Un premier surcoût dû aux inéluctables retombées des engagements pris au cours de la première année d'exercice tant au titre des réformes de structures que de la gestion laxiste menée en cohérence avec celles-ci. Un second surcoût dû au fait qu'après avoir acquis une certaine compétence dans le développement accéléré des dépenses publiques, les socialistes sont appelés à acquérir une compétence contraire, celle qu'exige le ralentissement de ces mêmes dépenses — avec le handicap supplémentaire que cette seconde forme de compétence est particulièrement difficile à combiner avec le « bon-garçonnisme » qui est le fond de la nature socialiste.

Compétence : voilà le mot-clef qui revient, tel un sésame, sous la plume des amis comme des ennemis. Là gît un mystère autour duquel tournent toutes les interrogations des hommes de bonne foi : comment expliquer que les socialistes, qui s'étaient si longtemps préparés à l'exercice du pouvoir, en aient mésusé à ce point, aient avec une science très sûre de la gaffe, de l'erreur, du « manque de pot », accumulé les échecs : de *timing,* de forme, de fond, de proportion...

Le « ministre qui a fait le tour du monde en quatre-vingts gaffes » ? Ce n'est pas seulement Claude Cheysson qui a mérité dans les chancelleries cette définition plaisante : après tout rien en France n'est plus délicat à gérer que le ministère des Affaires étrangères du fait de la puissance des tabous que continuent de faire peser sur des esprits révérencieux les embaumeurs de la pensée, pourtant forte, concrète et souple, du général de Gaulle.

« Une remarquable performance concrète par rapport à toutes les expériences socialistes des années 70, la chilienne ou la portugaise : les socialistes français ont été les plus rapides à vider les caisses et à cumuler les déficits les plus pharamineux » ? Ce palmarès, ce n'est pas seulement dans les couloirs des sessions de l'Internationale socialiste qu'on l'établit gentiment ; mais après tout on savait déjà que les socialistes français n'étaient pas candidats au prix Nobel de l'économie. En revanche, ce qui est confondant, c'est que les socialistes aient d'abord et le plus spectaculairement échoué là où on leur accordait qu'étaient leurs points forts : la politique politicienne qui permet en principe à ses adeptes, à la différence de ces technocrates bons connaisseurs du quantitatif mais inavertis du qualitatif, d'affronter en meilleure posture, même quand on a la charge des affaires de l'Etat, les électeurs peu portés sur le taux de croissance ; une bonne image, faite tout à la fois de simplicité et de générosité, et qui devrait rendre facile la communication, le dialogue, et, par là, la persistance d'un climat public agréable et serein ; un goût particulier pour les choses de la vie, ces choses de la vie « simple et tranquille » dont parlait déjà Rimbaud et qui donnent à la vie associative et institutionnelle du liant et du cordial : l'école, le tribunal, la caserne, l'hôpital, le commissariat de police, autant de lieux de vie que fréquente le peuple et que les socialistes, amis du peuple par excellence, auraient pu embellir et adoucir en y versant ces flots d'harmonie consensuelle, ces effluves communalistes et communautaires dont on les créditait. Or, c'est étrange, loin d'avoir conféré à toutes ces institutions, la scolaire, la judiciaire, la militaire, la soignante, la sécurisante, un supplément d'âme qui, au-delà du purement institutionnel, au-delà du strictement collectif, en fassent des communautés, c'est-à-dire des points de convergence et de resserrement du lien social volontaire à dominante affective, voici qu'en dix-huit mois, *toutes,* je dis bien : toutes, sont entrées dans une phase de dérèglement où ce qui l'emporte, c'est la lutte de tous contre tous, dans un paroxysme exaspéré de revendications catégorielles, dans une noria d'intérêts contradictoires mais uniformément minables, dans une prodigieuse absence de ce qui fait l'humanité de l'être humain : la dignité, l'humour, le respect de l'autre, le désintéressement.

Comment l'expliquer ? Il y a sans doute d'abord la personnalité du président de la République. Valéry Giscard d'Estaing imposait la distance, bien plus d'ailleurs parce qu'il appartenait à la race des surdoués (avec les qualités et les défauts de cette race) que par le fait de son appartenance à la bourgeoisie rentée ; les « premiers de la classe », c'est bien connu, doivent dépenser des trésors de diplomatie et exhiber avec un désespoir ostentatoire leur laideur ou leurs déboires sportifs ou sentimentaux s'ils veulent se faire supporter. François Mitterrand impose une autre sorte de distance : celle de l'archaïsme de ses goûts et de sa manière d'être. Ce que j'écris ici est un peu paradoxal mais profondément vrai, je le crois. Le général de Gaulle était, par bien des côtés, un homme du XIXe siècle finissant (de celui qui avait fini en 1914) et pourtant il avait une intuition très fine de ce qu'était, de ce que serait la France de ses petits-enfants et le monde du même coup. François Mitterrand, lui, est demeuré un homme des années 50 : il pense, il sent, il rêve, il parle, il se tait surtout comme un homme de ces années-là, avant la télévision, avant l'ordinateur, avant le magnétoscope. Homme de café, homme de l'écrit, homme du discours : la parole médiatique relâchée mais libre lui est insupportable et je serais tentée de l'approuver — mais ce qui est légitime pour une personne privée ne l'est pas pour un chef d'Etat.

Un moment, quand il voyageait à l'excès, on avait cru que la sensation d'absence que donnait le président de la République provenait de ses absences physiques dues à ses trop nombreux déplacements hors de France. Or il voyage moins et la sensation d'absence est la même. C'est qu'elle ne dépend pas des circonstances : elle est liée à une sorte de déphasage structurel qui fait que le Président n'est en concordance de sensibilité avec aucun des groupes qui constituent le noyau actif du pays. Ainsi s'explique sans doute la chute très rapide — trop rapide pour n'être due qu'à des facteurs proprement politiques — de sa cote personnelle de popularité. On ne saurait d'ailleurs dire qu'il est impopulaire : c'est au-delà de l'impopularité, quelque chose comme un « défaut d'incarnation », au sens où l'on disait que le général « incarnait la France » ou que Pompidou « incarnait la manière heureuse et sage de parvenir en France — du grand-père paysan au père instituteur et à l'Ecole normale », ou que Giscard « incarnait la France des polytechniciens et des inspecteurs des Finances qui avaient hissé le pays, pendant les Trente Glorieuses au rang des plus grandes nations industrielles ».

Mais la personne du président de la République ne

saurait être seule en cause. Il faut incriminer, de l'échec socialiste, une deuxième catégorie de coupable : les circonstances. Jean Fourastié montre ici même comment celles où les socialistes ont entrepris de transformer la France à leur image ne pouvaient être plus défavorables. A vrai dire, le caractère défavorable des circonstances ne saurait constituer... des circonstances atténuantes. Pour deux raisons. La première, c'est qu'en tout état de cause, il fallait que les circonstances fussent fâcheuses pour que les Français éprouvent le besoin de changer de cheval de trait : on n'imagine pas que, tout allant bien par ailleurs, ils congédient les gouvernants qui les gouvernent à la satisfaction générale pour en essayer d'autres et ainsi « se désennuyer ». On sait que, lorsque la France ne fait que s'ennuyer, elle ne se donne à rire qu'un petit mois, pas sept ans. La seconde, c'est que les socialistes ne pouvaient ignorer que les circonstances fussent défavorables et qu'il leur fallait intégrer cette donnée-là dans leur projet et leurs calculs.

Il faut d'ailleurs créditer les communistes de l'avoir mieux compris que les socialistes : c'est même pour cela qu'ils s'étaient donné entre 1977 et 1981 un mal de chien pour éviter qu'une victoire de la gauche ne les contraignît à s'associer à une expérience socialiste dont il était clair à leurs yeux qu'elle ne pouvait qu'échouer. Je ne suis pas suspecte de chercher à améliorer à toute force l'image de marque des communistes ; mais je dois à la vérité de reconnaître : d'abord que ceux-ci ne souhaitaient pas avoir à « gérer la crise » et que c'est ce qui les avait fait briser à temps avec le PS dans l'espoir en effet de retarder jusqu'à des jours meilleurs la venue au pouvoir d'un gouvernement d'union de la gauche ; ensuite qu'ils ne pouvaient pas ne pas s'associer comme ils l'ont fait dès le lendemain du 10 mai à l'expérience socialiste : le parti en aurait été laminé et leur volte-face de mai-juin 1981, dès lors que leur était proposé par le président de la République de participer au pouvoir, était inéluctable ; enfin qu'il n'en découle pas qu'ils attendent avec impatience l'échec socialiste : leur soutien est probablement aussi loyal qu'il peut être, compte tenu que la loyauté intégrale n'est pas une vertu cardinale des communistes. L'échec socialiste ne sera pas de leur fait : ils ne le provoqueront pas, ils n'en accéléreront ni la programmation ni n'en accroîtront les proportions. Ils sont sur le même bateau que les socialistes et ne s'en feront pas débarquer aisément, compte tenu qu'il n'y a en France aucun risque que ça tourne aussi mal qu'au Chili mais qu'en revanche il y a quelque chance que les communistes puissent pour l'essentiel conserver, après une défaite subie dans le cadre des règles constitutionnelles et après la fin officielle de l'expérience socialiste, les acquis non négligeables glanés tout au long de la période de leur participation au pouvoir.

Ce n'est pas là convenir que la décision unitalérale et gracieuse de François Mitterrand d'associer d'entrée de jeu les communistes à l'expérience socialiste ait été anodine et sans conséquences : elle a été au contraire désastreuse. Sans doute en effet a-t-elle été bien tolérée par l'opinion publique dans une première période ; mais, en accroissant le poids, au gouvernement, dans les syndicats et plus généralement dans la gauche institutionnelle, des éléments les plus déterminés à aller vite et loin, François Mitterrand a du même coup donné toutes ses chances à la lecture communiste du Programme commun et des programmes, électoral ou autre, qui en sont directement issus. Au demeurant, chaque fois qu'il a eu à trancher — sur ce qu'il fallait nationaliser et comment s'y prendre, sur les trente-neuf heures ou sur tout autre dossier qui lui était soumis — le président de la République, au cours de la première année de sa charge, a très régulièrement tranché en faveur de la version communiste. Or la chose aurait pu encore passer si le PCF était demeuré fidèle aux orientations eurocommunistes qu'avaient cultivées Georges Marchais et ses amis à l'époque triomphale d'une union de la gauche en marche vers le pouvoir. Mais entre-temps, à l'époque du creux de la vague des années 1978-1980, le PCF, pour ne pas rester « en l'air » et risquer d'attraper le tournis, avait à pas comptés mais fermes regagné le bercail du mouvement communiste international et retrouvé sa place gardée au chaud de fils aîné de l'Eglise moscovite. De telle manière que, ô malheur des dérives non synchronisées, voilà que le PCF qui était invité à collaborer à l'expérience socialiste était à nouveau un parti dont l'orthodoxie rigoureuse en faisait en Occident la caisse de résonance des communistes soviétiques. Compte tenu de la triste image que les Français ont des pays du « socialisme existant » — une image qui depuis dix ans, comme un récent sondage l'a encore confirmé, n'a cessé de se dégrader —, était-ce bien calculé d'imposer sur le petit écran comme des Excellences, parlant haut et fort, en gens qui sont chez eux, dans leurs chaussons et pas en invités contraints par les usages à se tenir et à se contenir, des visages aussi également inquiétants que le visage triomphant et hilare de Marchais ou le visage menaçant et fermé de Krasucki ? On peut d'ailleurs se demander si cette coexistence mal calculée avec des communistes aussi pro-soviétiques que les communistes français n'a pas, par compensation et souci d'équilibre, obligé la diplomatie française à une attitude plus raide qu'il ne serait utile et souhaitable dans ses rapports avec l'Union soviétique. A tout prendre, quitte à fréquenter le monde communiste, il y a plus de bonnes raisons de le fréquenter au titre de la politique étrangère et du réalisme diplomatique qu'au titre de la politique intérieure et d'un faux machiavélisme interne.

Cela dit, ce serait pure démagogie que d'accuser le personnage de François Mitterrand ou d'incriminer les circonstances tout en disculpant les communistes (du fait qu'ils se sont exactement conduits comme on pouvait s'attendre à ce qu'ils se conduisent) sans dire un seul mot de la responsabilité qu'a encourue le peuple souverain : en l'occurrence les Français électeurs qui, dans leur majorité, ont donné le feu vert à l'expérience socialiste. Il me paraît de ce point de vue inexact et injuste d'affirmer qu'il y a eu comme un quiproquo et que beaucoup d'électeurs, en s'abstenant ou en votant pour

François Mitterrand, n'ont pas cru voter pour que soit entreprise une « expérience socialiste ». Certes les dirigeants de l'union de la gauche auraient été bien avisés de s'interroger sur la nature précise des attentes françaises. Mais la confiance justifiée que méritent les résultats des sondages préélectoraux est telle qu'aujourd'hui l'électeur ne vote plus à l'aveugle : il sait, au dixième près, les risques qu'il est prêt ou non à courir. Il est bien possible que beaucoup d'électeurs n'aient pas très profondément réfléchi à ce qu'impliquait la venue de la gauche au pouvoir ; mais, à l'étourdie ou non, il a fallu au moins qu'ils n'y soient pas farouchement hostiles. Certes encore il y avait du flou dans la manière dont François Mitterrand exposait ses projets. Mais un flou qui n'a jamais empêché qu'on puisse à coup sûr prévoir (et je crois n'avoir jamais rien écrit d'autre) : 1) que le nouveau chef de l'Etat appliquerait fidèlement son programme socialiste ; 2) qu'il en appliquerait même les articles qui semblaient les plus désuets et ridicules comme celui sur le démantèlement de l'école libre ; 3) qu'il associerait les communistes au pouvoir : c'est ne rien comprendre à la texture intime de la pensée politique du président de la République que d'ignorer sa relation privilégiée ennemie/amie avec le fait communiste, bien caractéristique encore de ces années 50 (ô mânes de Jean-Paul Sartre !) dont je parlais tout à l'heure.

A l'inverse le président de la République a eu tort de croire que naîtrait de son élection au pouvoir suprême un grand mouvement populaire, qu'il y aurait comme en 1936 un grand vent d'espoir et de folie qui ferait se dresser frémissantes, enthousiastes, conquérantes, les masses, les larges masses enfin libérées de l'oppression et de l'exploitation. Tout cela qui fut vrai, et beau, et héroïque, a disparu sans retour, engouffré par la marche de l'histoire. Sur le pavé républicain ce n'est plus le prolétariat qui aligne ses bataillons avec le service d'ordre de la CGT en serre-file, c'est, selon les jours, les agriculteurs avec la FNSEA, les médecins et les professions libérales avec l'UNAPL, les chefs des petites et moyennes entreprises industrielles avec le SNPMI, les techniciens et l'encadrement intermédiaire avec la CGC, les parents d'élèves de l'école libre avec l'UNAPEL. C'est que le défi historique auquel les sociétés industrielles avancées sont confrontées, ce n'est plus de répartir de manière plus juste un produit national relativement stable, mais d'assurer les conditions de la survie de tous dans un monde où le savoir — un savoir nécessairement détenu par des individus — demeure encore, malgré un redoutable coefficient d'incertitude, le meilleur garant contre les excès de pouvoir et plus encore contre les erreurs désastreuses auxquelles il arrive trop souvent que le pouvoir d'Etat n'échappe pas.

C'est ce défi historique qui explique le plus curieux paradoxe dont la France donne le spectacle dans ces toutes dernières années. Pendant les quelque vingt années et plus que le pays s'était continûment donné un gouvernement de droite, attaché *grosso modo* au libéralisme même s'il subissait une dérive social-démocrate relativement accentuée, l'*intelligentsia* demeura impavidement pas seulement de gauche, mais marxiste quand elle n'était pas marxiste-léniniste et maoïste. Or, à peine le changement du 10 mai avait-il introduit aux principaux postes de commande des militants socialistes qui se réjouissaient déjà de la bonne et féconde collaboration qu'ils allaient pouvoir entretenir avec les intellectuels, que ceux-ci se révélaient comme ayant entre-temps brûlé ce qu'ils avaient adoré et, tout en continuant à cultiver — mollement — quelques tropismes de gauche, tenaient le marxisme pour une défroque tout juste bonne à vêtir quelque pignouf de campus américain. Par le biais d'une réflexion sur les droits de l'homme, liberté, libertés, libéralisme et libertarisme étaient revenus en force. En tout cas, rien n'était désormais plus mal porté que de fréquenter des ministres et des ministères dont le dogmatisme amphigourique frisait le ridicule.

Marxismes et marxistes ont en revanche une présence active dans le parti et le gouvernement socialistes. C'est d'abord à l'état diffus, sorte de terreau commun, un résidu de marxisme assez primaire, de filiation guesdiste se ramenant pour l'essentiel à une vision de la société réduite à une hiérarchie de classes, à une vision de l'histoire réduite à la lutte des classes. De ce marxisme-là, aplati sur l'infrastructure socio-économique, on trouva le reflet dans le discours inaugural de François Mitterrand quand ce tout neuf Président de tous les Français crut devoir observer que « la majorité politique [...] [venait] de s'identifier à la majorité sociale ». On en trouva encore le reflet quand un candidat socialiste aux élections législatives qui suivirent l'élection présidentielle, de surcroît ministre, prétendit qu'« à Chartres ce [serait] la bataille de la fille d'un banquier contre un fils de cheminot ». Comment ne pas se souvenir, en relisant cette déclaration, que les plus abominables massacres du XXe siècle, ceux qui ont fait le plus grand nombre de dizaines de millions de victimes en URSS, en Chine et ailleurs, dépassant et de loin les massacres purement raciaux (et pourtant !), ce sont les massacres commis contre ceux qui, selon la formule consacrée, « n'avaient pas une bonne origine sociale » ?

C'est ce marxisme-là et sa problématique simplette qui furent à la base d'une politique économique de relance par la demande — sorte d'impératif catégorique qui fait à tous coups entrer les expériences socialistes successives dans le même catastrophique engrenage.

Planté dans ce terreau résiduel, mais se développant de manière autonome, prend son élan un second surgeon qui, lui, est plutôt marxiste-léniniste. D'un léninisme classique, orthodoxe et dont le thème central le distingue du marxisme : le thème de l'impérialisme (bien entendu incarné dans le seul impérialisme américain).

Jean-Pierre Chevènement et les adhérents du CERES en général ont ainsi poursuivi la tradition selon laquelle, depuis soixante ans, l'aile gauche des partis socialistes emprunte à ses voisins communistes théorie, stratégie et politique. Anti-européen, nationaliste, industrialiste, étatiste et centraliste, le langage du ministre de la Recherche et de l'Industrie se confond donc avec celui d'un communiste, mais d'un communiste d'avant l'eurocommunisme et quand il arrive qu'on le loue ou qu'on se félicite de sa « modération » ou de sa « pondération » d'homme d'État, c'est exactement le même type de modération et de pondération qui conduit aussi à juger « sérieux » et appliqués les ministres communistes. Une modération purement tactique et transitoire qui se combine avec un redoutable sectarisme, concentré dans l'immédiat sur la question tenue pour décisive : le choix des hommes et la formation des réseaux de pouvoir.

Mais un autre surgeon marxiste, lui aussi marxiste-léniniste mais d'un léninisme de la pleine époque brejnévienne, l'emporte parfois sur les deux précédents : c'est le surgeon tiers-mondiste dont les chrétiens marxistes sont des médiateurs privilégiés. Il traverse d'ailleurs tous les courants socialistes : s'y perchent aussi bien un Jospin, premier secrétaire du parti, un Fournier d'abord secrétaire général adjoint de l'Élysée puis secrétaire général du gouvernement qu'un Rocard et des rocardiens tels que Jean-Pierre Cot.

Ce tiers-mondisme-là ne répugne pas à tenir Kadhafi pour un fleuron du panarabisme d'autant que le colonel libyen a, dans le passé, eu la prévoyance de ne pas faire de différence entre socialistes et communistes quand il souhaitait séduire par quelque largesse la gauche française. Ce tiers-mondisme-là admet l'idée, entre toutes favorables à la progression communiste en Afrique, que l'Afrique est toujours une, qu'on ne saurait distinguer une Afrique « modérée » d'une Afrique d'obédience soviétique, que Tananarive, Maputo, Libreville ou Luanda sont des capitales de pays « non alignés » avec qui rien n'interdit de construire une Afrique « désengagée ».

C'est ce tiers-mondisme-là qui, de surcroît, se marie assez volontiers avec un écologisme gauchiste né dans la mouvance de mai 1968 et qui suit toujours inexorablement la même pente : celle d'une désagrégation du tissu de la société civile. Un mariage d'ailleurs classique : il y a dans toute phase d'installation d'un régime communiste une période d'alliance avec l'anarchisme ; c'est que l'anarchisme (plus encore quand il est à teinture chrétienne) est un acide qui attaque et dissout la trame de la société avec une vigueur exceptionnelle.

Par-delà le foisonnement de ces rameaux et surgeons — un foisonnement qui s'explique par le fait que, sur le tronc initial de la pensée socialiste, devenu un tronc moussu où se sont enroulés lierres et parasites (certains redoutables comme le national-socialisme), ont poussé en toutes directions des branches qui sont elles-mêmes d'un dessin tourmenté —, les socialismes de l'expérience socialiste de François Mitterrand présentent une partie commune qui mérite en effet d'être appelée tout simplement socialisme et qui ne pouvait que rebuter des intellectuels voués à l'étude de la modernité. C'est que le socialisme est la forme que, depuis deux siècles et d'abord en Occident, a prise précisément la réaction moderne contre la modernité. Car le socialisme, dans son inspiration la plus authentique, c'est, sous des habits neufs, la poursuite du vieux combat contre la marche de la civilisation vers la dissolution des communautés de base originelles, vers le rejet des statuts communautaires imposés de naissance et valables d'un bout de l'existence à l'autre, vers la reconnaissance du primat des personnes dans leur individualité, leur dignité et leurs libertés essentielles. La « solidarité », légitime quand elle corrige les excès de l'individualisme, est le contraire du progrès quand elle est érigée en fondement contraignant de la vie en société.

Telle est d'ailleurs la raison majeure pour laquelle le communisme s'impose désormais à nous comme le modèle achevé dont chaque variété socialiste, même apparue antérieurement à lui, n'est qu'un décalque pâlot : le communisme a proposé les moyens techniques les plus efficaces pour, méthodiquement, mettre en place les carcans collectifs qui étouffent à temps l'initiative individuelle.

Ainsi s'explique également la grande fragilité des sociétés occidentales ou des sociétés qui aspirent à se retailler sur le modèle occidental : en nourrissant le socialisme dans leur sein, elles nourrissent la tendance contraire à celle qui commande leur développement. Il arrive même qu'elles composent avec lui quand le socialisme se contente d'être l'alouette : cela s'appelle la social-démocratie.

Ce n'est donc pas par hasard si, depuis le seul tournant des années 70, on a, sans compter les expériences de type plus ou moins social-démocrate, assisté dans la sphère de l'Occident à quatre tentatives radicales (Chili, Portugal, Iran, France) pour renverser le cours local de l'histoire ; et le réorganiser dans une perspective qui brise avec l'initiative et la responsabilité personnelles comme forme dominante de l'existence en société.

C'est en ce sens que les résultats du scrutin présidentiel du 10 mai 1981 eurent un caractère historique, même si cela n'interdit pas de penser qu'ils furent probablement dus à un stupide « accident » de campagne ou autre, et même si l'expérience socialiste de François Mitterrand était condamnée d'avance à échouer. D'autant plus qu'entre les quatre cas que nous venons d'énumérer celui de la France est le seul qui soit « pur » : la rupture n'y a pas été surdéterminée par le retard qu'avait pris, comme au Portugal, le développement du modèle occidental dans ses dimensions politique et économique ; elle n'a pas été non plus surdéterminée par la dépendance dont était entachée, comme au Chili, la marche d'un pays trop satellisé par l'astre nord-américain ; ni par les distorsions qu'engendrait, comme en Iran, le procès de développement conduit dans un cadre politique autoritaire et suranné.

De ce divorce quasi immédiat du pouvoir socialiste d'avec les intellectuels, une pratique a fait les frais : celle des colloques. On sait en effet que le colloque entre spécialistes d'une même discipline ou de disciplines connexes est la manière la plus simple et la plus courante de confronter et comparer hypothèses, procédures et résultats. Or voici que la cohorte des ministres et dirigeants institutionnels, étatiques ou non, s'est emparée de cette pratique en croyant que cela conférerait à leurs décisions au demeurant arrêtées depuis belle lurette le lustre d'une mystérieuse scientificité. Bien entendu aucune parcelle de scientificité n'a été au rendez-vous mais ce qui a poussé comme chiendent quand on n'a pas — comme le scientifique — pour horizon indépassable le principe du réel, c'est l'idéologie, le dogmatisme, le passéisme, bref l'artifice, la logorrhée, la logomachie, la parole-néant jobarde et rebondie. Voilà ce qui, de colloque en rapport pré- ou post-colloquial, adorné d'une batterie de tests ou de questionnaires-fleuves, ressort d'un art de gouverner qui prétend assez comiquement délivrer les universitaires de l'ascétique devoir, pour passer maître, qu'est la rédaction d'une thèse de doctorat d'État, mais qui n'a de cesse de s'infliger puis d'offrir à l'admiration des foules de pseudo-thèses concoctées dans de pseudo-conciles. La commission, chère à la France radicale de jadis, c'était au moins économique et discret.

Tout cela est bel et bon : la personnalité de François Mitterrand, les circonstances, les communistes, les masses, les intellectuels, autant de facteurs qui peuvent concourir à expliquer que l'expérience socialiste ait si vite tourné court. Mais peut-être le pire est-il encore à dire même si, ici, il suffit de mettre ses pas dans les pas du plus illustre, et du plus cinglant, des procureurs qui aient jamais requis contre les faiblesses structurelles du socialisme français : Léon Blum.

Dans le livre douloureusement médité qu'il écrivit alors qu'il était un courageux prisonnier d'État, *À l'échelle humaine*, Léon Blum s'étend longuement, avec amertume, avec désolation mais sans indulgence aucune sur l'extrême médiocrité du matériau humain dont il devait reconnaître à son corps défendant qu'était fait son parti, la SFIO. Or il est frappant, à relire ces pages, lourdes d'un chagrin et d'un regret mal contenus, d'observer, de 1936 à 1945 et 1981, la continuité du « type idéal » — comme dirait Max Weber — qui constitue le commun de l'appareil socialiste militant. En un mot comme en cent, la passion futile et funeste que Léon Blum tient pour le trop fréquent moteur de l'adhésion au socialisme, c'est l'aigre jalousie, interpersonnelle ou sociale, la jalousie qui, pour être maîtrisée et satisfaite, n'a d'autre issue que de se frayer coûte que coûte un chemin vers les honneurs et le pouvoir. D'où l'absence, chez le militant socialiste, d'une vertu cardinale : le désintéressement.

Certes il faut admettre que, si le socialisme fut à l'origine et par définition — au XIXe siècle — une tentative justifiée de correction des excès de l'individualisme libéral, un retour au moins partiel vers les solidarités communalistes et les sécurités collectives, il devait s'enraciner aussi dans une société qui avait détruit en son sein les appartenances et statuts d'états, qui avait de ce fait libéré les énergies individuelles et exalté les ambitions personnelles de mobilité sociale ascendante. Il est naturel dans ces conditions que les socialistes nourrissent pour eux-mêmes de telles perspectives de libération et d'ascension et de telles ambitions. Mais il faut convenir qu'ils y mettent un acharnement déplaisant, une absence de mesure et de réserve confondante : en témoignent surabondamment les deux ou trois mille militants socialistes qui, carte en poche avant ou après le 10 mai, ont réussi des percées foudroyantes dont il reste à démontrer — de toute façon *a posteriori* — qu'elles étaient méritées et ne faisaient que réparer d'injustes oublis. Je le dis, non sans tristesse : je n'ai jamais, même après 1968 où les dérèglements ne furent pas minces mais souvent (pas toujours) plus joyeux et loufoques que grinçants et grimaçants, observé à l'Université (mais l'observation vaut dans d'autres secteurs) une libération aussi indécente des appétits : tous les coups sont devenus permis, il faut arriver, vite, vite, avant que ne se ferme inexorablement le portillon dont l'ouverture est actuellement déclenchée par la possession d'une carte socialiste (ou apparentée).

L'esprit public n'était déjà pas bien fameux : c'est le point faible déjà ancien d'une France qui a toujours eu

« ... Lorsque je descends au plus profond de moi-même, un mouvement intérieur, je dirai presque une souffrance secrète, m'avertit que je viens de toucher une des racines profondes du mal. Du point de vue de l'équité distributive, tous mes arguments, toutes mes prises d'acte restent valables. On n'a pas le droit de parler de perversion populaire à côté de la démoralisation bourgeoise ; on n'a pas le droit de charger de ce lourd grief la masse des travailleurs, le cadre des militants socialistes et syndicalistes, ni même leurs chefs responsables. À supposer que sur tel ou tel terrain, dans telle ou telle conjoncture, on parvînt à relever contre eux un excès d'exigence ou d'âpreté, ils seraient cent fois excusables. Tenons cela pour acquis. Mais le problème véritable n'est pas là ; il s'agit exactement de savoir pourquoi, au moment où l'effondrement de la bourgeoisie créait une vacance du pouvoir, le peuple des travailleurs, par l'intermédiaire de ses représentants légitimes, ne s'est pas saisi de la succession ouverte. Or, de ce point de vue, une innocence négative n'était pas assez. Le fait que le peuple des travailleurs ne fût pas coupable des fautes qu'on faisait peser sur lui, ne suffisait pas pour le rendre digne de la mission de souveraineté qui s'offrait à lui. La bourgeoisie s'effondrait parce qu'elle s'était révélée indigne de son rôle ; il fallait que la classe ouvrière apparût entièrement digne du sien. La souveraineté implique une supériorité. La moralité de la classe ouvrière pouvait bien être demeurée intacte, mais il aurait fallu par surcroît que sa supériorité morale fût éclatante, et voilà ce qui a manqué. Il a manqué pour entraîner la nation, une générosité, une magnanimité, une prestance idéale, une évidence de désintéressement et de sacrifice à l'intérêt collectif, tout ce que Nietzsche appelle quelque part "le grand style dans la morale", tout ce par quoi la morale touche à la religion et la propagande à l'apostolat. »

Léon BLUM, *À l'échelle humaine,* Paris, Gallimard, 1945. Coll. « Idées », 1971, pp. 119-120.

plus d'esprit que de vertu. Mais au moins, qu'à défaut de vertu, elle garde son esprit : or ce n'est pas sans dépit qu'une femme prête l'oreille aux lugubres insanités dont nous régale périodiquement le ministère des Droits de la femme ; ce n'est pas sans accablement qu'un télespectateur, tassé dans son fauteuil, reçoit le prêchi-prêcha d'un « cultivé » comme ailleurs — en Afrique — on parle (avec mépris) d'un « évolué ».

Il n'est pas difficile d'oser cette dernière prévision : le temps est proche où les Français, lassés d'une parlote futile et niaise, seront reconnaissants à qui, sobrement mais en sachant de quoi il retourne, leur proposera non plus des colloques truqués et débiles ou des luttes de personnes ou des conflits catégoriels, mais des débats authentiques sur des questions sérieuses.

Annie KRIEGEL

XII

Le présent vu de l'avenir*

Mes lecteurs savent bien que je me suis souvent essayé à prévoir l'avenir à partir du présent ; en témoignent beaucoup de mes articles du Figaro, *depuis* 520e siècle, *publié en 1966, jusqu'à la* Crise sans frontière *publiée au début de la présente année ; mais en témoignent plus encore nombre de mes livres comme* La Civilisation de ...2001, *dont la première édition remonte à 1947, et* Le Grand Espoir du XXe siècle, *publié en 1949, qui décrivait ce qui est devenu* Les Trente Glorieuses, *c'est-à-dire le grand boom des trente années 1946-1975.*

Aujourd'hui, il me paraît utile de proposer au public un exercice inverse : décrire les premiers dix-huit mois du septennat Mitterrand tels que les historiens les décriront dans un quart de siècle. La majorité de mes lecteurs d'aujourd'hui seront encore vivants en cette aube du troisième millénaire ; ils pourront s'amuser à comparer mes jugements et les leurs avec ce que seront en fait les jugements de l'époque. Mais, l'on se doute que mon objet premier n'est pas de leur procurer cet amusement. Il est de tenter d'apporter la sérénité là où l'on trouve tout naturellement aujourd'hui les polémiques qui naissent de sensibilités à vif.

---

* Sous ce titre Jean Fourastié a publié une série de cinq articles dans *Le Figaro* du 20 décembre 1982 au 5 janvier 1983. Nous sommes très reconnaissants à Jean Fourastié et à la rédaction du *Figaro* de nous avoir autorisés à les inclure dans le présent volume. (*N.d.E.*)

Il est de tenter de juger dans le long terme les agitations du court terme.

Voici donc les premiers paragraphes de ma copie datée de 2008 :

Les données de la crise

En mai et juin 1981, les élections donnèrent le pouvoir aux socialistes dans des circonstances qui ne pouvaient guère être plus adverses. Politiquement, socialement, économiquement, culturellement tout était sombre, et défavorable à la mise en œuvre de « l'imagination au pouvoir », de l'idéologie de la « rose » et du « tout est possible ». Politiquement, la victoire électorale du parti socialiste fut complète, puisqu'elle emporta non seulement la présidence de la République, mais encore la majorité absolue de l'Assemblée nationale. Cette victoire rendait le parti socialiste et la doctrine socialiste à eux seuls responsables et « maîtres du destin » de la nation.

Cependant, elle n'était pas la manifestation d'une foi en une idéologie au demeurant très floue, que certains appelaient « le socialisme à la française » pour la démarquer de tout autre socialisme réel ou imaginaire, encore moins de l'enthousiasme que la gauche avait un instant cru déceler dans « les masses » ; la victoire ne fut acquise que par la déception engendrée par le gouvernement sortant qui annonçait toujours en vain la sortie de ce que l'on appelait la « crise », qui s'avérait en fait incapable de réduire le chômage et où s'était instaurée, à propos de la mairie de Paris, une inexpiable « guerre des deux chefs ».

Dans de telles conditions politiques, la réussite socialiste devait être immédiate et éclatante ; sinon, ce devait être une non moins rapide et non moins nette désaffection.

Or, les conditions économiques ne permettaient pas cette réussite. Ce que les Français attendaient en 1981, c'était la réduction à bref délai du chômage, la poursuite de la hausse du pouvoir d'achat, la reprise de la croissance : en un mot, c'était le retour des « trente glorieuses ». Nous savons aujourd'hui que ce retour n'est pas possible.

Mais, le parti socialiste l'avait annoncé non seulement comme possible, mais comme facile, comme naturel : la « crise » n'existant pas objectivement, n'étant due qu'à l'impéritie des précédents gouvernements, et du précédent en particulier, à l'emprise du « grand capital », à l'ampleur des profits..., les remèdes étaient simples : nationaliser le crédit et les plus grandes entreprises industrielles et ainsi remettre l'économie nationale au vrai service de la nation ; relancer la production par la demande intérieure des consommateurs, et « reconquérir le marché » et pour cela accroître sensiblement les salaires ; réduire enfin ce qui pourrait subsister du chômage par la réduction de la durée du travail...

Dès le milieu de l'année 1982, l'échec de ces « solutions socialistes à la crise » devint évident. Loin d'apporter dans les caisses de l'État la « plus-value » que dénonçait imperturbablement depuis 1845 la théorie marxiste, les comptes des grandes entreprises nouvellement nationalisées ne firent qu'ajouter des dizaines de milliards de déficit au déficit des autres comptes de l'État et de la Sécurité sociale. Après une faible reprise de la production industrielle, les indices plafonnaient puis retombaient au-dessous de ceux de l'année précédente. Le commerce extérieur sombrait dans les niveaux des 100 milliards de déficit annuel. Après deux (petites) dévaluations du franc, l'on dut bloquer salaires et prix, solution provisoire et désespérée pour en éviter une troisième, a priori aussi inopérante que les précédentes. Baromètre fondamental de la « crise », le chômage, malgré l'orientation de sans doute plus de 200 000 personnes vers les « stages de formation », et vers la « préretraite », se retrouvait accru en juin 1982 de 140 000 sur juin 1981, et, en octobre 1982, de 550 000.

Cet échec « technique », cette impuisance matérielle de « solutions socialistes » à résorber ou même à modérer la « crise », s'excusent et s'aggravent à la fois si l'on considère la désastreuse situation culturelle et spirituelle dans laquelle se trouvait la France en 1981. Les Français se trouvaient en effet alors au creux de la vague de cette « vanité triste » qu'avait si bien décrite et analysée René Girard dès 1961[1]. La frénésie de consommation, l'effondrement moral, la contestation des valeurs millénaires, le désarroi spirituel et religieux étaient alors en effet à leur comble.

Cette situation se concrétisait matériellement par d'incessantes revendications économiques et sociales (d'égalité, de « dignité », de « droits acquis » et à acquérir) — par des grèves incessantes surtout —, par les sinistres niveaux où étaient descendues la natalité et la nuptialité, où étaient montées la criminalité et la délinquance.

Il était donc pratiquement impossible à un gouvernement quel qu'il fût de galvaniser les énergies et de restaurer la vertu qui eussent été nécessaires à la France pour franchir correctement cette mauvaise passe de son histoire. À plus forte raison, cela était-il difficile à un gouvernement dont on attendait non seulement la continuité mais l'accentuation de la facilité antérieure, la diminution de l'effort ; non seulement la valorisation du faible, mais la punition du fort, la pénalisation de la réussite. Il n'est jamais facile à un gouvernement qui doit son élection aux éléments les plus revendicatifs de la nation et qui a été élu contre les classes dirigeantes, de transformer ses électeurs et ses militants et ses adversaires en ces saints dévoués au seul intérêt public, généreux et altruistes, vertueux, que Montesquieu dit à bon droit être le fondement de toute république et qui sont, ou devraient être a fortiori, le fondement de tout socialisme...

---

1. Dans *Mensonge romantique et vérité romanesque*, Grasset, 1961, aujourd'hui réédité dans la collection de poche « Pluriel ».

Et le gouvernement socialiste de 1982 eût-il fait ce miracle, il lui eût encore manqué une vue exacte de ce qu'était en réalité cette crise économique mondiale, qu'à la vérité personne n'a pu clairement comprendre avant 1990.

Les citoyens à l'école du réel

Tenter d'envisager ce que, dans vingt-cinq ans, les hommes auront retenu de l'histoire présente de la France, c'est tenter de reconnaître ce qu'il y a d'essentiel dans cette histoire, et les traces durables qu'elle laissera.

Parce que le gouvernement socialiste des années 1981 et 1982 a innové dans beaucoup de domaines et mis en œuvre ou tenté de mettre en œuvre des solutions et des procédures différentes des solutions des gouvernements français antérieurs, voire de tous les autres gouvernements mondiaux, la France a été constituée pendant plusieurs semestres en un véritable laboratoire d'expériences et les Français se sont trouvés à la fois les éléments et les élèves d'une immense école expérimentale, où les effets suivaient souvent de près les décisions, où le désiré se confrontait sans délai au réalisé, l'intention à la mise en œuvre, l'invention (imaginée) à la découverte (observée). La « créativité » des gouvernants ayant été effervescente, c'est dans tous les domaines que cette école a été active et donc féconde. Je ne retiendrai ici que le domaine de l'économie. Et d'abord, ce que les Français ont appris au cours des douze ou dix-huit premiers mois de l'expérience socialiste.

Au premier rang des leçons reçues, se place la conscience de l'existence d'une « crise » mondiale, ayant cassé vers 1973 la fantastique croissance des « trente glorieuses » et substitué partout les « temps difficiles » à la prospérité, dans les pays riches comme dans les pays pauvres, dans les pays à pétrole comme dans les pays sans pétrole, et dans les pays socialistes comme dans les pays capitalistes. Certes, l'existence de cette « crise », de cette cassure, était évidente dès avant 1981, et en fait, plusieurs auteurs l'avaient décelée et exposée dans de grands journaux français (dont *Le Figaro*) dès la fin de 1973 ; mais le fait que l'opposition de gauche la niait ouvertement, et la nia encore solennellement dans les discours électoraux de mai 1981, fit qu'une très large fraction de l'opinion publique, même « à droite », impressionnée par la vigueur de la négation, et par la relative mollesse de la réponse des gouvernements « capitalistes » d'alors, continua de vivre dans la pensée qu'un petit nombre de mesures purement françaises pouvaient assez aisément redresser la situation, réduire le chômage et « sortir du tunnel ». Ainsi, une large majorité de Français, débordant sensiblement l'électorat de gauche, en vint à envisager sinon avec faveur, du moins sans aversion et avec intérêt, les « solutions socialistes ». Douze mois plus tard, celles-ci s'avérant inopérantes, le gouvernement socialiste en vint à invoquer explicitement la « crise » mondiale ; il fut même reconnu par le parti communiste que des difficultés sérieuses conduisaient et conduiraient les nations du bloc soviétique à « approfondir leur socialisme ».

Mais la découverte de la « crise » mondiale n'est que l'un des exemples de ce que les Français ont appris ainsi à l'école de la gauche. Et, malgré son caractère spectaculaire, ce n'est en rien le plus important. Car c'est en définitive une véritable initiation à la science économique élémentaire qui fut donnée aux Français au cours de ces dix-huit mois. Il est impossible dans un court article d'en énumérer les différentes pièces. Je n'en citerai donc ici que quelques traits majeurs.

D'abord, dès les premiers mois de l'expérience socialiste, apparut la vanité de la procédure dite « faire payer les riches ». En effet, la disposition fiscale prise en juillet 1981 à l'encontre des contribuables ayant payé, au titre de leur revenu 1980, plus de 100 000 francs d'impôt, rapporta environ... 3,5 milliards de francs (alors que les dépenses de l'État sont de l'ordre de 800 milliards et le déficit budgétaire à combler de 80 à 100 milliards). De même, le projet d'impôt sur les grandes fortunes, longtemps fameux, n'accoucha lentement et difficilement que d'une très maigre souris, le tout à travers un arsenal bureaucratique de déclarations, d'évaluations et de contrôles fiscaux.

Dans la même ligne, se placent les découvertes nées de la nationalisation des plus importants groupes industriels privés. D'abord, on constata que la valeur de ce « grand capital » dont la puissance était jugée naguère écrasante, se montait à 35 milliards de francs, c'est-à-dire à environ le vingtième du revenu annuel de l'État, et moins du quatorzième de l'actif du bilan de la seule Banque de France. Ce « grand capital » était donc objectivement un nain en comparaison de l'État et de ses moyens financiers. Ensuite, l'exercice 1982 vit ces mêmes groupes nationalisés produire non les « superprofits » que suppose la théorie de la plus-value, non les bénéfices qui auraient dû résulter de la situation dominante que leur aurait donnée le « pouvoir » antérieur, mais une série désolante de déficits. Enfin, l'on constata que les capitaux investis dans ces entreprises coûtaient quatre à cinq fois plus cher sous la forme obligataire résultant de la nationalisation que sous la forme des actions détenues par les anciens porteurs. Mais le plus grave est encore que, de ces grands groupes industriels, l'État, aujourd'hui seul patron, ne peut, en l'absence de Plan, que jouer le destin au hasard de quelques « concertations » ministérielles.

Mais ce sont des enseignements plus généraux et donc plus fondamentaux encore que l'expérience des dix-huit premiers mois du gouvernement socialiste a apportés à la France : que l'accroissement de la demande par la hausse des salaires ne relance que très faiblement et non durablement la machine économique — qu'elle « relance » au contraire fortement les déficits publics et privés, et notamment le déficit du commerce extérieur, qui met la monnaie et l'économie française à la merci des prêteurs étrangers. — Que, de même, la réduction de la durée annuelle du travail n'est, à court terme, qu'un remède médiocre au chômage et à la « crise ». D'un emploi difficile, elle est loin de conduire à une « maîtrise » de l'économie. — Que, ne disons pas l'arrêt de l'inflation monétaire, mais seulement sa réduction, exige aussi de longs et difficiles efforts, en particulier une réduction du niveau de vie de la nation. — Enfin et peut-être surtout, que l'entreprise (et non l'État, et non le Capital, et non l'argent) est la source, la seule source de la richesse, de la prospérité des nations.

Réalités, amères réalités que la France voulait ignorer et qu'il faut féliciter le gouvernement des années 1981-1982 de lui avoir apprises ; réalités qui se résument en une seule phrase : les économies occidentales, à haut niveau de vie parce qu'à haute efficacité de production et d'échanges, sont des systèmes extrêmement *complexes et fragiles*. La grande prudence dont a fait preuve le gouvernement Mauroy au cours de ses premiers mois d'existence (en ne relevant que les salaires les plus faibles et de quelques points seulement, en n'abaissant que d'une heure la durée légale hebdomadaire du travail, etc.) renforce la démonstration de cette extrême fragilité, puisque le très peu de maladresse qui a été fait a suffi à dérégler sérieusement le système.

L'initiative paralysée

Les Français ont donc appris beaucoup d'économie en 1982. Il leur reste bien davantage encore à apprendre en 1983.

Et d'abord, sur le fait capital que nous avons déjà signalé : la fragilité des économies à haut niveau de vie comme l'économie française. Car ce n'est qu'un premier aperçu de cette fragilité qui est venue à la conscience des citoyens et de leurs dirigeants politiques au cours de l'année 1982 ; non seulement cette fragilité se confirmera au cours de l'année 1983, mais, à moins de grave chute du niveau de vie, elle se révélera de plus en plus grande au cours des vingt dernières années suivantes, comme nous le verrons plus loin, en analysant la situation économique française et mondiale de la fin du XXe siècle.

De même, en 1982, n'a pas encore été pleinement envisagé par l'opinion publique ce fait capital : que l'entreprise est la pièce maîtresse de l'activité économique, que c'est l'efficacité de l'entreprise qui fait l'efficacité de la nation et le haut niveau de vie de ses habitants. Car il s'ajoutera progressivement, à la prise de conscience en cours, cette constatation essentielle, qu'à la vérité il est insensé que les Français n'aient pas perçue (ou aient oubliée) cinquante ans plus tôt : à savoir que l'entreprise vaut ce que valent ses dirigeants, ses ingénieurs, ceux qui imaginent, qui inventent, qui découvrent, qui entreprennent ; que ce sont les cadres qui valorisent les manœuvres ; que les manœuvres sont les mêmes à travers toute la terre, et que, si les manœuvres qui sont en France ont un niveau de vie quadruple ou quintuple de ceux qui sont en Algérie, en Égypte ou au Brésil, c'est qu'ils bénéficient en France de l'organisation et de la compétence des classes dirigeantes françaises, formées par 300 ans de société industrielle et commerciale.

Ce sont bien d'autres éléments encore de la science économique élémentaire que la difficulté des temps et la direction socialiste de l'économie nationale feront découvrir aux Français. Je ne cite que quelques-uns.

Lorsque l'État tend à devenir le seul agent puissant de l'économie, les effets bénéfiques de ses décisions correctes sont freinés par le caractère institutionnel qu'ils prennent aussitôt, tandis que les effets pervers de ses erreurs sont amplifiés par l'ampleur même des moyens qui leur ont été gouvernementalement affectés.

Ces faits sont aujourd'hui prouvés par l'histoire économique des pays de l'Est, mais aussi par celle de l'Angleterre travailliste, de l'Argentine péroniste, et par quantité d'expériences de pays du tiers monde ; et prouvés aussi par l'expérience inverse du Japon, de Taïwan ; plus près de nous, tout près de nous, mais ignorée, de la Suisse.

En réduisant considérablement le nombre des centres d'initiative et de décision, une nation se prive de dizaines de milliers d'essais dont, à l'inverse de ce qui se passe en économie d'État, les innombrables échecs sont sans importance nationale, tandis que le très petit nombre de grandes réussites suffit à emporter, pour trente ou soixante ans, la prospérité ; comme celle des Citroën et des Renault en 1920, celles des Floirat, des Boussac, des Bouyghes, des Dassault dans les années 50...

En cassant les mécanismes instinctuels de l'initiative individuelle, du profit, du marché, l'État se contraint à en imposer d'autres, artificiels, le plus souvent mal adaptés (faute d'expérience) aux résultats qu'il vise, et ainsi sans cesse modifiés, augmentés et compliqués ; le citoyen, au lieu d'agir avec spontanéité, selon son ardeur de vivre, est pris dans un réseau de plus en plus complexe et mouvant d'obligations légales, économiques et fiscales qui commandent du dehors son action et donc souvent bloquent ses initiatives et même son désir d'initiative. Pour le bien de tous, on fait la prison de chacun. Avec des individus aimables, désireux de liberté, d'harmonie et de justice, on fait un réseau inhumain.

Ces servitudes, supportables dans les périodes où la prospérité emporte tout, par exemple au cours des « trente glorieuses », sont pesantes et coûteuses au cours de temps difficiles, où d'une part, le simple maintien du niveau d'activité exige la sensibilité à d'immédiates, indéfinies et innombrables actions conjoncturelles, et où, d'autre part, comme nous le verrons plus loin, la planification économique d'État est ou bien impossible, ou bien perdue d'erreurs.

Alors l'irréfragable bureaucratie d'État étouffe les initiatives créatrices et stérilise les milliers d'hommes qui seraient aptes à les promouvoir. Tout est remis à quelques ministres, réduits eux-mêmes à prendre par coups de dés de « grandes » décisions qui font la « une » des journaux et rassurent les citoyens en montrant que le gouvernement travaille, mais dont beaucoup sont stériles parce que désaccordées aux choses et aux hommes.

Quant à celles qui ont une suite manifeste, on ne connaîtra leur sort réel et si elles sont réellement bienfaisantes, que des années après que les ministres qui les ont prises auront quitté le pouvoir...

Or, l'un des traits les plus remarquables de la période 1975-1981, traits encore accentués par l'intervention socialiste, est que les dispositions prises pour adoucir et abréger la « crise », quoique assez souvent bénéfiques à court terme, en ont à long terme prolongé la durée et aggravé le poids. On retrouve ici l'opposition classique entre ce qui est bon sur l'instant, mais moins bon ou mauvais sur cinq ou vingt ans.

Ici encore, l'exemple de la Suisse, où l'intervention de l'État est fort réduite au prix de ce qu'elle est en France, et qui pourtant ne connaît ni inflation, ni chômage, ni contrôle des prix ou des changes et où la fiscalité paraît presque aimable, aurait dû, plus tôt, retenir l'attention des Français.

D'autres constats, plus importants encore, s'imposent en cette fin d'année 1982, en ce début d'année 1983. Je retiendrai ici d'abord ce qui concerne l'égalitarisme qui a dominé la période 1968-1983, où la justice a été confondue avec l'égalité. Et surtout la véritable nature de ce que l'on appelait encore, en 1982, la « crise » économique, ce qui accrochait toute politique à l'objectif de « reprise de la croissance », c'est-à-dire au retour non plus seulement des trente glorieuses, mais sans doute des trois cents ou des trois mille, c'est-à-dire au retour à une situation d'intense « progrès ».

L'on considérait encore couramment cette situation d'intense « progrès » économique comme normale, alors qu'elle n'avait été et ne pouvait être qu'exceptionnelle, être courte et n'avoir lieu qu'une seule fois et que c'est son intensité même qui en avait hâté la fin.

Mais chacun de ces deux sujets appelle, en allant au plus court, une analyse un peu développée.

La frénésie égalitaire et le bien public

Une frénésie égalitariste s'est emparée de la France, ou du moins de ses syndicats et de ses partis politiques, au cours des années 70 et du début des années 80. Certes, l'aspiration à l'égalité est congénitale à l'humanité et donc s'incarne légitimement dans l'histoire à mesure que le progrès (le progrès des sciences et des techniques, le progrès des mœurs et le progrès des institutions) rend cette incarnation possible. Le siècle des Lumières, la Révolution de 1789, la République, l'élévation du niveau de vie, notamment depuis 1945, ont permis à l'Occident en général et à la France en particulier de franchir des étapes fondamentales de cet espoir millénaire.

La psychose française des années 70 et 80 n'en est que plus étrange. Romantiquement exprimée en 1968 par les étudiants, elle s'exaspéra dans les classes politiques à la suite de la publication, par l'OCDE et par une commission de l'ONU, de statistiques nationales abusivement considérées comme comparables et à partir desquelles des lecteurs, des auteurs et des journalistes hâtifs proclamèrent, contre toute réalité, que la France était la nation la plus inégalitaire de l'Occident, et même du monde ; plus inégalitaire, écrivit-on, que le Brésil, le Mexique et l'Inde même.

L'INSEE et plusieurs statisticiens démentirent immédiatement ces affirmations et cette forme efficace de mensonge que peut en effet être la statistique, quand elle ne prend pas soin de faire la critique de ses sources et de ses chiffres. Mais l'affirmation calomnieuse n'en produisit pas moins les effets automatiques que Beaumarchais a pourtant dénoncés, dans un texte célèbre, voici plus de deux cents ans.

Quoi qu'il en fût, hommes politiques, syndicalistes,

journalistes, mouvements de bienfaisance, moralistes, prêtres, en vinrent à imposer un langage dominant où le mot charité était honni, et le mot *justice* détourné de son sens millénaire ; l'égalité en vint à être présentée comme le critère et l'objectif suprêmes du progrès moral et du progrès social.

On en vint même, après avoir assimilé égalité et justice, à jeter la *dignité* des pauvres dans la revendication égalitaire[1].

La richesse devint une condition de la dignité humaine, comme si nos milliers d'ancêtres, pauvres ou misérables, morts ou mourant de famine au cours des siècles, n'avaient pas eu cette dignité ; comme si ma grand-mère, veuve qui vivait vers 1920 avec 1 000 francs par an (dont 30 francs par mois donnés par son fils sur son traitement de commis des contributions indirectes), et bien entendu sans sécurité sociale, avait manqué de dignité[2].

Le prestige de l'égalité devint tel que, ses actions pour relancer la machine économique, réduire le chômage et relever le niveau de vie national ayant échoué, le gouvernement Mauroy caractérisa son socialisme par ses seules mesures égalitaires.

En fait, c'est dès les années 70 que les gouvernements successifs de la France se ruèrent dans une politique d'intense réduction de l'éventail des revenus, dont l'inflation facilita grandement la mise en œuvre, et qui porta simultanément sur les trois facteurs du revenu disponible : le salaire direct, le salaire indirect, le prélèvement fiscal.

Quelques chiffres suffisent à caractériser ce que l'on peut appeler l'*immensité* de la réduction de l'inégalité

---

1. Pour plus de détails sur cette psychose, je me permets de renvoyer le lecteur au livre que Béatrice Bazil et moi-même avons consacré récemment aux inégalités en France : *Le Jardin du voisin*, « Pluriel », 1980.

2. Le pouvoir d'achat du franc de 1920 était d'environ 5 francs d'aujourd'hui.

des salaires en France depuis deux siècles. Ce sont ceux, bien connus au moins de mes lecteurs, qui expriment les traitements des très hauts fonctionnaires de l'État en les rapportant au salaire annuel moyen des adultes, manœuvres sans qualification. D'un côté, les directeurs de ministère, les préfets et les ambassadeurs hors classe, les conseillers d'État, les généraux d'armée..., de l'autre les femmes de ménage. D'un côté l'échelle lettre E 2 de la fonction publique, de l'autre ce qui est aujourd'hui le SMIC.

En 1810, ces très hauts fonctionnaires gagnaient, net d'impôt, 160 fois ce que gagnaient les femmes de ménage ; en 1910, 40 fois ; en 1939, 20 fois ; en 1979, 5,5 fois ; aujourd'hui moins de 5 fois.

Le revenu salarial net d'un couple de smicards se monte ainsi aux deux cinquièmes du revenu d'un conseiller d'État ou d'un général d'armée dont la femme reste au foyer. Un couple d'instituteurs retraités atteint les quatre cinquièmes.

Or, la retraite des instituteurs vient à cinquante-cinq ans, celle des smicards à soixante-deux ou soixante-cinq ans, tandis que, parmi les très rares hommes qu'une carrière exemplaire conduit à l'échelle E de la fonction publique, bien rares sont ceux qui ont moins de soixante ans.

On voit ainsi combien le niveau de vie des familles françaises dépend aujourd'hui du travail professionnel des femmes.

Si l'on suit l'évolution à moyen et court termes, on découvre quantité de faits étonnants, dont personne, pas même le législateur, ne semble s'être aperçu. Je n'en cite que quelques-uns.

Un jeune homme passe en 1935 un concours qui lui donne accès à l'un des grands corps de l'État. Il est aujourd'hui inspecteur général des Finances, des Mines ou des Ponts, conseiller maître à la Cour des comptes, conseiller d'État, ambassadeur, préfet de région : il a presque exactement le niveau de vie que donnait en 1935 ce rang qui lui était promis.

Un autre jeune homme a passé à la même date le concours de facteur des postes, est entré comme ouvrier dans une manufacture de tabacs ou d'allumettes, chez Renault ou chez Citroën : il a lui aussi suivi la carrière ainsi ouverte, mais il a aujourd'hui entre trois et quatre fois le niveau de vie qui lui était promis.

Le second jeune homme a bénéficié à plein des trente glorieuses. Le premier pas du tout. On peut s'en réjouir, encore faudrait-il qu'on le sache. Et que l'on dise s'il est réellement juste qu'un homme qui fut *a priori* un acteur éminent de l'heureux changement n'en bénéficie pas.

Bien entendu, tous ces chiffres sont relatifs au *revenu salarial net*, c'est-à-dire au total salaire direct plus salaire indirect moyen (prestations sociales reçues), diminué des cotisations sociales payées et de l'impôt général sur le revenu. Le revenu salarial net est la seule grandeur qui soit correctement représentative du pouvoir d'achat des salariés et qui puisse être licitement comparée dans le temps et dans l'espace. Cependant, la plupart des publicistes l'ignoraient et voulaient l'ignorer jusqu'en 1982, et cela suffisait à accréditer de graves erreurs. Le ministre des Finances Jacques Delors a eu le courage de s'y référer officiellement en novembre 1982.

Comme on vient de le dire, ce resserrement de l'éventail du revenu disponible provient de trois facteurs convergents : le poids dans le total des *prestations sociales* reçues, qui sont égalitaires, va croissant ; le *salaire direct* des cadres augmente moins vite que celui de la « base » (par exemple, l'échelon 810 de la fonction publique valait 5,55 fois la base en 1968, 3,72 fois en 1981) ; enfin, l'impôt sur le revenu qui n'écrêtait que très peu le salaire des cadres supérieurs en 1938, l'amputait beaucoup dès 1970 et bien davantage encore depuis 1980 (un célibataire recevant en salaire direct 5 fois le SMIC doit reverser au fisc environ 25 %, soit 1,2 SMIC).

Ajoutons que le smicard moyen bénéficie, en outre, des prestations sociales de Sécurité sociale, considérées ci-dessus, de divers autres « transferts » qui sont refusés aux cadres : allocation logement, bourses d'enseignement...[1]

Tout cela serait bel et bon si seulement le smicard le savait et en tirait satisfaction. Si tout le monde se félicitait d'une évolution aussi ouvertement et aussi rapidement favorable aux « pauvres », si généreuse de la part des « riches ». Mais, à la limite, on peut dire que personne n'en sait rien. On observe une incapacité étrange des hommes à tirer des satisfactions d'une égalisation que pourtant les syndicats et les hommes politiques revendiquent pour eux. Au contraire, la revendication s'exaspère à mesure qu'elle est satisfaite. On ne constate pas la réduction de l'écart, mais seulement la différence qui subsiste. C'est bien là un caractère majeur de la « vanité triste ».

Par ailleurs et tout naturellement, cette réduction des hauts revenus s'accompagne d'une dévalorisation des fonctions de direction et d'encadrement. Non seulement leur prestige a disparu, mais le salarié moyen a perdu le principe qui commande la hiérarchie des revenus, et qui est que le salaire est proportionnel au service rendu à la collectivité, à la valeur du produit fourni à la production nationale. On conteste non seulement la rétribution du travail des cadres et instructeurs, mais leur compétence et, à la limite, leur efficacité et leur utilité même.

Il est clair que cette « vanité triste » ne peut donner le bonheur au peuple. Il est clair qu'elle doit cesser de ronger les cœurs avant le nivellement absolu qui est dans sa logique, mais qui réduirait presque à rien l'initiative, l'émulation, l'effort... Dans les temps difficiles que la France doit vivre, ce serait la ruine de la nation, sa domination physique par d'autres nations.

À quelle date les Français prendront-ils conscience de la perversité de l'égalitarisme ? Ces effets pervers apparaîtront de plus en plus clairement, à mesure que l'on se

1. Sur la représentativité des salaires des hauts fonctionnaires et des cadres supérieurs, voir l'annexe à ce chapitre p. 506.

rapprochera du zéro absolu — l'allocation uniforme — et à mesure que les temps difficiles s'affirmeront. Les choses sont en situation d'aller vite. Soyons optimistes. Parions pour 1986.

L'économie du dernier quart du siècle

Dans cette série de cinq articles, j'ai tenté de présenter aux classes dirigeantes de ce pays (hommes politiques, syndicalistes, chefs d'entreprise, cadres supérieurs et moyens, membres des professions libérales, professeurs, instituteurs, étudiants et élèves...) une réflexion sur la situation présente de la France, éclairée par l'évolution séculaire du monde.

La « crise » économique en général et le gouvernement socialiste en particulier ont commencé d'apprendre aux Français cette science économique élémentaire qu'ils ignorent à peu près complètement et qui est pourtant aujourd'hui absolument nécessaire aux citoyens d'une démocratie. Nous avons vu que les votes des électeurs et l'ignorance des élus ont engendré des gouvernements qui se sont efforcés de réparer ce qui n'était pas cassé, de réformer ce qui marchait à peu près aussi bien que le permet la condition humaine, et qui, de plus et sans conteste, ont échoué à remettre la machine économique en bonne vitesse, à réduire le chômage, à libérer les entreprises et les citoyens des contraintes, des blocages et des contrôles, à restaurer la monnaie et le crédit, à équilibrer le commerce extérieur, à stimuler les investissements sans quoi l'« instrument de travail » français se délabre bien vite...

Mais, il faut aussi constater que les gouvernements français qui s'étaient succédé depuis 1973, tout en évitant les erreurs grossières et tout en étant parvenus à maintenir en croissance le niveau de vie national (+ 22 % du début 1974 au début de 1981), n'avaient réussi ni à éviter une énorme montée du chômage ni bien sûr à maintenir les taux de croissance de la production nationale que l'on avait connus de 1945 à 1973. Bien plus, il faut considérer au premier chef ce que les partis de la gauche française ont longtemps nié, qu'ils reconnaissent seulement depuis qu'ils sont au pouvoir, et qui n'en est pas moins certain après comme avant 1981 : la très forte croissance économique mondiale des années 1945-1973 a été cassée en 1973. C'est cette situation, qui donc prévaut depuis maintenant près de dix ans, que l'on a appelée et que l'on appelle encore la « crise ». Ce qui signifie : accident passager qui perturbe un état antérieur favorable, mais doit se terminer par le retour de cet état favorable.

C'est bien là en effet le sens qu'a le mot « crise » en économie, sens illustré par d'innombrables exemples au XIXe et au début du XXe siècle. C'est bien là, surtout, le jugement porté sur l'événement, non seulement en France, mais dans le monde entier : partout l'on a attendu depuis 1973, et l'on attend encore la restauration de la croissance rapide et de l'euphorie antérieure ; partout l'on attend, et partout les gouvernements ou les candidats aux gouvernements promettent le retour des taux annuels de croissance de 5 ou 6 %, la chute du chômage, l'équilibre du commerce extérieur et des budgets publics, l'arrêt de l'endettement... en un mot : « la sortie du tunnel ».

Or, tout ce que je sais de science économique, tout ce que j'ai fait et publié de recherche prospective, conduit à des conclusions contraires : 1973 n'est pas le début d'une crise affectant un état « normal » antérieur ; 1973 est le début d'une nouvelle situation économique mondiale, qui sera durable, et dont je me risque à écrire qu'elle durera autant que les plus jeunes de mes lecteurs ; 1973 a bien été « la fin des temps faciles[1] ».

Cette proposition peut se justifier en quelques lignes, réparties en deux paragraphes :

— Depuis 1973, la science économique universitaire a

1. « La fin des temps faciles », par Jean Fourastié, *Le Figaro*, 20 décembre 1973.

fait faillite ; les hommes ne disposent donc plus d'instrument propre à comprendre ce qui leur arrive en matière économique ; il faudra de longues années pour reconstruire une science adaptée aux nouvelles réalités.

— La cause profonde de la cassure de 1973, de la destruction de l'ancienne situation de croissance et de l'instauration d'un nouveau climat économique est tout simplement celle que les bonnes âmes appellent de leurs vœux : l'industrialisation du tiers monde, l'homogénéisation du monde.

Il existe une science économique élémentaire qui vaut pour toutes les époques et pour tous les lieux, pour tous les climats, pour tous les systèmes (capitalistes ou socialistes), pour tous les régimes. C'est celle que je me suis efforcé d'apprendre et d'enseigner toute ma vie.

Mais elle est trop simple, trop claire, trop *élémentaire* pour intéresser les savants. Elle n'est pas enseignée dans les universités, ni donc dans les écoles, puisque, aujourd'hui, dès la classe de troisième, professeurs et élèves miment l'enseignement supérieur.

La science économique universitaire a été depuis 1935, ou bien celle de Keynes, ou bien celle de Marx, enrichie de « modèles économétriques » de plus en plus sophistiqués. Cette science a été tant bien que mal valable, l'une en Occident, l'autre en Orient, jusqu'en 1973.

Depuis lors, elle a cessé d'expliquer le monde réel ; elle a cessé de permettre d'agir sur le monde réel. Le fait est prouvé par la cacophonie que font entendre les économistes dans leurs jugements sur la crise et dans les conseils qu'ils donnent aux gouvernements. M. Mitterrand a d'éminents conseillers économiques. M. Giscard d'Estaing en avait aussi. Et M. Heath et Mme Thatcher. Et M. Schmidt et M. Kohl. Et M. Carter et M. Reagan. Et M. Brejnev et M. Jaruzelski. C'est la médecine de Molière.

Le peu de consistance qu'avait atteint, au cours des années 50, la science économique universitaire s'est évanoui à partir de 1970 parce que d'autres réalités, inconnues, sont intervenues dans le monde, parce que sont devenus prépondérants des faits nouveaux non identifiés.

Les économistes universitaires, du moins ceux qui ont méprisé la science élémentaire au point de l'ignorer, sont dans la situation d'Anglais qui se « débrouillaient » assez bien dans les pays de langue anglaise, mais qui se sont réveillés un beau matin dans un pays où l'on ne parle que le chinois ; ou dans la situation d'hommes équipés pour la pêche et qui sont envoyés au Sahara.

Les « trente glorieuses » ne pouvaient durer, et ne pourront durablement revenir, cela est la conséquence du seul fait qu'elles étaient glorieuses. Le niveau de vie d'un peuple ne peut régulièrement doubler tous les quinze ans. La production industrielle d'une nation ne peut croître indéfiniment de 6 % par an. Tout simplement parce que doubler chaque dix ans, c'est multiplier par 1 000 en cent ans, et que cela devient physiquement impossible. Ce n'est donc pas les trente glorieuses qui sont normales. Ce qui est normal, c'est ce que nous appelons aujourd'hui la crise.

Il y a quarante-cinq ans, annonçant les années de forte croissance, j'avais aussi averti qu'elles ne seraient qu'*une période transitoire*, c'est-à-dire limitée dans le temps. L'achèvement de la période transitoire était dès lors caractérisé par le passage de l'emploi tertiaire au-dessus de la barre des 50 %. Cette barre a été franchie en France vers 1975, et l'est aujourd'hui dans tous les pays occidentaux.

Les modalités de l'arrêt de la période d'intense expansion sont simples : d'une part, la structure de la consommation des pays à très haut niveau de vie devient capricieuse et imprévisible ; la production doit courir sans cesse après les frénésies disparates du consommateur mondial.

Et surtout, le tiers monde, qui n'intervenait jusqu'en 1973 que comme fournisseur docile de matières premières, commence à s'organiser et à s'industrialiser. Il suffit qu'une des cent nations du monde à très faible salaire construise telle énorme usine moderne pour perturber gravement le commerce de la France, et par exemple le textile, ou la sidérurgie, ou l'automobile...

L'heureuse promotion du tiers monde se fait et se fera dans la compétition, dans la contestation des pays d'abord avancés. Il y aura sans cesse, dans les années qui viennent, de nouveaux Japon, de nouvelles Corée.

Croissance faible en Occident, instabilité, fragilité, partout, telles sont et resteront les réalités. Cette croissance faible sera coupée de stagnations et de récessions qui pourront être graves dans les nations mal gouvernées.

Dans un tel climat, l'irrationnel domine et la planification est illusoire... Les pays qui réussiront, ceux qui réussissent déjà sont ceux où une multitude d'entreprises, libres de contraintes étatiques, ayant la confiance de leurs salariés et des citoyens, répondent sur l'instant aux innombrables et imprévisibles opportunités et aléas de la conjoncture nationale et mondiale. Maintenir seulement le niveau de vie des Français exige aujourd'hui plus d'initiative, d'intuition, d'originalité, de force, d'audace... qu'il y a vingt ans pour progresser.

Jean FOURASTIÉ,
de l'Institut

Annexe

Sur l'évolution des salaires des hauts fonctionnaires et des cadres supérieurs depuis 1914 et 1930.

— I. On dit et on écrit souvent que les salaires des hauts fonctionnaires ne sont pas représentatifs de l'évolution des très hauts revenus.

Certes, il est absolument certain que les très hauts revenus, et par exemple ceux des acteurs de cinéma, des chansonniers, des vedettes du spectacle et du sport, des pilotes d'avion, d'un certain nombre d'« hommes d'affaires », de PDG, de cadres dirigeants, d'auteurs de « best-sellers » (livres, pièces de théâtre, peintures) sont énormes et donc sans aucun rapport avec ceux des conseillers d'Etat et des autres très hauts fonctionnaires. Mais il est non moins certain que ces énormes revenus individuels ne forment qu'une fraction très faible du revenu national, par suite du très faible nombre de leurs titulaires.

Dès que l'on s'attache aux niveaux de revenus qui ont un poids significatif à l'échelle nationale, on constate que les ordres de grandeur des hauts revenus privés, tout en étant supérieurs à ceux des hauts revenus publics, sont moins grands qu'on ne le croit généralement, et que les écarts relatifs entre les uns et les autres sont relativement stables dans le temps.

Par exemple, si l'on se refère aux enquêtes publiées annuellement par *Le Point*, *L'Express,* ou *L'Expansion*, on constate que le traitement budgétaire brut du conseiller d'État (échelle E 2 de la Fonction publique) est de l'ordre de grandeur de la moitié de la rétribution moyenne brute des cadres de direction des entreprises privées (PDG et directeurs généraux) ; de l'ordre de 80 % de celle des autres cadres dirigeants ; et de l'ordre de la moyenne de celle des cadres supérieurs. Pour apprécier correctement ces chiffres, il faut sans cesse avoir présent à l'esprit : *a)* que le haut fonctionnaire bénéficie, en outre de son traitement budgétaire, de primes et indemnités qui sont de l'ordre de 20 à 30 % du salaire budgétaire, alors que les enquêtes des hebdomadaires portent sur la rémunération totale (treizièmes mois, primes de fin d'année, gratification et intéressement aux résultats... sont compris) ; *b)* que les comparaisons ci-dessus ne portent pas sur le revenu salarial disponible, pour lequel les écarts seraient de beaucoup moindres, mais seulement sur *le salaire direct* perçu, *brut* de cotisations sociales *brut* d'impôt sur le revenu.

2. Quoi qu'il en soit du résultat précis de ces comparaisons entre les gros revenus privés et les traitements des très hauts fonctionnaires, on doit admettre que leur évolution à moyen terme présente un parallélisme suffisant pour que, de l'évolution des seconds, bien connus par les documents administratifs, on puisse inférer l'évolution des premiers.

Cela étant, quatre chiffres suffisent à montrer que le pouvoir d'achat des hauts fonctionnaires n'a pas bénéficié des énormes progrès économiques et techniques réalisés en France depuis 1945. Ce sont ceux qui donnent d'une part le traitement budgétaire des conseillers d'État en 1934 et en 1982, et d'autre part l'indice INSEE du coût de la vie aux mêmes dates. Ces chiffres sont : 100 000 F et 266 415 F, d'une part ; 71 et 154, d'autre part. Le faible gain de pouvoir d'achat qui semble résulter de ces chiffres (23 %) est absorbé par l'accroissement du taux de l'impôt sur le revenu.

Cette stagnation, voire cette réduction du pouvoir d'achat des hauts fonctionnaires a été pour la première fois décelée par André Tiano dont l'ouvrage *Les Traitements des fonctionnaires et leur détermination,* publié en 1957[1], est une mine de renseigneents en la matière. André Tiano montre (tableau annexe XV, p. 513), que le pouvoir d'achat des directeurs généraux de ministère, qui était à peu près remonté en 1934 à son niveau de 1913 (alors que les petits fonctionnaires avaient à très peu près doublé le leur pendant cette période), s'est effondré à moins de la moitié de ce niveau 1913 au cours des années 1951-1954, et ne s'est relevé qu'aux 62/100e de ce même niveau en 1957.

1. Ed. Marie-THérèse Génin, Librairie de Médicis, 554 p. ; nombreux tableaux statistiques.

Il résulte des calculs que j'ai effectués, et que chacun peut contrôler à l'aide des chiffres actuels, que le revenu salarial disponible de ces hauts fonctionnaires (c'est-à-dire traitement budgétaire plus indemnités et primes de tous ordres, plus salaire indirect moyen, moins cotisations sociales payées, moins enfin impôt général sur le revenu) reste encore en 1982, et bien sûr aussi en 1983, inférieur à ce qui serait nécessaire pour retrouver le pouvoir d'achat de 1913 et de 1934. La perte de niveau de vie de 1982 sur 1934 est de l'ordre de grandeur de 10 à 20 % selon les situations particulières.

Benjamin Constant

De la liberté chez les Modernes

Entre tous les auteurs politiques ou négligés du XIXe siècle, s'il en est un auquel il est temps de rendre justice c'est assurément Benjamin Constant. Le très célèbre auteur d'*adolphe* a été aussi — on l'a trop longtemps méconnu — un des théoriciens les plus originaux et les plus conséquents du libéralisme. Réunissant un ensemble de textes devenus pour la plupart introuvables, c'est cet aspect de son œuvre que ce volume met vigoureusement en lumère. Édition établie, présentée et annotée par Marcel Gauchet. 8346

René Girard

Mensonge romantique et vérité romanesque

Nous nous croyons libres, autonomes dans nos choix, que ce soit celui d'une femme ou d'une cravate. Illusion romantique ! En réalité, comme le montre René Girard, à partir d'une analyse renouvelée des plus grands chefs-d'œuvre de la littérature romanesque, nous ne choisissons que des objets désirés par les autres, mus, le plus souvent, par ce que Stendhal appelle les sentiments *modernes*, fruits de l'universelle vanité : « l'envie, la jalousie et la haine impuissante ».

Jean Fourastié

Les Trente Glorieuses

Les Trente Glorieuses ce sont les trente années — de 1945 à 1975 — pendant lesquelles le peuple français a été affranchi des grandes contraintes de la rareté millénaire, a triplé son niveau de vie et profondément transformé son genre de vie.

Un livre capital, qui aide à comprendre les désillusions, les inquiétudes et les troubles qui sont aujourd'hui les nôtres. 8363

Jean Fourastié et Béatrice Bazil

Le jardin du voisin, *les inégalités en France*

Inédit

La France présente-t-elle réellement le spectacle d'inégalités excessivement et choquantes ? Plus choquantes, par exemple, que celles des pays voisins ? Est-elle plus ou moins inégalitaire qu'au cours des siècles passés de son histoire ? Omniprésentes dans le débat politique, ces questions sont examinées ici à la lumière des faits. Salaires, revenus, fortunes sont minutieusement disséqués et analysés. Les conclusions ménagent plus d'une surprise. 8359

Michel Crozier

On ne change pas la société par décret

« N'y-a-qu'à » : plus que jamais le maître mot de la politique française. Le Bien existe, puisque les électeurs l'ont rêvé ; et c'est au souvenir — président. Parlement — auquel le peuple a délégué son mandat, de le réaliser sur terre, en appliquant un bon « projet de société », et en décidant de miraculeuses « réformes de structures » (nationalisations, décentralisations, autogestions, etc.). Comme s'il suffisait que le Dieu vengeur de la lutte des classes chasse les marchands du Temple pour que les citoyens apaisés puissent construite la société idéale. Comme si, surtout, le « changement » se *décrétait* dans une société aussi complexe et ouverte que la nôtre, façonnée par cet immense réseau de ieux autonomes — familiaux, professionnels, politiques... — tous plus ou moins contraignant et organisés, à travers lesquels les individus expriment leur liberté. On ne « change » vraiment qu'en faisant confiance aux hommes, seuls véritables innovateurs, sans vouloir tout régler à leur place dans le moindre détail, sous peine d'aggraver blocages et inerties, et d'aboutir au renforcement généralisé de la bureaucratie qu'on prétend combattre.
8374

Hubert Landier

Demain quels syndicats ? *Inédit*

Toutes les tendancs confondues, les organisations syndicales ne rassemblent, en France, guère de 20 p. 100 de salariés. Encore cette proportions était-elle en diminution ces dernières années. Cette « crise » du syndicalisme ne tient pas seulement au chômage, mais aussi à la sclérose intellectuelle des appareils et e leurs dirigeants, au poids des arrière-pensées politiques, à l'évolution intervenue dans l'organisation des entreprises.

La présence de la Gauche au pouvoir pourrait se traduire par un renforcement des appareils et des intérêts corporatistes, mais sans pour autant que les salariés soient mieux représentés. Pour cela il faudrait que les syndicats remettent fortement en question leur objectif et leur méthodes.
8368

Raymond Aron

Plaidoyer pour l'Europe décadente

L'Europe que l'on appelle décadente, c'est l'Europe de l'Ouest, plus riche, plus féconde, plus civilisée en un mot que l'autre. C'est aux frontières de cette autre Europe que patrouilllent les chiens policiers, que s'allument, la nuit, des miradors. L'avenir appartiendrait-il au despotisme et l'Europe de l'Ouest serait-elle vouée à la décadence, parce qu'elle s'obstine à croire à la démocratie et au libéralisme ?

Nouvelle édition augmentée d'une revue de presse détaillée.
8320

Vladimir Boukosvky

Cette lancinante douleur de la liberté

On se souvient : en décembre 1976, Brejnev et Pinochet échangeaient Vladimir Boukovsky comme le chef communiste chilien Louis Corvalan. Depuis lors, Boukovsky vit donc ici, en Occident. Comment cet homme et hôpitaux, à trente-quatre ans, avait passé douze ans dans les prisons et hôpitaux psychiatriques d'U.R.S.S., voit-il et juge-t-il le monde libre » ? Il nous répond dans ce livre témoignage, incisif, sans indulgence pour nos travers, nos lâchetés, nos illusions. Nous croyons encore au « visage humain » d'un socialisme à venir. Nous ne voyons pas comment la contagion du « modèle soviétique » nous paralyse peu à peu.

Henri Lepage

Demain le capitalisme *Inédit*

La crise que nous vivons n'est pas celle du capitalisme, mais celle de l'étato-capitalisme. Ce dont nous souffrons, ce n'est pas de trop de marchés, mais pas assez de marché. Il faut dénationaliser, supprimer les monopoles bureaucratiques, dénoncer les escroqueries de l'État Providence, réinventer de nouveaux droits de propriété. Tel est le message que répand une nouvelle génération d'économistes contestataires dont certains n'hésitent pas à se dire « libertariens » ou même « anarcho-capitalistes ». 8322

Demain le libéralisme *Inédit*

Après le succès de *Demain le capitalisme*, Henri Lepage poursuit son analyse vigoureuse des impasses auxquelles nous ont conduits une vision trop angélique de l'État et une conception trop quantitativiste de la science économique. Comment redécouvrir le véritable sens économique et politique du mot libéralisme. 8358

IMPRIMÉ EN FRANCE PAR BRODARD ET TAUPIN
7, bd Romain-Rolland - Montrouge - Usine de La Flèche.
HACHETTE/PLURIEL - 79, bd Saint-Germain - Paris.
ISBN : 2 - 01 - 008948 - 0

27.8392.6